NEUE WISSENSCHAFTLICHE BIBLIOTHEK 113
LITERATURWISSENSCHAFT

Deutsche Literatur der Jahrhundertwende

NEUE WISSENSCHAFTLICHE BIBLIOTHEK

Deutsche Literatur der Jahrhundertwende

Herausgegeben von
Viktor Žmegač

Verlagsgruppe
Athenäum – Hain – Scriptor – Hanstein

CIP-Kurztitelaufnahme der Deutschen Bibliothek

Deutsche Literatur der Jahrhundertwende /
hrsg. von Viktor Žmegač. – Königstein/Ts. :
Verlagsgruppe Athenäum, Hain, Scriptor,
Hanstein, 1981.
(Neue wissenschaftliche Bibliothek ;
113 : Literaturwiss.)
ISBN 3-445-02108-2
ISBN 3-445-12108-7
NE: GT, Žmegač, Viktor [Hrsg.]

Gesamtherstellung: Friedrich Pustet, Regensburg
Printed in Germany
ISBN 3-445-02108-2 kt.
ISBN 3-445-12108-7 geb.

Inhalt

Vorwort

Seit etwa zwanzig Jahren gilt die Aufmerksamkeit der literarhistorischen wie auch der kulturgeschichtlichen Forschung zunehmend der Epoche, die vom ausgehenden 19. Jahrhundert bis zum Ausbruch des Weltkrieges reicht. Der Versuch, das Zeitalter historisch zu erkunden und als Einheit zu begreifen, überrascht keineswegs: mehr und mehr setzt sich die Erkenntnis durch, daß gerade die Jahrzehnte um 1900 in vielfacher Hinsicht von entscheidender Bedeutung für das geschichtliche Geschehen der darauf folgenden Zeiten waren. In den meisten europäischen Ländern – und Deutschland ist dafür ein besonders einprägsames Beispiel – bildeten sich damals jene wirtschaftlichen und politischen Wirkungskräfte heraus, ohne die auch die gegenwärtigen Verhältnisse kaum verstanden werden können. Das Interesse an der Jahrhundertwende ist sicherlich unter anderem durch die Gewißheit bedingt, daß der prüfende Rückblick Konstellationen trifft, unter denen die folgenreichsten Weichestellungen für die Zukunft erfolgten. Neben der Betrachtung des Historikers ist heute aber vor allem jene Sicht wirksam, aus der die Vergangenheit um 1900 als Gegenstand sogenannter Nostalgie erscheint. Daß dieses historische Fernweh, wie man das Phänomen vielleicht nennen darf, heute so intensiv ist (und zweifellos auch ohne Manipulation spürbar wäre), kann angesichts mancher Aussichten unserer Zeit nicht überraschen. Auch mögen diejenigen recht haben, die behaupten, aus Erscheinungen wie „Nostalgie" sei viel mehr über unsere Gegenwart zu entnehmen als über die jeweilige vergangene Epoche. Dennoch gibt der Umstand zu denken, daß sich Äußerungen antiquarischer Sehnsucht gerade an bestimmte Zeitläufe heften. Mit der Frage, warum ein nach wie vor lebhaftes Interesse an der Jahrhundertwende bestehe, ist abermals der Geschichtsforscher angesprochen, mit seiner Methodik, die nicht ausschließlich dem aktuellen, gewiß auch modischen Anlaß entspricht.

Eine besondere literarhistorische Nostalgie, falls es dergleichen überhaupt gibt, macht sich allerdings nicht bemerkbar. Obwohl noch viel Entdeckerfreude am Werk ist, gilt die Epoche, namentlich unter germanistischen Aspekten, zu Recht als schwierig, gleichsam als sperrig und schwer überschaubar. Nun zeigt aber die Forschung der letzten Jahrzehnte (die hier in einer Auswahl leichter zugänglich gemacht wird), daß man endlich davon abgekommen ist, die zunächst verwirrende Vielfalt der literarischen und ideologischen Tendenzen in ein schlichtes Ablauf-Schema zu pressen, das aus den sich anbietenden Schlagwörtern jener Zeit (Impressionismus, Neuromantik usw.) zusammengestellt werden konnte. Man hat vielmehr gelernt, die Dinge im Zusammenhang zu sehen und dabei Querverbindungen wie auch Gegensätze und Widersprüche zu erkennen, deren sich die Zeitgenossen damals vermutlich nicht bewußt waren. Vor allem aber hat man erkannt, daß es nicht möglich ist, die einzelnen Orientierungen innerhalb des Stil- und Gesinnungspluralismus des Zeitalters – eines Nebeneinanders, wie es in der deutschen Literatur weder in der Epoche nach 1848 noch in der Gründerzeit vorhanden war – getrennt, voneinander isoliert zu behandeln. Die neueren literarhistorischen Bemühungen erweisen, daß es mit vereinfachenden Schematisierungen nicht getan ist und daß es gilt, zu klärenden Einsichten auf Wegen zu gelangen, die infolge der Fülle des Stoffes weder rasche noch bequeme Lösungen erlauben.

Eine – wie man meinen sollte – entscheidende Phase der Forschung kann jedoch schon überblickt werden. Die hier gesammelten Arbeiten geben ein Bild davon. Die Auswahl wurde von der Absicht geleitet, Schwerpunkte sichtbar zu machen: sowohl in den Versuchen, ein neues Panorama des Zeitalters behutsam zu entwerfen, wie auch im Bereich der verschiedenen Einzelfragen gewidmeten Studien. Als Auswahlkriterium wurde nicht zuletzt der Anteil an komparatistischen, übernationalen Gesichtspunkten berücksichtigt – ein gerade dieser Epoche zweifellos adäquater Maßstab. Die meisten Aufsätze stammen aus den letzten beiden Jahrzehnten. Nur die Arbeiten von Rosenhaupt und Kayser dokumentieren unterschiedliche frühere Ansätze.

Die Gliederung der Texte in drei Gruppen dient dazu, Themen der Forschung vorzustellen; sie erhebt selbstverständlich nicht den Anspruch, als ein methodisches „System" zu gelten. Daß die einzelnen Aufsätze der drei Gruppen nun einen literaturwissenschaftlichen Zusammenhang, einen Kontext bilden, innerhalb dessen sie einander berühren, ergänzen und in einigen Fällen auch kritisch beleuchten, sollte für den Leser zusätzlich von Nutzen sein. In diesen angestrebten Zusammenhang fügt sich auch die einleitende Abhandlung des Herausgebers ein. Sie versteht sich übrigens nicht so sehr als Musterung oder Resümee der Forschung (denn Berichte dieser Art liegen für Teilbereiche schon vor), sondern viel eher als ein ergänzender Beitrag, in dem es hauptsächlich darum geht, die Aufmerksamkeit auf bisher weniger beachtete Aspekte zu lenken und damit allenfalls einem Gesamtbild näher zu kommen.

Für die Anordnung der Texte ergaben sich in erster Linie sachliche Gesichtspunkte, auch innerhalb der einzelnen Gruppen. Aufsätze, in denen allgemeine Begriffe erarbeitet werden, stehen am Anfang; allein auch hier erweist sich der Zusammenhang als entscheidend, denn hin und wieder treten übergeordnete Aspekte auch dort hervor, wo man vermutet, es sei lediglich von speziellen Dingen die Rede. Bei gleichgearteten Texten entschied die Chronologie, in manchen Fällen die Breite des Blickfeldes. Daß die Reihenfolge keine Wertung impliziert, versteht sich von selbst.

Die Auswahl beschränkt sich auf literarhistorische Arbeiten. Untersuchungen, deren Schwerpunkte in anderen Bereichen liegen, konnten schon aus Raumgründen nicht aufgenommen werden. Die Zahl der Schriften, die berücksichtigt werden müßten, wollte man den gesamten politischen, wirtschaftlichen und kulturellen Kontext deutlich machen, ist Legion. Es sei daher auf die Bibliographie im Anhang verwiesen, die auch einige Arbeiten zur allgemeinen Geschichte der Epoche enthält. Da sich die Zahl der Titel der Bibliographie in Grenzen hält, konnte die zeitliche anstelle der alphabetischen Folge gewählt werden. Auf diese Weise vermag das Verzeichnis auch einen gewissen Beitrag zur Forschungsgeschichte zu leisten. Es darf nicht überraschen, daß Sekundärliteratur zu einzelnen Autoren fehlt; bereits eine halbwegs brauchbare Liste zu Thomas Mann, Rilke oder Hofmannsthal hätte alle Proportionen gesprengt. Das Erscheinen einiger Arbeiten, die vom Titel her eine Ausnahme vermuten lassen, ist dadurch begründet, daß in ihnen Kapitel enthalten sind, die über das monographische Thema hinaus einen Einblick in die gesamte Epoche bieten.

Herausgeber und Verlag danken allen Inhabern der Rechte für die Abdruckgenehmigung.

Zagreb, im Februar 1981 V. Ž.

VIKTOR ŽMEGAČ

Zum literarhistorischen Begriff der Jahrhundertwende (um 1900)

I

Die Epoche um 1900 erscheint nicht erst im literarhistorischen Rückblick als die Zeit eines literarischen und künstlerischen Stilgemenges. Bereits bei den Zeitgenossen setzte sich die Erkenntnis durch, die Gegenwart sei in einem bisher ungewohnten Maße durch ein Nebeneinander und Gegeneinander unterschiedlicher ästhetischer Bestrebungen gekennzeichnet. Der „Stilpluralismus" existierte durchaus schon als Vorstellung, wenn auch das Wort noch nicht zur Verfügung stand. Robert Musil, der zu Beginn des Jahrhunderts sein erstes Erzählwerk veröffentlicht hatte und der als sensibler Literat und zugleich als homo faber und Erfinder eines Farbkreisels für Wahrnehmungsexperimente in der Psychologie auch selbst etwas von der Vielfalt der Zeit verkörperte, entwarf später im *Mann ohne Eigenschaften* ein einprägsames Porträt der Epoche, das ganz auf der Darstellung von Widersprüchen beruht.

„Es wurde der Übermensch geliebt, und es wurde der Untermensch geliebt; es wurden die Gesundheit und die Sonne angebetet, und es wurde die Zärtlichkeit brustkranker Mädchen angebetet; man begeisterte sich für das Heldenglaubensbekenntnis und für das soziale Allemannsglaubensbekenntnis; man war gläubig und skeptisch, naturalistisch und preziös, robust und morbid; man träumte von alten Schloßalleen, herbstlichen Gärten, gläsernen Weihern, Edelsteinen, Haschisch, Krankheit, Dämonien, aber auch von Prärien, gewaltigen Horizonten, von Schmiede- und Walzwerken, nackten Kämpfern, Aufständen der Arbeitssklaven, menschlichen Urpaaren und Zertrümmerung der Gesellschaft. Dies waren freilich Widersprüche und höchst verschiedene Schlachtrufe, aber sie hatten einen gemeinsamen Atem; würde man jene Zeit zerlegt haben, so würde ein Unsinn herausgekommen sein wie ein eckiger Kreis, der aus hölzernem Eisen bestehen will, aber in Wirklichkeit war alles zu einem schimmernden Sinn verschmolzen. Diese Illusion, die ihre Verkörperung in dem magischen Datum der Jahrhundertwende fand, war so stark, daß sich die einen begeistert auf das neue, noch unbenützte Jahrhundert stürzten, indes die anderen sich noch schnell im alten wie in einem Hause gehen ließen, aus dem man ohnehin auszieht, ohne daß sie diese beiden Verhaltensweisen als sehr unterschiedlich gefühlt hätten."[1]

Es ist fraglich, ob heute noch die Bereitschaft besteht, den von Musil beschworenen „schimmernden Sinn" anzuerkennen. Dagegen kann kein Zweifel daran sein, daß der ironische Erzähler mit seinem anschaulichen Katalog der Gegensätze wesentliche Züge erfaßt und ein Gesamtbild suggeriert, das zu verweilender Betrachtung einlädt. Die Geschlossenheit der Sicht verdankt die Passage dem Umstand, daß die Tendenzen der Zeit fast ausschließlich durch Zeichen ästhetischer und philosophischer Kultur ausgedrückt sind. Es wäre daher leicht, die Zusammenstellung zu ergänzen, etwa durch Hinweise auf die Widersprüche im bürgerlichen zivilisatorischen Alltag. Doch Musils Panorama bleibt nicht zuletzt deshalb so bezeichnend, weil es sichtbar macht, daß der Pluralismus vor allem eine Erscheinung auf dem Gebiet imaginierender Kultur war: eine Vielfalt mehr oder minder offen miteinander konkurrierender Versuche, ideologische Muster anzubieten, die Welt literarisch zu interpretieren, im Bereich des sublimierten

Luxus neue Formen zu gewinnen. In der Sicht des Romanciers ordnet sich die Fülle der Tendenzen zu einer binären Opposition, deren Glieder man behelfsmäßig mit zwei Losungsworten jener Zeit benennen kann: „Vitalismus" und „Dekadenz". Beide haben, namentlich in den deutschsprachigen Ländern, ihre gedankliche Prägung durch Nietzsche erfahren. Musil verzichtet freilich auf begriffliche Festlegung und fächert lieber Konnotationen auf. Der Lebenskult der Jahrhundertwende mit seinem vitalistischen Pathos ist durch den gleichsam hygienischen und sportlichen Übermenschen repräsentiert, durch die Anbetung der Sonne, menschliche Urpaare sowie – Abenteuertum und Imperialismus gleichermaßen assoziierende – Prärien und gewaltige Horizonte. Auf der Gegenseite stehen die Zeichen der Verfeinerung und Lebensmüdigkeit, auch der Künstlichkeit, die noch zusätzlich den Gegensatz zu den als reine Natur empfundenen Phänomenen unterstreichen. In der Zone der Dekadenz erscheint auch die Natur nur in pathologischer Abweichung, als Krankheit und Rauschgift, oder aber in den Bereich des Artifiziellen entrückt, so in der Metapher vom „gläsernen Weiher".

Daß eine glatt aufgehende Teilung in die beiden Bedeutungssphären angesichts der geschichtlichen Realität nicht gelingen kann, ist auch an Musils Bildersprache erkennbar. Die Attribute „robust" gegenüber „morbid" erlauben eine eindeutige Zuordnung im erwähnten Sinn; doch schon bei den anderen beiden Eigenschaftspaaren („gläubig und skeptisch", „naturalistisch und preziös") macht sich ihre Sperrigkeit im Verhältnis zu den Bildfeldern bemerkbar. Gläubigkeit und Skepsis gehen nicht in der Opposition Vitalismus und Dekadenz auf, ebensowenig wie sich Naturalismus und Preziosität als Gegensatzpaar mit ihr zu decken vermögen. Der preziöse, alles Künstliche betonende Ästhetizismus verstand sich zwar als Antipode des naturalistischen Kunstverständnisses, war jedoch nicht weniger „gläubig", d. h. doktrinär und von seiner Sendung überzeugt, als seine Gegenspieler. Entsprechende Schwierigkeiten stellen sich ein bei der Gleichsetzung von Naturalismus und Lebenskult: obwohl die Verflochtenheit von Sozialdiagnostik, monistischer Philosophie und Schönheitsidolatrie, man könnte auch sagen: von Comte, Taine, Haeckel und Nietzsche, bei den meisten Naturalisten offenkundig ist, wäre es höchst ungenau, die naturalistische Wissenschaftsgläubigkeit, die nicht selten auch politisch akzentuiert war, in derselben Front mit dem herausfordernd betonten Irrationalismus aus dem Umkreis der Lebensphilosophie oder der Heimatkunst-Bewegung zu sehen. Zahlreiche Überschneidungen sind freilich nicht zu übersehen, doch das gilt von den meisten künstlerischen (und auch ideologischen) Konzeptionen der Jahrhundertwende, zumal in Fällen, wo die einzelnen Strömungen insgesamt oder in einigen Phasen durch Personalunion miteinander verbunden sind. Das Schaffen Gerhart Hauptmanns ist sicherlich das einprägsamste Beispiel, allein auch Arno Holz und Johannes Schlaf sind zu nennen (zuerst mit ihrer Gemeinschaftsproduktion, dann getrennt), ferner Hofmannsthal und Schnitzler, oder etwa Paul Ernst, dessen Schaffensweg sich in den Jahren zwischen 1890 und 1910 in extremen Bahnen bewegt und vom Naturalismus zur Neuklassik führt.

Mit den beiden genannten Jahren ist ungefähr der Spielraum des Begriffes ‚Jahrhundertwende' abgesteckt. Die damit bezeichnete Epoche tritt, wie noch zu zeigen sein wird, bereits im Selbstverständnis jener Zeit umrißhaft hervor, und sie spielt erst recht in der heutigen Forschung eine bestimmende Rolle. Die relative Einheit des Zeitraumes zu betonen, ist schon deswegen wichtig, weil in der herkömmlichen Literaturgeschichtsschreibung nicht selten ein irreführendes Bild von der in dieser Periode herrschenden literarischen Verhältnissen entstand. (W. Rasch hat in seiner hier abgedruckten Untersuchung die Wichtigkeit einer Korrektur überzeugend dargelegt.) Die Notwendigkeit, die einzelnen literarischen Richtungen getrennt darzustellen, ließ ein Anschauungsschema entstehen, wonach es sich um eine Folge einander ablösender Strömungen handle, von denen jede eine kürzere oder längere Phase für sich beanspruchen dürfe. Diesem Schema zufolge wurde der Naturalismus von einer sich als Symbolismus bzw. Impressionismus verstehenden, jedenfalls sich vom naturalistischen Programm absetzenden Kunstauffassung abgelöst, diese wiederum von einer die dekorativen, aber auch die ideologisch bestimmten Züge des Ästhetizismus radikalisierenden Tendenz, die dann ihrerseits eine Reaktion hervorrief, deren deutlichster Ausdruck die extremen Ausprägungen des Expressionismus waren. Obwohl eine Abfolge in der Verlagerung von Schwerpunkten nicht bestritten werden kann, gilt es dennoch, mit Nachdruck klarzustellen, daß die wesentlichen literarischen Bestrebungen der Jahrhundertwende ungefähr gleichzeitig einsetzten und daß ihr Nebeneinander gerade dann am deutlichsten erkennbar wird, wenn man von extremen Beispielen ausgeht: in Deutschland von Texten aus der Zeit zwischen 1889 und 1893, als poetologisch so weit voneinander entfernte Werke wie die Prosaskizzen des „konsequenten Naturalismus" (Holz/Schlaf), die ästhetizistische Poesie Georges, die Milieudramen Hauptmanns sowie so bizarre Dichtungen wie Dauthendeys *Ultra Violett* innerhalb weniger Jahre erschienen, paradigmatische Texte des Naturalismus (Hauptmanns *Weber*) und des Symbolismus (Georges *Algabal*) gleich im selben Jahr, 1892. In den beiden letztgenannten Werken steht ein doktrinär mimetisches Verständnis der Sprache in ästhetischer Funktion einem nicht weniger ausgeprägten Beispiel von „Sprachmagie" gegenüber. Für die Gleichzeitigkeit in der Ausbildung naturalistischer und impressionistischer Strukturierung ist das getrennte Schaffen von Arno Holz und Johannes Schlaf das überzeugendste Beispiel. Schlaf stellte sich der Öffentlichkeit als selbständiger Autor vor mit einem Beitrag zur naturalistischen Dramaturgie (*Meister Oelze*) sowie einer eher eklektischen Prosadichtung (*In Dingsda*), jedenfalls mit Werken, die zeigen, daß Naturalismus und Impressionismus in sprachstilistischer Hinsicht weitgehend identische Bestrebungen aufweisen und daß erst Wirklichkeitsauffassung und Funktionspoetik die Unterschiede erkennbar machen. Beide Texte erschienen ebenfalls 1892. Gleichsam als Musterkatalog des Stilpluralismus kann der *Phantasus* von Holz gelten. Die Sammlung erschien zwar erst 1898/99, allein als Entstehungszeit sind die Jahre von 1891 an zu betrachten. Im Bereich des Dramas sind die Anfänge Wedekinds (*Frühlings Erwachen*, 1891) bezeichnend für die Stilmischung naturalistischer und gegennaturalistischer Elemente, die bereits die erste Phase des deutschen Bühnennaturalismus eintrübt. In der österreichischen Literatur könnte man mit einem gewissen Recht sogar von einem verspäteten Einsetzen naturalistischer Tendenzen sprechen (so daß die für Deutschland gewöhnlich angenommene Reihenfolge: Naturalismus – Symbolismus bzw. Impressionismus und Neuromantik fast umgekehrt erscheint). Auf die stilistisch sich stark voneinander unterscheidenden frühen Einakter Schnitzlers und Hofmannsthals folgt eine Phase, in der sich bei Schnitzler, vor allem nach 1900, ein verstärktes Interesse für das Drama in der Art Ibsens äußert. Ein „konsequenter Naturalismus" setzte sich freilich nicht durch. Auch in der Erzählprosa zieht Schnitzler die Folgerungen moderner Erzähltechnik relativ spät: auf mustergültige Weise im *Leutnant Gustl* (1900).

Die Koexistenz dieser Auffassungen schien den Zeitgenossen eher selbstverständlich zu sein, so daß ein Autor wie Hauptmann ohne Bedenken (und ohne sich der Gefahr auszusetzen, in den Augen der Umwelt seine künstlerische Identität einzubüßen) um die Mitte der neunziger Jahre in seinen Bühnenwerken abwechselnd naturalistische und „neuromantische" Grundsätze in Themenwahl und Dramaturgie befolgen konnte. Ja ein Drama wie *Hanneles Himmelfahrt* führt sogar die Verknüpfung entgegengesetzter

Stilprinzipien in ein und demselben Text vor – ein Beweis, wie stark die Vorstellung von Stilpluralismus in der Epoche selbst verwurzelt war. (Die Ansicht, hier werde ein Stilmuster durch ein anderes abgelöst, mag allenfalls eine Zeitlang die Anschauung des damaligen Publikums geprägt haben, wobei die vermeintliche Entscheidung des Dichters zugunsten einer romantisierenden Mythenphantasie in der *Versunkenen Glocke* vor allem von jenen Zuschauern mit Befriedigung quittiert wurde, die froh waren, den Strapazen naturalistischer Elendschilderungen entronnen zu sein. Doch schon Hauptmanns nächstes Drama, *Fuhrmann Henschel*, setzte das Publikum just wieder der unbequemen Weltsicht des Naturalismus aus.) Nicht zu vergessen ist schließlich, daß zur literarischen Vielfalt der Jahrhundertwende nicht zuletzt das Schaffen einiger Vertreter der sogenannten Realistengeneration gehörte, so daß mit Keller, C. F. Meyer, Raabe und Fontane ein mehr oder minder erkennbarer Überhang der Tradition das Gesamtbild der Epoche bestimmte.

Noch deutlicher tritt der pluralistische Charakter des späten 19. Jahrhunderts hervor, wenn man den gesamteuropäischen Zusammenhang berücksichtigt, namentlich aber die Tendenzen in der – gerade zu jener Zeit dominierenden – französischen Literatur. Die entscheidenden Daten fallen dort in die siebziger und achtziger Jahre: mit dem gleichzeitigen Aufkommen des Naturalismus Zolas sowie einer durch das Schaffen Mallarmés am strengsten ausgeprägten exklusiven und esoterischen Kunstlehre wurden die entscheidenden Weichen für das literarische Geschehen der folgenden Jahrzehnte gestellt, und zwar nicht nur in Frankreich. Mitte der siebziger Jahre erscheinen Mallarmés Dichtung *L'après-midi d'un faune* und Zolas Roman *L'assommoir* fast zur selben Zeit, zehn Jahre später gilt das von Huysmans Ästhetizismus-Roman *A rebours* und Zolas *Germinal*. In den Neunzigern ergibt sich für eine synchron ausgerichtete Literaturgeschichte ein Befund von besonderer Dichte: die maßgeblichen Signale kommen von so unterschiedlichen Autoren wie Ibsen, Hamsun, Strindberg, Maeterlinck, Wilde, Shaw, D'Annunzio, Hauptmann, Holz, Schnitzler, Hofmannsthal, Čechov. Der von Rasch zitierte Brief Paul Valérys aus dem Jahre 1890 ist ein sehr anschaulicher Beitrag zur Diagnose der Zeit, ein Zeugnis der Empfänglichkeit für ein ganzes Spektrum künstlerischer Möglichkeiten. Bald ist der Künstler, schreibt Valéry, ein Priester am Altar der Sprachkunst, bald überläßt er sich ganz den Eindrücken und hält z. B. die Impressionen eines Abends in den Straßen der Großstadt fest. Der Künstler „achtet die Lampen eines Omnibus nicht geringer als die Sterne, er schlüpft in die Seele von Heliogabal oder Nebukadnezar wie in die eines eben vorübergehenden Zuhälters, [. . .] und so lebt er in einem Wort tausend Leben!" Hinzuzufügen ist eine Äußerung aus einem vier Jahrzehnte später geschriebenen Brief, in dem der Autor im Rückblick auf das ausgehende Jahrhundert schreibt, man habe damals viel mehr „Experimente" gewagt als je zuvor, und gerade das sei der bemerkenswerteste Zug der Entwicklung gewesen. „Auf diese Mannigfaltigkeit vor allem muß man hinweisen. Nie gab es mehr Für und Wider, mehr Untersuchungen, mehr Kühnheit."[2]

Folgt man den Gedanken von des Esseintes, dem problematischen Helden in Huysmans *A rebours* (1884), erfährt man eine ähnliche Diagnose. Dort ist von der Verfeinerung der französischen Sprache die Rede, einem Stadium der „Dekadenz", das sich ganz unversehens einstellte, nicht nach einem langen geschichtlichen Prozeß, wie das in der Romania beim Latein der Fall war. „In der französischen Sprache war keine Zeit verstrichen, keine Zeitalter waren vergangen; der bunte und stolze Stil der Gebrüder Goncourt und der gesuchte Stil Verlaines und Mallarmés stießen aufeinander, lebten in Paris zur gleichen Zeit, zur gleichen Epoche, im gleichen Jahrhundert."[3] Die Bedenken, die dem Sprachhistoriker bei der Lektüre sicherlich kommen, brauchen uns hier nicht zu beschäftigen. Worauf es ankommt, ist abermals die Sicht eines Zeitgenossen, der gerade das Zusammenspiel heterogener Erscheinungen als erstaunliche Tatsache feststellt. Nicht unerwähnt sollte übrigens bleiben, daß der Erzähler dieses eigentümlichen Romans den Schritt zur „Dekadenz" als einen ambivalenten Vorgang beurteilt, d. h. in dem viel berufenen Phänomen sowohl Vollendung und Erlesenheit als auch Erschöpfung und Niedergang erblickt. Trotz aller stofflichen Unterschiede drängt sich ein Vergleich auf mit der Dialektik des „Verfalls" in Thomas Manns *Buddenbrooks*, wo Niedergang ebenfalls zugleich Verfeinerung bedeutet. Im Hinblick auf die breite Streuung dieses Verständnismusters bzw. literarischen Motivs im ausgehenden 19. Jahrhundert ist in der Unsicherheit, im Schwanken zwischen verschiedenen Maßstäben, gewiß ein herausragendes Zeitsymptom zu sehen. Daß die zweite Jahrhunderthälfte eine Epoche unterschiedlicher künstlerischer Auffassungen war, eine Zeit der Alternativen, geht schließlich aus einer Äußerung Victor Hugos von 1864 hervor, der zufolge Kunst um der Kunst willen achtenswert sei, aber nicht so achtenswert wie Kunst um des Fortschritts willen.[4] Mallarmés Sprachkunst als die eine Möglichkeit, Zolas „Engagement" als die andere, bessere – so läßt sich Hugos Auffassung konkretisieren.

In Deutschland und Österreich traten die literarischen Antagonismen erst später in Erscheinung, in vollem Maße erst zu Beginn der neunziger Jahre, doch dafür geriet das Bild der Jahrhundertwende um so vielgestaltiger, weil infolge der Verspätung im Vergleich mit Frankreich die deutschsprachige literarische Szene auch schon die sich auffächernden Reaktionen auf die Frontenbildungen in sich aufnahm. Trotz der verwirrenden Vielfalt der durcheinanderwirbelnden Schlagwörter (die von manchen Literaten der Zeit offenbar wie verbale Rauschmittel genossen wurden, wobei so absonderliche Prägungen wie „naturalistische Romantik"[5] und ähnliche gar nicht so selten waren) machte sich schon früh die Tendenz bemerkbar, die Einheit der Zeit auch im Stilpluralismus zu begreifen und terminologisch zu markieren. Als übergreifende Benennung für alle von der Tradition sich abhebenden künstlerischen Bestrebungen bot sich, bereits in den späten achtziger Jahren, der Terminus ‚Moderne' an, ein Wort, das – auch in einigen anderen Ländern, romanischen und slawischen – gerade in den beiden Jahrzehnten nach 1890 über alle Unterschiede hinaus eine gewisse Solidarität und Identität der jungen Literatur und Kunst ausdrückte. Zu dieser Literatur gehörte in den meisten europäischen Ländern, und so auch in Deutschland, der Naturalismus nicht weniger als die ihm skeptisch gegenüberstehenden Strömungen. Die Verflochtenheit der verschiedenen Spielarten des Naturalismus mit den von Schopenhauer, Nietzsche und der l'art-pour-l'art-Tradition beeinflußten Kunstauffassungen war trotz der programmatischen Gegensätze oft so eng, daß es schon eines sehr beträchtlichen Aufwandes schematischen Denkens bedarf, um aus dem Nebeneinander ein übersichtliches Nacheinander zu machen. Einer vereinfachenden Sicht entspricht ebenso die Behauptung, der man hin und wieder begegnet, wonach die Einheit der Jahrhundertwende vor allem in ihrem Gegensatz zum Naturalismus zu erblicken sei.[6] Zählt man zur ‚Jahrhundertwende' auch die zehn bis fünfzehn Jahre vor 1900, wie das heute fast ausnahmslos geschieht, so widerlegt sich die These von einem Zweischritt ganz von selbst. Wer sich auf Arnold Hausers *Sozialgeschichte der Kunst und Literatur* (1953) beruft, darf nicht vergessen, wie frei der Autor mit der Terminologie umspringt: die beiden großen Stilphasen des Zeitraums zwischen der Julirevolution und dem Ersten Weltkrieg gewinnt er dadurch, daß er bereits die Romankunst Balzacs und Stendhals als „Naturalismus" begreift, somit also einen Stilblock von Balzac über Flaubert zu Zola postuliert, und anderseits den

Begriff ‚Impressionismus' auf alle Tendenzen ausdehnt, die sich der realistischen (naturalistischen) Tradition entgegensetzen lassen.[7] Die Notwendigkeit, unter diesen Bedingungen von einem Impressionismus im weiteren Sinne (der als Generalnenner der Jahrhundertwende benötigt wird) und einem Impressionismus im engeren – und einzig statthaften, präziseren – Sinne zu sprechen, hat Hauser auch selbst eingesehen. Aus seinen Ausführungen, besonders aus den stets überzeugenden Einzelanalysen stilistischer Bestrebungen, geht deutlich hervor, daß Naturalismus und Impressionismus aufs engste zusammenhängen, sachlich und zeitlich, und daß es anderseits kaum möglich ist, die impressionistische, sensualistisch orientierte Theorie und Praxis in Malerei und Literatur so nahe an die esoterisch ausgerichtete Kunstübung des Symbolismus heranzurücken, daß eine gemeinsame Front gegenüber dem Naturalismus plausibel gemacht werden könnte.

Der Versuch, die pluralistische Gleichzeitigkeit des kulturellen Geschehens nach dem Muster von Bewegung und Gegenbewegung aufzugliedern, ist ein über jedes heuristisch vertretbare Maß hinausgehendes „Arrangement", das statt Klarheit zu schaffen die Dinge eher verunklärt. Obwohl es im Prinzip nicht sehr ratsam ist, sich von den Zeitgenossen des jeweiligen historischen Geschehens Begriffe und Gliederungsgrundsätze vorgeben zu lassen, lohnt es sich im vorliegenden Fall durchaus, die nüchternen Meinungen mancher Kritiker aus jener Zeit zur Kenntnis zu nehmen. Es ist zunächst bezeichnend, wie viele Kritiker der Jahrhundertwende Widerstand gegenüber der Betörung durch einzelne aktuelle Schlagwörter leisteten und daran interessiert waren, in der Vielfalt der programmatischen Losungen die verbindenden Züge, so etwas wie eine Zeitsignatur, zu erkennen. „*Naturalismus, Realismus, Symbolismus, Impressionismus, Mystik*, das alles wirbelt durcheinander, ohne daß jemand mit diesen schönen Worten den Ernst des Begreifens verbindet", schrieb 1904 der Kritiker Hans Landsberg in der Schrift *Die moderne Literatur*. „Es kommt einzig darauf an, sie nicht als literarische Strömung, sondern als Weltanschauung, als spezifische Veranlagung von Temperament und Charakter zu begreifen."[8] Doch Landsberg versuchte zugleich, die den verschiedenen nebeneinander existierenden Weltanschauungen innewohnende Klammer zu erkunden, und er fand sie in der – auf den Naturalismus wie auf den Symbolismus gleichermaßen zutreffenden – Neigung, den Künstler hinter seine Dichtung zurücktreten zu lassen.[9]

Das darin zum Ausdruck gelangende Bewußtsein von der Einheit in den Tendenzen des Zeitalters bekundete sich, wie erwähnt, allgemein in der Verbreitung des Begriffs „Moderne". Zwei bedeutende literaturkritische Werke der Epoche, Samuel Lublinskis Bücher *Die Bilanz der Moderne* (1904) und *Der Ausgang der Moderne* (1909), versuchen, durch das Schlüsselwort der beiden Titel das Signum der Epoche erkennbar zu machen. Allenthalben ist bei den Zeitgenossen das Bedürfnis ausgeprägt, mit einem synthetischen, absichtlich sehr weitmaschigen Begriff die Verlegenheit zu überwinden, die sich angesichts eines Überangebots an „Ismen" und ähnlichen Bezeichnungen mit der Zeit einstellte. Als Schlagwort gelangte „die Moderne" in den späten achtziger Jahren in Umlauf und diente zunächst als Losung der jungen naturalistisch orientierten Literaten. In den 1887 in der „Allgemeinen Deutschen Universitätszeitung" veröffentlichten Thesen zur neuen Literatur ist von dem Entschluß die Rede, „den Menschen mit Fleisch und Blut und mit seinen Leidenschaften in unerbittlicher Wahrheit [zu] zeichnen", die „Moderne" als „höchstes Kunstideal" anzuerkennen und der „Epigonenklassizität" den Kampf anzusagen.[10] In Ton und Tendenz unterscheidet sich der Text kaum von den zahlreichen, in der „Gesellschaft" und anderen Zeitschriften publizierten manifestartigen Artikel, die dem Naturalismus und verwandten Auffassungen den Weg bereiteten.

Ein Jahrzehnt später konnte der Begriff nicht mehr mit der Rezeption Ibsens, Zolas, Maupassants oder der großen russischen Romanciers gleichgesetzt werden; die Situation der neunziger Jahre hatte sich kompliziert, der neu definierte „Realismus" (Naturalismus) war in Deutschland um 1890 aus seiner vorwiegend deklarativen, vorbereitenden Phase herausgetreten, sah sich aber auf seinem ersten Höhepunkt bereits mit rivalisierenden künstlerischen und weltanschaulichen Positionen konfrontiert. Es ist daher kein Wunder, daß in den Wortsinn nach und nach das Moment der Duldung gegenüber unterschiedlichen literarischen Konzeptionen einfloß. Als bestimmende Bedeutung verfestigte sich die einigende Losung der Zeit: anders, neu, unkonventionell zu sein.

„Das Wort ‚modern' ist über seinen ursprünglichen Begriff hinausgewachsen, es hat sich auch von dem der Mode, mit dem es verquickt wurde, wieder losgelöst", schrieb der Wiener Jurist und Literat Max Burckhard in der österreichischen Wochenschrift „Die Zeit" 1899. „Nicht an die Mode lehnt sich der Moderne, nicht auf die Vergangenheit blickt er zurück mit ängstlichem Bemühen, möglichst viel aus ihr für die Zukunft zu retten. *Anders* will er alles machen, als es bisher war, das ist der unbewußte Zug in ihm, unter dessen Bann er steht. Er repräsentiert das eine der zwei welterhaltenden Prinzipien: die Bewegungstendenz gegenüber der Beharrungstendenz. Darum ist er ein Revolutionär auf dem Gebiete, auf das er sich wirft, sei dieses nun die Politik, das soziale Leben oder die Kunst."[11] Im wesentlichen klingt hier die von den „Modernisten" der ersten Stunde, von Baudelaire und Rimbaud, vertretene Forderung nach, es komme darauf an, unbedingt neu, anders, „modern" zu sein, gleichsam konkurrenzlos dazustehen.[12]

II

Da mit Ausnahme der Heimatkunstbewegung alle Richtungen der Jahrhundertwende direkt oder – wie im Falle der Neuklassik – indirekt sich zum Grundsatz der ästhetischen Neuerung oder Alterität bekannten, erhebt sich die Frage, woher es kommt, daß sich das Prinzip des Neben- und Gegeneinanders, des ästhetischen Wettbewerbs gleichsam, in einem bislang ungewohnten Maße gerade im späten 19. Jahrhundert entfaltete. Dieses in der Forschung nur selten erörterte Problem ist wie kaum ein anderes dazu angetan, an die literarhistorische Beurteilung der Epoche heranzuführen. Als Ausgangspunkt der Überlegung bietet sich die Einsicht an, daß der Stilpluralismus keine völlig neue Erscheinung darstellt, sondern vielmehr als eine sehr auffallende Aktualisierung einer Grundtendenz aufzufassen ist, die bis zu den Anfängen eines modernen literarischen Kommunikationssystems im 18. Jahrhundert zurückverfolgt werden kann. Die Weichen stellte das Aufkommen bürgerlicher, nicht mehr höfischer Repräsentation dienender Produktionsformen im kulturellen Bereich, ein Vorgang, der u. a. dadurch markiert ist, daß Begriffe wie Kultur und Ästhetik erstmals autonom gesetzt und definiert wurden. Die Verkehrformen innerhalb der sich aus alten feudalen und kultischen Bindungen lösenden bürgerlichen Kultur brachten die Dialektik des literarischen Marktes hervor: individuelle Freiheit und neue Formen materieller Abhängigkeit zugleich.[13] Das Selbstbewußtsein des seiner potentiellen Freiheit gewahr gewordenen Künstlers äußerte sich als Individualismus, kunsttheoretisch (poetologisch) als Originalitätsforderung, kunsttechnisch als stilistische Innovation.

In der Romantik erreichte diese Entwicklung einen ersten Höhepunkt. An der Wende zum 19. Jahrhundert konnte Friedrich Schlegel in einem seiner Athenäums-Fragmente erklären: „Die romantische Dichtart [. . .] kann durch keine Theorie erschöpft werden, und nur eine divinatorische Kritik dürfte es wagen, ihr Ideal charakterisieren zu wollen. Sie allein ist unendlich, wie sie allein frei ist und das als ihr erstes Gesetz anerkennt, daß die Willkür des Dichters kein Gesetz über sich leide."[14] Obwohl im 19. Jahrhundert keineswegs von einem simplen linearen Fortschreiten in der Entfaltung dieses Grundsatzes die Rede sein kann, das Originalitätsprinzip sich vielmehr in einer Vielzahl widersprüchlicher Einzelprozesse durchsetzt, abhängig jeweils vom Literaturverständnis des Autors und den Erwartungen der Öffentlichkeit, ist dennoch erkennbar, daß ein Zuwachs an Autonomie zu den konstituierenden Zügen literarischer Geschichte gehört. In der Zeitspanne, die das ausgehende 19. vom ausgehenden 18. Jahrhundert trennt, ist die Auffassung, der Künstler – „identisch" mit seinem Werk – habe vor allem den Grundsatz der ästhetischen Einmaligkeit und Ursprünglichkeit zu befolgen, zur zweiten Natur aller künstlerisch interessierten Zeitgenossen geworden. Infolge des Abbaus übergreifender Stilnormen (die in vergangenen Epochen, bis zum 18. Jahrhundert, als Ausdruck ritualisierter Kulturvorstellungen eine Selbstverständlichkeit waren) sowie infolge des Funktionswandels der Kunst in der bürgerlichen Gesellschaft[15] wurde Raum für die Auffassung geschaffen, der Grundsatz des freien Wettbewerbs, gewissermaßen ein Kunstliberalismus, sei auch dem ästhetischen Bereich angemessen. Im Hinblick auf die spezifische Politisierung des öffentlichen Lebens bzw. die durch technische Medien beschleunigte Intensivierung der öffentlichen rivalisierenden Meinungsäußerung versteht es sich, daß der Pluralismus in der Kultur, und namentlich im literarischen Leben, zugleich in beträchtlichem Maße ein Pluralismus sozialer, zuweilen auch konkreter politischer Haltungen war. Zahlreiche künstlerische Programme der Epoche lassen die darin enthaltenen extraliterarischen Motive und Absichten mehr oder weniger deutlich erkennen.

Eine weitere, aus dem selben geschichtlichen Kontext hervorgegangene Voraussetzung ist darin zu sehen, daß das Denken in historischen, relativierenden Kategorien ebenso zu den Selbstverständlichkeiten des Zeitalters gehörte. Rund hundert Jahre nach den Anfängen des Historismus in Europa teilte Flaubert einem Briefpartner (im Sommer 1850) folgenden Gedanken mit: „Wir [. . .] haben, glaube ich, viel Geschmack, weil wir durch und durch historisch sind, weil wir alles nehmen, wie es ist, und uns auf den Standpunkt der Sache stellen, um sie zu beurteilen."[16] Sich auf den „Standpunkt der Sache" zu stellen, das ist die von Herder und dann verstärkt in der Geschichtsschreibung des 19. Jahrhunderts vertretene Forderung. Die Überzeugung, man müsse den Anschauungen und Ausdrucksformen jeder Epoche Gerechtigkeit widerfahren lassen, indem man bei deren Beurteilung die ihr immanenten Maßstäbe anlegt, führte schrittweise zu einer völlig neuen Einschätzung der Vergangenheit. Entscheidend für den Zusammenhang, um den es hier geht, ist die Tatsache, daß gerade das 19. Jahrhundert den Schritt unternahm vom postulierten Historismus in der Literaturkritik, der vor allem eine Leistung des späteren 18. Jahrhunderts war, zum praktizierten, kaum mehr theoretisch überprüften Historismus im Kulturleben namentlich der zweiten Jahrhunderthälfte. Mit der Historisierung des (bürgerlichen) Kunstbetriebs, erkennbar vor allem in der Zusammenstellung der Konzertprogramme, mit ausgeprägter Pflege alter Musik, stellte sich im Laufe der Zeit eine paradoxe Wirkung ein: das Bewußtsein von der Gleichwertigkeit bzw. der Omnipräsenz vergangener Epochen ließ das Nacheinander in den Etappen der Zeit mehr und mehr zu einem Nebeneinander werden, in dem Maße, in dem die Vergangenheit mit ihren Zeugnissen als stets greifbares Gut zur Verfügung stand. Als Effekt des Historismus stellte sich die Aufhebung der historischen Distanz ein. Die Diachronie, die nun synchron verfügbar erschien, trug zweifellos wesentlich zu der

Festigung der Vorstellung bei, daß unterschiedliche Stilkonzepte gleichzeitig bestehen und gültig sein können.[17] Allein während das historistische Interesse – das ursprünglich aus der Bestrebung hervorgegangen war, das Vorrecht der gesellschaftlich sanktionierten künstlerischen Norm abzuschaffen – Traditionen und Gegentraditionen nebeneinander gelten ließ, ohne antagonistische Verhältnisse zu schaffen, sah man es im Hinblick auf die Gegenwartskunst als gegeben an, daß die einzelnen Strömungen in einer mehr oder minder ausgeprägten Rivalität zueinander standen.

Bezeichnend für eine Zeit, die ideologische Rivalität und künstlerische Konkurrenz gleichermaßen kennt bzw. als korrelierende Erscheinungen betrachtet, sind Äußerungen von der Art, wie man sie etwa bei Arno Holz findet, Äußerungen, deren Herkunft aus dem Bereich wettbewerblichen Denkens unverkennbar ist. „Mit den ‚Sozialaristokraten‘ sowohl als mit der ‚Sonnenfinsternis‘ hatte ich mich in erster Linie auf die Schaffung zweier Rekorde gespitzt“, bekennt Holz in einem Brief an Oskar Jerschke 1909. „Und so buchstäblich Null auch das bisherige pekuniäre Gesamtergebnis dieser beiden Arbeiten gewesen ist [. . .]: Ich tausche mit keinem Meyer-Förster!“[18] Einige Jahre später heißt es auf ganz ähnliche Weise: „Ich schlug mit meiner letzten Tragödie ‚Ignorabimus‘ den letzten bisherigen ‚Weltrekord‘. Ich meine Ibsens ‚Gespenster‘. Man lag, nach wie vor, glatt auf dem Bauch vor zeitgenössischer Unterhaltungsmittelmäßigkeit und kümmerte sich nicht drum! Und ich habe heute das Höchste in der Hand, was bis jetzt ‚Lyrik‘ geleistet, und – ich kann es nicht mal ‚auf den Markt werfen‘!“[19] So viel auch in diesen Briefen – wie in zahllosen anderen Schriftstellerbriefen aus dem bürgerlichen Zeitalter[20] – von Geld die Rede ist, es handelt sich nicht nur darum, auf dem literarischen Markt bestehen zu können oder gar Erfolg zu haben (wie der von Holz genannte Meyer-Förster, der Autor des Theaterstückes *Alt-Heidelberg*); der Leitbegriff in den meisten theoretischen Schriften und kommentierenden Äußerungen des Autors ist vielmehr die Originalität der literarischen Hervorbringung, die Fähigkeit, Individualität durch ästhetische Neuerungen zu beweisen. In der in Holz' Briefwechsel mehrmals vorkommenden Bezeichnung „Rekord“ ist die Vorstellung enthalten, der konkurrierende künstlerische Zeitgenosse müsse qualitativ und quantitativ übertrumpft werden. Die eigene Leistung wird daher ohne Bedenken hervorgehoben, die etwaige Priorität im Hinblick auf vergleichbare Hervorbringungen anderer moderner Autoren ängstlich gehütet. Das Sprechen von „Rekorden“ zeigt nicht zuletzt, wie stark die entsprechenden Urteile bereits vom Wortschatz potentieller Reklame durchsetzt sind. Der im „Rekord“ enthaltene Ehrgeiz, Zeitgenossen oder Vorläufer qualitativ zu übertreffen, ist als Schaffensmotiv auf privater und auch gesellschaftlicher Ebene in der Geschichte der Künste seit dem Mittelalter bekannt, vereinzelt schon seit der Antike. Was in neuester Zeit jedoch hinzukam, war die Idee stilistischer bzw. poetologischer Konkurrenz. So gibt Holz zwar freimütig zu, Ibsen sei ein großer Dichter (im Gegensatz zu Hauptmann, von dem er sagt, er habe bloß Neuerungen der „konsequenten Naturalisten“ aufgegriffen und effektvoll zurechtgemacht), hebt jedoch stolz hervor, wie hoch die eigene Leistung, d. h. die Schaffung eines folgerichtig mimetischen, die Rede nuancierenden Dramendialogs, einzuschätzen sei, gerade im Vergleich mit der konventionellen Sprache von Ibsens Bühnenhelden.[21] Die – für das Zeitalter symptomatische – Betonung ist auf der individuell bedingten künstlerischen Neuerung, auf der Urheberschaft im Bereich *literarischer Techniken*.

Zu den Voraussetzungen für die Entfaltung solcher ästhetischer Maßstäbe zählt vor allem der Umstand, daß die Kunstformen des ausgehenden 19. Jahrhunderts in einer Zeit neuer technischer Medien und unter den Lebensbedingungen der modernen Großstadt entstehen. Ohne diese Umbruchsituation wäre, wie Hauser zu Recht betont, eine Erscheinung wie der Impressionismus nicht vorstellbar. „Es ist vor allem das rasende Tempo der Entwicklung und die Forciertheit der Veränderungen, die einen pathologischen Eindruck machen, besonders wenn man sie mit dem Gang der älteren Kulturgeschichte vergleicht und ihre Auswirkungen in der Kunst verfolgt. Die rapide Entwicklung der Technik beschleunigt nämlich nicht nur den Wechsel der Moden, sondern auch die Verschiebung der künstlerischen Geschmackskriterien; sie führt eine oft sinnlose und unfruchtbare Neuerungssucht herbei, ein rastloses Streben nach dem Neuen der bloßen Neuigkeit wegen. Die Unternehmer müssen das Bedürfnis nach modernisierten Erzeugnissen künstlich steigern und dürfen das Gefühl, daß das Neuere stets das Bessere sei, nie erlahmen lassen, wenn sie von den Errungenschaften der Technik wirklich profitieren wollen. Der fortwährende und in immer kürzeren Abständen erfolgende Ersatz der alten Gebrauchsgegenstände durch neue bringt aber ein Nachlassen des Hängens an dem materiellen und bald auch dem geistigen Besitz mit sich und paßt das Tempo der weltanschaulichen und künstlerischen Umwertungen dem des Modewechsels an."[22]

In Hausers Ausführungen ist indirekt auch eine Antwort auf die Frage enthalten, woher es kommt, daß künstlerische Turbulenz ausgerechnet von einem Zeitalter getragen wird, das – zumindest in den westeuropäischen Ländern – durch eine gewisse Stabilität überlieferter politischer Einrichtungen gekennzeichnet ist. Vergleicht man das letzte Jahrhundertende mit den kulturellen Strömungen des späten 18. Jahrhunderts, so fällt auf, wie homogen im großen ganzen die gesellschaftliche Grundlage der ästhetischen Kultur namentlich in der zweiten Hälfte des 19. Jahrhunderts war. Am deutlichsten ist das gerade im Hinblick auf die Vielfalt literarischer Konzeptionen zu erkennen: ausnahmslos handelt es sich im Bereich der Produktions- und Denkformen um Kategorien, die in den Entfaltungsphasen des europäischen Bürgertums entstanden sind. Während im Jahrhundert der Aufklärung die gesellschaftlichen Auseinandersetzungen und Umschichtungen sich in zahlreichen vermittelten Formen bekunden und bis in die Subtilitäten dichterischer Praxis eindringen, läßt die Situation der Jahrhundertwende die inneren sozialen Spannungen der Zeit kaum erkennen. Die Arbeiterschaft, namentlich in der Organisationsform der Sozialdemokratie, ist zu jenem Zeitpunkt bereits eine beträchtliche politische Kraft; eine eigenständige Kultur, die vergleichbar wäre mit den Leistungen des Bürgertums, hat sie jedoch nicht hervorgebracht. Daher kann von einer *künstlerischen* Rivalität der Gesellschaftsklassen im späteren 19. Jahrhundert nicht die Rede sein. Der Wettstreit ästhetischer Programme, in dem auch der Naturalismus keine Ausnahme bildet, ist eine Angelegenheit bürgerlicher Kultur. Und auch die eigenen kulturellen Bemühungen des organisierten Proletariats sind weitgehend durch eine Orientierung an bürgerlichen Traditionen gekennzeichnet.

Wer sich in der Essayistik der Jahrhundertwende umsieht, findet bereits bei einigen Autoren der Zeit Gedanken über die gesellschaftlichen Voraussetzungen des epochenspezifischen literarischen Lebens. Zumeist handelt es sich freilich um Überlegungen, die heute dazu angetan sind, die Aufmerksamkeit der positivistisch ausgerichteten Literatursoziologie auf sich zu ziehen. *Literatur als Ware*: Unter diesem Titel machte der Publizist Alfred Wechsler unter dem Pseudonym W. Fred 1911 in einer mit nüchternen Angaben versehenen Schrift auf Sachverhalte aufmerksam, die um 1900 mehr und mehr zu einem aktuellen Thema literarischer Kreise geworden war.[23] Anregungen waren vor allem von Fontanes bekanntem Aufsatz *Die gesellschaftliche Stellung der Schriftsteller* (1891) ausgegangen. Ansichten über die Zukunft des Literaten (der ja längst schon einem Berufsstand angehörte), über Gruppen, Interessenverbände, Honorare, Verlagsgründungen usw. beherrschten die Diskussion. Worüber man sich im allgemeinen keine Gedanken machte, war das Verhältnis zwischen dem Warenaspekt der Literatur und den ästhetischen Merkmalen der Werke, zwischen textexternen und textinternen Kategorien.

Eine sehr beachtenswerte Ausnahme bilden die – übrigens wenig bekannten – Betrachtungen eines der agilsten Literaten jener Zeit, des Wiener „Literaturbotschafters" Hermann Bahr. Daß dieser Autor in den ersten zwanzig Jahren seiner literarischen Tätigkeit bemerkenswerte Beiträge zu einer gesellschaftshistorisch orientierten Literaturkritik veröffentlicht hat, ist jedem Kenner seiner Schriften geläufig, wenn auch die Sekundärliteratur (die man nur in wenigen Fällen zur Forschung zählen kann) es bislang hauptsächlich vorgezogen hat, diese Seite seiner Aktivität zu übergehen. Eine zweifellos zentrale Frage berührt Bahr in einer Reihe locker gefügter Gedankengänge, die den Inhalt einer Tagebucheintragung vom Anfang des Jahres 1908 darstellen. Die Feststellung, mit der er seine Betrachtungen einleitet, war damals keineswegs neu: der Künstler müsse es verstehen, seine Werke, die eben nicht nur „Schöpfungen", sondern auch „Waren" sind, in die Öffentlichkeit zu bringen, d. h. die Aufmerksamkeit auf sie zu lenken. Der Künstler, notiert Bahr, müsse auch ein „Händler" sein. Aufhorchen lassen seine Ausführungen (und zwar gerade heute, nach Benjamin und Adorno) dort, wo er nachzuweisen versucht, daß ein Zusammenhang bestehe zwischen dem Warencharakter, den Kunstwerke in der Öffentlichkeit annehmen oder vielmehr annehmen müssen, und der besonderen ästhetischen Gestalt der Werke. Seine These erläutert Bahr anhand von Objekten der bildenden Kunst, doch sind die Analogien zur Literatur leicht erkennbar.

„Jedes Bild ist heute erstens ein malerisches und zweitens ein händlerisches Problem. Es soll uns etwas so sehen lassen, wie der Maler es sieht. Dazu ist aber notwendig, daß wir es überhaupt ansehen; unter den vielen Tausenden gerade dieses eine Bild. Um uns also zwingen zu können, daß wir dies so sehen, wie der Maler es sieht, für diesen künstlerischen Zweck muß es uns erst zwingen, still zu stehen und es anzusehen. Es genügt nicht, daß es ein Bild ist, sondern das Bild muß auch noch sein eigenes Plakat sein. In jeder heutigen Technik steckt dies: das Werk auch noch zu seinem Plakat zu machen. Das Problem des Künstlers ist nämlich jetzt (er sei denn einer, der sich selbst genügt, und so stark, daß er nicht zu wirken braucht): der Künstler will das Publikum und das Publikum will keinen Künstler, also muß er eine Angel werfen, er muß eine Falle stellen, wie bringt man die Falle, die Angel im Kunstwerk an? Einer hat einen Gedanken. Er sucht einen Ausdruck dafür. Einen Ausdruck, der den Gedanken ganz und rein enthält, und mit allen Strahlen der Stimmung, aus der er ihn hat. Er findet solchen Ausdruck. Er kann also nun seinen Gedanken mitteilen. Und das will er auch. Es hört ihm aber niemand zu. Denn die rennen und haben keine Zeit. Jetzt kriegt er Angst: ein anderer wird seinen Gedanken finden, wird ihn nehmen, wird ihn fälschen und damit die Menschen betrügen, wenn er es nur versteht, die Vorüberfliehenden anzupacken und aufzuhalten. Denn darauf kommt es an."[24]

Was Bahr hier mit feuilletonistischem Schwung skizziert, sind durchaus ernstzunehmende Elemente einer Theorie künstlerischer Kommunikation in einem Zeitalter, welches das Problem der Autonomie, aber – als Kehrseite – auch der Funktionslosigkeit der Kunst in verschärfter Form offenbarte. Solange das künstlerische Schaffen kultischen Zwecken oder höfischer Repräsentation diente und der Künstler auch kreative Arbeit mehr oder minder routinemäßig verrichtete (was natürlich nichts über die Qualität seiner Werke besagt), gab es zwar Bedrängnisse und Nöte verschiedener Art, doch einer Notwendigkeit späterer Zeiten war der Künstler enthoben: sich ein Publikum zu schaffen, Betrachter und Leser zu gewinnen und – was das Wichtigste ist – dieses

Publikum davon zu überzeugen, daß gerade seine (neuen) ästhetischen Vorstellungen berechtigt und sinnvoll seien. In Bahrs Begriff des „Plakats" ist die Tatsache enthalten, daß in einer Epoche, die keine selbstverständlichen, vorgegebenen ästhetischen Normen kennt und der Künstler, nach den schon angeführten Worten von Friedrich Schlegel, kein „Gesetz" außer dem eigenen duldet, das Kunstwerk dazu angehalten ist, auf bestimmte Art für sich zu werben. Gemeint ist freilich nicht nur Werbung im engeren, ökonomischen Sinn; denn Verkaufserfolge sind schwer kalkulierbar, zumal ja gerade in der Epoche der Moderne die Maßstäbe der Kunstkritik und der sogenannte Publikumsgeschmack oft kraß auseinanderklaffen. In der immanenten Plakatierung, wie man Bahrs Bezeichnung abwandeln könnte, ist vielmehr das Bedürfnis erkennbar, das Kunstwerk als eigenständig und einmalig, d. h. originell, zu präsentieren, es mit ästhetischen Merkmalen zu versehen, die beim Publikum Aufmerksamkeit erwecken, sei es auch negativer Art, etwa in Form eines nicht weniger wirksamen Kunstskandals. Ebenso gehört zum „Plakat" der Wunsch, die dem Werk zugrunde liegende künstlerische Absicht, seine Theorie oder Poetik, zu erklären: daher die Fülle der gerade für die Zeit seit der Jahrhundertwende so bezeichnenden kunstprogrammatischen Texte.[25] Im Zusammenschluß der Autoren zu Gruppen wird das Originalitätsprinzip nicht aufgehoben, sondern sozusagen vervielfältigt, wodurch das Wagnis der Innovation einigermaßen aufgefangen wird. Die der Individualisierung (und Autonomie) der Kunst innewohnende Tendenz zur Originalität erscheint in Bahrs Überlegungen als ein Movens geschichtlicher Entwicklung: seine Theorie künstlerischer Rivalität in der Gegenwart darf über die aktuelle Einsicht hinaus als ein früher Beitrag zur Erkenntnis literarischer Dynamik im 19. Jahrhundert gelten.

In einer erweiterten und expliziteren Version hat Hermann Bahr seine Theorie künstlerischer Bewegungen in der Moderne im Essay *Inventur der Zeit* dargelegt. Der aktuelle Bezug ist noch ausgeprägter, als Beispiele werden die Kunstrichtungen genannt, die der Autor – seiner eigenen Losung von der „Überwindung des Naturalismus" zufolge – als Reaktionen auf eine extrem mimetische Kunst begreift. „Neue Namen kommen auf, Dekadenz, Symbolismus, Neuromantik, Neuklassizismus, und sehen sich, bevor ihnen noch recht ihr Sinn abgefragt werden kann, schon wieder von neuesten verdrängt. Gemeinsam ist allen diesen im Auftauchen schon wieder entsunkenen Neuerungen nur eins: der Ehrgeiz, sich im Technischen so zu steigern, daß, was eben noch unmöglich schien, ermöglicht und auch schon wieder zum Spiel [. . .] wird."[26] Die entscheidende Einsicht Bahrs ist in der Feststellung enthalten, daß trotz aller Schwierigkeiten, die sich der Rezeption moderner Kunst in den Weg stellen, die „Plakatierung" durch Originalität eine treibende Kraft ist, die auf eine mehr oder weniger erkennbare Weise mit den Gesetzen der Warenwelt verbunden erscheint. Die Novitäten bzw. die Innovationen (die ja um die Jahrhundertwende noch nicht die Radikalität späterer avantgardistischer Verfahrensweisen erreichten) wirken als besonderer Anreiz: „Der Käufer [. . .] wünscht, was er noch nicht gehabt hat, am liebsten aber, was noch kein anderer hat. Es kommt daher gar nicht mehr so sehr auf den Gebrauchswert einer Ware als darauf an, daß sie sich rätselhaft neu, ja womöglich irgendwie als eine nur ganz wenigen Auserlesenen beschiedene Seltenheit gebärde. Von den Waren, die nicht ein unabweisliches, allgemeines Bedürfnis stillen, die nicht geradezu Lebensmittel sind, ziehen daher diejenigen den Käufer am stärksten an, die sich für überflüssig, unnütz, ja zwecklos ausgeben, weil er solche noch am ehesten für sich allein zu haben meint und es ihm auch schmeichelt, sich das leisten zu können. [. . .] Da nun in unserer Zeit Kunstwerke nicht Lebensmittel sind, verfallen auch sie diesen Bräuchen des Luxushandels immer mehr, ihr Wert wird auf dem

Markte längst nicht mehr nach ihrem geistigen Inhalt oder ihrer sinnlichen Kraft, sondern nach der Liebhaberlust am Absonderlichen, Schwierigen, Unvergleichlichen bestimmt, und der Wunsch, immer neu, der Ehrgeiz, um jeden Preis anders, der Wahn, ein Eigener und Einziger zu sein, sind so die Motive der Entwicklung in allen Künsten geworden. Womit aber beileibe nicht gemeint ist, daß dies den Künstlern immer bewußt gewesen sein müsse, die sich oft genug rechtschaffen um ihren Ausdruck zu bemühen glauben, ohne zu merken, daß sie längst mit Haut und Haaren unter das Marktgesetz des Luxushandels geraten sind."[27]

Es fällt nicht schwer, nachzuweisen, weswegen sich in Bahrs Thesen manches schief und einseitig ausnimmt. In der Entdeckerfreude ist der ökonomische Gesichtspunkt so stark in den Vordergrund getreten, daß der Eindruck entsteht, Luxus, Neuheit und Verkaufschance bildeten den Zusammenhang, an dem alleinig der Prozeßcharakter der Vorgänge im Bereich der Kunst abgelesen werden könnte. Das Moment ideologischer Auseinandersetzungen, das gerade zu Beginn des Jahrhunderts im Umkreis der sozialistischen Bewegung, der Heimat-Ideologie, des Neuklassizismus sowie konfessionellen Interesses an der Kunst höchst wirksam war, wird nicht berücksichtigt, ebensowenig wie der Umstand, daß der Plakatierung der Neuartigkeit eine eigentümliche Dialektik innewohnt. Das so verstandene Konkurrenzprinzip reicht jedenfalls als Begründung nicht aus, die komplexen Vorgänge unter den Bedingungen moderner Kommunikation zu erklären. Wäre es nur auf den innovativen Reiz angekommen, hätte ein Autor wie Arno Holz, der ja in der Anwendung neuer künstlerischer Vorstellungen, von den achtziger Jahren bis in die Zeit vor dem Ersten Weltkrieg, alles andere als zurückhaltend war, nicht als glückloser „Experimentator" gelten können. Wie groß die Anzahl der Faktoren war, die unter den Bedingungen eines pluralistischen literarischen Lebens wirksam waren, konnte Bahr auch an seiner eigenen, sehr lebhaften, in zwei Ländern beheimateten publizistischen Tätigkeit erkennen. Ungeschmälert bleibt indes Bahrs Verdienst, auf Grund zeittypischer Erfahrungen Erkenntnisse formuliert zu haben, deren Bedeutung für die Erhellung kunst- und literaturgeschichtlicher Prozesse in der Neuzeit gar nicht hoch genug eingeschätzt werden kann.

III

Die Theorien des volkswirtschaftlich geschulten und in seiner frühen Phase gesellschaftskritisch ausgerichteten Wiener Autors stellen im Lichte gegenwärtiger soziozentrischer Literaturwissenschaft gewiß eine Überraschung dar. Mustert man jedoch die ernstzunehmenden literaturkritischen Schriften jener Zeit, erweist es sich, daß soziologische Fragestellungen zum Standard der Zeit gehörten und daß so unterschiedliche Schriftsteller wie Julius Hart, Samuel Lublinski, Rudolf Borchardt, Paul Ernst und Friedrich Lienhard nicht zögerten, die von der Literatur eingeschlagenen Wege als Ergebnisse sozialhistorischer Abläufe zu begreifen. Die für das 19. Jahrhundert so bezeichnende naturwissenschaftliche und soziologische Orientierung mancher Autoren (auch der später erzkonservativ auftrumpfende Paul Ernst war in den frühen neunziger Jahren sozialdemokratischer Redakteur und stand im Briefwechsel mit Engels) erklärt diesen Sachverhalt.

Es verwundert daher nicht, daß ein Essay über moderne Lyrik, Julius Harts „Pan"-Beitrag *Die Entwicklung der neueren Lyrik in Deutschland* (1896), mit volkswirtschaftlichen Unterweisungen einsetzt. So mit der Feststellung, die literarischen Neuerungen des

Naturalismus, die Großstadtlyrik vor allem, seien ohne den neuen zivilisatorischen Nährboden undenkbar gewesen. „Die alte Ackerbaukultur verwandelt sich mehr und mehr in eine Industriekultur, das Land entleert sich und die Städte werden übervölkert. Alles drängt nach den Maschinenzentren hin, die Kleinstädte werden zu Mittel-, die Mittel- zu Großstädten, die Großstadt zur Weltstadt."[28] An Stelle der ehemaligen Kleinstaaterei sei ein großer Einheitsstaat getreten, „der zur Zeit mächtigste", und die Hauptstadt Berlin dehne sich ins Riesenhafte aus. Entscheidend für das Kulturleben sei namentlich die Anziehungskraft der Großstadt: wie die wirtschaftlichen Aussichten die Landbevölkerung in die Industriezentren ziehen lassen, so sind die Erscheinungsformen des kulturellen Liberalismus die Welt, von der eine fortwährende Faszination auf „modernste Geister" ausgeht, auf junge Menschen, die danach trachten, die „konservativere Provinzialkunst" zu überwinden.[29] Welcher moderne „Ismus" auch immer gemeint ist, die künstlerische Kultur der Jahrhundertwende, erklärt Hart, ist eine Kultur der Großstadt. Die Großstadt wurde zum ausgeprägtesten Motiv vieler Autoren, zugleich ließ sie eine Vielzahl neuer „Anschauungswerte" entstehen, die bisher ästhetisch nicht wirksam gewesen waren oder im Bewußtsein der Menschen gar nicht existiert hatten. „Die Großstadt gab den Hintergrund ab und forderte mit der Fülle ihrer Bilder, Gestalten und Ereignisse den reinen Künstler heraus und eine sinnliche Schauens- und Gestaltungskraft; die Stadt mit allen Dekorationswirkungen, mit ihren malerischen Ansichten und Stimmungen, das Leben auf den Straßen, in den Wirtshäusern und den Cafés, die typischen Erscheinungen der Weltstadt [. . .] wollten portraitiert, geschildert und beschrieben werden."[30]

Der Wegbereiter des Naturalismus in Deutschland nimmt hier Gedanken vorweg, die einige Jahre später Georg Simmel beschäftigen in seinem – durch die Expressionismus-Forschung unserer Tage wieder bekannt gewordenem – Beitrag zu einem 1903 veröffentlichten Sammelband über Phänomene der Großstadt, ein um die Jahrhundertwende aktuelles, erstmals philosophisch und wissenschaftlich behandeltes Thema. Obwohl erst die jungen Dichter aus dem Umkreis der Berliner Zeitschrift *Die Aktion* in den Jahren vor Ausbruch des Krieges neue Ausdrucksmöglichkeiten für das Erlebnis der Großstadt finden, ist das künstlerische Problem einer Großstadtpoesie bereits in den Jahren vor 1900 erkennbar. Einige Gedichte aus Holz' *Phantasus* von 1898/99 sind ein Beispiel für jene großstädtische „Steigerung des Nervenlebens", wie es bei Simmel heißt, jener Inanspruchnahme der Wahrnehmungsfähigkeit, die durch den raschen und stetigen Wechsel der Eindrücke zustandekommt. „Indem die Großstadt gerade diese psychologischen Bedingungen schafft – mit jedem Gang über die Straße, mit dem Tempo und den Mannigfaltigkeiten des wirtschaftlichen, beruflichen, gesellschaftlichen Lebens – stiftet sie schon in den sinnlichen Fundamenten des Seelenlebens [. . .] einen tiefen Gegensatz gegen die Kleinstadt und das Landleben, mit dem langsameren, gewohnteren, gleichmäßiger fließenden Rhythmus ihres sinnlich-geistigen Lebensbildes."[31]

Damit ist ein weiteres Motiv der Jahrhundertwende genannt: der Gegensatz zwischen Stadt und Land, zwischen Industriewelt und agrarischen Produktions- und Lebensformen. Was in zahlreichen belletristischen Werken sowie ideologischen Programmschriften der Zeit je nach dem Wertungsstandpunkt der Verfasser als Opposition zwischen kühnem Fortschritt (oder moralischem Verfall durch „wurzellose" Vermassung) und antizivilisatorischer Zurückgebliebenheit (oder sinnstiftender „heiler" Welt) erscheint, beruht auf den Gegensätzen einer politischen und gesellschaftlichen Realität, deren Hektik, namentlich im wirtschaftlichen Wachstum durch Industrialisierung und Städtebau, zu den wichtigsten, jedenfalls folgenreichsten welthistorischen Vorgängen des Zeitalters gehört. Die entsprechenden Daten sind an vielen Stellen zu finden[32] und brauchen daher hier nicht ausgebreitet zu werden. Eher erforderlich ist ein Hinweis darauf, daß es irrig wäre, anzunehmen, es habe zumindest Einhelligkeit in der ideologischen Frontenziehung bestanden, die es erlaubte, politische Gesinnung und künstlerischen Standort bei einzelnen Autoren oder Gruppen gleichzuordnen. Doch auch in diesem Bereich ist die Lage weniger schematisch, als man annimmt. Autoren, die sich selbst zu den ästhetischen Modernisten zählten, wie Dehmel, waren gegen manche wilhelminische Ideologeme (die dann auch erwartungsgemäß zur Kriegsbegeisterung führten) keineswegs gefeit, während anderseits Dichter, die den Gedanken einer geistigen Aristokratie vertraten und politischen Liberalismus oder gar sozialistische Grundsätze verabscheuten, keineswegs immer bereit waren, in der imperialistischen Politik des Tages eine Verwirklichung ihrer hierarchischen Neigungen zu erblicken. Stefan George ist das markanteste Beispiel dafür. Einmütigkeit bestand ebensowenig bei stilkonservativen Autoren. Zivilisationskritik und Mythisierung der Natur beim frühen Hermann Hesse veranlaßten zeitgenössische Kritiker, den Autor ohne Bedenken der Heimatkunst zuzuordnen; heute ist es klar, daß seine Bereitschaft, Traditionen der Romantik abzuwandeln, mit den restaurativen Bestrebungen der Agrar-Ideologen nicht viel zu tun hatten. Hesses Sympathie für das „einfache Leben" führte während des Ersten Weltkrieges immerhin zu einer Haltung, die sich von der verblendeten Kriegsbegeisterung vieler Intellektueller sehr deutlich abhob, und zwar gerade von der chauvinistischen Gesinnung im Lager der ehemaligen Heimatkunst.

Diese Bewegung ließ übrigens deutlich erkennen, wie tief die Widersprüche waren, die in den Angriffen gegen Verstädterung und moderne Industrie nur schlecht verhüllt erschienen: es war freilich nicht leicht, den nationalen Grundsatz wilhelminischer Politik zu bejahen und zugleich für die Scholle zu werben. Daher ist es kein Wunder, daß auch in Kreisen „national" gesinnter Schriftsteller die Losung der Heimatkunst „Los von Berlin!" nachgerade als töricht empfunden wurde. Worum es ging, drückte recht ungeschminkt Otto Flake 1904 in einem Artikel aus, in dem er, nicht ohne die „Kraft der germanischen Rasse" zu beschwören, die Unzeitgemäßheit der Idee provinzieller Kultur nachzuweisen suchte. Der Sehnsucht nach konservativer Idylle setzt er die Forderung der Zeit nach politischer und wirtschaftlicher Konzentration und Zentralisation entgegen, nach der Macht der imperialen Großstadt. „Politik der Macht und des Reichtums. Das kleinre Frankreich hat fast 100 Milliarden Nationalvermögen mehr wie Deutschland. Ergo: Welthandel-, Flotten-, Kolonialpolitik. Das sind die Fundamente oder die Richtlinien. Und hierhin begegnen sich unsre Wünsche mit der Politik des gegenwärtigen Kaisers und jeder Regierung, die später kommen wird. Dies Gemeinsame muß man bewußt und unerschütterlich festhalten, so groß auch im übrigen die Gegensätze sein mögen; denn es ist absolut und kategorisch ausgeschlossen, daß die moderne Kunst und Literatur die Bahnen einschlüge, die der Kaiser wünscht. Aber dieser Irrtum ist zuletzt nur Privatsache, und selbst wenn er das eigentliche, gewissermaßen das persönliche Bündnis zwischen Literatur und Politik hinausschieben sollte – es besteht doch Einigkeit über die Grundlagen, und die Zukunft kann viel ändern."[33] Jedenfalls war es folgerichtig, daß der Verfasser selbst von einem „Bekenntnis zum Imperialismus" sprach.

IV

Spannungen dieser Art, gleichgültig ob sie sich im Umkreis von Anhängern ähnlicher oder unterschiedlicher politischer Couleur abzeichneten, sind unschwer in Beziehung zu bringen mit den entsprechenden Gegensätzen im Bereich materieller Interessen. Viel schwerer sind die gesamtgesellschaftlichen Konturen dort zu erkennen, wo wir es mit einem Selbstverständnis der Epoche zu tun haben, das bereits durch einen hohen Grad geistesgeschichtlicher Sublimierung gekennzeichnet ist. Von den zahlreichen pluralistischen Merkmalen der Epoche ist wohl eines der eigentümlichsten darin zu sehen, daß den bürgerlichen Intellektuellen die Gegenwart oft in ganz gegensätzlicher Optik erschien: einmal als eine Zeit des Niederganges und Verfalls, allenfalls der Verfeinerung, mit einem Wort, und zwar einem modischen, als eine Zeit der Dekadenz; zum andern als ein Zeitalter, das sich kraftstrotzend anschickte, in allen Bereichen des öffentlichen Lebens neue Leistungen zu vollbringen, Reformen einzuleiten, einen andersartigen Lebensstil zu erproben. In der Tat sahen sich die Zeitgenossen so, wie Musil sie in der bereits angeführten Passage seines großen Romans nachzeichnet: als Anbeter der Gesundheit und Eroberer der Zukunft, zugleich als morbide, hoffnungslose Zeugen einer versinkenden Zeit. Im Motivkatalog der Literatur und der bildenden Kunst sind symbolhafte Dämmerstunden nicht seltener als strahlende Sonnenaufgänge, einsame Trauerweiden nicht weniger bezeichnend als helle, von Lebenssehnsucht erfüllte Frühlingslandschaften. Die künstlerische Imagination kennt daher die zur Siegergestalt stilisierte, mit sportlichen Qualitäten ausgestattete Mannesfigur ebenso wie den sensitiven Träumer, den „perversen“ Dandy oder den schönheitslüsternen „Dilettanten“. Neben Huysmans *décadent* des Esseintes haben als Symbolgestalten der Jahrhundertwende auch die imperialistischen Haudegen Kiplings ihren Platz, ebenso wie im Spektrum der Stimmungen mondände *tristezza* neben der Berauschung an „schöner wilder Welt“ (Dehmel) zu finden ist.[34]

Literarhistorische Untersuchungen haben gezeigt, daß namentlich in der literarischen Interpretation des „Weibes“ die Epoche um 1900 ihre eigene Ambivalenz am einprägsamsten zur Schau gestellt hat. Die Dämonisierung des Eros offenbart sich darin, daß aus der Sicht des Mannes das andere Geschlecht als „Sünde, Vampir oder Medusa“ erscheint,[35] als „femme fatale“, in deren Gestalt in ästhetizistischer Manier Züge des Schönen, Künstlichen und Bösen ineinanderfließen. Die populäre Deutung der Salome-Überlieferung ist hier zu nennen, ferner die literarischen und diskursiven Erscheinungsweisen des Weiberhasses um die Jahrhundertwende, etwa bei Strindberg und Weininger. Mit ebenso vielen Beispielen ist jedoch auch die „positive Variante“ der Dämonisierung oder Allegorisierung nachgewiesen worden, die Sicht also, in der die Frau zur lichtvollen Lebensspenderin, zur reinen Geliebten, ja zur Erlöserin schlechthin gerät. In zahlreichen lyrischen und erzählenden Werken der Zeit dominiert diese Art von anthropologischer Stilisierung, so bei Dehmel, Schlaf, Gerhart Hauptmann. Hauptmanns Erzählung *Der Ketzer von Soana*, 1918 erschienen, bezeichnet Horst Fritz als ein Resümee der Auffassung, wonach sich in der erotischen Begegnung und Vereinigung das eigentliche Wunder der Natur ereignet, die Individuelles und Kosmisches miteinander verschmelzende absolute Ekstase. Die Erzählung „vereint in sich nahezu alle Aspekte einer positiven Bewertung und Gestaltung des Erotischen durch die Kunst der Jahrhundertwende. Die Liebe ist Mittel rauschhafter Entgrenzung“.[36] In der – künstlerisch mehr als bedenklichen – Prosa der Geschichte vom Liebeserlebnis eines Priesters gelangt die erwähnte Wertposition in dem orgelnden Pathos der Begriffe unmißverständlich zur Geltung, so wenn sich die Liebe zur Schäferstochter, der Verkörperung „erdhafter“ Kräfte und uralter idyllischer Lebensform, als „Wunder der Weltstunde“ und „Harmonie des Weltenraumes“ darbietet. In Werken dieser Art, die gerade in ihrem Bestreben, mythische Zeitlosigkeit zu veranschaulichen, auf Schritt und Tritt die Signatur der Jahrhundertwende erkennen lassen, erscheint das weibliche Wesen gleichsam als reine Natur, als leibhaftige Erfüllung der monistischen Vorstellung vom Lebensprinzip. Es gehört ebenfalls zu den geistesgeschichtlichen Antinomien des Zeitalters, daß man im weiblichen Geschlecht reinste Natur und extreme Künstlichkeit zugleich verkörpert sah: in der Galerie der Frauengestalten begegnete dem Manne der Zauber des Ursprungs ebenso wie die Dämonie der perversen, „entarteten" Naturferne. Im dekorativen Linienspiel der Jugendstil-Zeichnungen mit erotischen Motiven ist eine Verknüpfung der Gegensätze zum Stilisierungsprinzip geworden: menschliche Figuren geraten sozusagen zum pflanzlichen Muster und damit zu einer Form reduzierten, primitiven Lebens, eignen sich aber gerade durch diese biologische Einebnung dazu, ins hochartifizielle, dekorative Ornament einzufließen und damit eine Form der Überwindung von Natur vorzuführen. Ein wesentlicher Zug des Jugendstils überhaupt wird in diesem Dualismus erkennbar.

Deutlich tritt der sozialgeschichtliche Hintergrund einer literarischen Sinngebung in diesem Bereich in der Gestalt der Lulu in Wedekinds Dramen *Erdgeist* und *Die Büchse der Pandora* hervor. In Lulus Weg durch die Gesellschaft offenbart sich – wie H. Fritz überzeugend darlegt – der Widerstand des naturhaften Geschöpfes, das instinktiv seinem Wesen treu bleiben will (und damit freilich eine poetische Konstruktion, ein Idealtypus der Jahrhundertwende ist); der Widerstand gilt dabei allen Versuchen der Gesellschaft, die elementaren Züge zu korrigieren, zurechtzurücken, für verschiedene gesellschaftliche Zwecke nutzbar zu machen. Sie rebelliert sowohl gegen die Anpassung an herkömmliche soziale Normen, sozusagen gegen die Domestizierung ihres Temperaments, wie auch gegen den Versuch, sie in Geschäfte mit Kunst und Unterhaltung einzuspannen. „. . . stets wird Lulu entfremdet und versachlicht zum bloßen Mittel, dient sie als Objekt von Herrschaft und soll den Zielsetzungen der Gesellschaft verfügbar gemacht werden. [. . .] Aneignung als Versuch gewaltsamer Deformation ist das Grundmodell, das in allen Verhaltensweisen der Gesellschaft Lulu gegenüber sich verrät."[37] Unter diesen Voraussetzungen ist auch der groteske Schluß der Lulu-Dramen folgerichtig deutbar als die Erfüllung von Lulus Identitätswunsch durch die furchtbare Paradoxie ihres Todes, indem sie in ihrem Mörder, der sie aus Lust tötet, einem Menschen begegnet, der ohne Vorwände und Hintergedanken, ohne sozial formulierbaren Zweck handelt und sie daher unwillkürlich in ihrer Natürlichkeit anerkennt.

Allein die Doppelgesichtigkeit der Epoche zeigt sich nicht nur in zahlreichen Motiven;[38] auch die geistesgeschichtliche Idiomatik der Zeitgenossen läßt die Bereitschaft erkennen, in kühnen Schlagwörtern zeitgeschichtliche Diagnosen zu wagen. Der Neigung mancher Diagnostiker, die Gegenwart bereits als bürgerliche Endzeit oder gar allgemein als eine Zivilisation des Verfalls einzuschätzen, als Epoche der Dekadenz also, entspricht die Vorstellung von der Zeitenneige, die nun am Ende des Jahrhunderts ihre kalendarische Magie entfaltet und eine adäquate Seelenstimmung hervorruft. Wie stark diese Vorstellung die bürgerliche Kulturkritik des letzten Jahrzehnts vor 1900 prägte, von der ernstzunehmenden Essayistik bis hinab in die einschlägigen Sparten der Boulevardblätter, ist an der Häufigkeit der modischen Formel vom Fin de siècle ablesbar. Ursprünglich ein harmloser Titel eines Theaterstückes, geriet das Wort zur europäischen feuilletonistischen Obsession. Schriftsteller, überzeugt von der absoluten Autonomie geistiger Dinge, verkündeten die Lust am Untergang „überreifer" Kultur in Zeitungen, in denen im übrigen stets von wachsender technischer und wirtschaftlicher Expansion im Rahmen derselben Gesellschaftsordnung berichtet wurde. Sogar Autoren, die von

Untergangsstimmungen nichts hielten, beteiligten sich an der Verbreitung des Schlagwortes. Arno Holz plante in den neunziger Jahren sogar einen umfangreichen Zyklus von Bühnenwerken aus dem großstädtischen Leben der Gegenwart, wobei ihm damals folgender Reihentitel als besonders passend erschien: *Das Ende einer Zeit in Dramen*. Das erste von den drei ausgeführten Werken des Zyklus, die Komödie *Sozialaristokraten* (1896), trägt auch diesen Titel. Die beiden folgenden Dramen, *Sonnenfinsternis* (1908) und *Ignorabimus* (1913), weisen bereits eine abgewandelte, entschärfte Titelformulierung auf: statt vom *Ende* ist von der *Wende* einer Zeit die Rede.

Die genannten Dramen selbst waren kaum dazu geeignet, den Zeitkritikern konkretes Anschauungsmaterial für Prognosen zu liefern. Im Hinblick auf die aktuellen Konnotationen der erwähnten Schlüsselwörter war es jedoch klar, daß die vom Autor durchgeführte Änderung mehr bedeutete als eine durch den bloßen Fortschritt der Zeit bedingte Modifikation. In der Öffentlichkeit, vor allem in der offiziell, wilhelminisch gesinnten, gab es ohnehin genug Stimmen, die der kulturpessimistischen Einschätzung der Zeit eine betont optimistische entgegensetzten. Bedenkt man die erhebliche Breitenwirkung der Münchner – 1896 gegründeten – Zeitschrift „Jugend", dieser damals als stil- bzw. meinungsbildend empfundenen „Wochenschrift für Kunst und Leben", so liegt es auf der Hand, daran zu erinnern, daß der leitende Redakteur, Fritz von Ostini, in einem der programmatischen Aufsätze des dritten Jahrgangs gerade die Endzeit-Mode sehr heftig angriff. Unter dem Titel *Anti-Fin de siècle* rief er zur Gründung eines „Bundes der Jugend" auf, zu dessen Aufgaben es gehörte, den „Jammermenschen" auf den Leib zu rücken, „die mit dem Schlagwort vom Jahrhundertende alle geistige, sittliche und körperliche Versunkenheit und Verkommenheit, alle ihre phrasenreiche Hohlheit verbrämen wollen". Die Vorstellung von Dekadenz, die in der Münchner Redaktion das ästhetische Feindbild bestimmte, ist folgender Passage zu entnehmen: „Jetzt nehmen sie sich freilich spaßhaft genug aus, die Virtuosen des Unzulänglichen, die aus der Noth ihrer Jämmerlichkeit eine Tugend machen möchten: Stimmung! Stimmung. Nicht zugreifen, nichts anpacken! Nur andeuten! Können ist eine Schande, Schaffen ist schon viel zu grob, Vollenden ist eine Gemeinheit. Nur Empfinden! Hier ein orangengelber Fleck und dort hinten ein süßlilamattgraugelber Strich – das ist ein Bild! Oben links ein ‚O weh', dann eine Seite voll Gedankenstriche und unten rechts ein ‚O jeh'! – Das ist Poesie! Andeuten, ahnen lassen, nicht Mehr!" Daß die Redaktion an einer Sensibilität dieser Art keinen Gefallen fand (obwohl immerhin auch Autoren wie Peter Altenberg veröffentlicht wurden), erscheint begreiflich, wenn man den markigen Ton vernimmt, in dem zum Schluß den Lesern Optimismus und Tatenfreude verordnet werden: „Unsere Zeit ist nicht alt, nicht müde! Wir leben nicht unter den letzten Athemzügen einer ersterbenden Epoche, wir stehen am Morgen einer kerngesunden Zeit, es ist eine Lust zu leben!" Denn: „Jung ist die Welt! Dem Starken gehört sie und dem Guten."[39] Die Gesinnung, die einer solchen rhetorischen Musterung von Werten zugrunde liegt, ist nicht schwer zu durchschauen. Zu Recht ist bereits darauf hingewiesen worden, daß das kritiklose Pathos dieser Worte dazu angetan war, eher Zweifel als Begeisterung zu erwecken. Der verhaltene Protest der „dekadenten" Literatur gegen alles Laute und Angeberische wird von hier aus erst verständlich.[40]

Unter welchen Bedingungen es eine Lust sei, zu leben, und was unter „stark" und „gut" zu verstehen sei, galt in Kreisen der bürgerlichen Jugend – an die sich die Münchner Wochenschrift ja in erster Linie wandte – keineswegs als ausgemacht. Die unterschiedlichen, widerspruchsvollen Reaktionen junger oder sich jung fühlender Menschen auf den zivilisatorischen Wandel und namentlich auf die technischen Neuerungen in der Wilhelminischen Ära ließen erkennen, daß die Vorstellungen vom „Zeitgeist" in nicht geringem Grade differierten. In der Sicht des Auslandes vollzog sich spätestens im ausgehenden 19. Jahrhundert ein Wechsel im Bereich des nationalen Images: „der" Deutsche, der in der ersten Hälfte des Jahrhunderts, namentlich in Westeuropa, dem durch das Deutschlandbuch von Madame de Staël geprägten Bild zu entsprechen hatte, nahm nach 1871 im Urteil der Nachbarn Züge an, die mit der Zeit ein sehr stark verändertes Charakterporträt entstehen ließen. Die als typisch angesehenen Repräsentanten des Landes der „Dichter und Denker", etwa der verträumte Musiker und der weltfremde Grübler, verschwanden allmählich im Raritätenkabinett der Kulturgeschichte und machten einer neuen Klischeevorstellung vom Deutschen Platz, die fast ausschließlich von Elementen der wilhelminischen Realität bestimmt war: als bezeichnend wurde der forsche junge Mann empfunden, der nun als homo faber auftrat, als Präzisionsarbeiter und technisch interessierter Kaufmann, und damit als zuverlässiger Vollstrecker politischer Pläne im Zeichen imperialistischer Konkurrenz.

Daß dieser Typus, der eine tragende Kraft des ungeheuren industriellen Aufschwungs im Deutschland der Jahrhundertwende war, nicht nur in der Realität eine überragende Rolle spielte, sondern auch in der Literatur, ist den Kennern populärer Lektüre von damals durchaus geläufig. Die erwähnten Vorstellungen des Redakteurs der „Jugend" konnten jedenfalls – ohne Rücksicht darauf, wie sie im einzelnen gemeint waren – als Leitbilder begriffen werden. Ein Beweis dafür sind die männlichen, allzumännlichen Heldenfiguren der wilhelminischen Trivialepik, vor allem in den Spielarten des historisierenden Romans sowie der in Übersee spielenden, mit den Kolonisierungsbestrebungen unterschwellig verbundenen Abenteuergeschichte, die weitgehend die Programme der Buchreihen für die „reifere Jugend" bestritt, so etwa die Titel der weitverbreiteten „Kamerad-Bibliothek" oder die Sparten der Zeitschrift „Der gute Kamerad". Auch ein Teil der Romanproduktion im Bereich der Heimatkunst schließt sich hier thematisch an.

Während die ideologisch ausgerichtete Trivialliteratur (die man politische Sendungs- oder nationale Erbauungsliteratur nennen kann) im Ausmalen der Draufgänger-Gestalt, deren Energien den zeitgemäßen Zielen galten, keine Hemmungen kannte, zeigte die künstlerisch bedeutsame Literatur der Epoche, wie komplex die Bewußtseinslage gerade junger Menschen war und daß es in den ideengeschichtlichen Prozessen der damaligen bürgerlichen Kultur Haltungen gab, die mit Extrembegriffen wie Dekadenz oder, anderseits, ungebrochene wilhelminische Affirmation nicht erfaßbar sind.

V

Zu den bemerkenswerten Erscheinungen jener Zeit, in denen man heute erneut Impulse von beträchtlichem Aktualitätswert entdeckt, zählt der Versuch, in der Erfahrungswelt wie auch in der Kunst Lebensformen zu entwerfen, die eine Alternative sowohl zu den gesellschaftlichen Traditionen des 19. Jahrhunderts als auch zur modernen industriellen Lebenswelt darstellen. Gemeint sind Gedanken und Praktiken, die um 1900 und namentlich in den Jahren vor dem Ersten Weltkrieg im Rahmen der Jugendbewegung und den zum Teil mit ihr einhergehenden Bestrebungen zur Lebensreform ihren Ausdruck fanden. Obwohl in manchen Äußerungen und Versuchen ein kritisches Potential erkennbar ist, kann nur sehr bedingt von Widerstandsphänomenen oder gar von einer Gegenkultur, wie man sie heute begreift, die Rede sein. Schon die Jugendbewegung, die soziologisch als eine Art „Subsinnwelt"[41] begriffen werden kann, war eine

Erscheinung, die zwar vielfach ein einheitliches Gepräge und teilweise auch feste organisatorische Formen aufwies, aber doch verschiedenartige Tendenzen in sich vereinigte, darunter solche, die konservativen und aktuellen staatskonformen Ideologemen entsprachen. Die zwischen Anpassung und Revolte gewisse Freiräume suchende bürgerliche, vorwiegend intellektuelle Jugend fand sich, mehr intuitiv als zielbewußt, in dem Bestreben vereinigt, einen „dritten Weg" zu beschreiten, der weder in eine Laufbahn nach dem Muster kapitalistischer Wirtschaft noch in ein Wirken im Sinne sozialdemokratischer Programme einmünden sollte. „Der ‚Bund', der ‚Lebenskreis' symbolisierten so den Exodus aus der bestehenden Gesellschaft ebenso wie den keimhaften Beginn neuer Gemeinschaftsformen. [. . .] Liberal-demokratische und reaktionär-elitäre, aufklärerische und irrationale Inhalte lagen bei diesen Weltanschauungen in einer merkwürdigen Gemengelage."[42] Daß in diesem Gemenge besonders auch manche Gedanken Nietzsches fortwirkten, ist im Hinblick auf seine Breitenwirkung nach 1900 keineswegs überraschend.

Die beliebteste und wohl auch am meisten Aufsehen erregende Ausdrucksform der Jugendbewegung waren die Gruppenwanderungen, die Fahrten und Streifzüge der „Wandervögel" (deren Geschichte aus der Sicht des Programmatikers und Ideologen eine der führenden Gestalten der Bewegung, Hans Blüher, geschrieben hat). Eine systematische, breit angelegte Untersuchung der Beziehungen zwischen Jugendbewegung und Literatur um die Jahrhundertwende liegt noch nicht vor: sie gehört zu den wichtigsten Aufgaben der Forschung im Bereich der Kulturgeschichte des Zeitalters.[43] Zu berücksichtigen ist dabei zunächst grundsätzlich die Wechselwirkung von Literatur (oder auch Musik) und Leben, wobei Leben Wandervogelpraxis meint, Freizügigkeit im Doppelsinn des Wortes. Obwohl das gemeinsame, als Lebensform verstandene Wandern in der einigermaßen bedeutenden Erzählliteratur der Epoche eine vergleichsweise geringe Rolle spielt und nur hin und wieder episodisch die Stoffwelt anreichert, ist es sicherlich kein Zufall, daß sowohl der große Erfolg Hamsuns in Deutschland wie auch das Interesse für die Figur des mehr oder weniger intelektuellen „Vagabunden", des modernen „Taugenichts", der eine Art Freilicht-Bohemien ist, zu einem Zeitpunkt einsetzt, wo es bereits heißen konnte, das Wandern sei nun des Gymnasiasten und des Studenten Lust. Eines der bezeichnenden und übrigens auch sehr erfolgreichen Bücher jener Jahre, der moderne „Grüne Heinrich", Hesses *Peter Camenzind* (1904), ist thematisch, wenn auch nicht stofflich, ein Werk der Wandervogel-Epoche. Anderseits ist vielfach nachweisbar, wie stark literarische Texte der Vergangenheit, Volkslieder, unkonventionelle Musizierfreude, mehr oder minder vage Vorstellungen von Romantik, aber auch moderne Lektüre, etwa der Werke des Autors der *Mysterien* und des *Pan*, die Anschauungswelt der wandernden Jugend geprägt haben. Wie so oft, sollte nicht nur von einer Abbildung des Lebens durch die Kunst gesprochen werden, sondern auch von einer „Nachahmung" der Kunst durch das Leben.[44] In der Begegnung mit der Natur, d. h. mit Realitäten, die der vorwiegend städtischen Jugend noch zivilisatorisch unberührt erschienen, jedenfalls fern von den Konfliktsituationen der Schule und des Elternhauses, konnte „Ursprünglichkeit" paradoxerweise auch auf dem Wege der Einfühlung in literarische Gestalten und Situationen gesucht werden: indem die Wandervögel dem Alltag des wilhelminischen Deutschlands den Rücken kehrten, folgten sie einer Sehnsucht nach dem Deutschland Eichendorffs.[45] Die reale Landschaft bezog ihre Erlebniswirkung nicht zuletzt aus der Angleichung an eine geistige.

Eine zuweilen seltsame, dem pluralistischen und synkretistischen Denken der Zeit entsprechende Verbindung konservativer, der Heimat-Ideologie nahestehender Tendenzen mit kritischen Auffassungen von der Gestaltung der Lebenswelt begegnet man in der – kulturell ebenfalls wirksam gewordenen – Bewegung zur „Lebensreform". Diese Bewegung setzte, wie Untersuchungen erwiesen haben, bereits in der ersten Hälfte des 19. Jahrhunderts ein und war keineswegs nur eine Angelegenheit des Bildungsbürgertums. Lebendig ist sie bis heute geblieben, ja sie erlebt in der Gegenwart aus leicht erkennbaren Gründen einen neuen Aufschwung. Dennoch ist die Vorstellung, die „Lebensreform" mit „Jahrhundertwende", „Jugendkult", ja in manchen Punkten auch mit „Jugendstil" assoziiert, durchaus begründet. In den Jahren um 1900 erreichte die Bewegung einen ersten Höhepunkt: man wurde auf die Praxis der Reformer aufmerksam, die publizistische Programmatik, in eigenen Zeitschriften veröffentlicht, ließ aufhorchen. In soziologischer Sicht war eine Einschränkung hauptsächlich auf gewisse Schichten des gebildeten Bürgertums erkennbar. Da die Bewegung nur punktuell in Erscheinung trat und vorwiegend auf die Bewältigung praktischer Lebensfragen ausgerichtet war, jedenfalls keine festen Organisationsformen und auch keine politischen Zielsetzungen im engeren Sinne besaß, konnten – wie auch bei den Wandervögeln – völlig unterschiedliche Orientierungen aus dem ideologischen Speicher der Zeit als Denkmuster auftreten: „sozialistische, anarchistische und pazifistische ebenso wie [. . .] spiritistisch-okkultistische und völkisch-antisemitische".[46] Zusammengehalten wurden die Reformer unterschiedlicher Gesinnung von der Grundüberzeugung, es gelte nicht nur bestimmte aktuelle, als bedrohliches Zeichen empfundene zivilisatorische Erscheinungen zu bekämpfen, sondern auch deren Bedingungen, vor allem die Industrialisierung und das Wachsen der Städte. Die dagegen aufgebotenen Leitvorstellungen tragen, wie Frecot ausführt, Züge einer „rückwärtsgewandten Utopie": begehrt war eine Lebensweise, die im Gegensatz zum Luxus und zur technisch vermittelten Künstlichkeit der modernen Zivilisation auf einer emphatischen Wertschätzung des „Gesunden" und „Natürlichen" beruhen sollte. Damit zeigte diese Bestrebung einerseits „mit ihrem Rückgriff auf das Ideal eines naturhaften Lebens regressive Züge, anderseits entwickelte sie gegen die bestehenden gesellschaftlichen Verhältnisse ein zukunftsbezogenes Alternativmodell".[47]

Neu war an diesen Versuchen nicht die Theorie; für diese ließe sich eine ideengeschichtliche Tradition nachweisen, die namentlich in Rousseaus erstem und zweitem *Discours*, in Schillers *Ästhetischen Briefen* sowie in manchen Gedankengängen der deutschen Frühromantik, so etwa im Lob des altdeutschen, im 16. Jahrhundert gedeihenden Handwerks. Von neueren Gedanken sind in erster Linie die Strahlungen der aus England stammenden Handwerksdoktrin von John Ruskin und William Morris zu erwähnen, die mit ihrer Theorie und Praxis der persönlichen handwerklichen Leistung demonstrativ eine vorindustrielle Arbeitsethik vertritt und damit eine Gegenposition zum industriellen Herstellungsprozeß. Daß das Interesse für Ruskins Kunst- und Arbeitslehre gerade um 1900 offenbar sehr lebhaft war, beweist u. a. die große, 15-bändige Ruskin-Ausgabe bei Eugen Diederichs (Jena), in einem Verlag,[48] der auch sonst, etwa mit seinen Maeterlinck- und Bergson-Ausgaben, ferner mit Werken deutscher „Neuromantiker" und Heimatkunst-Autoren, das literarische und philosophische Spektrum der Jahrhundertwende mit bestimmt hat.

Neu war vielmehr die Bereitschaft, Wunschvorstellungen über den individuellen Bereich hinaus auch in der Praxis zu erproben. Die bereits auf Heilpraktiken und Gesundheitslehren des früheren 19. Jahrhunderts (etwa die Anleitungen Sebastian Kneipps) zurückgehenden Reformtendenzen auf dem Gebiet der Körperpflege durch Bewegung, Licht und Luft, durch praktische Kleidung und „naturnahe" Kost wurden nun in einen breiteren kulturkritischen Verständnisrahmen eingefügt. Zu den am weitesten gesteckten Zielen gehört fraglos der anspruchsvolle Versuch, durch sogenannte Siedlungsgenossenschaften neue Muster gemeinsamen Lebens zu schaffen, und zwar durch Überwindung der gewohnten Besitz- und Produktionsverhältnisse; freilich ohne die Absicht, gesamtgesellschaftliche Veränderungen im Sinne sozialistischer Theorie anzustreben. (Bezeichnend ist in dieser Hinsicht das Vorgehen des Nationalökonomen Franz Oppenheimer, der seine 1896 veröffentlichte Schrift über Fragen der Siedlungsgenossenschaft im Untertitel „Versuch einer positiven Überwindung des Kommunismus durch Lösung des Genossenschaftsproblems und der Agrarfrage" nannte.) Projekte dieser Art versprachen nicht nur „ein Leben abseits von Industrie und Großstadt, mit optimalen Möglichkeiten zu kultureller Selbständigkeit, individueller Entfaltung eines Lebens in Licht, Luft und Sonne, sondern auch wirtschaftliche Autarkie, eine ökonomische Basis durch genossenschaftliches Arbeiten und Wirtschaften, sei es auf handwerklichem, gärtnerischem oder landwirtschaftlichem Gebiet".[49] Neben den von Frecot angeführten Beispielen verdient die Kommune Barkenhoff genannt zu werden, eine Arbeitsgemeinschaft auf dem Besitz des Jugendstil-Malers Heinrich Vogeler, die zwar erst 1919 gegründet wurde (und einige Jahre, unter wechselnden Bedingungen, bestand), doch in mancherlei Hinsicht eine Gründung nach dem Muster lebensreformerischer Ideen der Jahrhundertwende war.[50] Der Versuch Vogelers ist nicht zuletzt auch deswegen von Interesse, weil sich darin noch einmal, wenn auch unter neuen politischen Vorzeichen, der Wunsch bekundet, den zahlreiche Intellektuelle und Künstler unter den Reformern gehegt hatten: der Wunsch, die Trennung von geistiger und körperlicher Tätigkeit aufzuheben, Imagination und Leben eins werden zu lassen. Der Lebenslauf des Künstlers in den ersten zwei Jahrzehnten seines Schaffens kann zudem als symptomatisch gelten für Tendenzen in Kunst und Lebenshaltung in der Zeit, in der Fin-de-siècle-Stimmung und Reformbestrebungen und andere wirkliche oder scheinbare Gegensätze aufeinanderstoßen.

Vogeler, dessen Zeichnungen und Ausstattungskunst zu Werken von Hauptmann, Hofmannsthal, Rilke, Ricarda Huch, Jacobsen und Oscar Wilde wie auch seine Illustrationen für die Zeitschrift „Die Insel" zu den einprägsamsten künstlerischen Leistungen der Epoche in Deutschland zählen, stand in den Jahren um 1900, auf dem Höhepunkt seiner Jugendstilphase, in freundschaftlichem Verkehr mit Rilke. Worpswede bei Bremen, dessen Malerkolonie und Künstlergemeinschaft dem Reformgeist der Epoche nicht fern stand, war eine Zeitlang gemeinsamer Aufenthaltsort. Die kleine Monographie, die der Dichter über Worpswede und seine Künstler schrieb, ist mit ihrer Einleitung ein Manifest der Landschaftsmalerei aus dem Geist der zeitgemäßen Naturverehrung, geschrieben für den „nervöse(n) Bewohner der Städte", der die „Beziehung zur Erde" verloren hat.[51] Bekannt ist ferner, daß Rilke gerade in jenen Jahren ein lebhaftes, auch publizistisch dokumentiertes Interesse für öffentliche Fragen zeigte, so für Reformpädagogik und Sexualreformen. Daß neben Rilke, Vogeler, Dehmel, Wedekind zahlreiche andere Schriftsteller, Maler, Musiker und Bühnenkünstler des Zeitalters in dem hier umrissenen Zusammenhang genannt werden können, ist ebenfalls bezeichnend. Die Lebensreform im weitesten Sinne wurde, über die praktischen gesundheitlichen oder sozialpolitischen Aspekte hinaus, von einer neuen Auffassung der menschlichen Totalität getragen. Dieser anthropologische Anspruch betraf eine – konfessionellen Traditionen wie auch der herkömmlichen bürgerlichen Arbeitsmoral entgegengesetzte – Neubewertung der Sinnlichkeit und des menschlichen Körpers überhaupt. Daraus ergab sich eine dem philosophischen Monismus der Zeit entsprechende emphatische Betonung der

Einheit von Körper und Geist. (Dieser Grundgedanke kam in zahlreichen, z. T. stark voneinander abweichenden ideologischen Subsystemen der Zeit zum Ausdruck, so in den Lehren verschiedener neuer, weltlicher „Religionen“, innerhalb deren auch die kauzigsten Sekten ihre Gemeinden bildeten und Botschaften von unfreiwilliger Komik verbreiteten, wie etwa: „Nur Pflanzenkost ermöglicht ein tiefes Seelenleben.“[52]) Von entscheidender Bedeutung war in diesem Harmoniegedanken, der sich, wie erwähnt, auf ästhetische Theoreme der Weimarer Klassik und der Romantik stützen konnte, die Überzeugung, daß durch eine neue Interpretation der Kunst Möglichkeiten menschlicher Erneuerung gewonnen werden könnten. Als Voraussetzung dafür galt die Überwindung der – gerade im späten 19. Jahrhundert so stark ausgeprägten – Exklusivität in künstlerischen Dingen. Bei Anhängern des Erneuerungs- und Jugendkultes bestand die Neigung, den Unterschied zwischen künstlich geschaffener und naturgegebener Schönheit einzuebnen zugunsten eines Panästhetismus (dem auf anderer Ebene ein Panerotismus entsprach). Die Lebensreform geriet daher in erheblichem Maße zu einer „Schönheitsbewegung“ (Frecot), in der Rhythmuspflege, Liebhabertheater, Ausdruckstanz, Sport und Freikörperkultur Formen einer Vereinigung ästhetischer und hygienischer Forderungen darstellten. Im umfassenden programmatischen Anspruch sind die Folgerungen einer kulturkritischen Besinnung zu sehen: es zeigt sich darin eine Antwort auf die von sensiblen Zeitgenossen (ein bedeutendes Zeugnis sind Flauberts Briefe!) beklagte Häßlichkeit und „Stillosigkeit“ des öffentlichen Lebens in dem von Zweckdenken und industrieller Urbanisierung beherrschten 19. Jahrhundert. Die Allgemeinheitsintention, die von den Lebensreformern vertreten wurde, gelangte allerdings über die Theorie nicht hinaus. Die Schönheitsbewegung war und blieb im wesentlichen eine Angelegenheit großbürgerlicher oder bildungsbürgerlicher Kreise – entgegen manchen Absichten eine Form von ideologischem Luxus, vergleichbar (auch was den erforderlichen materiellen Aufwand betrifft) etwa mit den Bildungsreisen und dem Gesundheitstourismus.

VI

Der als neues Lebensgefühl empfundene Versuch, veraltete, gesellschaftlich funktionslos gewordene zivilisatorische Konventionen aufzugeben, kam überaus deutlich auch in der Literatur zur Geltung. Besonders kennzeichnend dafür ist ein mit mehr oder weniger Pathos verkündetes Naturempfinden, ein poetischer Monismus gleichsam. Da dieses Pathos weder mit dem konventionellen Gattungsrepertoire auskam noch die strenge Trennung fiktionaler von nichtfiktionalen Texten beachtete, entstanden zahlreiche Werke, die eine eigentümliche, thematisch bestimmte Form von Gattungssynkretismus vorführen. Der lyrische Dialog, das Prosagedicht, die erzählende Rhapsodie in Versen, der poetische Essay sind kennzeichnende Bildungen. In stofflicher Hinsicht macht sich neben den realistisch-naturalistischen Paradigmen sowie der historistischen Exotik der Gründerzeit eine Tendenz geltend, die zu den auffallenden Zügen der Zeit gehört: angestrebt wird eine allumfassende, kosmische Sicht der Natur, die zwar jene von den Impressionisten gepflegte Intensität der Einzelbeobachtung in sich aufnimmt, aber zugleich pathetisch überhöht, auch dadurch, daß die unmittelbare Erfahrungswelt diesem Weitenpanorama nicht mehr genügt. Zugleich wächst die Neigung, die konkrete Erlebniswirklichkeit in einen Rahmen einzuspannen, der in allem Geschehen mythische Dimensionen fühlbar machen soll. Bezeichnend ist der erste Satz in Hesses *Peter Camenzind*: „Im Anfang war der Mythus.“ Hesses Romanfigur, einem dichterisch begabten Naturanbeter im Geist der Jahrhundertwende und Gegner der „aufgeblasenen Großstadtmoderne", schwebt eine Dichtung vor, deren Merkmale eine ausreichende Vorstellung vom poetischen Naturmythos der Zeit verschaffen. „Ich hatte, wie man weiß, den Wunsch, in einer größeren Dichtung den heutigen Menschen das großzügige, stumme Leben der Natur nahe zu bringen und lieb zu machen. Ich wollte sie lehren, auf den Herzschlag der Erde zu hören, am Leben des Ganzen teilzunehmen und im Drang ihrer kleinen Geschicke nicht zu vergessen, daß wir nicht Götter und von uns selbst geschaffen, sondern Kinder und Teile der Erde und des kosmischen Ganzen sind. Ich wollte daran erinnern, daß gleich den Liedern der Dichter und gleich den Träumen unsrer Nächte auch Ströme, Meere, ziehende Wolken und Stürme Symbole und Träger der Sehnsucht sind, welche zwischen Himmel und Erde ihre Flügel ausspannt und deren Ziel die zweifellose Gewißheit vom Bürgerrecht und von der Unsterblichkeit alles Lebenden ist."[53] Eine extreme Ausprägung erfährt die oben erwähnte Neigung in dem Wunsch Camenzinds, die von ihm geplante Dichtung so zu entwerfen, daß in ihr überhaupt keine Menschen vorkommen, nur außermenschliche Natur.

Allein auch bei Autoren, die mit Vorliebe den privaten Alltag oder die Natur als menschliche Umwelt schildern, tritt oft eine eigentümliche Naturmystik hervor: der Dichter „erschauert" vor dem Mysterium organischer Gebilde. In der Zeit, als Hesses Erzählung ihre ersten Erfolge verzeichnete, um 1905, hielt Peter Altenberg in einer seiner Prosaminiaturen (*Naturalismus und Romantik*) den Gedanken fest, man komme allmählich darauf, daß die blaue Blume der Romantiker „ganz einfach wirklich auf dem *wirklichen Felde* wachse – – – die Feld-Glockenblume, die Kornblume, das Vergißmeinnicht etc. etc., und zwar *schöner, lieblicher, weltentrückter* und *sanft-mysteriöser* als die Blumen auf dem lächerlichen Humus von Wolkenkuckucksheim – – –!"[54] *Prodromos* heißt der 1906 erschienene Skizzenband, in dem der Wiener Bohemien seine Welt-Anschauung ganz im Sinne der neuen Lebenslehre formuliert: die Natur wird nicht abstrahierend gedacht, sondern als Gegenstand intensivster Sinnlichkeit erlebt, allerdings einer Sinnlichkeit, die darauf verzichtet, die Natur zum Objektbereich des Besitzes und der Ausbeutung durch den Menschen zu erklären. Statt sich die Natur anzueignen, soll der Mensch ihr gegenüber eine Haltung einnehmen, die man erotische Mystik nennen könnte. Eine ebensolche Haltung wird von Altenberg gegenüber dem menschlichen Körper gefordert. *Prodromos*, ein Buch, das nach wie vor kaum Beachtung findet,[55] ist fraglos der persönlichste wie auch rhetorisch eindringlichste österreichische Beitrag zu den Lebensreformen der Jahrhundertwende, eine Sammlung, die impressionistische Poesie in Prosa, fragmentarischer Traktat über modernen Vitalismus, erotischer Hymnus und privates Reklame- und Rezepthandbuch zugleich ist. Jedenfalls ist es der eigentümlichste belletristische Führer durch die geistige Szenerie der Zeit aus der Sicht des reformistischen Naturverehrers. Die Thematik, die sonst in den Veröffentlichungen der Epoche, bei deutschen Autoren, in getrennten Sparten erscheint: einmal als poetische Beschwörung der Sonne, Erde und Meere (bei Dehmel, Schlaf, Dauthendey, Holz, Mombert, Däubler u. a.), zum andern in mehr oder minder belehrender Schriften (etwa bei Wilhelm Bölsche) sowie in einer Flut obskurer Broschüren – diese Thematik wird bei Altenberg mit spielerischer Unbefangenheit behandelt, so daß sogar Kochrezepte als „moderne Dichtungen" aufgefaßt werden können.[56] Überhaupt zählt zu den auffallenden Zügen des Buches die aus Naivität und geradezu missionarischem Eifer gemischte Überzeugung, die Grenzen zwischen „schöner Literatur", persönlichem Bekenntnis und öffentlicher Werbung seien angesichts des Bedürfnisses, eine neue Philosophie der Hygiene zu verkünden, überflüssig geworden. Altenberg scheut sich nicht, stellenweise bei Gesundheits-Ratschlägen begeistert ganz bestimmte Diätrezepte, Heilmittel, Speisen und Kosmetika zu empfehlen, die damals im Handel erhältlich waren. Es ist im Hinblick auf die zu jener Zeit bereits einsetzende Verquickung von Lebensreformidee und Kommerz (z. B. in den „Reformhäusern") bezeichnend, daß in *Prodromos* der Enthusiasmus des dichtenden Gesundheits- und Schönheitsanbeters zu – wohl unfreiwilliger – Werbung gerät.

Altenberg versah sein erstes Buch, *Wie ich es sehe* (1896), in der zweiten Auflage mit einem Zitat aus Huysmans' Roman *A rebours*, wo, im 14. Kapitel, von den poetischen Möglichkeiten des Prosagedichts die Rede ist, das auf kleinstem Raum die Kraft eines Romans enthalten könne, ohne dessen analytische Längen in Kauf nehmen zu müssen. Es versteht sich, daß der Wiener Autor in dem damals etwas mehr als zehn Jahre alten Werk einen wichtigen Ansporn fand, ja eine Bestätigung seiner eigenen literarischen Vorstellungen von der Berechtigung des impressionistischen Konzentrats. Seine späteren flüchtigen Äußerungen theoretischer Natur gehen in diesem Punkt auf Baudelaire und Huysmans zurück. Allein das Zitat regt auch zu einem Vergleich zwischen den beiden Autoren an, der die Ästhetik dieser Autoren im jeweiligen Kontext beurteilt. In inhaltlicher Hinsicht erweist sich dabei Altenberg als ein Antipode des Pariser Romanciers. Obwohl er als Anhänger des Jugendstils Artifizielles durchaus zu würdigen wußte (und darin ein typischer Jahrundertwende-Autor war), beschäftigte ihn von Anfang an die Frage, wie heute eine spezifische Ästhetik der Natur möglich sei und auf welchem Wege der Mensch wieder eine Annäherung an die Natur erzielen könnte, ohne seine Umwelt zu verwüsten und ohne auf kulturelle Errungenschaften verzichten zu müssen.

Das Loblied, das Altenberg auf die Photographie, immerhin eine technische Erfindung und damit das Gegenteil von Natur, mehrmals anstimmte,[57] ist in diesem Zusammenhang wohl so zu interpretieren, daß der „Kodak" die Natur, die „größte Künstlerin", zwar erfaßt und dem Menschen optisch verfügbar macht, ohne ihr jedoch den geringsten Schaden zuzufügen. Das Lichtbild, weniger exklusiv als das gemalte Bild, verewigt die Natur, verändert sie nicht. (Daß die Photographie allerdings *unsere* Sicht beeinflussen wird, bedachte Altenberg noch nicht.) Freilich forderte er, der Apparat müsse in einer „wirklich menschlich-zärtlichen Hand" sein.[58]

Auf der Suche nach der *natura naturans*, dem „Ursprung", mußte der Anwalt der Natur sich im Gegensatz befinden mit der Ästhetik der französischen Symbolisten, deren Auffassungen auch Huysmans im genannten Roman vertrat. Gemeint ist eine Ästhetik extremer Naturferne, eine Doktrin, die nur das Künstliche, menschlichem Raffinement Entsprungene gelten läßt und die alle wesentlichen Leistungen des Menschen als einen Sieg über die Natur deutet. Mit diesem Gedanken versieht Huysmans seine Hauptgestalt, des Esseintes, wenn er ihn sagen läßt, die Natur sei überwunden, denn der Mensch sei ihr in allen seinen Hervorbringungen überlegen. Der Augenblick sei gekommen, wo sie in allem, wo es nur irgend möglich sei, durch das Künstliche ersetzt werden müsse. Einen Höhepunkt stellt in dieser Hinsicht die Begeisterung dar, die zwei Lokomotiven in dem Ästheten und décadent entfesseln. Die Schönheit der Eilzuglokomotive („wenn sie ihre Stahlmuskeln spannt [...] und die gewaltige Rosette ihres feinen Rades bewegt")[59] stellt in seinen Augen einen Triumph des technischen Materials aus menschlichen Händen dar, einen Sieg über die organische Natur. Aus ihrem Zusammenhang herausgelöst, erscheint die Technik hier ästhetisiert – fast schon in der Art jener exaltierten Bewunderung der Maschine, die später – in einem anderen ideologischen Kontext – die italienischen Futuristen proklamierten.

Aus der Esoterik des Ästhetizismus, wie ihn Huysmans schilderte und wie er von nicht wenigen Autoren der Zeit auch gelebt wurde, führte kein Weg in das – von den Anhängern des Ästhetizismus ohnehin verschmähte – Leben. Die herausfordernd betonte Exklusivität wurde als Zeichen geistigen Ranges erachtet, wobei die Absonderung zugleich ein Akt zeitkritischen Widerstandes gegenüber dem „Zweckdiener" und „Parvenü" war. Entgegen der auratischen Dichter-Persönlichkeit, namentlich in der Auffassung der Symbolisten, findet sich bei Altenberg ein Dichterbild, das dem vitalistischen Pathos im Sinne einer „Antidekadenz" entspricht. Die Frage, wie der Titel seines ersten Buches, *Wie ich es sehe*, zu verstehen bzw. zu betonen sei (Wie *ich* es sehe oder Wie ich es *sehe*), beantwortet der Autor entschieden zugunsten der zweiten Lesart. Nicht auf die Individualität komme es an, sondern vielmehr auf die Fähigkeiten, die durch das Verbum angedeutet erscheinen. Ein „Einziger" zu sein, sei wertlos, eine Spielerei, wichtig sei lediglich, ein „Erster" zu sein, ein Vorläufer, der den Weg der Entwicklung der gesamten Menschheit sichtbar macht. Gerade der Dichter ist für Altenberg nie der „Einzige", denn dann wäre er bloß ein „Seelen-Freak". Beispielhaft ist der Künstler nicht als Individualist, sondern als einer, der die Utopie bereits lebt. „In *allen* Menschen liegt ein zarter trauriger, Ideale träumender Dichter tief verborgen. *Alle* Menschen werden einst ganz fein, ganz zart, ganz liebevoll sein, und die Natur, die Frau, das Kind mit allen Zärtlichkeiten lieb haben eines exaltierten Dichterherzens."[60] Altenbergs Zukunfts-Organ, das „exaltierte Dichterherz", ist eine Vorstellung, die den Gesundheits- und stilisierten Schlichtheitskult („Seid nackt unter der Hülle des Kleides, in Wind und Wetter --- und Franzensbad wird verödet liegen!"[61]) nach der psychischen und sozialen Seite hin ergänzt.

Dem heutigen Leser sind Vorstellungen dieser Art geläufig aus der Sprache der „Blumenkinder", einer Spielart der Jugendbewegung unserer Zeit, die in ihren Verhaltensritualen manche Gebärden und Ideen der Jahrhundertwende aufgegriffen haben. Gemeinsam ist den Anschauungen beider Epochen die mangelnde Besinnung auf die tatsächlichen gesellschaftlichen Voraussetzungen des gewünschten Zustandes. Bei Altenberg ist es bereits eine vage Idee von Gemeinschaft, eine Idee, die freilich kaum etwas mit dem Gegensatz zwischen „Gemeinschaft" und „Gesellschaft" zu tun hat, auf dem die Thesen der gleichnamigen typologischen Abhandlung des Soziologen Ferdinand Tönnies beruhen. (Das 1887 erschienene, 1912 erneut aufgelegte und später noch einflußreichere Buch konnte eher der Heimatkunst-Bewegung als theoretische Stütze dienen.) Es ist bezeichnend, daß in der Vision des Wiener Dichters keine Hierarchien und keine Autoritätsfiguren vorkommen, sondern daß die Leitgestalt der Poet ist, der überdies seine Erfüllung in der Anonymität einer gewaltlosen, „zarten" Menschheit findet. Die heutige Jugendbewegung ist weitgehend von der Einsicht geprägt, der Widerspruch zwischen Selbstverwirklichung und materieller Abhängigkeit sei nur durch eine eigentümliche Form von zivilisatorischer Askese, durch „Konsumverzicht", wenigstens annähernd zu lösen. In den Siedlungsprojekten um 1900 war diese Einsicht teilweise schon wirksam. Anders in der poetischen Soziologie des Wiener „Café Central". Der Widerspruch, der in der Verknüpfung von jugendhafter Ekstase und einem nur durch Privilegien erreichbaren Luxus erkennbar ist, erregte offenbar keine Bedenken. Die Jugendstil-Idylle, die Altenbergs Zukunftsbild prägt, ist ohne den als selbstverständlich angesehenen körperlichen Luxus kaum vorstellbar. Nicht umsonst findet sich in *Prodromos* unter den Maximen über Lebensführung auch folgende: „Hunger ist der beste Koch. Wenn ich aber hungrig bin und noch dazu den besten Koch hätte?!?"[62] Es wäre verfehlt, in Altenbergs Gedankengängen mehr zu sehen als eine Reihe von Aperçus. Dennoch dürfen sie als repräsentativ gelten für den eklektischen Charakter bürgerlichen Denkens um 1900. Der nachhaltige Erfolg von Altenbergs Büchern, namentlich in Deutschland, wo sie ja auch erschienen (bei S. Fischer in Berlin), beweist, daß viele seiner krausen Einfälle zweifellos auch zeittypisch waren. In Wien hatte er übrigens einen Bewunderer und mehr oder minder erklärten Mitstreiter in Karl Kraus, dessen Idee des „Ursprungs" in den gleichen Bereichen beheimatet war wie Altenbergs Wunschdenken von der Versöhnung mit der Natur.

VII

Alle vitalistischen Anschauungen der Jahrhundertwende erschienen damals eingebettet in einen epochentypischen Begriff von umfassender Geltung: in den Begriff des „Lebens". Man begegnet ihm in der – auch entsprechend benannten – Lebensphilosophie um 1900, die entscheidende Anregungen von Nietzsche empfing, ferner ebenso in den populärwissenschaftlichen Schriften der Anhänger des Monismus wie auch in den zahlreichen monistisch inspirierten Dichtungen des Zeitalters. Den wesentlichen Inhalt des Lebensbegriffes findet man schon in einer Aufzeichnung aus Nietzsches Nachlaß der achtziger Jahre, in der eine erneute Deutung der Vorstellung vom Dionysischen gegeben wird.

„Mit dem Wort *„dionysisch"* ist ausgedrückt: ein Drang zur Einheit, ein Hinausgreifen über Person, Alltag, Gesellschaft, Realität, über den Abgrund des Vergehens: das leidenschaftlich-schmerzliche Überschwellen in dunklere, vollere, schwebendere Zustände; ein verzücktes Jasagen zum Gesamt-Charakter des Lebens, als dem in allem Wechsel Gleichen, Gleich-Mächtigen, Gleich-Seligen; die große pantheistische Mitfreudigkeit und Mitleidigkeit, welche auch die furchtbarsten und fragwürdigsten Eigenschaften des Lebens gutheißt und heiligt; der ewige Wille zur Zeugung, zur Fruchtbarkeit, zur Wiederkehr; das Einheitsgefühl der Notwendigkeit des Schaffens und Vernichtens."[63]

Aus Nietzsches Metaphorik treten die bestimmenden Züge deutlich hervor: die Ekstase als Kern des Begriffes, das Bestreben, alles Geschehen der gesamten physischen und geistigen Welt als Einheit zu begreifen, oder genauer: zu erleben, ein emphatisches, nicht kritisches Verhältnis zu dieser Totalität, ein jugendhafter Drang zur fortwährenden Erneuerung, ohne Rücksicht auf moralische Kategorien, schließlich ein Verständnis der Gesamtheit, das ausdrücklich pantheistisch genannt wird. Auf vielfach vermittelte Weise wurde diese Auffassung – die auch von der Naturforschung und Naturphilosophie der zweiten Jahrhunderthälfte starken Auftrieb gewann – zu einem der am meisten verbreiteten Philosopheme (und auch Ideologeme) der Zeit – in monistischen, sozialdarwinistischen wie auch in rassenmythischen Spielarten. Daß der Jugendkult der Epoche ebenso wie die Reformbewegungen vom Lebensbegriff durchdrungen waren, ist leicht zu verstehen. „Das Jugendpathos ist eigentlich Lebenspathos."[64] Wie sich dieses Pathos im einzelnen äußert, welche weltanschauliche Farbe es sich gibt, das ist allerdings durch den Rahmenbegriff ebensowenig präzisiert wie die Stilvorstellung und die Wahl der künstlerischen Gestaltungsmittel in ästhetischen Texten, die vom zeitgemäßen Lebensmotiv ausgehen.

Die in den vorliegenden Band aufgenommene Studie von W. Rasch stellt den Lebensbegriff in den Mittelpunkt der Untersuchung und fächert ihn unter ideengeschichtlichen Aspekten breit auf. Die folgenden Ausführungen verstehen sich als Komplement, stellenweise als Erweiterung. Eine solche Aufgabe erfüllen im übrigen auch die Abschnitte über die Erscheinungen im Bereich der Lebensreform.

Wie unterschiedlich die Ausrichtungen und auch Ergebnisse lebensmythischer Überzeugung sein konnten, zeigt sich, wenn man bedenkt, daß entsprechende Impulse in „Heimat“-Romanen von Ganghofer ebenso gegenwärtig sind wie in Rilkes Dichtung, vom *Stunden-Buch* bis zu den *Duineser Elegien* und den *Sonetten an Orpheus*, oder in manchem rassistischen Machwerk nicht weniger als in Wedekinds und Hauptmanns Dramen. Bei Rilke ist das Zusammentreffen der prägenden Begriffe besonders anschaulich. In einem Brief an Ellen Key, der sich streckenweise zum autobiographischen Essay ausweitet, schreibt er im Frühjahr 1903 aus Viareggio bei Pisa: „O wie ich daran glaube, an das Leben. Nicht das, das die Zeit ausmacht, jenes andere Leben, das Leben der kleinen Dinge, das Leben der Tiere und der großen Ebenen. Dieses Leben, das durch die Jahrtausende dauert, scheinbar ohne Teilnahme, und doch im Gleichgewicht seiner Kräfte voll Bewegung und Wachstum und Wärme. Darum lasten die Städte so auf mir. Darum liebe ich es, barfuß weite Wege zu tun, um kein Sandkorn zu versäumen und meinem Körper in vielen Formen die ganze Welt zu geben zum Gefühl, zum Ereignis, zur Verwandschaft. Darum lebe ich, wo es geht, von Gemüse, um dem Einfachen, durch nichts Fremdes gesteigerten Lebensbewußtsein nahe zu sein; [. . .] Und darum will ich auch allen Hochmut weit von mir abtun, mich nicht heben über das allergeringste Tier und mich nicht herrlicher halten als einen Stein.“[65] Diese Stelle nimmt sich fast aus wie ein Entwurf zu einer philosophischen und ästhetischen Bestandesaufnahme der Jahrhundertwende aus der Sicht des poetischen und reformatorischen Lebenskultes. Der monistische Grundglaube ist ebenso da wie die Abneigung gegenüber den Städten, die programmatisch gesunde Lebensweise wird nicht minder betont als der Verzicht auf Individualismus zugunsten eines pantheistischen Aufgehens in der Natur.

Nahezu alle Dichtungen Rilkes können im Lichte des Lebensbegriffes interpretiert werden, nicht nur die von einem entsprechenden Pathos durchdrungenen Werke aus der Zeit um 1900, sondern auch die späten Dichtungen. Daß der poetische Monismus, den sich Rilke auf eine eigentümliche Weise zu eigen machte, freilich nicht zu verwechseln ist mit einem ungebrochenen Vitalismus oder einem naiven Schönheitskult, braucht angesichts der reifen Lyrik und der *Aufzeichnungen des Malte Laurids Brigge* nicht betont zu werden. Das „Seiende“, die Ganzheit von Erlebniswelt und Kosmos, wird im Sinne Nietzsches auch als Schauplatz des Schrecklichen und Häßlichen aufgefaßt. Die Briefe über die Malerei Cézannes (1907) sind ein Zeugnis dafür. Der Hinweis W. Raschs, man dürfe den Lebenskult in der Kunst der Zeit nicht auf einen positiven Vitalismus, auf Lebensfreude im vulgären Sinn, beschränken, sondern müsse auch die Dialektik des Lebens als Motiv erkennen, trifft in ausgedehntem Maße gerade auf Rilke zu. Im Hinblick auf die religiösen Strömungen der Epoche, etwa auf den Entwurf einer freien, konfessionslosen Gläubigkeit oder eines mit ritueller Symbolik ausgestatteten Pantheismus, ist es bezeichnend, daß der Autor trotz zahlreicher Anleihen bei der Bilderwelt des Christentums der Lehre im wesentlichen fremd gegenüberstand. Entscheidend war dabei die Naturmystik Rilkes, die unvereinbar war mit dem christlichen Anthropismus.

Die Bedeutung Nietzsches für das Verständnis der Gedankenwelt um 1900 ist in der Forschung zweifelsfrei erwiesen. Weitere Einzeluntersuchungen werden wohl das gesicherte Bild vervollständigen, doch vermutlich nicht mehr eingreifend ändern.[66] Zu bedenken ist allerdings, daß Vorstellungswelt und Bildersprache im Bereich der verschiedenen Manifestationen des Lebenskultes, der ideologischen und dichterischen, nicht nur von Nietzsche beeinflußt waren. Es bedarf noch eingehender Untersuchungen, um die Wirkung anderer, heute kaum noch gelesener, einst jedoch ungemein populärer und einflußreicher Schriften auf den Zusammenhang damaliger Denkrichtungen nachzuweisen. Im Hinblick auf Themenwahl, Figurenrepertoire und Symbolik literarischer Werke der Zeit wäre es lohnend, Bücher wie die von Max Nordau, Julius Langbehn, Wilhelm Bölsche und Ernst Haeckel auf ihre unmittelbare oder vermittelte Wirkung hin zu prüfen. Namentlich Langbehns nationalkonservative Apologie *Rembrandt als Erzieher* (1890) sowie Haeckels monistische Schriften, allen voran die – auch infolge ihrer breiten internationalen Resonanz – kulturhistorisch überaus wichtigen *Welträthsel* (1899), haben auch dort gewirkt, wo das nicht so ohne weiteres vorauszusetzen ist, so etwa Langbehn nicht nur auf die Heimatkunst-Kreise.

Von den in vielen Auflagen verbreiteten populärwissenschaftlichen Veröffentlichungen Haeckels verdienen Aufmerksamkeit besonders das „Glaubensbekenntnis eines Naturforschers" *Der Monismus als Band zwischen Religion und Wissenschaft* (1892, 1900 in zehnter Auflage) und die naturwissenschaftlichen Bildhefte *Kunstformen der Natur* (aus dem Erscheinungsjahr der *Welträthsel*). Auf die Beziehungen zwischen der Haeckelschen Ästhetik der Natur in den *Kunstformen* und gewisser Motive innerhalb des späteren Jugndstils ist bereits kursorisch hingewiesen worden.[67] Daß es sinnvoll ist, der Frage des Austausches von Anregungen nachzugehen, beweisen überraschende Übereinstimmungen zwischen dem Blickwinkel des Naturforschers und manchen ästhetischen Vorstellungen zeitgenössischer Literaten.

Altenbergs bereits zitierte Theorie der Naturverehrung durch photographische Technik ist ein Gedanke, der kennzeichnenderweise im Zusammenhang eines programmatischen Aufsatzes über Kunst vorkommt (geschrieben als Vorwort für die 1903/04 von Altenberg und Adolf Loos gemeinsam redigierte kurzlebige Zeitschrift „Kunst", deren kunstgewerbliche Tendenz in den Beiträgen der beiden Redakteure hervortritt). Die Kunst, erklärt der Bohemien, müsse aufhören, als „luxuriöse Tändelei" zu gelten, sie müsse an das „Leben des Alltags" herangeführt werden, damit von ihr eine befruchtende Wirkung auf den „Alltagsmenschen" ausgehen könne. Diese Wirkung erhofft der Autor sich von einer Entwicklung der menschlichen Wahrnehmungsfähigkeit, von einer neuen Kultur des Schauens, gewidmet „den Schönheiten der Welt". Zu den Voraussetzungen gehört freilich eine Forderung, die auch eine Änderung des gesellschaftlichen Verhaltens mit einschließt. Das Verweilen vor den Schönheiten der Natur verlangt Verzicht auf die Hast in den Geschäften des Alltags. „Wir wollen dich erziehen, das heißt aufhalten in deinen Rastlosigkeiten, auf daß du verweilest, schauest, staunest!"[68] Angesichts der erklärten Absicht, die Kunst dem Alltag zu nähern, überraschen die Objekte, die Altenberg dem schauenden Auge empfiehlt. Nicht nur Birken, Pappeln und Rosenstökke werden genannt, sondern auch Naturdinge, die alles andere assoziieren als heimischen Alltag. „Sehet euch den rotgrauen Käfer aus Ceylon an oder die drappfarbige Muschel aus dem Ozean [. . .] Und der blaubraun schillernde Schmetterling aus China, auf weißes Holz gespannt unter Kristallglas, ist schöner als alles, was ihr von Menschenunzulänglichkeit in euren öden Zimmern aufhäuft! Auf euren nippes-verunreinigten Tischen!"[69]

Der Seitenhieb, der dem herrschenden Geschmack in der Inneneinrichtung gilt, entspricht der von Loos vertretenen asketischen Gebrauchsästhetik. (1908 erschien der berühmt gewordene Aufsatz des Architekten *ornament und verbrechen*.) Doch die Naturerscheinungen, die sich in Altenbergs Kunstschau dem Auge, dem „Rothschildbesitz des Menschen", mitteilen, korrespondieren – mittelbar oder unmittelbar – mit einer Auffassung von Schönheit, die ihr Anschauungsmaterial aus der modernen Naturkunde bezog. Haeckel war mit seinen *Kunstformen der Natur* und *Welträthseln* sicherlich der einflußreichste Mentor des neuen, ästhetisch und lebensphilosophisch interpretierbaren

Naturgefühls. In den *Welträthseln* spricht der Autor ausdrücklich von einer „monistischen Kunst" und meint damit die in der bildenden Kunst ausgeprägte Neigung, die durch die Entwicklung der Naturwissenschaft herbeigeführte Erweiterung unserer Weltkenntnis ästhetisch zu nutzen. „Die Zahl der neuen Thier- und Pflanzen-Arten wuchs bald in's Unermeßliche, und unter diesen [. . .] fanden sich Tausende schöner und interessanter Gestalten, ganz neue Motive für Malerei und Bildhauerei, für Architektur und Kunstgewerbe."[70] Man meint Altenberg und andere Enthusiasten eines monistischen Jugendstils zu lesen, wenn es über die „fabelhaften" Tiefseebewohner mit einem gar nicht naturwissenschaftlich nüchternen rhetorischen Aufwand heißt: „Tausende von zierlichen Radiolarien und Thalamophoren, von prächtigen Medusen und Korallen, von abenteuerlichen Mollusken und Krebsen eröffneten uns da mit einem Male eine ungeahnte Fülle von verborgenen Formen, deren eigenartige Schönheit und Mannigfaltigkeit alle von der menschlichen Phantasie geschaffenen Kunstprodukte weitaus übertrifft."[71] Auch in den folgenden Sätzen äußert sich die enge Verwandtschaft zwischen naturwissenschaftlicher und poetischer Sicht um die Jahrhundertwende: „Indessen bedarf es nicht weiter Reisen und kostspieliger Werke, um jedem Menschen die Herrlichkeiten dieser Welt zu erschließen. Vielmehr müssen dafür nur seine Augen geöffnet und sein Sinn geübt werden. Überall bietet die umgebende Natur eine überreiche Fülle von schönen und interesssanten Objekten aller Art. In jedem Moose und Grashalme, in jedem Käfer und Schmetterling finden wir bei genauer Untersuchung Schönheiten, an denen der Mensch gewöhnlich achtlos vorübergeht."[72] Das ist unverkennbar der Gedanke und auch das Vokabular, dem wir in Altenbergs redaktionellem Vorwort zu dessen Zeitschrift begegnet sind. Voraussetzung für eine „monistische Kunst" ist, so darf man den Gedanken ergänzen, gleichsam ein monistisches Sehen – ein Sehen, das bereit ist, die Dinge der Natur vorurteilsfrei, sozusagen neugierig zu erfassen, so daß die Erscheinungen Gegenstand eines zweckfreien, „interesselosen" Gefallens werden. Auch die szientifische Wißbegierde versteht sich in diesem Zusammenhang als eine zweckfreie, ästhetische, und kann sich daher auf monistischer Grundlage der artistischen Sicht des Ästheten verwandt fühlen. Die stilistischen Spannungen in der Literatur der Jahrhundertwende gelangen freilich auch hier zum Ausdruck. Die zahlreichen monistisch angehauchten Dichtungen der Zeit (von denen einige, wie Schlafs *Frühling*, schon vor den *Welträthseln* erschienen und möglicherweise, etwa durch die Vermittlung Bölsches, ihrerseits auf die Sprache der Naturforscher wirkten) enthalten eine eigentümliche Mischung sprachlich heterogener Elemente: wirksam ist darin sowohl die geduldige, sorgfältig-liebevolle Betrachtung des Naturdetails als auch ein dieser Sorgfalt deutlich entgegengesetzter, auf großen Gebärden beruhender Hang zur Allgemeinheit, ein alles einebnendes Pathos.

Angesichts der Übereinstimmung in den theoretischen Forderungen erhebt sich die Frage, wie die Ästhetik der Monisten konkrete Bedeutung für das Kunstschaffen der Epoche gewinnen konnte. Als entscheidend darf der Umstand angesehen werden, daß die Aufmerksamkeit, die sich nun bislang nicht beachteten Formen organischer Natur zuwandte, mit einer Krise der Gattungstraditionen in Kunst und Literatur zusammenfiel, zu einem Zeitpunkt, als Maler, Musiker und Dichter in wachsendem Maße an einer dekorativen Synthese der Künste interessiert waren. Das von Haeckel angeregte monistische Kunstverständnis konnte sowohl in das impressionistische wie auch in das jugendstilhaft-abstrakte Bestreben integriert werden, sich von überlieferten Kategorien der Bildkomposition oder des Handlungszusammenhanges in der literarischen Fiktion zu lösen. Für den Naturforscher war der als schön empfundene Naturgegenstand ohnehin ein Ding, das sich zwar in den großen Naturzusammenhang einfügte, das aber keinem vom Menschen vorgegebenen ästhetischen Kontext angehörte. Die vielfältigen Formen der Tier- und Pflanzenwelt erschienen dem betrachtenden Auge ästhetisch als isolierte Objekte. Der Hang zur Abstraktion und zur dekorativen Stilisierung, besonders in der bildenden Kunst, stellt den konzeptionellen Rahmen dar, innerhalb dessen Motive aus dem Katalog monistischer Naturbetrachtung zwanglos ihren Platz fanden. In der Literatur tritt die Naturverehrung selbstverständlich als Stoffquelle auf Schritt und Tritt in Erscheinung. Ein spezifisches Epochenmerkmal ist jedoch vor allem darin zu erblikken, daß auch die Sprachkunst zu einer eigentümlichen dekorativen Behandlung ihres Materials gelangt, vor allem in der Lyrik und im Prosagedicht, wo das Verfahren der Isolierung sprachlicher bzw. rhythmischer Werte am meisten vorangetrieben wird. Auffallend ist besonders die Neigung, auch die äußere Textgestaltung, etwa die Schrifttypen, als eine ästhetische Zeichensprache zu behandeln und mit dem Textgehalt in Verbindung zu bringen.[73] Solche graphisch-sprachlichen „Gesamtkunstwerke" beziehen ihre Formen nicht selten aus der Gestaltenwelt jener Tiere und Pflanzen, die sich in den monistischen Naturatlanten dem „schauenden Auge" anbot.

Bedenkt man, wie bezeichnend das Ineinandergreifen völlig unterschiedlicher Tendenzen für jene Epoche war, muß man annehmen, daß den Zeitgenossen vielleicht nicht ganz zum Bewußtsein kam, wie merkwürdig die Dialektik war, die sich in den Spielarten des Jugendstils und verwandter Bestrebungen offenbarte: Das „Allgefühl", von dem Künstler und Naturphilosophen gleichermaßen schwärmten, brachte in der Kunst Formen hervor, die trotz der Natur als Vorbild nicht etwa durch ein mimetisches Verhältnis zum Gegenstand gekennzeichnet waren, sondern vielmehr durch eine neue eigentümliche Naturferne. Gerade bei Autoren, die nicht bereit waren, zu bloßen Ideologen der Gesundheit, der Heimat, eines metaphysischen Grundsatzes usw. zu werden, verflüchtigt sich das „Lebenspathos" oft zum ästhetischen Spiel, in dem sich die Natur zum Ornament wandelt. Arno Holz mit seinem *Phantasus* ist, cum grano salis, ein Beispiel dafür. Die Wirklichkeitsbesessenheit des Dichters, namentlich im Verhältnis zur Natur, brachte von Fassung zu Fassung nicht etwa ein Anwachsen der Anschaulichkeit und sprachlichen Realitätsbeherrschung hervor, sondern viel eher das Gegenteil davon: je größer der sprachliche Aufwand, welcher der Erfassung von Erfahrung gilt, desto mehr nimmt man das artifizielle Zeichensystem wahr, schließlich das Hervortreten des Ornaments aus der Sprache.

VIII

Nimmt man das mehr oder minder emphatische Verhältnis zum „Leben" als Maßstab für die Beurteilung der in der Realität gültigen Gesinnungen deutscher Autoren um 1900, so ergibt sich auch hier ein sehr uneinheitliches Bild. Eine notwendig vereinfachende Gliederung nach typischen Verhaltensweisen zeigt, daß nur bei Autoren ohne künstlerische Bedeutung eine ungebrochene Bereitschaft bestand, „Leben" und konkrete Wirklichkeit gleichzusetzen und das wilhelminische Reich pathetisch zu bejahen. Anders bei den Autoren von Rang. Obwohl auch da der Begriff „Opposition" zumeist nur im weitesten Sinne zutrifft, ist leicht zu erkennen, daß allenthalben eine komplexe, in manchen Fällen auch bewußt widerspruchsvolle Beziehung zur Realität vorausgesetzt werden muß. So gibt es Autoren, deren Werke zwar als Zeugnisse lebensphilosophischen Elans gelten können, die aber keineswegs überzeugt waren, daß es unbedingt eine Lust sei, im Staat Wilhelms II. zu leben. Die Bedrängnisse, in die manche Autoren infolge von

Konflikten mit der Staatsbürokratie gerieten, sollten als Zeitsymptom nicht unterschätzt werden. Anderseits gab es einen gewissen verbürgten Spielraum von Freiheit wie auch grundsätzlich die Möglichkeit, die Medien der Öffentlichkeit für eine kritische Wirksamkeit zu nutzen, vor allem aufgrund des steigenden Ansehens des Schriftstellers, ja des Künstlerberufs überhaupt. Als typisch konnte auch die Haltung jener Autoren gelten, die sich zwar mit den politischen Zielsetzungen der herrschenden Gesellschaftsschichten nicht schlicht identifizierten, jedoch die gesellschaftliche und staatliche Ordnung als eine Notwendigkeit hinnahmen, die es ihnen – bei entsprechender materieller Unabhängigkeit – erlaubte, die ihnen gemäße Lebensform zu wählen und in ihren Werken Dinge zu behandeln, die außerhalb des eigentlichen politischen Bereiches lagen. Die meisten bedeutenden bürgerlichen Autoren der Epoche gehören dieser Gruppe an. Thomas Manns oft zitiertes Wort von der „machtgeschützten Innerlichkeit" deutet einen Aspekt dieses Sachverhaltes an. Wenn auch aus der Donaumonarchie kommend, ist eine Äußerung Arthur Schnitzlers über die Erfahrungen junger bürgerlicher Intellektueller im ausgehenden Jahrhundert keinesfalls nur von lokaler Bedeutung. Die Heimat, so erinnert sich der Wiener Autor, „war eben nur Tummelplatz und Kulisse des eigenen Schicksals; das Vaterland, ein Gebild des Zufalls, – eine völlig gleichgültige, administrative Angelegenheit, – und das Weben und Walten der Geschichte drang doch nur, wie es uns Gegenwärtigen meist passiert, in der mißtönigen Melodie der Politik ans Ohr, der man nur ungern lauschte, wenn man nicht gerade zu denjenigen gehörte, die beruflich oder geschäftlich an den politischen Ereignissen interessiert waren."[74]

Sieht man von Schriftstellern ab, die entweder infolge ihrer sozialistischen Orientierung oder infolge einer individuellen Anarchievorstellung für gesellschaftliche Umwälzungen eintraten, beschränkten sich die künstlerisch repräsentativen Autoren auf eine Haltung, in der sich moralistische Kritik, Resignation und Ironie miteinander mischten. Das bedeutete jedoch keineswegs, daß sie sich nicht des Umstandes bewußt waren, in einer Gesellschaft zu leben, von der sie in dieser oder jener Form abhingen und deren Spielregeln mit mehr oder weniger Distanz zu befolgen waren. Die Erkenntnis der offenen oder geheimen Abhängigkeit formulierte Wedekind in einem bedeutenden (wenn auch vergleichsweise wenig bekannten) Stück, im Einakter *Der Kammersänger*, 1897. Die Hauptfigur, der Opernsänger Gerardo, faßt dort seine Erfahrungen mit der Gesellschaft in folgendem Satz zusammen: „Wir Künstler sind ein *Luxusartikel* der Bourgeoisie [. . .]"[75] Wedekinds Künstlergestalt ist viel zu egozentrisch, um Einsichten, die den schaffenden oder ausübenden Künstler betreffen, auf das Phänomen der Kunst insgesamt auszudehnen. Es versteht sich jedoch, daß in Wedekinds Problematik nicht nur Menschen, sondern auch Einrichtungen (ohne die der einzelne Künstler gar nicht vorstellbar wäre) gemeint sind. Die Diagnose bezieht sich auf den Luxuscharakter der Kunst in der bürgerlichen Gesellschaft, d. h. auf die Tatsache, daß die Kunst als eine letztlich funktionslose Hervorbringung angesehen wird, deren Autonomie geduldet wird, die sich aber den Forderungen der Warenwirtschaft (der sie nicht zuletzt ihre Autonomie verdankt) zu beugen hat.[76] Ohne Funktion im Sinne vorbürgerlicher oder frühbürgerlicher Kunstübung, gewinnen Kunst und Künstler gerade im späten 19. Jahrhundert merklich an Ansehen – was kein Widerspruch ist, wenn man berücksichtigt, daß sich einerseits an die Kunst mehr und mehr materielle Prestigewerte heften (was vor allem konkurrenzfähigen Künstlern zugute kommt), anderseits die Kunst in Kreisen des Bildungsbürgertums an Symbolwert gewinnt: nämlich als Zeugnis einer zumindest grundsätzlich freien, im vollen Sinne individuellen menschlichen Tätigkeit.

Die Skepsis, wenn nicht gar Verachtung, die den Künstler unter dem Gesichtspunkt des Zweckdenkens dennoch von einem Großteil der Gesellschaft trifft, beantwortet er oft ebenfalls durch Verachtung, Fremdheit, Abkapselung. Der Bürger wird nicht selten zur abstrakten Gegenfigur stilisiert, etwa in der Gestalt des Philisters, wie sie schon seit den Tagen der Romantik die satirische oder auch die elegische Einbildungskraft des sich emanzipierenden Künstlers beschäftigt. Hans Wilhelm Rosenhaupt hat in seinem Buch über die gesellschaftliche Problematik des Schriftstellers (Dichters) um die Jahrhundertwende (das trotz mancher methodischer Mängel ein bemerkenswerter Beitrag zur gesellschaftshistorischen Darstellung der literarischen Epoche ist) die Position des Dichters, ja des modernen Künstlers überhaupt, anhand einer Rekonstruktion thematischer Zusammenhänge in literarischen Werken von Rang untersucht. Rückschlüsse über faktische Lebensbedingungen leitet er aus einer Reihe von Motiven ab, die zu einer zeitgeschichtlichen Deutung herausfordern: außer von der Kritik des Dichters an der bürgerlichen Gesellschaft (in dem hier abgedruckten Kapitel) ist von der Unsicherheit des Dichters über seine eigene Rolle die Rede, ferner von der Orientierungslosigkeit („Vektorlosigkeit") in Leben und Dichtung, vom Erlebnis des Zerfalls (der „Stückhaftigkeit") im Weltbild der Dichtung, schließlich von den bezeichnenden Motiven des Inseldaseins einerseits, der Rastlosigkeit und Wanderschaft anderseits. An einer Fülle von Beispielen weist der Verfasser die zeittypische zentrale Bedeutung des Motivkomplexes nach, der sich insgesamt auf das Thema der Isoliertheit und Verunsicherung bezieht. (Daß Rollen und Realitäten, literarische Fiktion und faktische Autorenpsychologie nicht scharf genug voneinander unterschieden werden, schränkt den methodischen Wert der Untersuchung einigermaßen ein, mindert aber nicht die Bedeutung des gewonnenen Rundblicks.)

Hält man die Lebenspraxis der Autoren und den Gehalt literarischer Werke strenger auseinander, so ergibt sich ein Bild, das komplexer als das von Rosenhaupt entworfene ist. Zu den wesentlichen Merkmalen des Zeitalters gehört ja gerade der Umstand, daß die romantische – freilich auch damals schon erheblich relativierte – Vorstellung von der Einheit von Leben und Kunst im Zeichen eines unkonventionellen Individualismus längst nicht mehr die Künstlerwelt beherrschte. Der ästhetisch anspruchsvolle bürgerliche Autor wußte, daß unter den herrschenden Bedingungen Leben und Kunst verschiedene Dinge seien. Schriftsteller, die diesen Zwiespalt in sich trugen und eine Art Doppelleben führten, waren in der (repräsentativen) Mehrzahl; Anhänger verschiedener Spielarten der Boheme, die versuchten, die Kluft zu schließen und „künstlerisch" zu leben, die Kunst ans Leben heranzuführen und das Leben an die Kunst, mußten folgerichtig als Außenseiter gelten. Zwar wäre im Zeitalter des Lebens- und Jugendkultes sowie der Nietzsche-Begeisterung kaum ein Autor bereit gewesen, die Verse wirklich gelten zu lassen, die Schiller (nach Nietzsche ein „Moraltrompeter von Säckingen") im Gedicht *Der Antritt des neuen Jahrhunderts* dem neunzehnten auf den Weg gegeben hatte: „Freiheit ist nur in dem Reich der Träume, / Und das Schöne blüht nur im Gesang." In Wirklichkeit standen jedoch viele Künstler mit ihren Erfahrungen der Schillerschen Einsicht näher, als sie es wahrhaben wollten. Es ist jedenfalls auffallend, daß sich unter den so zahlreichen Anbetern des Lebens in der Nachfolge Nietzsches oder Haeckels kaum einer findet, der mit dem Lebensbegriff etwas anderes verbindet als eine mehr oder minder konkrete Vorstellung von Natur. Zumeist ist es nur Natur im Sinne von Landschaft oder Kosmos; und auch der Mensch erscheint vorwiegend nicht als gesellschaftliches Wesen, sondern als mythisch stilisierte Figur, als Verkörperung archetypischer Lebensformen.

Die Mehrzahl der älteren Autoren von Rang in den drei Jahrzehnten vor dem

Weltkrieg identifizierte sich zwar keineswegs mit dem Regierungsstil im wilhelminischen Reich, bemühte sich aber auch nicht darum, Unbehagen oder Kritik in organisierter, politisch wirksamer Form zu äußern. Das unpolitische Verhalten der Autoren aus dem Kreis der Wiener Moderne, Karl Kraus ausgenommen, ergibt, über die Staatsgrenzen hinaus, ein ziemlich einheitliches Bild. Allerdings muß man hinzufügen, daß damit diesmal keine deutsche oder österreichische Besonderheit sichtbar wird: es handelt sich vielmehr um einen Befund, der in sehr ausgedehntem Maße gesamteuropäisch genannt werden darf. Das Motiv des Zwiespalts von Kunst und Leben hat seine reale Entsprechung in den Schriftstellerexistenzen: es überwiegt der – materiell abgesicherte – private, ironische Vorbehalt gegenüber der „offiziellen" Gesellschaft oder die bohemienhafte Außenseiterhaltung. Die öffentliche, politische Wirksamkeit eines Autors wie Zola bildet auch im Frankreich der Jahrhundertwende eher eine Ausnahme. Der zeittypische Literat (im weitesten Sinne), durchdrungen entweder vom Mythos des Lebens oder von der Idee reiner Kunst, ist als bürgerliche Persönlichkeit eine Gestalt, in der sich viel eher die Züge Flauberts wiederholen. Um es pointiert zu sagen: Die Symbolfigur des literarischen 19. Jahrhunderts, namentlich aber der Moderne, ist nicht der romantische, unkonventionelle Aristokrat Byron, sondern der „aristokratische Bürger" Flaubert, dessen gesichertes Rentnerdasein die Voraussetzung schuf für einen eigentümlich asketischen Dienst an der absolut gesetzten Kunst – Flauberts Form der Verachtung, die dem philisterhaften Bürger galt.

Zu verdeutlichen ist freilich, was mit dem Vergleich nicht gemeint sein kann. Es wäre viel zu pauschal, nähme man an, das Bedürfnis nach geistiger Unabhängigkeit, das auch bei den deutschsprachigen Autoren der Jahrhundertwende so ausgeprägt war, sei stets eine Folge materieller Sicherheit gewesen. Autoren wie Thomas Mann und Gerhart Hauptmann, bis zu einem gewissen Grade auch Hofmannsthal, George oder Schnitzler, stehen Autoren wie Holz, Liliencron, Rilke oder Altenberg gegenüber, die zeitlebens die Last wirtschaftlicher Sorgen zu tragen hatten. Namentlich die bürgerliche Existenz von Arno Holz verdient unter dem Aspekt ‚Kunst und Leben' Beachtung.[77] Seine dauernden finanziellen Nöte können – wenn auch die exzentrischen Charakterzüge des Autors zu berücksichtigen sind – als paradigmatisch gelten im Hinblick auf die taktischen Schwierigkeiten, die Schriftsteller bewältigen mußten, um den Erfordernissen des literarischen Marktes im Zeitalter des Stilpluralismus zu entsprechen. Freischaffende Autoren ohne materielle Rückendeckung erfuhren oft am nachteiligsten, wie schwierig es sei, der Paradoxien der Lage Herr zu werden, d. h. einem zumeist unausgesprochenen Ansinnen der Öffentlichkeit, vor allem der Verlage und der Kritik, nachzukommen, wonach der Autor individuell und konform, originell und angepaßt zugleich sein müsse – eine Paradoxie, die von Zeit zu Zeit im Begriff des Modischen ihre Auflösung fand.

Holz ist in einer weiteren Hinsicht sozialgeschichtlich von Interesse. In seiner Lebensführung läßt sich eine bezeichnende Verbindung von Exzentrizität und betont bürgerlichem Habitus erkennen, von forcierter, zuweilen völlig unduldsamer Originalitätssucht und einem Bedürfnis nach Anerkennung durch die sonst so gering geachtete gesellschaftliche Norm. Daß es sich hier eben nicht nur um individualpsychologische Fragen handelt, sondern auch um sozial bedingte, zeittypische Verhaltensweisen, mag anhand der Ausführungen im Abschnitt II deutlich geworden sein. Es wäre höchst einseitig, die Gestalt des Dichters bzw. geistigen Individualisten seit den Tagen Baudelaires und Nietzsches lediglich im Dunstkreis des Bohemiens und Dandys zu sehen. Zu berücksichtigen ist ebenso das Streben des bürgerlichen Schriftstellers, namentlich seit der Jahrhundertmitte, auf seine Weise einen festen Platz im gesellschaftlichen Gefüge zu erringen, sozial „etabliert“ zu sein. So ist etwa bei Holz der Wunsch spürbar, als eigenständige, überragende Persönlichkeit anerkannt zu sein, aber nicht als Sonderling und Außenseiter, der allenfalls als „Barde“ geachtet wird, sondern als beherrschende Gestalt *innerhalb* der überlieferten bürgerlichen Kultur und Gesellschaftsordnung.

Von den älteren Autoren wäre in erster Linie Fontane als Vertreter des Gedankens bürgerlicher Integration und urbaner Haltung zu nennen, freilich ohne jegliche Exzentrizität. Die zwiespältige Sicht des Künstlers, der gegenüber den gesellschaftlichen Konventionen seine Vorbehalte bewahrt, äußert sich bei ihm durch eine spezifische Ironie. Nicht umsonst beruft sich der größte Erzähler der Epoche, Thomas Mann, der der Boheme und jeglicher demonstrativer Antibürgerlichkeit fernsteht, gerade auf den alten Fonane. Nicht weniger bezeichnend ist der Umstand, daß in Thomas Manns Chamisso-Essay von 1911 der Schatten des Peter Schlemihl als „Symbol aller bürgerlichen Solidität“ begriffen wird.[78]

Der bürgerlichen Solidität gegenüber hegte der Autor der *Buddenbrooks* und des *Todes in Venedig* seine eigenen Zweifel, trotz aller Integrationsbestrebungen; das macht ihn zu einer Gestalt, die Repräsentant und Ausnahme zugleich ist. Daß in seiner Auffassung von Bürgerlichkeit und (künstlerischer) Solidität auch konservative Züge enthalten sind, hat der Autor niemals geleugnet, am wenigsten der Verfasser der *Betrachtungen eines Unpolitischen* von 1918. In einer Abhandlung, in der von den eigentümlichen Wechselwirkungen in der Kultur der Jahrhundertwende die Rede ist, verdient sicherlich die Tatsache Beachtung, daß die Gedanken über Bürgerlichkeit und Künstlertum, welche die frühen Erzählungen beherrschen, vor allem *Tonio Kröger*, verblüffende Ähnlichkeit mit Anschauungen einer Schrift aufweisen, die man ein Grund-Buch des deutschen Konservatismus genannt hat. Gemeint ist Julius Langbehns Werk *Rembrandt als Erzieher*, 1890 erschienen und um die Jahrhundertwende in zahlreichen Auflagen verbreitet. Langbehns anonym („Von einem Deutschen“) veröffentlichter Versuch einer restaurativen Polemik gehörte damals zweifellos zu den einflußreichsten Büchern der Epoche; in einigen Punkten an Paul de Lagarde anknüpfend, leitete es eine Flut gegenaufklärerischer Publizistik ein – wobei in Langbehns Fall die gegenaufklärerische Einstellung auch in einem konkreten literarischen Urteil sichtbar ist: in seiner Absicht, Lessing in der deutschen Kulturtradition zu isolieren und abzuwerten.

Da die Kenntnis dieses Buches heute nicht mehr allgemein vorausgesetzt werden kann, sei wenigstens in knappsten Zügen der Kontext der betreffenden Stelle dargelegt. Langbehns Angriff gilt der modernen städtischen, daher zentralisierten, gewissermaßen auch kosmopolitischen Kultur: was es seiner Meinung nach zu bewahren gilt, ist ein lokaler, provinzieller, eben „heimatlicher“ Geist auch in der Kunst. Der Historismus, der die Museen fördert, nicht die Musen, entspreche der zeitgemäßen, positivistischen Art, die Kunst wahllos aufzuhäufen und dem Milieu, in dem sie entstanden ist, zu entfremden. Kunst müsse volkstümlich sein, d. h. sie müsse vom „Volkscharakter“ eines Landes, eines „heimatlichen Bodens“ durchdrungen sein. Die Loslösung des Künstlers und der Kunst vom Milieu und vom ehrlichen bürgerlichen Handwerksbegriff sei Niedergang. Daher gelte es, die romantische Anschauung, der Künstler sei Ausnahmeperson, zu bekämpfen und zu dem alten handwerklichen Kunstbegriff zurückzukehren. Langbehns Deutung erscheint übrigens als eine politisch restaurative Variante eines Gedankens, von dem hier schon die Rede war: der Erneuerung der Geschmackskultur im industriellen Zeitalter aus dem Geist des Handwerks, die aus England kommende Theorie Ruskins und Morris'. Mit der Behauptung Langbehns, der Künstler müsse sich wieder als ein Bürger unter Bürgern fühlen, fällt zugleich das Stichwort für den Vergleich mit Thomas Manns Gedankengängen. Dem Leser des *Tonio Kröger* wird folgende Stelle aus *Rembrandt als Erzieher* vertraut klingen:

„Der Künstler, der im besten Sinne des Wortes ‚bürgerlich' ist, wird seinen Mitbürgern dadurch auch persönlich nahe treten und sie seinerseits um so eher zur Kunst hinüberziehen; nicht der heutige Maler mit seiner manierirten Sammtjacke sondern Walther von der Vogelweide mit dem Schwert an der Seite, Peter Vischer im Schurzfell und Rembrandt in der Arbeitsblouse sind die rechten Künstlertypen. Je weniger der Künstler sich äußerlich von seinen Mitbürgern unterscheidet, desto besser ist es für ihn, desto echter wird er sein; ihn als eine Art von interessantem Vagabunden, *Bohème* anzusehen, ist französische, nicht deutsche Auffassung. Nicht aufzufallen, ist das erste Gesetzt des guten Tones; es gilt auch in Bezug auf das persönliche Verhältniß des Künstlers zur bürgerlichen Gesellschaft: je mehr er mit ihr verschmilzt, desto besser ist es für ihn und für sie."[79]

Einige Argumente Langbehns nehmen Kernpunkte des Kunstgesprächs zwischen Tonio Kröger und Lisaweta Iwanowna vorweg, zweifellos. Man könnte auch behaupten, Tonio habe den „Rembrandtdeutschen" gelesen und es liege ein Beispiel der von Thomas Mann schon damals geübten Form der Montage vor – freilich sollte man nicht versäumen hinzuzufügen, daß die schlichte Denkweise Langbehns keinesfalls Tonios geistige Fasson ist. Was hinzukommt, ist schließlich entscheidend: nämlich Dialektik. „Ach, lassen Sie mich mit meinen Gewändern in Ruh'", sagt der Literat Tonio zu Lisaweta. „Wünschten Sie, daß ich in einer zerrissenen Sammetjacke oder einer rotseidenen Weste umherliefe? Man ist als Künstler innerlich immer Abenteurer genug. Äußerlich soll man sich gut anziehen, zum Teufel, und sich benehmen wie ein anständiger Mensch . . ."[80] Die Eingliederung ins bürgerliche Leben, die Langbehn so strikt und humorlos fordert, spielt auch in Tonios behutsamen Überlegungen eine Rolle, freilich nur als psychologisches Motiv: zum Künstler gehört nicht nur der durchdringende analytische Blick, der das Leben bloßstellt, sondern auch die Sehnsucht nach dem Harmlosen und Einfachen, nach den „Wonnen der Gewöhnlichkeit", kurz: nach der „Bürgerlichkeit".

Das Verständnis für die Gemeinschaft, die ja, anders als bei Langbehn, keine „Volksgemeinschaft" ist, tritt in Tonios und seines Autors Denken nicht ohne ironische Vorbehalte auf. Thomas Manns vermittelnde Stellung zwischen Artistik und Humor braucht hier nicht erläutert zu werden, auch nicht seine ambivalente Haltung gegenüber dem faktischen Bürgertum. In unserem Zusammenhang interessiert lediglich ein für jene Epoche bezeichnendes Merkmal. Trotz aller – später noch viel stärker ausgeprägten – Unterschiede zu Langbehn fällt auf, wie stark die Neigung vieler Autoren war, mit begrifflichen Konstruktionen umzugehen, geistesgeschichtliche Gegensätze zu entwerfen und aufs großzügigste damit zu operieren. Bald wurden Kultur und Zivilisation gegeneinander ausgespielt, bald Gemeinschaft und Gesellschaft, bald Leben und Geist. Die Jahrhundertwende ist – und auch darin folgt sie Nietzsche – eine Zeit kühner (und windiger) gedanklicher Synthesen, Entwürfe, Abstraktionen. Die Jahrhundertwende ist bislang die letzte Epoche, in der man noch aufs „Ganze" ging, mit umfassenden psychologischen oder mythischen Typologien dichtete und dachte. Der Expressionismus, obwohl künstlerisch eine Protestbewegung, gehört sowohl mit seiner Neigung zur Abstraktion wie auch mit seinem Menschheitspathos in mancherlei Hinsicht noch in diesen Zusammenhang.

So verschiedenartig auch die Stiltendenzen und Lebensvorstellungen um 1900 auch waren, der Anspruch darauf, verallgemeinernd verfahren zu dürfen, ist überall spürbar.

Auch der differenzierende Ironiker Thomas Mann tendiert, trotz scharfer analytischer Beobachtung im einzelnen, insgeheim zur typologischen Allegorie. Wie sich das in seinen Erzählungen ausnimmt, ist bekannt. Weniger bekannt sind zeichnerische Versuche des Autors aus der Zeit um 1900, groteske Karikaturen mit literarisch-philosophischem Einschlag.[81] Darunter findet sich auch eine Zeichnung betitelt „Das Läben" (Das Leben), deren kommentierender Charakter im Hinblick auf den modischen Lebensbegriff damals mehr als deutlich war. Daß „das Leben" hier allerdings nicht als Verkörperung eines strahlenden Vitalismus erscheint, sondern als makabre Bajazzo-Figur mit ausgestreckter Zunge, in der Hand eine Schnapsflasche, ändert nichts an der Tatsache, daß auch diese „dekadente" oder genauer: desillusionierende Variante auf einer abstrahierenden Sicht beruht. Diese – bei Thomas Mann spezifisch artistische – Sicht läßt die Lebenserfahrungen Tonio Krögers zu einem Kondensat, einer Erkenntnisformel gerinnen, deren Verwandtschaft mit der zeichnerischen Groteske evident ist. „Sie [die Kunst] schärfte seinen Blick und ließ ihn die großen Wörter durchschauen, die der Menschen Busen blähen, sie erschloß ihm der Menschen Seelen und seine eigene, machte ihn hellsehend und zeigte ihm das Innere der Welt und alles Letzte, was hinter den Worten und Taten ist. Was er aber sah, war dies: Komik und Elend – Komik und Elend."[82] An unkritischem Gebrauch „großer Wörter" gab es um die Jahrhundertwende wahrhaftig keinen Mangel. Die Gegenperspektive Tonios ist daher durchaus verständlich. Nicht zu vergessen ist freilich, daß „Komik und Elend" ebenfalls nur eine abstrakte Formel ist, gleichsam die Kehrseite des vitalistischen Pathos. Die typologische Verallgemeinerung wird darin nicht nur getadelt, sondern auch bestätigt.

In dieses Bild von den Ideenkonstruktionen der Zeit fügt sich auch der Befund ein, daß auch der empirisch ausgerichtete Impressionismus nicht selten in einer gedanklichen Überhöhung, etwa in einer anthropologischen Synthese, gipfelt. Wie unscharf die Grenzen zwischen Milieu, Stimmung und mythischem Bild ist, zeigen manche Werke von Maeterlinck, Hofmannsthal und Schnitzler. Bezeichnend ist ferner, daß Hofmannsthal nach der Beschreibung der Krise infolge des Verlustes des gewohnten Sprach- und Realitätsverständnisses (im Chandos-Brief) die Hoffnung auf eine gesellschaftliche, aber dennoch sehr abstrakte Vorstellung setzte: mit dem Wunsch, als Künstler einer ästhetischen Gemeinschaft im Zeichen des „Sozialen" zu dienen.

Die konkreten sozialen Voraussetzungen wurden in der Literatur der Epoche dagegen sehr oft außer acht gelassen. Der Bogen der ideellen Synthesen, ob nun im Zeichen euphorischer Lebensstimmung oder düsterer Verfallsprophetie, berührte nur selten den Boden der Wirklichkeit. Eine für die Jahrhundertwende typische Begriffskonfrontation in poetischer Sicht mag als letztes Beispiel auch diese Form der „Abgelöstheit" dokumentieren. Das Gedankenspiel findet sich diesmal in einer Äußerung Frank Wedekinds. Es sei nicht einzusehen, warum unsere metaphysischen Begriffe und moralischen Kategorien sich auf ewig im Gegensatz zu unserer Freude am Sinnlichen befinden sollten. „Das war früher anders, als sich die Anbetung des Geistes mit der Verehrung menschlicher Schönheit unter demselben Tempeldach zusammenfanden."[83] Kein Zweifel: in diesen Worten lebt das deutsch-klassische Griechenlandbild nach, die Vorstellung von antiker Harmonie. Den Dualismus von strenger Geistigkeit und schöner Erscheinungswelt empfand Wedekind als ein eigenes, aktuelles Thema – er sah es aber als eine Erscheinungsform der Geistesgeschichte. Daher konnte er – ohne viel nach realen Bedingungen zu fragen – den Gedanken aussprechen, sein Lebenswunsch sei es, die beiden Elemente miteinander zu versöhnen. Man sollte im übrigen nicht vergessen, daß Wedekinds lebensphilosophische Idee der Einheit im selben (Münchner) literarischen Milieu entstanden ist wie Thomas Manns Erzählung von den skeptischen Einsichten Tonio Krögers. Auch diese Spannung gehört zum Bild der Jahrhundertwende.

Allein während die geistigen Repräsentanten des Bürgertums noch mit den Gegensätzen zwischen Kunst und Leben oder Geist und Natur beschäftigt waren, schrieb ein junger Mann, selbst ein bedeutender Dichter, in sein Tagebuch: „Ach, es ist furchtbar. Schlimmer kann es auch 1820 nicht gewesen sein. Es ist immer das gleiche, so langweilig, langweilig. Es geschieht nichts, nichts, nichts. Wenn doch einmal etwas geschehen wollte, was nicht diesen faden Geschmack von Alltäglichkeit hinterläßt. [. . .] Geschähe doch einmal etwas. Würden einmal wieder Barrikaden gebaut. Ich wäre der erste, der sich darauf stellte, ich wollte noch mit der Kugel im Herzen den Rausch der Begeisterung spüren. Oder sei es auch nur, daß man einen Krieg begänne, er kann ungerecht sein. Dieser Frieden ist so faul ölig und schmierig wie eine Leimpolitur auf alten Möbeln."[84] Georg Heyms Eintragung stammt aus dem Sommer 1910. Vier Jahre später war dann der pubertäre Wunsch schreckliche Realität. Der Krieg und seine Folgen setzten der Epoche ein Ende. Viele ihrer Impulse wirkten auch weiterhin und sind heute nach wie vor spürbar. Die einmalige Konstellation ‚Jahrhundertwende' gehörte jedoch schon 1914 und vollends 1918 endgültig der Vergangenheit an.

Anmerkungen

1 R. Musil: *Der Mann ohne Eigenschaften*, Sonderausgabe Rowohlt 1970, S. 55 (Erster Teil, 15. Kapitel).

2 P. Valéry: *Briefe*, übersetzt von W. A. Peters, Wiesbaden 1954, S. 184. – Ein Spektrum der Namen, mit denen man damals „rechnete", ist aus der Liste potentieller Mitarbeiter ersichtlich, die Holz und Paul Ernst 1895/96 für eine – nicht realisierte – Zeitschriftengründung aufstellten: D'Annunzio, Bahr, Dehmel, Fontane, Arne Garborg, Halbe, Gerhart Hauptmann, Huysmans, Liliencron, Maeterlinck, C. F. Meyer, William Morris, Raabe, Strindberg, Swinburne, Tolstoj, Verlaine. (Die Liste findet sich im vollständigen Wortlaut bei H. Scheuer: *Arno Holz im literarischen Leben des ausgehenden 19. Jahrhunderts (1883–1896). Eine biographische Studie*, München 1971, S. 171.)

3 J.-K. Huysmans: *Gegen den Strich*, übersetzt von H. Jacob, Potsdam 1921, S. 194f.

4 Zit. nach E. Koppens Beitrag *Décadence und Symbolismus in der französischen und italienischen Literatur* in dem von H. Kreuzer herausgegebenen Band *Jahrhundertende – Jahrhundertwende I* (*Neues Handbuch der Literaturwissenschaft*, Bd. 18), Wiesbaden 1976, S. 71.

5 Vgl. *Die literarische Moderne. Dokumente zum Selbstverständnis der Literatur um die Jahrhundertwende*, hrsg. von G. Wunberg, Frankfurt am Main 1971, S. 80.

6 Hierzu *Literarische Manifeste der Jahrhundertwende 1890–1910*, hrsg. von E. Ruprecht und D. Bänsch, Stuttgart 1970, S. XVIII.

7 Samuel Lublinski betitelte zwar ein Kapitel seines Buches *Der Ausgang der Moderne* (1909) „Vom Naturalismus zur Neuromantik", was an ein Fortschreiten von der einen Orientierung zur anderen denken läßt, doch die Lektüre belehrt darüber, daß der Autor bereits ähnlich verfährt wie Arnold Hauser: die „robusten Positivisten der siebziger und achtziger Jahre" findet er in Frankreich, die Neuromantiker und Impressionisten dagegen in Deutschland und Österreich! Auf Grund der Kombination verschiedener Vergleichsebenen stellt sich dann der Eindruck ein, es handle sich um eine Entwicklung. Baudelaire, Verlaine und Mallarmé werden nicht erwähnt. (*Der Ausgang der Moderne. Ein Buch der Opposition,* Dresden 1909, das erwähnte Kap. S. 40–52.)

8 *Die literarische Moderne,* S. 172.

9 Ebenda, S. 182.

10 Ebenda, S. 2. Zu Beginn der neunziger Jahre bestand vorübergehend die Neigung, „naturalistisch" als ein Synonym für „modern" überhaupt zu gebrauchen. Der Kritiker F. M. Fels schrieb anläßlich der Eröffnung der Wiener „Freien Bühne" 1891: „Das Schlagwort, unter dem man die künstlerischen Bestrebungen der Gegenwart zusammenzufassen pflegt, heißt Naturalismus. Nun ist es allerdings das entscheidende Kennzeichen der Moderne, daß sie keine einseitige Einzelrichtung ist, daß in ihr die verschiedensten und entgegengesetztesten Anschauungen und Bestrebungen Platz finden: aber die uns getauft, haben glücklicherweise den Begriff so weit gezogen, daß wir mit dem Namen wohl zufrieden sein können. Naturalist ist schließlich jeder. Naturalist ist, wer die Außenwelt mit all ihren Details peinlichst sorgfältig nachzubilden sucht, indem er das ungeordnet Zufällige, Unwichtige und Zusammenhangslose streng beibehält; Naturalist ist, wer sich in die Innenwelt versenkt und mit ängstlichem Bemühen jeder kleinsten Nuanzierung seines Seelenlebens nachspürt; [. . .] (*Die literarische Moderne*, S. 75).

11 Ebenda, S. 131f.

12 Vgl. H. U. Gumbrecht: *Modern, Modernität, Moderne*. In: *Geschichtliche Grundbegriffe. Historisches Lexikon zur politisch-sozialen Sprache in Deutschland*, hrsg. von O. Brunner, W. Conze und R. Koselleck, Bd. 4, Stuttgart 1978.

13 Vgl. dazu vor allem J. Habermas: *Strukturwandel der Öffentlichkeit*, Neuwied/Berlin 1962; V. Žmegač und Z. Škreb (Hrsg.): *Zur Kritik literaturwissenschaftlicher Methodologie*, Frankfurt am Main 1973; L. Winkler: *Kulturwarenproduktion. Aufsätze zur Literatur- und Sprachsoziologie*, Frankfurt am Main 1973; B. Lutz (Hrsg.): *Deutsches Bürgertum und literarische Intelligenz 1750–1800*, Stuttgart 1974; H. Kiesel/P. Münch: *Gesellschaft und Literatur im 18. Jahrhundert. Voraussetzungen und Entstehung des literarischen Marktes in Deutschland*, München 1977.

14 F. Schlegel: *Kritische Schriften*, hrsg. von W. Rasch, 2. Aufl., München 1964, S. 39.

15 Ein Versuch, die Zusammenhänge in Frankreich in der zweiten Hälfte des 19. Jahrhunderts aufzuzeigen, ist der Beitrag *Naturalismus und Ästhetizismus. Zum Problem der literarischen Evolution* von H. Sanders im Sammelband *Naturalismus/Ästhetizismus*, hrsg. von Chr. Bürger, P. Bürger und J. Schulte-Sasse, Frankfurt am Main 1979.

16 *Französische Poetiken*, Teil II, hrsg. von F.-R. Hausmann, E. Gräfin Mandelsloh und H. Staub, Stuttgart 1978, S. 119.

17 Der Herausgeber der bekannten Münchner Zeitschrift „Jugend", Georg Hirth, schrieb unter dem Titel *Der neue Stil* in seinem Periodikum 1898 (Nr. 51, S. 860): „Der moderne Mensch – und der lebende ist ja immer modern – kann sich heute an der Götterdämmerung und morgen an der Zauberflöte, hier in einer altdeutschen Trinkstube und dort in einem neckischen Rococoboudoir erfreuen, er kann sogar sein Heim allmählig zum Stelldichein der Grazien aller Jahrhunderte machen, ohne seiner Würde das Geringste zu vergeben. Es führen viele Wege nach Rom; wer sie alle kennt, kommt am sichersten hin."

18 A. Holz: *Briefe. Eine Auswahl*, hrsg. von Anita Holz und Max Wagner, München 1948, S. 182.

19 Ebenda, S. 211.

20 Der Tenor zahlreicher biographischer Zeugnisse erscheint in Kellers Erzählung *Die mißbrauchten Liebesbriefe* humoristisch verdichtet, wenn es von einer zeitgenössischen Literatenrunde heißt, „es dauerte nicht lange, so hörte man nur noch die Worte Honorar, Verleger, Clique, Koterie und was noch mehr den Zorn solchen Volkes reizt und seine Phantasie beschäftigt" (*Gesammelte Werke*, Stuttgart/Berlin 1912, Bd. V, S. 104).

21 Vgl. das Vorwort zu der Komödie *Sozialaristokraten* (1896) sowie im genannten Briefband S. 174f. In einem Brief an Otto Brahm von 1907 schreibt Holz über sein Drama *Sonnenfinsternis*: „Mit diesem Stück habe ich die Technik von 1890, deren ausschließlicher Urheber ich bin, um einen neuen, bedeutsamen Schritt weitergeführt" (*Briefe*, S. 176).

22 A. Hauser: *Sozialgeschichte der Kunst und Literatur*, Sonderausgabe, München 1967, S. 928.

23 Vgl. dazu G. Hermanns Besprechung von Freds Schrift im „Literarischen Echo", 1910/11 (abgedruckt in *Literatur und Gesellschaft. Zur Sozialgeschichte der deutschen Literatur seit der Jahrhundertwende*, hrsg. von B. Pinkerneil, D. Pinkerneil und V. Žmegač, Frankfurt am Main

1973. Den Zusammenhang stellt W. Martens dar in seiner Studie *Lyrik kommerziell. Das Kartell lyrischer Autoren 1902–1933*, München 1975. – Über den Warencharakter der Literatur in den neueren Epochen spricht bereits Wilhelm Scherer in seiner postum veröffentlichten *Poetik* (Berlin 1888). Vgl. auch den Neudruck, hrsg. von G. Reiß, München/Tübingen 1977.

24 H. Bahr: *Tagebuch*, Berlin 1909, S. 166f.

25 Zu der Tendenz moderner Künstler, Werke durch Sekundärtexte (programmatische Erläuterungen usw.) zu stützen, siehe A. Gehlen: *Zeit-Bilder. Zur Soziologie und Ästhetik der modernen Malerei*, 2. Aufl., Frankfurt am Main 1965. Einen in dieser Hinsicht noch „vormodernen" Standpunkt nahm noch John Ruskin ein, als er schrieb: „Über Kunst muß nicht gesprochen werden. Kein rechter Maler spricht oder hat je viel von seiner Kunst gesprochen. Die größten sagen gar nichts. In dem Augenblick, wenn ein Mann seine Arbeit wirklich versteht, wird er stumm darüber. Alle Worte, alle Theorien werden ihm unnütz. Stellt ein Vogel Lehrsätze darüber auf, wie er sein Nest baut, prahlt er, wenn es gebaut ist? Alle gute Arbeit wird wesentlich auf diese Weise getan, ohne Zögern, ohne Schwierigkeit, ohne Großtun" (J. Ruskin: *Menschen untereinander*, Düsseldorf/Leipzig o. J., S. 200).

26 H. Bahr: *Inventur*, Berlin 1912, S. 15.

27 Ebenda, S. 18.

28 Zit. nach: *Literarische Manifeste der Jahrhundertwende*, S. 7.

29 Ebenda.

30 Ebenda, S. 8.

31 Zit. nach: *Die Lyrik des Expressionismus*, hrsg. von S. Vietta, München/Tübingen 1976, S. 11f. Vgl. ferner: *Deutsche Großstadtlyrik vom Naturalismus bis zur Gegenwart*, hrsg. von W. Rothe, Stuttgart 1973.

32 Dazu vor allem H. Böhme: *Prolegomena zu einer Sozial- und Wirtschaftsgeschichte Deutschlands im 19. und 20. Jahrhundert*, Frankfurt am Main 1968, sowie H.-U. Wehler: *Das Deutsche Kaiserreich 1871–1918*, Göttingen 1973. – Zur literarhistorischen Darstellung der Jahrhundertwende vgl. *Geschichte der deutschen Literatur vom 18. Jahrhundert bis zur Gegenwart*, hrsg. von V. Žmegač, Bd. II, Königstein/Ts. 1980.

33 Flakes Aufsatz *Forum germanicum* wird hier zitiert nach dem Abdruck in *Literarische Manifeste der Jahrhundertwende*, S. 363.

34 Die Verquickung unterschiedlicher Erlebnismotive im Zeichen einer universalen, aus der „Natur", aus der Technik wie auch aus raffiniertem Luxus sich speisenden Sinnlichkeit tritt in einem Essay des Architekten Henry van de Velde sehr deutlich zutage. Der Text (*Die Belebung des Stoffes als Prinzip der Schönheit*, geschrieben 1903–1910) wird selten zitiert. Daher sei hier eine längere Passage wiedergegeben. „Alles bestrebt sich, zu zeigen, daß sich unsere Epoche eine Schönheitskonzeption anzueignen sucht, die aus der Sinnlichkeit schöpft, die sich in uns beim Anblick des Lebens, des Lebenswunders regt. Niemals vorher hat eine gleiche zitternde Bewegung das Bild der Städte erregt. Die Beleuchtung hat weder eine so große Rolle gespielt, noch über so viel Leuchtkraft verfügt. Niemals hat sie so zahllose Funken in Schaufenster und Schilder geworfen, niemals vervielfältigte sie sich zu solch endlosen Girlanden, wenn Regengüsse den Asphalt überschwemmen. Über die Plätze und entlang der Boulevards zirkulierten nie zuvor so viel bunte Fahrzeuge, nie so viel verschiedenartige Uniformen. – Niemals stieg aus den Häfen so viel Rauch empor, und nachts spiegelten die Flüsse nie so viel glänzende Edelsteine wider. An nebeligen, eisigen Winterabenden bieten uns die Bahnhofshallen verwirrend phantastische Anblicke und versetzen uns auf den tiefen Meeresgrund, wo sich Ungeheuer schnaubend und pfeifend verfolgen. Die öffentlichen Gärten sind von tieferem Grün und die Blumenbeete von leuchtenden Farben. Der Sand auf den Wegen ist gelb, und wir entdecken das Violett der Schatten. Und wenn Enttäuschung, Trauer oder Langeweile ihre kalte Hand auf unsere Seele legt, suchen wir Orte auf, wo Glas und Silbergerät auf glänzenden Tischplatten in die Spiegelscheiben lachen, wo auf weißgedeckten Tischen um jedes Glas eine Schar kleiner, fröhlich strahlender Seelchen tanzt, wie Blumen zitternd, deren Stiele der Wind schaukelt. An solchen Orten befreit sich unsere Seele von dem Druck, der auf ihr lastet, und so sind die Restaurants nichts anderes als Hospitäler unserer Kümmernisse und unserer Spleens; die uns

bedienenden Kellner die geschulten Krankenwärter unserer Langenweile" (H. van de Velde: *Essays*, Insel-Verlag, Leipzig 1910, S. 37).

35 H. Fritz: *Die Dämonisierung des Erotischen in der Literatur des Fin de siècle*. In: *Fin de siècle. Zu Literatur und Kunst der Jahrhundertwende*, hrsg. von R. Bauer u. a., Frankfurt am Main 1977, S. 451. Vgl. ferner J. Hermands Aufsatz *Undinen-Zauber. Zum Frauenbild des Jugendstils*, zuerst in der Rasch-Festschrift *Wissenschaft als Dialog. Studien zur Literatur und Kunst seit der Jahrhundertwende*, hrsg. von R. von Heydebrand und K. G. Just, Stuttgart 1969, dann in Hermands Buch *Der Schein des schönen Lebens. Studien zur Jahrhundertwende*, Frankfurt am Main 1972. – Über den gesamten Komplex des Fin de siècle unterrichtet systematisch und anregend J. M. Fischers Buch *Fin de siècle. Kommentar zu einer Epoche*, München 1978.

36 Ebenda.

37 Ebenda, S. 460.

38 Im Bereich der Lyrik fällt auf die scheinbare Polarisierung in der Spannung zwischen extremer Künstlichkeit bzw. Exklusivität einerseits und „Naturnähe" anderseits. Für die erstgenannte Tendenz in der Motivwahl kann eine Neigung als repräsentativ gelten, die Heide Eilert in einem vorzüglichen Aufsatz untersucht hat: *Die Vorliebe für kostbar-erlesene Materialien und ihre Funktion in der Lyrik des Fin de siècle* (ebenfalls im vorhin angeführten Sammelband *Fin de siècle*, S. 421ff.). Allein auch das entgegengesetzte Bestreben mancher Dichter, erkennbar etwa bei Bierbaum, ihren poetischen Haushalt mit den schlichten Mitteln der sogenannten Volksliedtradition zu bestreiten, wirkt auf andere Art nicht weniger künstlich, weil nicht selten krampfhafte Folklore dazu herhalten muß, den Eindruck von Urwüchsigkeit hervorzurufen.

39 „Jugend", 1898, Nr. 1, S. 2. Eine nützliche Zusammenstellung von Texten aus dieser Zeitschrift bietet der von L. Koreska-Hartmann herausgegebene DTV-Band *Jugendstil – Stil der „Jugend"*, München 1969. Leider sind manche Texte gekürzt abgedruckt, Lautstand und Rechtschreibung erscheinen modernisiert. Notizen zu den Editionsgrundsätzen fehlen jedoch. – Aus dem Umkreis der „Jugend" stammt auch die Karikatur des Fin-de-siècle-Poeten in Bierbaums satirischer, kaum bekannter Erzählung *Emil der Verstiegene*. Die Satire nimmt sich stellenweise aus, als habe Ostinis Artikel sie angeregt. (Erschienen in Bierbaums Novellenband *Don Juan Tenorio*, Berlin o. J., abgedruckt in: *Das große deutsche Erzählbuch*, hrsg. von V. Žmegač, Königstein/Ts. 1979.)

40 W. Rasch: *Fin de siècle als Ende und Neubeginn*. In: *Fin de siècle*, S. 46.

41 Vgl. P. L. Berger/T. Luckmann: *Die gesellschaftliche Konstruktion der Wirklichkeit. Eine Theorie der Wissenssoziologie*, 5. Aufl., Frankfurt am Main 1977, S. 90ff.

42 So U. Linse in seinem Beitrag *Die Jugendkulturbewegung*. In: *Das wilhelminische Bildungsbürgertum. Zur Sozialgeschichte seiner Ideen*, Göttingen 1976, S. 121. Vgl. ferner *Kulturkritik und Jugendkult*, hrsg. von W. Rüegg, Frankfurt am Main 1974. – Zu den literarischen ideologischen Auseinandersetzungen des Zeitalters vgl. auch V. Žmegač: *Kunst und Ideologie in der Gattungspoetik der Jahrhundertwende*, „Germanisch-Romanische Monatsschrift", 1980, Heft 3.

43 Ansätze findet man bei R. Hamann/J. Hermand (*Stilkunst um 1900*, zuerst Berlin 1967). Vgl. auch Hermands Aufsatz *Der „neuromantische" Seelenvagabund* (1969), abgedruckt im Essayband *Der Schein des schönen Lebens* (siehe Anm. 35). Ein erster, bescheidener Versuch, die Problematik bei *einem* Autor zu untersuchen, liegt vor in der Arbeit von Chr. Völpel: *Hermann Hesse und die deutsche Jugendbewegung. Eine Untersuchung über die Beziehungen zwischen dem Wandervogel und Hermann Hesses Frühwerk*, Bonn 1977.

44 Die so gefaßte These von der Wechselwirkung ist auch selbst ein Gedanke des Zeitalters: er findet sich, geistvoll begründet, in Oscar Wildes Essay *The Decay of Lying* (1889, dann im Essayband *Intentions*, 1891). Auch hier wird die Gleichzeitigkeit von Naturalismus und Ästhetizismus augenfällig: Wildes Polemik gegen die naturalistische Mimesis deckt sich zeitlich mit dem Aufkommen des „Ibsenism" (Naturalismus) in England. Das Jahr 1889 ist zugleich das entscheidende Stichjahr des deutschen Naturalismus.

45 Mit Recht bemerkt E..Lämmert (*Eichendorffs Wandel unter den Deutschen*. In: *Die deutsche Romantik*, hrsg. von H. Steffen, Göttingen 1967, S. 219f.): „Als schließlich Scharen von Gitarrenwanderern um die Jahrhundertwende aufbrachen, um Freiheit auf den Landstraßen,

Atemluft auf Waldeshöhen und Erquickung des Herzens an frischen Quellen und blinkenden Strömen zu suchen, da ahnten sie nicht einmal mehr, daß die unverstellte Natur, die sie sich zu erobern meinten, in Wirklichkeit ein poetisches Erlebnismosaik war aus Bildsteinen und Klangfiguren, die ihnen von dem Liedzauberer Eichendorff mit seinen einfältigen Reimen an die Hand und in den Sinn gegeben worden waren und die sein vogelleichter Wanderer in Gottes Gunst, der ‚Taugenichts', ihnen vorauferlebt hatte." Es fragt sich lediglich, ob die Wandervögel so ganz ahnungslos auszogen, die Natur zu entdecken. Es ist anzunehmen, daß sich nicht wenige dessen bewußt waren, in der Entdeckung der Natur eine literarisch vermittelte Wiederentdeckung zu vollziehen.

46 J. Frecot: *Die Lebensreformbewegung.* In: *Das wilhelminische Bildungsbürgertum*, S. 139. Hierzu auch J. Frecot/J. F. Geist/D. Krebs: *Fidus 1868–1948. Zur ästhetischen Praxis bürgerlicher Fluchtbewegungen*, München 1972. – Aus der Sicht eines kritischen Zeitgenossen, nämlich Lublinskis, nahm sich die Bewegung zur Lebensreform als Versuch aus, den Kulturstil durch selbstverständliche (keineswegs revolutionäre) Dinge zu bereichern. „Jeder Schwärmer unserer Tage, der etwa eine naturgemäße Lebensweise in Sanatorien empfiehlt, jeder Vorkämpfer der Wasserheilmethode und Pflanzenkost, jeder Kreuzzugsritter gegen den Alkohol, jeder Enthusiast des Sportes, jeder Reformator des Gechlechtslebens, jeder Dekorateur, der eine neue Nüance der Ornamentik erfindet: sie alle sind ganz und gar nicht etwa Revolutionäre, und sie werden eine grundlegende Umwälzung der Gesellschaft niemals herbeiführen, sondern sie sind die ersten Vorboten dafür, daß das soziale Leben einem Höhepunkt entgegenzugehen und aus den Niederungen in die Kultur und den Kulturstil hineinzuwachsen beginnt" (*Der Ausgang der Moderne*, S. 19).

47 Ebenda.

48 Zum Verlagsprogramm sowie zur Ruskin-Rezeption vgl. *Geschichte der deutschen Literatur vom 18. Jahrhundert bis zur Gegenwart,* hrsg. von V. Žmegač, Bd. II, S. 370f.

49 Frecot, a.a.O., S. 141f.

50 Über die Wandlungen des Künstlers unterrichtet H. W. Petzets Monographie *Von Worpswede nach Moskau. Heinrich Vogeler. Ein Künstler zwischen den Zeiten*, Köln 1972.

51 R. M. Rilke: *Sämtliche Werke,* Insel Werkausgabe, Frankfurt am Main 1975, Bd. 9, S. 20.

52 Zit. nach G. K. Brand: *Werden und Wandlung. Eine Geschichte der deutschen Literatur von 1880 bis heute,* Berlin 1933, S. 6. Ein reichhaltiges Panorama diverser „Weltanschauungen" bietet R. Hamann/J. Hermand: *Stilkunst um 1900*, Berlin 1967 u. ö.

53 7. Kapitel (suhrkamp taschenbuch, Frankfurt am Main 1974, S. 109).

54 P. Altenberg: *Prodromos*, 4. und 5. Aufl., Berlin 1919, S. 123.

55 Auch in der umfangreichsten gedruckten Arbeit der letzten Jahre, in G. von Wysockis Buch *Peter Altenberg. Bilder und Geschichten des befreiten Lebens,* München 1979, wird *Prodromos* lediglich erwähnt. H. D. Schäfer geht in seinem sehr lesenswerten Aufsatz *Peter Altenberg und die Wiener Belle Epoque* („Literatur und Kritik", 26/27, 1968) ebensowenig darauf ein.

56 *Prodromos,* S. 88f.

57 P. Altenberg: *Wie ich es sehe,* 12.–15. vermehrte Aufl., Berlin 1919, S. 293.

58 Ebenda.

59 J.-K. Huysmans: *Gegen den Strich*, S. 41.

60 *Prodromos,* S. 156.

61 Ebenda, S. 37.

62 Ebenda, S. 13.

63 F. Nietzsche: *Werke in drei Bänden,* hrsg. von K. Schlechta, München 1966, Bd. III, S. 791.

64 W. Rasch: *Die Reichweite des Jugendstils.* In: *Kulturkritik und Jugendkult,* S. 128.

65 R. M. Rilke: *Briefe aus den Jahren 1892 bis 1904*, hrsg. von R. Sieber-Rilke und C. Sieber, Leipzig 1939, S. 339. Zu Rilkes Lebensbegriff vgl. V. Žmegač: *Bemerkungen zur Rezeptionsgeschichte Rilkes.* In: *Literatur und Theater im Wilhelminischen Zeitalter,* hrsg. von H.-P. Bayerdörfer, K. O. Conrady und H. Schanze, Tübingen 1978. – Die Faszination, die vom „Leben" auf die Zeitgenossen Rilkes ausging, läßt sich u. a. durch folgende Tagebucheintragung Hermann Bahrs belegen: „Der ‚Ruf des Lebens' heißt Schnitzlers neues Stück. Ein Name, der

mich wunderbar ergreift. Alles, was wir sind, wir von 1860, und wollen und wähnen, ist darin und man sollte auf das Kapitel, das einmal erzählen wird, was wir waren, dieses Wort setzen: Der ‚Ruf des Lebens'" (*Tagebuch*, Berlin 1909, S. 15). Eine pantheistische Lebens-Dichtung mit ganzen Katalogen modischer Motive ist Schlafs *Frühling*, zuerst 1896 im Leipziger Verlag „Kreisende Ringe" (!) erschienen, erfolgreicher später als Bändchen der Insel-Bücherei.

66 Verwiesen sei vor allem auf die von B. Hillebrand herausgegebene Dokumentation *Nietzsche und die deutsche Literatur*, 2 Bde., München/Tübingen 1978. Eine weitere, ähnliche Textsammlung zur Nietzsche-Rezeption in den Literaturen des Auslandes wäre wünschenswert.

67 Vgl. Hamann/Hermand: *Stilkunst um 1900*, S. 247 und 261, ferner H.-U. Simon: *Sezessionismus. Kunstgewerbe in literarischer und bildender Kunst*, Stuttgart 1976, S. 89.

68 Zit. nach: *Wie ich es sehe*, Aufl. von 1919, S. 294.

69 Ebenda, S. 293f.

70 E. Haeckel: *Die Welträthsel. Gemeinverständliche Studien über Monistische Philosophie*, 7. Aufl., Bonn 1901, S. 393.

71 Ebenda, S. 394.

72 Ebenda.

73 Dieses Thema behandelt, allerdings ohne besonderen Bezug auf den Monismus-Komplex, H.-U. Simon, a.a.O., S. 103ff. und passim. Im Hinblick auf entsprechende Erscheinungen bei einem so zeittypischen Autor wie Dehmel vgl. das vorzügliche Buch von H. Fritz: *Literarischer Jugendstil und Expressionismus. Zur Kunsttheorie, Dichtung und Wirkung Richard Dehmels*, Stuttgart 1969.

74 A. Schnitzler: *Jugend in Wien*, Wien/München/Zürich 1968, S. 276.

75 F. Wedekind: *Gesammelte Werke*, Bd. III, München/Leipzig 1913, S. 224.

76 Positiv gewendet beschreibt diesen Sachverhalt J. Habermas (*Kultur und Kritik*, *Verstreute Aufsätze*, Frankfurt am Main 1973, S. 318) folgendermaßen: „Die Kunst ist das Reservat für eine, sei es auch nur virtuelle Befriedigung jener Bedürfnisse, die im materiellen Lebensprozeß der bürgerlichen Gesellschaft gleichsam illegal werden: ich meine das Bedürfnis nach einem mimetischen Umgang mit Natur, der äußeren ebenso wie der des eigenen Leibes; das Bedürfnis nach solidarischem Zusammenleben, überhaupt nach dem Glück einer kommunikativen Erfahrung, die den Imperativen der Zweckrationalität enthoben ist und der Phantasie ebenso Spielraum läßt wie der Spontaneität des Verhaltens."

77 Vgl. dazu H. Scheuer, a.a.O., vor allem S. 198ff.

78 T. Mann: *Das essayistische Werk, Taschenbuchausgabe in acht Bänden*, hrsg. von H. Bürgin, Frankfurt am Main und Hamburg 1968, Bd. I, S. 72.

79 *Rembrandt als Erzieher. Von einem Deutschen*, 48. Aufl., Leipzig 1908, S. 21. – In der Essayistik T. Manns spielt Langbehn keine Rolle.

80 T. Mann: *Sämtliche Erzählungen*, Frankfurt am Main 1963, S. 231.

81 Darüber unterrichtet E. Scheyer: *Über Thomas Manns Verhältnis zur Karikatur und bildenden Kunst*. In: *Betrachtungen und Überblicke*. Zum Werk Thomas Manns, hrsg. von G. Wenzel, Berlin/Weimar 1966.

82 *Sämtliche Erzählungen*, S. 228.

83 Bei A. Kutscher: *Frank Wedekind. Sein Leben und seine Werke*, München 1931, Bd. III, S. 256.

84 G. Heym: *Dichtungen und Schriften*, hrsg. von K. L. Schneider, Bd. III, Hamburg/München 1960, S. 138f.

ERSTER TEIL

PANORAMA DES ZEITALTERS

HANS SCHWERTE

Deutsche Literatur im Wilhelminischen Zeitalter

Deutsche Literatur im „Wilhelminischen Zeitalter" – diese thematische Frage verblüfft den Literarhistoriker zunächst. Eine solche mögliche epochale Benennung ist der Literaturgeschichte bisher fremd. Auch als eine literarische Stilbezeichnung scheint „Wilhelminisches Zeitalter", oder davon abgeleitet: wilhelminisch, kaum brauchbar – möglicherweise eher für bestimmte Erscheinungen der damaligen zeitgenössischen Baukunst, z. B. die in historische Stilformen verkleideten Bahnhöfe, Postämter oder Fabrikanlagen, aber auch Kirchen, die historisierende Denkmalkunst, überhaupt das Pompös-Kultische gewissen öffentlichen uniformierten Auftretens und Gebarens – kurz das eigentümlich Maskierte des Wilhelminischen, maskiert gegen die Signatur der eigenen Zeit: die Maske des Vorindustriellen, die Maske des Höfisch-Ständischen,[1] die Maske des Agrarischen, die Maske mittelalterlichen Reichsgehabes, und dies alles in einem längst hochindustriellen Zeitalter mit seinen noch unbewältigten sozialen Spannungen und Umwälzungen.

Die Regierungsdaten Wilhelms II., 1888–1918, sind politische Daten, von gewiß starkem historischem Gewicht. Auch geistesgeschichtlich mögen diese Daten Bedeutung haben: mit „Wilhelminischem Zeitgeist" könnten dann gewisse Kulissen und Perspektiven dieser dreißig Jahre charakteristisch umschrieben werden. Aber dem Literaturhistoriker besagen die Daten 1888–1918 unmittelbar zunächst wenig, – es sei denn, man kaschierte in ihnen etwas mühsam die bekannten Epochenbegriffe, genauer: Stilbegriffe, wie Naturalismus und Expressionismus, also die bekannte Doppelbewegung der modernen Literaturrevolution in Deutschland um 1890 und 1910, und erinnerte sich, daß nach 1918, dem Jahr der Abdankung des Kaisers, auch der sogenannte Expressionismus schöpferisch eigentlich am Ende war, so daß z. B. Kurt Pinthus schon zu Weihnacht 1919 mit seiner berühmt gewordenen Anthologie „Menschheitsdämmerung" den Schlußstrich unter die Lyrik des Expressionismus ziehen konnte. Die dreißig Regierungsjahre Wilhelms II. sind tatsächlich – das ist ein verblüffendes Faktum – die entscheidenden drei Jahrzehnte der modernen literarischen Bewegung gewesen, der Übergang vom 19. zum 20. Jahrhundert, Übergang vom poetischen und metaphysischen Realismus zu einem wissenschaftlichen und sozialen Realismus, der Übergang also vom epigonalen Nach- und Weiterahmen des Goethe-Hegel-Zeitalters in das technische Zeitalter des 20. Jahrhunderts und dessen geistige und gesellschaftliche Probleme, die, auch wo dieses oppositionell geschah, alsbald eigenen Sprach- und Formausdruck verlangten, Jahrzehnte voller solcher geistigen und künstlerischen Dichte, wie wir nachträglich sehen, daß noch die Literatur der nächsten dreißig Jahre, bis nach dem Zweiten Weltkrieg, darauf aufbauen konnte und mußte.

Aber ist mit solchen und ähnlichen Feststellungen, oder mit den abkürzenden Stichworten wie Naturalismus, Expressionismus, moderne Literatur, schon etwas zum „Wilhelminischen Zeitalter" ausgesagt, im Sinne etwa eines eigentümlichen Wilhelminischen Zeitgeistes? oder gar im Sinne eines eigenständigen literarischen Verhaltens des Wilhelminischen Zeitalters? Auf diese Frage wäre man zu Recht geneigt, vorerst mit einem klaren Nein zu antworten. Es scheint keine Verknüpfung zwischen dem historisch-politischen Phänomen „Wilhelminisches Zeitalter" und der literarischen Moderne dieser drei Jahrzehnte zu geben; sie scheinen einander nicht zu bedingen, kaum zu berühren. Sie scheinen einander auszuschließen.

Jedoch, sollte möglicherweise in solcher vorläufigen Feststellung die eigentliche thematische Frage liegen? Sollte die Spannung, die in ihr erscheint, sollte diese Opposition, die zwischen zeitgenössischer Literatur und zeitgenössischer politischer Führung, die zwischen poetischem Stil und politischem Stil deutlich wird, sobald wir in den literarischen Bereich den Begriff des Wilhelminischen einführen, sollte also diese Differenz die thematische Frage in sich enthalten? Sollte – das darf als Hypothese formuliert sein – vom Wilhelminischen Zeitalter her gesehen die gesamte moderne Literatur, die sogenannte „Moderne", Oppositionsliteratur gewesen sein? Oppositionsliteratur eben zum Zeitgeist dieser Wilhelminischen Epoche? Oder umgekehrt formuliert, und das dürfte exakter ausgedrückt sein: das sogenannte Wilhelminische Zeitalter, das in ihm sich manifestierende eigentümlich Wilhelminische, hat durchweg in Opposition zur Moderne und ihren maßbildenden literarischen Leistungen gestanden. Der Dichter, genauer: der Dichter der Moderne, wurde endgültig zum Opponenten der Gesellschaft, zu ihrem Außenseiter – ein Prozeß, der längst im 19. Jahrhundert begonnen hatte. Mit solcher Behauptung der gegenseitigen Opposition von Gesellschaft und Dichtung, von Staatsführung und Kunst, ist nicht nur ein eigentümlich deutsches *literarisches* Geschick während der drei Jahrzehnte um die Jahrhundertwende zum Ausdruck gebracht worden, sondern ein Stück *politischen* Schicksals des deutschen Volkes überhaupt – zumal wenn man weiter bedenkt, daß auch in den folgenden vierzehn Jahren der Weimarer Republik diese Oppositionshaltung nur zu einem Teil aufgehoben werden konnte und danach unter Hitler der radikale, blutige Bruch zwischen dem modernen poetischen Experiment und der literarisch wie geistig gleich reaktionären Staatsführung eintrat. Das Wilhelminische Zeitalter, als ein wie immer geartetes geistiges Phänomen genommen, stand in gegengeschichtlicher Opposition zur literarischen Moderne – *gegen*geschichtlich darum, weil die Geschichte der Literatur als Geschichte ihrer poetischen Formen und ihres sprachlichen Stils diese Opposition ad absurdum geführt hat.

Um diese These zu begründen, muß weiter ausgeholt werden, wobei *einige* literarische Vorgänge innerhalb dieses Wilhelminischen Zeitalters zur Sprache gebracht werden sollen. Es wird sich zudem herausstellen, daß der Begriff der Opposition allein nicht genügt, um das Wilhelminische Zeitalter literarisch zu charakterisieren, sondern daß innerhalb dieser Opposition Kräfte in Bewegung gesetzt wurden, die, mögen sie sogleich auch als gegengeschichtlich erkannt worden sein, dennoch die Geschichte der deutschen Literatur bis 1945 aufs verhängnisvollste bestimmt haben. Der Ansatz zur Bürgerkriegssituation der deutschen Literatur im 20. Jahrhundert, die spätestens nach 1918 allgemein offensichtlich wurde, danach unter Hitler katastrophal ausgefochten, wurde bereits mitten im Wilhelminischen Zeitalter, um die Jahrhundertwende, gelegt, als, mit landschaftlichen, agrarischen, völkischen Vorzeichen, das ideologische Gegenwort „Heimatkunst" aufkam, programmatisch gerichtet gegen die angeblich national zersetzende sogenannte Großstadtliteratur, das heißt gegen die experimentierende und kritisch diskutierende Literatur der Moderne. Aber diese Opposition gerade war das eigentliche Signum, unter dem, literarisch gesehen, das ganze Wilhelminische Zeitalter stand.

Analysen der Lektüre Wilhelms II. selbst, dazu des Hof- und Hochadels, des lesenden Groß- und Kleinbürgertums ergeben kaum mehr, dies allerdings mit bedenklichem Gewicht, als daß hier – Ausnahmen überall zugegeben – das gesamte 19. Jahrhundert, insbesondere in seinen epigonal fortwuchernden Formen, nach wie vor gelesen und geschätzt wurde.[2] Man könnte Namen aufzählen: neben den sogenannten klassischen Schriftstellern des 18. und 19. Jahrhunderts immer noch Gustav Freytag, Felix Dahn und Georg Ebers, immer noch Viktor von Scheffel und Emanuel Geibel, Otto Ernst, Joseph Lauff und Ludwig Ganghofer,[3] Ernst von Wildenbruch[4] und Paul Heyse, Ludwig Fulda und Rudolf Herzog, und das ging bis zu Karl May und zur immer noch florierenden „Gartenlaube“, und wenn es hoch kam, war es „Der Kunstwart“ oder „Der Türmer“, Velhagens oder Westermanns Monatshefte, und die „Deutschen Schriften“ des Paul de Lagarde, der „Rembrandtdeutsche“ des Langbehn und die Schriften Houston Steward Chamberlains, auch die Richard Wagners (dessen „Lohengrin“ die wilhelminische Staatsromantik pompös dekorierte),[5] wirkten, neben vielen anderen, hinein – wie umgekehrt Wilhelm II. gerade in diesen Schriftstellerkreisen, oft hymnisch, gefeiert wurde (Rudolf Herzog, Otto Ernst, auch Ganghofer und Lauff, vom Kaiser 1913 geadelt), ja er mit ihnen „zusammenzuarbeiten“ versucht hat, indem er ihnen Stoffe zuwies.[6] Aufschlußreicher wäre eine Analyse der Sprache Wilhelms II. in seinen öffentlichen Verlautbarungen sowie die seiner hohen Regierungsbeamten. Selten dürfte in der neueren Geschichte der deutschen Sprache mehr Sprachvernutzung und Sprachverhunzung getrieben worden sein als hier, Wort- und Begriffsabwertungen sondergleichen, bombastisch ausgeleert in einem ideologischen Protz- und Trotzstil, dem superlativisch und adjektivisch nichts zuviel wurde:[7] schneidig und kolossal, energisch und brutal, fest entschlossen und absolut, und das Ganze verbrämt zugleich so idealisch wie soldatisch, Weltanmaßung großer Worte über geistiger Flachheit („Europas Flachland“, spottete Nietzsche) – das war mehr oder minder die offizielle Sprache dieser wilhelminischen Jahrzehnte, eine Sprache, auf die der spätere Satz von Ernst Jünger vollauf galt: „Wer Systeme begründet, indem er die Worte kastriert, pflanzt taube Nüsse ein.“ Gegen solche kastrierte Sprache, die auch in einer weit verbreiteten Literatur angeboten wurde, mußte die Dichtung der Moderne seit 1889/90 ankämpfen und sich in Opposition setzen.

Kein Wunder also, daß sich die Beziehungen zwischen wilhelminischer Staatsführung und literarischer Moderne weithin darstellten in Prozessen, in Verboten, in Protesten, in Zensurakten, in gegenseitigen öffentlichen Entrüstungen. Die Zeitschriften und das Theater, als die neuralgischen Punkte, waren besonders betroffen (die Theatervorzensur wurde bis 1918 ausgeübt). Die Vorgänge z. B. um Hauptmanns dramatisches Erstwerk „Vor Sonnenaufgang“, danach um „Die Weber“, deren Uraufführung gegen den Willen der Staatsführung durchgesetzt wurde, sind bekannt.[8] Die „heiligsten Güter der Nation“ und der „gesunde Sinn des Volkes“ wurden durch den Innenminister von Köller pathetisch im Preußischen Abgeordnetenhaus gegen dieses moderne Drama menschlichen Versagens und Mitleidens ins Feld geführt. Der Kaiser kündigte die Loge im Deutschen Theater; er verweigerte Hauptmann den Schillerpreis und ließ ihn (zum zweitenmal) an Wildenbruch geben. Ebenso bekannt ist der Skandal bei Hauptmanns „Jahrhundertfestspiel“ 1913 in Breslau, gegen dessen angeblich „undeutsches Empfinden“ säbelrasselnd der deutsche Kronprinz und danach Hunderte Kriegervereine protestiert hatten, bis das Stück abgesetzt werden mußte. Der im Gedanken an 1813 erneuerte „Zusammenschluß zwischen Thron und Volk“ werde durch dieses Spiel gestört, glaubte der Breslauer Oberbürgermeister erklären zu müssen (im übrigen ein Stück harmloser Hauptmannscher Reimpoesie – hätte man, um ein Gegenbeispiel zu nennen, 1911 dessen Berliner Tragikomödie „Die Ratten“ verstanden, hätte man gewußt, was die Stunde geschlagen hat, von der damals gerade beginnenden expressionistischen Lyrik und Dramtik zu schweigen; aber wer mit Blindheit geschlagen sein will, verschließt sich der

Aufklärung der Poesie ohnehin – das galt für Wilhelm und seine Gesellschaft nicht weniger als für Hitler und seine Gefolgschaft). Man müßte weiter erinnern an Wedekind und die langen Verbote seiner Stücke, an den „Simplizissimus", an Dehmel, an Heinrich Mann, an die „Aktion", selbst an Conradi, Sudermann, Fitger, Hartleben, Panizza und viele andere Namen, die, meist über den „Unzucht"-Paragraphen, über „Gotteslästerung" oder „Majestätsbeleidigung",[9] in den wilhelminischen Verbots- und Zensurakten auftauchen.[10] Aber ausgerechnet bei den Polizeiverhandlungen um die Uraufführung von Sudermanns mäßigem Boulevardstück „Sodoms Ende" (1890) fielen die bekannten Worte des damaligen Berliner Polizeipräsidenten: „Die janze Richtung paßt uns nicht!" Das Verhältnis von wilhelminischer Obrigkeit und moderner Literatur dürfte mit dieser Bemerkung am unmißverständlichsten ausgedrückt worden sein, auch wenn gerade Sudermann dafür das ungeeignetste Objekt war.

Bleiben wir der Kürze halber nochmals bei Gerhart Hauptmann, weil anläßlich der Erstaufführung seiner Traumdichtung „Hanneles Himmelfahrt" im Winter 1893/94 der Antagonismus zwischen Wilhelminismus und moderner Literatur sich an Hand zweier privater Äußerungen charakteristisch deutlich machen läßt. Fürst zu Hohenlohe-Schillingsfürst notierte damals über „Hannele" in sein Tagebuch, ein Jahr bevor er zum Reichskanzler ernannt wurde: „Ein gräßliches Machwerk, sozialdemokratisch-realistisch, dabei von krankhafter sentimentaler Mystik, unheimlich, nervenangreifend, überhaupt einfach scheußlich ... Wir gingen nachher zu Borchardt [ein Berliner Weinlokal], um uns durch Champagner und Caviar wieder in eine menschliche Stimmung zu versetzen." Da sind, fast möchte man sagen: naiv und ohne Bedenken, alle Stichworte des öffentlichen Ressentiments gegen die experimentierende moderne Literatur beisammen: Machwerk, das heißt gemacht statt angeblich organisch oder historisch „gewachsen" (Forderungen z. B. gerade der künftigen „Heimatkunst"); realistisch und sozial anklagend (schlicht abgekürzt zu „sozialdemokratisch");[11] unheimlich, weil poetisch angreifend, und darum krankhaft; „menschlich" wurde man erst wieder „unter sich" und bei Kaviar und Champagner, das poetische Spiel um Hanneles Sterben und Tod war nicht menschlich.[12] Demgegenüber zwei Monate später der 24jährige Ernst Barlach, um und seit 1910 einer der eigenwilligsten Former „expressionistischer" Plastik und Dramatik; er schreibt in einem Brief von seiner Erschütterung beim Besuch dieser „Hannele"-Aufführung: „... mit beiden Sinnen [Auge und Ohr] sauge ich in mich hinein, mit verhaltenem Atem – mit einem schwellenden Gefühl süßesten Glückes – mit dem Bewußtsein, eine Offenbarung zu empfangen, die lauterste, wunderbarste, innigste deutsche Poesie ...!"[13] In diesen beiden Stimmen äußert sich nicht nur der durch alle Zeit übliche Gegensatz von Kunstunverständnis und Kunstbetroffenheit, von Banausentum und künstlerischer Sensibilität; hier äußerte sich der Gegensatz zwischen dem erfragten wilhelminischen Zeitgeist, der geistig und künstlerisch rückgewendet sich verkleidete, und einer Literatur der modernen Kunstsprache, die noch dem wissenschaftlichen und sozialen Ernst der Epoche verantwortlich blieb.

In diesen Widerstreit hatte sich, seit Anfang der achtziger Jahre, schon Nietzsche bissig eingeschaltet. Frank Wedekind, Heinrich Mann, Carl Sternheim, Gottfried Benn, die Zeitschriften „Der Sturm" und „Die Aktion", um nur einige Namen zu nennen, folgten ihm darin. Der gesamte literarische Expressionismus zwischen 1910 und 1918 war in einem wesentlichen Aspekt ein einziger (jugendlicher) Kunstprotest gegen das, schon von Fontane so genannte „Bourgeoisiegefühl" und gegen den maskierten Prunkschwindel des öffentlichen Lebens, das heißt der Expressionismus protestierte gegen den Stil des Wilhelminismus in allen seinen Erscheinungen. Der Aufstand der Söhne gegen die Väter, der immerwährende literarische Prozeß der „neueren" Literatur seit 1770/80, war damals im wesentlichen ein Aufstand gegen die wilhelminische Verkrustung. Man lese, um ein Beispiel zu haben, die Tagebücher von Georg Heym, der 1912 ertrank, oder die Aufzeichnungen von Gustav Sack, der 1916 in Rumänien fiel. Man lese die Schülerdramen, die Schülertragödien und -romane seit Wedekinds „Frühlings Erwachen", seit Emil Strauß's „Freund Hein" und Hesses „Unterm Rad" bis zu den Dramen Sorges, Hasenclevers, Johsts, Bronnens usw. Die Jugendbewegung, die Freien Schulgemeinden dürfen ergänzend genannt werden.

Nimmt man zu diesem allen hinzu zwei eigene „markige" Äußerungen Wilhelms II. zu Kunstfragen, so schließt sich der Kreis. Nach den sogenannten Sezessionen, Abtrennungen also jüngerer Künstlergruppen aus älteren Kunstvereinigungen mit eigenen Ausstellungen (München 1892ff., Berlin 1898ff. u. a.), gab der Kaiser die Weisung: „Bei mir werden die Freilichtmaler ein hartes Leben haben, ich werde sie unter meiner Rute halten" – man bedenke: Freilichtmaler, erste impressionistische Ansätze, etwa Liebermann oder Leistikow,[14] statt der gewünschten historisierenden oder allegorisierenden Atelierkunst, und: unter der Rute halten! Das war offizielles nationales Bildungs- und Kunstphilistertum![15] Aber dies heute lächerlich Erscheinende war damals jahrzehntelang die öffentliche Kunstmisere. Noch drastischer und anmaßender ein Ausspruch Wilhelms von 1901: „Eine Kunst, die sich über die von Mir bezeichneten Gesetze und Schranken hinwegsetzt, ist keine Kunst mehr ... Uns, dem deutschen Volke, sind die großen Ideale zu dauernden Gütern geworden, während sie anderen Völkern mehr oder weniger verloren gegangen sind."[15a] Die zitierten großen Ideale: das waren die aus der Spät- und Nachromantik und dem Spät- und Nachidealismus des 19. Jahrhunderts frei gewordenen Ideologien, mit denen das Wilhelminische Kaiserreich seine nationalen und imperialen Ambitionen recht und schlecht als „Idee" verbrämte.[16] Sie auch als Kunstgesetze einzuhalten, forderte der oberste Repräsentant dieses Reiches. Er konnte daher 1901 die 32 Marmorstandbilder der Siegesallee in Berlin einweihen, ausdrucksleerer Kultprotz nationalpreußischer Ideologie,[17] während er die „sogenannte" Moderne als „Fabrikarbeit" und „Rinnstein"-Kunst diffamierte – im Jahr, da Thomas Mann seine „Buddenbrooks" veröffentlichte und Hofmannsthal den „Chandos"-Brief schrieb. Die Differenz zwischen dem Wilhelminismus und der modernen Kunstentwicklung wird an solchen Äußerungen und ihrer Zeitlage offenbar. Diese Differenz konnte bis in die einzelne Person reichen; Benn sprach (später) exemplarisch von „Doppelleben" – einerseits loyaler königlich-preußischer Sanitätsoffizier und andrerseits avantgardistischer Poet, der die Sprache des bürgerlichen Konservativismus bis auf ihr Skelett auflöste: eines berührte das andere nicht – Doppelleben, nationale Schizophrenie.

„Modern", „Die Moderne", das sind schließlich die Stichworte, die im Anschluß an das bisher Gesagte, die Frage nach der Literatur im Wilhelminischen Zeitalter zu erhellen vermögen. 1888, zwei Jahre vor dem Regierungsantritt Wilhelms II., prägte der junge Literaturhistoriker Eugen Wolff in einem Vortrag zu Berlin das Wort „Die Moderne". Er wollte in diesem Begriff die jüngsten literarischen Bestrebungen, die seit 1882/84 eine radikale Erneuerung der poetischen Sprache und Form vorbereiteten, zusammenfassen und ihnen ein Sammelzeichen geben. In Deutschland blieben diese frühen Versuche einer literarischen Revolution gegen das neunzehnte Jahrhundert vorerst zwar noch im Stofflichen stecken – aber immerhin: Großstadt, Technik, Fabrik, Arbeiterstand, die Deklassierten, die Bohemiens, Randfiguren der bürgerlichen Gesellschaft wie der Dichter selbst seitdem, traten damals in den Bereich literarischer Darstellung und Symbolik. Der endgültige formale und sprachliche Durchbruch gelang erst Arno Holz und Gerhart

Hauptmann ab 1889, gefolgt, mit anders gearteten Sprach- und Ausdrucksmöglichkeiten, von Stefan George einerseits (1890) und Frank Wedekind andrerseits (1891). Wollte man diese verschieden gestaltenden Ausdruckskräfte der literarischen „Moderne", die bereits in dem Jahrzehnt vor 1889 vorbereitet wurden, in einer abkürzenden Formel schlagwortartig zusammenfassen, so müßte sie lauten: Naturwissenschaft und Artistik. Diese scheinbar antagonistische, tatsächlich sich ergänzende Formel ist *eines* der poetischen Maßsysteme der Moderne noch bis nach dem Zweiten Weltkrieg geblieben.

Die beiden in dieser Formel charakterisierten literarischen Grundkonzeptionen – die auf Wissenschaft, das heißt auf Naturwissenschaft sich berufende Beobachtungs- und Beschreibungskunst des modernen aufklärenden Realismus, bald Naturalismus genannt, und die auf dem Formwagnis der Sprache selbst beruhende Wortkunst einer eigenständigen Ausdruckswelt, anfangs Symbolismus, später vereinfachend Expressionismus, danach auch Surrealismus genannt[18] – diese beiden, in der Formel „Naturwissenschaft und Artistik" gefaßten Konzeptionen trafen im Begriff des „Experimentes" zusammen. Das sogenannte „Experiment" verbindet nicht nur, wenn auch in einem übertragenen Sinne, Wissenschaft und Artistik (wobei hier im einzelnen offenbleiben muß, was – im weiten Bereich zwischen kausaldeterminierter Analyse und dem eigenständigen „Wagnis der Sprache» – tatsächlich Form- und Sprachexperiment sei); an ihm jedenfalls, in Zustimmung oder Ablehnung, bildeten sich bis weit ins zwanzigste Jahrhundert die gegensätzlichen literarischen Spannungen der modernen Literaturgeschichte. An diesem wie immer gefaßten Begriff des sprachlichen, des formalen, auch des realistischen, des psychologischen, des sozialen Experimentes und dessen Diskussion entschied sich jeweils die Geschichtlichkeit oder Ungeschichtlichkeit des einzelnen literarischen Werkes dieser Epoche. Auch die Literatur im Wilhelminischen Zeitalter war bereits eine Literatur im technischen Zeitalter, und dies mit allen Konsequenzen der Bejahung, der Ablehnung, des Grauens, der Überwältigung, der Lockung, der Bändigung, der nüchternen Prüfung, – mochte sich diese Literatur im technischen Zeitalter nun realistisch-naturalistisch, mochte sie sich expressiv-artistisch geben, oder mochte sie diese Signatur der Moderne formal zu leugnen und ideologisch, das heißt in gegengeschichtlicher Wendung, zu umgehen versucht haben. Am Wagnis des Experimentes entschied sich auch die Literatur im Wilhelminischen Zeitalter, das durchaus, und in vielen Bereichen bewußt, ein Zeitalter der Technik, der Industrie, des Welthandels und Exportes, der Banken, Fabriken und Werften, der Wissenschaft und des Laboratoriums war, aber dies in den offiziellen Gesten und Äußerungen, zumal im Kunstbereich, möglichst zu maskieren versuchte „wilhelminisches Doppelleben".[19] Im Zeitalter der Wissenschaft, und eben das war seit 1888, dem Beginn des Wilhelminischen Zeitalters, unmißverständlich eingetreten, müsse man stets zum Experiment bereit bleiben, hat Hermann Broch gefordert – und das gelte auch für den Dichter. Noch in der eigentümlichen Präzision der Form blieb selbst dem artistischen Experiment, von Poe bis Benn, immer auch ein Stück „forschender" oder technischer Praxis erhalten.

Zum Begriff des artistischen Experimentes (als ein gegebener, historischer Begriff genommen), einem Zentralbegriff der modernen Kunstgeschichte überhaupt,[20] abkürzend nur einige Hinweise, wobei ich mich auf die „Moderne" beschränke und frühere Versuche dieser Art außer Betracht lassen muß. Einerseits kam diese poetologische Vorstellung von dem Franzosen Émile Zola her, insbesondere von seiner 1880 veröffentlichten, sogleich in ganz Europa Aufsehen erregenden Schrift „Le roman expérimental",[21] in der er sich an die Milieutheorie Hippolyte Taines, vor allem aber an eine Schrift des Mediziners Claude Bernard angeschlossen hatte, „Introduction à l'étude de la médicine expérimentale", erschienen 1865. Dieser Arzt hatte das Experiment definiert als „une observation provoquée" – das Experiment also eine herausgeforderte, eine provozierte, eine künstlich hervorgerufene Beobachtung. Zola machte aus der naturwissenschaftlichen Definition Bernards eine poetologische These, wonach der Dichter ein Beobachter und ein Experimentator zugleich sein müsse, ein provozierender Beobachter.[22] Die künstlerisch wesentlichen Wirklichkeitserfahrungen habe er experimentell zu provozieren und im Experiment zu interpretieren. Bereits 1868 im Vorwort zur zweiten Auflage seines Romans „Thérèse Raquin", der in deutscher Übersetzung 1884 erschien, hatte Zola behauptet, in diesem Roman analytisch an Modellfällen wissenschaftliche Probleme lösen, wie der Chirurg im Seziersaal oder wie der Psychologe im Laboratorium, und den Mechanismus der Charaktere unter dem Druck der Umwelt und der Verhältnisse erforschen zu wollen, „nackte, lebendige Anatomieszenen".[23]

Diese Lehre von einer ebenso wissenschaftlich wie künstlerisch experimentierenden Dichtung wurde in Deutschland seit 1881/82 diskutiert und verbreitet, z. B. durch Michael Georg Conrad, durch die Brüder Hart, durch Karl Bleibtreu; Arno Holz entwickelte aus ihr, schon gegen Zolas „Wissenschaftlichkeit" gewendet, den eigenen, sogenannten „konsequenten Naturalismus", an den wiederum die Sprach- und Darstellungstechnik von Gerhart Hauptmanns frühen Dramen anschloß.[24] 1887 zog Wilhelm Bölsche in seiner theoretischen Schrift „Die naturwissenschaftlichen Grundlagen der Poesie. Prolegomena einer realistischen Aesthetik" für Deutschland die genauen Konsequenzen: die Dichtung müsse sich entschieden der Naturwissenschaft nähern und von deren Methoden lernen, um dem eigenen Zeitalter gerecht werden zu können – der Dichter, so wiederholte er, sei „in seiner Weise ein Experimentator, wie der Chemiker".[25] Es gelte, forderte Bölsche, „neue Prämissen für die weiteren [poetischen] Experimente, die wir machen wollen, aufzustellen oder besser, sie uns von der Naturwissenschaft geben zu lassen". Er faßte die, trotz aller empirischen Beschränkung und Einseitigkeit, doch grundlegende Lehre eines Großteils der künftigen Literatur formelhaft zusammen in dem Satz: „Die Prämissen des poetischen Experimentes: das sagt mit einem Wort alles. Hier verknoten sich Naturwissenschaft und Poesie." Setzt man in diesen Satz statt „Poesie" die – wie gleich zu zeigen sein wird – von Nietzsche im Zusammenhang seiner eigenen „Experimental-Philosophie" in diesen selben Jahren entwickelte Vorstellung des „Artistischen" ein, erhalten wir die Grundformel, unter der seit spätestens 1888/89 in Deutschland die „Moderne" begann: Naturwissenschaft und Artistik.

In Parenthese sei dazu angemerkt, daß seitdem, seit Zola und Nietzsche, der unmittelbar oder mittelbar naturwissenschaftlich ausgebildete oder informierte Dichter auch in der deutschen Literaturgeschichte immer stärker hervortrat. Das galt nicht nur, wo es nicht überrascht, für diese erste sogenannte naturalistische Generation der Bölsche, Holz, der Brüder Hauptmann und noch bis zu Thomas Mann, Robert Musil und Hermann Broch, auch der spätere Rilke sei zu erwähnen nicht vergessen (typischerweise fällt George aus), sondern – was oft übersehen wird – das galt ebenso für die zweite Generation der sogenannten Expressionisten: Wieder muß exemplarisch der Arzt Gottfried Benn genannt werden, der als Dichter an die Anatomie-Vorstellung Zolas und Arno Holz' und an naturwissenschaftliche Methoden des Dänen Jens Peter Jacobsen in seinen frühen Gedichten und Prosastücken seit 1912 anknüpfte, aber gleichermaßen zu nennen sind Oskar Kokoschka, Alfred Döblin, Georg Trakl, Reinhard Goering, Gustav Sack, die Medizinstudenten Bertolt Brecht und Johannes R. Becher, um nur bei wichtigen Namen zu bleiben.

Jedenfalls um das Problem und die Problematik der wissenschaftlich erschlossenen oder präparierten Wirklichkeit, auch der solchermaßen erschlossenen sozialen und politischen Wirklichkeit, kam in der Moderne kein bedeutender Poet mehr herum. Und oft war es die Leitvorstellung des Experimentes, oder ersetzt durch Laboratorium, durch Montage, Struktur, durch Formel, Chiffre und ähnliche technologische Begriffe, die (begonnen schon seit Goethe, Schiller, Novalis, Wordsworth, Poe)[26] eine Brücke schlugen zwischen Naturwissenschaft und artistischer Wortgestalt.

Hier setzte, von anderen Voraussetzungen her, Nietzsche an, besonders entscheidend wieder um das Jahr 1886, in dem er, neben anderem, die Vorrede – als „Versuch einer Selbstkritik" – zur 2. Auflage der „Geburt der Tragödie" und die zur 2. Auflage der „Fröhlichen Wissenschaft" schrieb, fundamental wichtige Dokumente zur Geschichte der modernen deutschen Literatur. Nietzsche hatte schon, übrigens auch unter Protest gegen Zola, seit Beginn dieses vormodernen Jahrzehntes sich einen eigenen Experiment-Begriff gebildet, der, ursprünglich ebenfalls bei der Naturwissenschaft ansetzend und über die Forderung einer „Experimental-Philosophie" („das Leben ein Experiment des Erkennenden"), schließlich sein Ziel fand im Begriff des „Artistischen", unter Hinweis schon auf einen anderen Franzosen, Charles Baudelaire, in dessen Lehrschule wenige Jahre danach Stefan George ging – Baudelaire, der „typische décadent", wie Nietzsche schrieb, „in dem sich ein ganzes Geschlecht von Artisten wiedererkannt hat". Nietzsche sprach daher nicht mehr von Beobachtung und Beschreibung, sondern schon von „Ausdruck, expression . . ., alles Übrige geopfert". Daraus, aus diesem „Olymp des Scheins", der Ausdruckswelt aus Formen, Tönen, Worten, entwickelte Nietzsche provokatorisch seine „Artisten-Metaphysik", die, wie er formulierte„ „grundsätzliche Gegenlehre und Gegenwertung des Lebens, eine rein artistische, . . . die dionysische", also seine „rein ästhetische Weltauslegung und Welt-Rechtfertigung", die sprachlich und stilistisch ihren Niederschlag schon im „Zarathustra" und in den eigenen Gedichten gefunden hatte.

Aus diesem scheinbaren, in Wirklichkeit jedoch sich ergänzenden formalen Antagonismus, einerseits der naturwissenschaftlich beobachtenden und beschreibenden Methode und ihrer, auch im sozialen Bereich, aufhellenden Sprachgenauigkeit, andererseits der artistischen Ausdruckswelt der Sprache und Form selbst, schichtete sich, in vielfacher Vermischung, die moderne deutsche Literatur seit Beginn des Wilhelminischen Zeitalters auf. In der Vorstellung des Experiments begegneten sich die gegensätzlichen Methoden dennoch, „hier verknoten sich Naturwissenschaft und Poesie", um noch einmal Bölsche zu zitieren. So nur konnte z. B. aus dem konsequenten Naturalismus Arno Holz' das Wortlaboratorium seiner vielbändigen „Phantasus"-Dichtung entstehen; so nur konnte aus dem naturwissenschaftlich exakt erzogenen und die Realfaktoren exakt verarbeitenden Dichter Benn der Poetologe der modernen Artistik und ihrer Wortgegenwelt werden. Solche Beispiele ließen sich häufen (Thomas Mann, Döblin, Musil u. a.). Aber die in unserem Zusammenhang entscheidende Feststellung bleibt, daß das eigentlich „Wilhelminische" des Zeitalters mit Hilfe der gesamten Staatsapparatur sich gegen diese Grundlagen der modernen Literatur durchaus in Opposition stellte und für diese Opposition mancherlei Formen entwickelte, unter denen das anfangs erwähnte epigonale „Niederschrifttum", selbst die Verbote und Zensurprozesse, noch die verhältnismäßig harmlosesten darstellten. Die Forderung lautete vielmehr, Friedrich Lienhard formulierte sie um 1900, ein eigenes, ein neues „deutsches Literaturideal gegen die Bevormundung durch Naturalisten, Artisten und Ästheten" aufzustellen.[27] Was verbarg sich hinter dieser Forderung eines eigenen deutschen Literaturideals, hinter dieser

Kontroverse gegen „Kunst und Form"? Es verbarg sich dahinter die entscheidende stilkonservative Opposition des Wilhelminischen Zeitalters, die sich selbst als „Heimatkunst" definierte.[28]

Stilkonservatismus, einfacher gesagt: künstlerische Formtradition, stellt in jeder literarischen Epoche ein eigenes und vielverwickeltes Problem dar. Im Begriff der „Heimatkunst" jedoch, programmatisch geschaffen (wahrscheinlich durch Adolf Bartels[29]) seit 1897, sammelte sich aus agrarisch-kleinstädtisch-kleinbürgerlichem Ressentiment, verstärkt durch Fiktionen einer noch intakten ständischen Gesellschaft, die gesamte Opposition gegen die moderne Kunsthaltung, die ihrerseits sowohl stofflich dem Industrie- und Massenzeitalter gerecht zu werden als auch formal die entsprechenden Konsequenzen zu ziehen versucht hatte, und sei es als Auflehnung des artistischen Experimentes und des Wortwagnisses, Auflehnung, z. B. des Einzelnen gegen die Anonymität der Massen, des Phantasiespieles gegen die Materialität der Technik usw.[30] Die sogenannte Heimatkunst, emotional schwärmend, setzte sich von der Beteiligung gerade dieser andringenden Probleme des technischen Zeitalters ab. Das Industrievolk, das Großstadtvolk, das Fabrikvolk wurde, wie später noch in Hans Grimms „Volk ohne Raum", übersehen oder nur negativ gesehen; es wurde literarisch aus der Nation ausgeschlossen, ein ungeheuerlicher Vorgang, den wohl keine andere westliche Nation in dieser diffamierenden Weise kennt. Auch die Sprache zog sich hinter die Schwelle der Technik und des wissenschaftlichen Denkens zurück; auch sie verzichtete auf die Realität der Nation.

Denn was war die Aufgabe der Moderne seit 1880/90? Die längst eingerichtete technische und noch weithin proletarische Industriegesellschaft zu „sehen" – sie zu erkennen, sie anzuerkennen, sie in Sprache auszudrücken und die poetische Sprache durch „Hinsehen" und Erfahrung umzustrukturieren. Das (bewußt-unbewußte) Übersehen dieser Aufgabe mußte in eine gegengeschichtliche Situation führen. Hieraus – zusammen mit ideologischen Relikten, die bis zur mittelalterlichen Reichsidee und zum mittelalterlichen Kaisertum und entsprechenden Dekorationen gingen – resultierte das deutsche Zurückbleiben; in solchem Schrifttum zeigte sich am erschreckendsten die „verspätete Nation", die geistig, ideologisch und – entscheidender – sprachlich hinter ihrer realen Situation zurückbleiben wollte und dieses sprachliche Zurückbleiben hinter der modernen Industriegesellschaft, oft in feudalständischen oder agrarischen Reduktionsformen, als heimatliche Behausung propagierte.

Zeitschriften wie „Der Türmer" (seit 1898), „Heimat" (seit 1900), „Die Rheinlande" (ebenfalls seit 1900), die sich in dieser Tendenz zum Teil mit den älteren Zeitschriften „Die Gesellschaft" (seit 1885) und „Der Kunstwart" (seit 1887) verbanden, wurden zu Wortführern einer Literatur, die *bewußt als Programm* in die vormoderne, scheinbar vorindustrielle Literatur des 19. Jahrhunderts, auch der Romantik und der Goethezeit, zurückgriff und in reaktionären, d. h. gegengeschichtlich gewendeten Sprach- und Stilformen eine, wie es hieß, Weiterführung des deutschen Idealismus versuchte, jene kaiserlichen „großen Ideale". Nationaler Agrarboden, der sogenannte „Lebensraum" (das Wort 1901 von dem Geographen Friedrich Ratzel in Umlauf gebracht), wurde an Stelle von Exportindustrie und Weltwirtschaft gesetzt, „Volkstum" statt Chemie und Physik, sogenannte landschaftlich-völkische Innenkräfte gegen die experimentierende oder diskutierende Nüchternheit angeblich nur großstädtischen Intellekts. Ferdinand Avenarius, Ernst Wachler, Friedrich Lienhard, Adolf Bartels, Heinrich Sohnrey, Wilhelm Schäfer, Eugen Diederichs, Wilhelm von Polenz, Gustav Frenssen waren hier um die Jahrhundertwende die führenden Namen, anknüpfend an Lagarde und Langbehn, aber ebenso noch an Wilhelm Riehl, an Immermanns mißverstandenen „Oberhof", an die Brüder Grimm, an das gesamte nach- und restromantische Vorstellungsarsenal des 19. Jahrhunderts. Einem hochindustrialisierten Staat, der seit langem schon als Industrienation lebte und arbeitete und in seiner industriellen Produktion führend an zweiter Weltstelle nach den USA lag, wurde das rückgewendete Leitbild des bäuerlichen Schollenmenschen, hausväterlicher Heimlichkeit und landschaftlicher Innerlichkeit eingeimpft. „Agrarliteratur im durchorganisierten Industriestaat“ (Robert Minder)![31] Dieser Prozeß des manipulierten geistigen und literarischen Zurückbleibens des deutschen Volkes hinter der modernen wissenschaftlichen, industriellen und technischen Gesellschaft stellte sich in der Gegenbewegung der „Heimatkunst“ am deutlichsten dar, die literarisch spätestens bei Storm, Keller, Raabe und allenfalls einem „landschaftlichen“ Naturalismus stehenblieb, oder mit Friedrich Lienhard und Paul Ernst wieder Anschluß an eine vermeintlich klassisch-idealistische Ästhetik gewinnen wollte. Auch das Stichwort „Blut und Boden“ fiel aggressiv bereits um 1900[32], beladen alsbald mit völkischen und rassischen Überheblichkeiten. Die deutsche Bürgerkriegssituation des 20. Jahrhunderts, ein Charakteristikum unserer Literatur bis heute hin, bereitete sich aus dieser gegengeschichtlichen Opposition gegen die moderne Lebens- und Kunstlage vor. Die Moderne als Sozialrealität einer Industrienation, die Moderne als Stil- und Kunstbegriff, die Moderne als technisches Zeitalter sollte, mit Hilfe gegengeschichtlicher Sprache, Formen und Inhalte, *übersehen* werden. Robert Musil hat einmal geistreich in sein Tagebuch notiert: „Naturalismus . . . Sehen, wovor die andern die Augen verschließen“ (wobei Naturalismus als Sammelchiffre für die Moderne stehen darf). Dieser gegengeschichtliche Stilkonservativismus war eine Literatur der geschlossenen Augen und daher der sprachlichen Ungenauigkeit; sie verfehlte damit alle Voraussetzungen der Poesie.

Im näheren und weiteren Bereich dieser Heimatdichtung entwickelte das Wilhelminische Zeitalter seine typische Anti-Moderne. Anders ausgedrückt: die großen deutschen Literaturleistungen zwischen 1888 und 1918, eine weltliterarische Leistung hohen Grades, sind, mit kaum nennenswerten Ausnahmen, allerorts und jederzeit *gegen* die offiziellen wilhelminischen Reichstendenzen und deren ideologische Maskierungen geschaffen worden. Das gilt sowohl für den Naturalismus und seine Nachfolge als auch für den Expressionismus und seine Nachfolge, so sehr sie untereinander sich selbst bekämpft und getrennt haben mögen.

Die seit dem Ende des 19. Jahrhunderts entwickelte programmatische Heimatkunst, als romantisierender gegengeschichtlicher Stilkonservatismus, war das verhängnisvollste Erbe, das, in Ablehnung der literarischen Moderne, das Wilhilminische Zeitalter dem deutschen Volk hinterlassen hat und das bis in die ebenso gegengeschichtliche, literarisch ebenso unschöpferische Blut- und Boden-Dichtung des Nationalsozialismus und noch bis zu Hitlers außenpolitischem Ziel der aggressiven Landnahme im Osten reichte, gefordert seit Paul de Lagarde,[33] seit dem Alldeutschen Verband usw.[34] Hans Grimms „Volk ohne Raum“, das heißt Volk ohne Ackerraum, ohne Landraum, als Industrienation zum Sterben verurteilt, faßte 1926 diese Tendenzen, auch die des antiquierten, historisierenden Sprachstiles, nochmals drastisch zusammen. Dieser Roman ist sozusagen das Zielbuch der Heimatdichtung gewesen, das deren Tendenz, durchgeprägt im Wilhelminischen Zeitalter, in die entscheidenden politischen Vorstellungen des Nationalsozialismus überführte. Man darf, ohne zu übertreiben, weiter folgern, und auch dies wurde im Wilhelminismus zum erstenmal vollgültig praktiziert: seit dem Ende des 19. Jahrhunderts hat alle ideologisch gebundene Literatur sich immer des Stilkonservativismus als des bequemsten Vehikels bedient. Stilkonservativismus, das heißt rückgewandtes, das heißt idyllisch-utopisches Sprachmaterial diente – und dient zur Tarnung der eigentlichen ideologischen Absichten. Das Stilkonservative in der Maske von Tradition und Geschichte ist die klassische Gewanddrapierung des ideologischen Täters geworden.

Spätestens seit 1900, vorbereitet schon seit 1890, gab es daher *zwei* deutsche Literaturen, mit je eigener Geschichte und auch mit je eigener Geschichtsschreibung, angefangen von Adolf Bartels' frühen antisemitischen Literaturgeschichten seit 1897 bis zu der völkischen und rassischen Literaturgeschichtsschreibung des Nationalsozialismus, in die auch Josef Nadlers 1912 begonnene „Literaturgeschichte der deutschen Stämme und Landschaften" einschwenkte. Diese Bürgerkriegssituation, die bald nicht mehr nur eine literarische war, wurde im Wilhelminischen Zeitalter vorbereitet und durchgebildet. Das technische Zeitalter, seine wissenschaftlichen Denk- und Sprachformen und das durch sie provozierte krisenhafte Sprachexperiment wurden strikt abgelehnt. Am Ende wurde aus solcher Ablehnung der deutsche Sondergeist, die deutsche Sonderseele, das deutsche Sonderschicksal, die deutsche Sondersendung, die „Mission" fingiert. Mit diesen ideologischen literarischen Fiktionen wurde schließlich Politik gemacht. Die „Heimatkunst" ist wahrscheinlich das erregendste Beispiel für „blinde Literatur", die sich der poetischen Aufklärung durch Sprache entzieht und am Ende „verblendete Literatur" schafft.

Eine solche, gewiß vereinfachende Schwarzweißzeichnung, hie experimentelle Moderne, hie gegengeschichtlicher Stilkonservativismus, oder: hie Dichtung als Aufklärung, hie Dichtung als Erblindung, kann, trotz allen möglichen Einwänden dagegen und trotz allem Wissen um die vielfältig vorhandenen Übergänge, doch die gestellte Frage nach der Literatur im Wilhelminischen Zeitalter zunächst am deutlichsten erhellen helfen. Als nun notwendige Korrektur darf dabei allerdings nicht übersehen werden, daß neben diesem gegengeschichtlichen, sprachohnmächtigen Stilkonservativismus landschaftlich-völkischer Heimatdichtung eine andere, sprachmächtige konservative Opposition ebenfalls um die Jahrhundertwende sich bildete – jene Gruppe, die erstmals in der Zeitschrift „Die Insel", 1899–1902, und in dem aus ihr entwickelten Verlag sich öffentlich sammelte (vorher in Andeutungen schon in der Zeitschrift „Pan") und deren spätere Repräsentation in Werk und Name von Hugo von Hofmannsthal, Rudolf Alexander Schröder und Rudolf Borchardt am geläufigsten geworden ist; sie reichte aber u. a. bis zu Hermann Hesse, Emil Strauß, Hermann Stehr, Hans Carossa, auch zu Oskar Loerke, Georg Britting und deren Fortsetzern und Nachahmern, ohne sich mit ihnen zu decken. Will man hier kritisch unterscheiden, wird man von einem poetisch schöpferischen Stilkonservativismus sprechen müssen, und das bedeutete in gleichem Maße: von geschichtlicher Verantwortung – also ein geschichtlicher Stilkonservativismus mit eigener Problematik und Gefährdung. Die *gesamte* überlieferte Wert- und Formwelt, nicht nur die des deutschen 19. Jahrhunderts, sollte hier ins Gleichgewicht des künstlerischen Experimentes gebracht werden, eine Avantgarde eigenen Stiles, die sich, wie immer wieder von Hofmannsthal, Schröder und Borchardt ausgesprochen, an der gesamtabendländischen Überlieferung (nicht an der „kleindeutschen") kontrollierte. Die Grundformel der Epoche „Naturwissenschaft und Artistik" hier angewandt, mit ihrer Leitvorstellung des Experimentes, ergibt sodann: dieser andere, formschöpferische Stilkonservativismus stellte sich in die moderne Sprachbewegung und ihr artistisches Experiment selbst hinein; er versuchte, wo dies gelang, eine Synthese aus beiden zu gestalten. Das für die deutsche literarische Entwicklung im 20. Jahrhundert so entscheidende und noch bis in die Gegenwart hin anregende Manifest der modernen poetischen Sprachkrise stammte gerade aus diesem Kreis: Hofmannsthals „Ein Brief", meist als

„Brief des Lord Chandos“ zitiert, erstmals 1902 in einer Berliner Zeitung veröffentlicht.[35]

Man könnte daher mit gutem historischem Recht auch von einem experimentellen Konservativismus sprechen, selbst wenn die bekannten Formeln, die später von Borchardt und Hofmannsthal in richtungweisenden Reden verbreitet wurden, „schöpferische Restauration“ oder „konservative Revolution“ lauteten. Dieser experimentelle Konservativismus, der ebenfalls im Wilhelminischen Zeitalter als eine Oppositionsliteratur doppelter Art ansetzte, ist von der Literaturforschung bisher noch zu wenig charakteristisch herausgearbeitet worden.[36] Unter dem Gesichtspunkt eines experimentierenden, eines geschichtlichen Stilkonservativismus wäre noch einmal nicht nur das Dichtwerk der ebengenannten Autoren, also Schröder, Borchardt, Hesse, Loerke, Britting[37] usw. kritisch zu analysieren, sondern wären etwa auch das Werk Thomas Manns, das spätere Werk Gerhart Hauptmanns, eine Erscheinung wie Karl Kraus, auch die Ernst Jüngers, selbst die künstlerische Leistung Bert Brechts zu betrachten.

Verschwiegen darf nicht werden, daß es zwischen den beiden stilkonservativen Oppositionsgruppen seit Anfang her mannigfache und gelegentlich peinliche Vermischungen gegeben hat; das gilt selbst für Thomas Mann wie für Hauptmann, für Hofmannsthal wie für Jünger, für Schröder und für Borchardt. Kein Zufall, daß ebenfalls aus diesem Kreis der einzige panegyrische Mythos Wilhelms II. stammte, in einem Aufsatz Rudolf Borchardts 1908 in den „Süddeutschen Monatsheften“, überschrieben „Der Kaiser“.[38]

Wie weit Stefan George in diesen Umkreis gehörte oder von seiner Dichtung und Erscheinung als einem „eigenen Imperialismus“ gesprochen werden kann, „herrisch formulierter Abglanz einer aggressionsgeladenen Ära“, wie es Robert Minder jüngst behauptete, bleibe als ein Hinweis dahingestellt. Die wilhelminische Kultgeste und der wilhelminische Kultstil („eine neue, die deutsche Geste“) jedenfalls hatten bei George und seinem Kreis eine nicht zu überhörende Resonanz gefunden.

Die kritische Frage nach der Möglichkeit und Unmöglichkeit eines Stilkonservativismus im Zeitalter des Experimentes ist gewiß eine der erregendsten (vgl. Thomas Manns parodistische Lösungen) und für die Forschung eine der schwierigsten. Ihr kann an dieser Stelle nicht nachgegangen werden. Das Zeitalter des Wilhelminismus ist an dieser Frage gescheitert oder ist ihr in einer verhängnisvollen gegengeschichtlichen Bewegung ausgewichen, für die literarisch, abgesehen von allem fortgeführten epigonalen Schematismus, die sogenannte Heimatkunst repräsentativ gelten darf. Indem diese gegen die Moderne des aufklärenden oder artistischen Experimentes opponierte, stellte sie sich wider besseres Wissen (das z. B. Wilhelm II., was Industrie, Technik, Bankwesen, Handel betraf, sehr genau besaß) quer nicht nur gegen die Geschichte der deutschen Sprache und Literatur selbst, sondern auch gegen die künftige geschichtliche Aufgabe des deutschen Volkes. Die Katastrophen von 1914/18 und von 1933/45 gründen zu keinem kleinen Teil in dieser antihistorischen literarischen Opposition und ihrer Wirkung.

Zusammengefaßt kann gesagt werden: das sogenannte Wilhelminische Zeitalter, falls diese Benennung literaturgeschichtlich überhaupt einen Sinn haben soll, stand in Gegensatz zu allem, was als „moderne Literatur“ und als literarisches Experimant seit 1888/89 geschaffen wurde. Seit und unter Wilhelm II. ist die moderne Literatur mehr oder minder Oppositionsliteratur gewesen und der Poet meist der Ketzer der Gesellschaft. Diese Literatur stand in Opposition zur politischen Führung, zum konservativen bis reaktionären Bürgertum, zur ländlich-kleinbürgerlich aufgeputzen Idylle. Das Wilhelminische Zeitalter gab, vor Hitler, bereits das deutlichste Beispiel dafür.[39]

„Pasenow oder die Romantik" nannte Hermann Broch daher den ersten Band seiner 1931/32 veröffentlichten „Schlafwandler"-Trilogie, der im Kaiserjahr 1888 spielte. „Romantik" ist wohl das bezeichnendste Kennwort für diese geistige deutsche Verspätung. Solche Romantik als rückgewandtes, einseitig autark-nationales Engagement, hinter den verschiedensten Ideologien maskiert, war die „offizielle" Gegenströmung, *gegen* die die „Moderne" sich durchsetzen und verteidigen mußte. Daß dieser landschaftlich, völkisch, national aufgemachte Konservativismus keinen historischen Münzwert mehr besaß, sondern tatsächlich nur noch ein „Schlafwandeln" war, dem der Absturz folgen mußte, blindlings, machte das Verhängnis des Wilhelminischen Zeitalters aus. An dem schließlich unausgleichbaren formalen Antagonismus seiner Literatur zwischen 1888 und 1918 läßt sich dieses Verhängnis geschichtlich ablesen.

Anmerkungen

1 Zum Beispiel der Kaiser und seine Hofbeamten in Kostüm und Maske eines friderizianischen Hoffestes zu Ehren Adolf Menzels, s. Der Kaiser. Eine Biographie in 107 Bildern, Berlin 1933. S. 35.

2 Vgl. Hermann Bausinger, Schwierigkeiten bei der Untersuchung von Trivialliteratur, in: Wirkendes Wort, Jg. 13, 1963. S. 204ff.

3 Vgl. „Gespräch des Kaisers mit Ganghofer", 12. November 1906, nach Zeitungsberichten abgedruckt, in: Die Reden Kaiser Wilhelms II., Bd. 4, Reclams Univ.-Bibl. (1913), S. 45ff.

4 Wilhelm II. zu Wildenbruch nach einer Aufführung der „Quitzows" am 4. Januar 1889 im Berliner Opernhaus: „Lieber Wildenbruch, solche Stücke können wir heutigen Tages brauchen; ich danke Ihnen, daß Sie mir meine Aufgabe erleichtern." Berthold Litzmann, Ernst von Wildenbruch, Bd. 2, Berlin 1916, S. 60. Zu dem Zeitpunkt, wo „Historienkunst" jeder Art geschichtlich endgültig überholt war, verlangte Wilhelm II. allerorts und jederzeit deren Fortsetzung.

5 „Verspätetes Schwanenrittertum" und „romantische Politik" – so Maximilian Harden 1908 in der „Zukunft"; „dekorative Monarchie", so „Der Türmer", Jg. XIII, 1911, H. 5, S. 650.

6 Vgl. u. a. Joseph Lauff, Der Burggraf, 1897; dazu P. Expeditus Schmidt: Kaiser Wilhelm II. und das Theater, in: Kaiser Wilhelm II., 15. Juni 1888–1913. Sammelwerk aus Bayern, hrsg. von Franz Pierling, Rentier, München 1913, S. 227ff.

7 Vgl. u. a. M. Harden, Kaiserliche Kunst, in: Zukunft, Bd. 9, 1894, S. 296 (zu Wilhelms „Gesang an Aegir", der auch in Schulbücher aufgenommen wurde); ferner die glänzend analysierende Besprechung der Reden Wilhelms (in vier Bänden für die Jahre 1888–1912 hrsg. von Johannes Penzler und Bogdan Krieger in Reclams Universal-Bibliothek, 1897ff.) durch Ludwig Thoma 1907; Ges. Werke, München 1956, Bd. 8, S. 303ff.: „Der Stil Kaiser Wilhelms ist beherrscht vom Superlative"; „der Superlativ ist überschwänglich und darum unwahr." Wilhelm liebe das schmückende Beiwort und „fügt es zu jedem Hauptworte; und wo er begeistern will, häuft er die Adjektiva." So entstehe eine schwülstige Form ohne Eigenart des Empfindens und des Ausdruckes, überall Sprache aus zweiter Hand. Vgl. auch L. Thoma, Stadelheimer Tagebuch (1907), Ges. Werke, 1925, Bd. 1, S. 289ff., 300, 305f., 311, 317, 341, auch 308. – Hinzuweisen ist auf die Nachahmung der Sprache Wilhelms durch Diederich Hessling, der Hauptfigur in Heinrich Manns „Der Untertan" (entstanden seit 1906), der „Geschichte einer öffentlichen Seele unter Wilhelm II.", wie H. Mann schreibt; vgl. Ulrich Weisstein, Heinrich Mann, Tübingen 1962, S. 111 ff. Auch Carl Sternheims Theobald Maske („Die Hose", 1910/11) spricht das öffentliche Staatsdeutsch so fließend wie fintenreich; s. meinen Aufsatz in: Der Deutschunterricht, 1963/6.

8 Im selben Jahr 1893 lehnte der Kaiser die Verleihung einer Goldmedaille an Käthe Kollwitz ab.

9 Vgl. dazu das aus der Zeitschrift „Die Gesellschaft" (Jg. 10, 1894, S. 413ff.) nachgedruckte, noch 1894 in 30 Auflagen verbreitete Pamphlet auf Wilhelm II. von Ludwig Quidde, Caligula. Eine Studie über römischen Cäsarenwahnsinn, Leipzig 1894 („. . . ist gar dieser korrumpierte Geist, der das Vergehen der Majestätsbeleidigung erfunden hat und in der Versagung der Ehrfurcht eine strafbare Beleidigung des Herrschers erblickt, in die Gesetzgebung und in die Rechtsprechung eingezogen: so ist es ja wirklich zu verwundern, wenn ein so absoluter Monarch bei gesunden Sinnen bleibt", S. 8); ferner M. Harden, in: Zukunft, Bd. XXI, 1897, S. 449ff.: Über die Zulässigkeit und die Grenzen der Majestätsbeleidigung als eines Strafbegriffes im modernen Staatsleben. – Zu Quidde, der 1927 den Friedensnobelpreis erhielt, jetzt Utz-Friedebert Taube, Ludwig Quidde. Ein Beitrag zur Geschichte des demokratischen Gedankens in Deutschland, Kallmünz Obf. 1963. – Wichtig ferner: Oskar Panizza, Parisjana. Deutsche Verse aus Paris, Zürich 1899 (z. B. „Für einen Witz ein Jahr Gefängnis,/für 'ne Erzählung dritthalb Jahr' –/so trüb stand niemals Dein Verhängnis,/so hoch flog, Deutschland, nie Dein Aar!", S. 29).

10 Zur ersten Orientierung Hinrich Hubert Houben, Verbotene Literatur, Bd. 1, Berlin 1924; Bd. 2, Bremen 1928; ders.: Polizei und Zensur, Berlin 1926. – 1891 erhielt der Redakteur der Berliner sozialdemokratischen Zeitung vier Monate Gefängnis, weil er Büchners „Dantons Tod" abgedruckt hatte; vgl. Karl Viëtor, Georg Büchner, Berlin 1949, S. 266; noch Max Reinhardt hatte 1916 wegen desselben Stückes Zensurschwierigkeiten.

11 „Sozialdemokratisch" hieß zugleich staatsfeindlich; vgl. Wilhelm II. am 14. Mai 1889: „Denn für Mich ist jeder Socialdemokrat gleichbedeutend mit Reichs- und Vaterlandsfeind."

12 Als eine Gegenstimme ist jedoch hinzuweisen auf Richard Kühlmann, den späteren Staatssekretär im Auswärtigen Amt, der von „Hannele" stark beeindruckt war, „dieses originelle, herrlich gespielte Stück"; Erinnerungen, Heidelberg 1948, S. 127.

13 Gerhart Hauptmann. Leben und Werk. Eine Gedächtnisausstellung . . . im Schiller-Nationalmuseum Marbach a. N. (Katalog), Stuttgart 1962, S. 91ff.; zu den „Webern" s. ebd. S. 74ff.

14 Vgl. Lovis Corinth, Das Leben Walter Leistikows, Berlin 1910, S. 29ff.

15 Noch 1907 weigerte sich Wilhelm, in Wiesbaden einen Saal zu betreten, der mit Bildern von Fritz Erler geschmückt war; s. L. Thoma, a. a. O., Bd. 8, S. 334ff. Der künstlerische Geschmack des Kaisers gehe uns daher nichts an, folgerte Thoma. – Vgl. schon 1890 Arno Holz, Die neue Kunst und die neue Regierung, in: Freie Bühne, Jg. 1, Bd. 2, S. 165ff., der zwischen „neuer Kunst" und dem „neuen" Staat unmißverständlich einen Trennungsstrich zog. – Vgl. auch die Tagebuchaufzeichnung Alfred Walter Heymels vom 7. März 1908, in: [Ausstellungskatalog] Gestalten und Begegnungen. Eine Sonderausstellung im Schiller-Nationalmuseum Marbach a. N., Stuttgart 1964, S. 65.

15a S. jetzt auch: Reden des Kaisers, hrsg. von Ernst Johann, dtv-dokumente, München 1966, S. 102.

16 Vgl. auch Heinz Gollwitzer, Die gelbe Gefahr. Geschichte eines Schlagwortes, Göttingen 1962. „Völker Europas! Wahret eure heiligsten Güter!" und dazu die von dem Maler Hermann Knackfuß ausgeführte Zeichnung Wilhelms (1895). Knackfuß (1848–1915) war ein Hauptvertreter der wilhelminischen Historien- und Hofmalerei.

17 „. . . noch ist die Bildhauerei zum größten Teil rein geblieben von den sogenannten modernen Richtungen und Strömungen, noch steht sie hoch und hehr da", Wilhelm II. in derselben Rede vom 18. Dezember 1901 bei der Einweihung der Siegesallee. Vgl. dazu Karl Scheffler, Die Siegesallee, in: Zukunft, Bd. XXIV, 1901, S. 492ff.: „eine militärisch kontrollierte, im Heroldsamt entstandene Kunst" abkommandierter Bildhauer. Auch auf Heinrich Manns Beschreibung des Kaiserdenkmals im „Untertan" ist zu verweisen; s. U. Weisstein, a. a. O. Ferner – neben dem von Weisstein zitierten Aufsatz von Robert Toberentz, Begas und das Kaiser-Denkmal, in: Zukunft, Bd. II, 1893, S. 231ff. – die Protestschrift von Friedrich Frh. von Khaynach, Anton von Werner und die Berliner Hofmalerei, Zürich 1893; ders., Germania und ihre Kinder, Leipzig 1892 und Zürich 1893. – Gutes Quellenmaterial: Unser Kaiser. Zehn Jahre der Regierung Wilhelms II. 1888 bis 1898, hrsg. von W. Büxenstein, Berlin 1898 – das Kap. „Der Kaiser und die Kunst" von Ludwig Pietsch, das Kap. „Theater, Dichtung und Musik" von Max

Grube; Unser Kaiser. Fünfundzwanzig Jahre der Regierung Kaiser Wilhelms II. 1888–1913, Berlin 1913, mit zum Teil unverändertem Text; Der Kaiser und die Kunst, hrsg. von Paul Seidel, Berlin 1907.

18 Daß sich dahinter die altgegebene Polarität und ästhetische Spannung von Mimesis und Poiesis, im „technologischen Bewußtseinsstand der Epoche" (W. Emrich), verbirgt, kann hier nur angemerkt sein; vgl. Wolfgang Preisendanz, Voraussetzungen des poetischen Realismus in der deutschen Erzählkunst des 19. Jahrhunderts, in: Formkräfte der deutschen Dichtung vom Barock bis zur Gegenwart, Göttingen 1963, bes. S. 190ff.

19 Zu diesem auffälligen Gegensatz, wenn auch von politisch-soziologischer Seite her, vgl. die Schrift [Alfred Hermann Fried], Kaiser werde modern! Berlin 1905. Der Kaiser, in allen technischen Neuerungen „der Modernsten einer", „ist in rein geistigen Materien ein Konservativer" und bediene sich für seine „Friedenspolitik" nur „rückständiger Methoden"; S. 15f. Fried (1864–1921) erhielt 1911 den Friedensnobelpreis.

20 Noch 1954/1955 formulierte Friedrich Dürrenmatt: „Es gibt keinen Stil mehr, sondern nur noch Stile, ein Satz, der die Situation der heutigen Kunst überhaupt kennzeichnet, denn sie besteht aus Experimenten und nichts außerdem, wie die heutige Welt selbst", und fügt an: „denn es gibt keine bewußte Naivität, welche die Resultate der Wissenschaft umgehen könnte"; Theaterprobleme (1955), Zürich 1963, S. 21, 53/54. – Zu Experiment vgl. u. a. Albrecht Schöne, Zum Gebrauch des Konjunktivs bei Robert Musil, in: Euphorion, Bd. 55, 1961, bes. S. 212ff.; Beda Allemann, Experiment und Erfahrung in der Gegenwartsliteratur, in: Experiment und Erfahrung in Wissenschaft und Kunst, hrsg. von Walter Strolz, Freiburg 1963, S. 266ff.

21 Vgl. Robert Musil 1927 [Zu Kerrs 60. Geburtstag]: „Der berühmte Aufsatz von Zola ist jetzt bald fünfzig Jahre alt. Er trennte von einem Zeitalter der Scholastik und Theologie . . . das neue wissenschaftliche Zeitalter ab . . . damals begann man . . . ein neues Jahrtausend. Die Lösung war falsch . . . aber die Problemstellung war richtig; denn die Anpassung an das naturwissenschaftliche Weltbild kann der Literatur nicht erspart bleiben . . ."; Tagebücher, Aphorismen, Essays und Reden, hrsg. von Alfred Frisé, Hamburg 1955, S. 758f.

22 Vgl. Paul Böckmann, Provokation und Dialektik in der Dramatik Bert Brechts, Krefeld 1961, S. 31, Anm. 14; Wolfgang Preisendanz, Gottfried Kellers „Sinngedicht", in: Zeitschrift für deutsche Philologie, Bd. 82, 1963, bes. S. 149ff.; Auch Preisendanz, Voraussetzungen des poetischen Realismus, a. a. O., S. 196f.

23 Vgl. dazu den Satz von Arno Holz in der fingierten Übersetzer-Einleitung zu Bjarne P. Holmsen: Papa Hamlet. Leipzig 1889: „. . . das lebendige Product einer Zeit . . ., von der das Wort geht, daß ihre Anatomen Dichter und ihre Dichter Anatomen sind."

24 Langbehn („Der Rembrandtdeutsche", 1890) bezeichnete dagegen Zola als den typischen Feind der Deutschen.

25 Noch Kokoschka ist von ähnlichen, wenn indessen auch emotional mystifizierten Vorstellungen ausgegangen; vgl. Paul Westheim, Oskar Kokoschka, Potsdam–Berlin 1918, S. 16f.

26 Vgl. Josefine Nettesheim, Ursprung und Sinn der Wissenschaftskunst in der Lyrik. Vom Einfluß der Naturwissenschaften und der Technik auf die Entwicklung der Dichtungstheorie (Lyrik), in: Literaturwissenschaftliches Jahrbuch, N. F., Bd. 3, 1962, S. 315ff.

27 Auch im „Türmer", Jg. 1900/01, hieß es: „Literat sein, ist überflüssig. Denn zuerst gilt das Menschentum, dann erst Kunst und Form."

28 Erst nach Abschluß meines Manuskriptes erschien der sachlich und methodisch grundlegende Aufsatz von Friedrich Sengle, Wunschbild Land und Schreckbild Stadt. Zu einem zentralen Thema der neueren deutschen Literatur, in: Studium generale, Jg. 16, 1963, H. 10, S. 619ff.

29 Bartels hielt, „folgerichtig", 1913 einen Vortrag „Der deutsche Verfall", dem bereits 1924 die Schrift „Der Nationalsozialismus Deutschlands Rettung" korrespondierte.

30 Es ist zu erinnern, daß z. B. der Protest des Individuums, des Menschen als eines personal verbürgten, geistig schöpferischen Einzelwesens, gegen die kollektive Entfremdung im hochindustriellen Zeitalter und seiner zunächst sozialen Hilflosigkeiten durch den sogenannten Expressionismus und dessen angegriffene Artistik viel eindeutiger und kräftiger gestaltet worden ist als in der gesamten landschaftlich-völkischen Heimatdichtung, weil diese sprachlich

und formal sich außerhalb der Zeitlage stellte und zu solchem poetischen Ausdruck der modernen Situation gar nicht befähigt war. Diese differierende Proportionalität in bezug auf die geistigen und sozialen Wandlungen gilt für die gesamte „Moderne" und ihre Literatur.

31 Robert Minder, Kultur und Literatur in Deutschland und Frankreich. Fünf Essays, Wiesbaden 1962 (Inseln-Bücherei 771), S. 33. Vgl. Alfred Döblin: „Es gehört eine gewisse innere Verdunkelung . . . dazu, Kunstwerke in die Welt zu setzen. Nur so ist es verständlich, daß Deutschland schon 1890 ein stark industrialisiertes Land war, die Künstler aber, Maler und Literaten, noch immer bei Sonnenaufgängen und Gänsehirten verweilten"; Der Geist des naturalistischen Zeitalters, in: Die Neue Rundschau, 1924, Jg. 35, Bd. 2, S. 1289.

32 Siehe Vorwort (1901) in Michael Georg Conrad, Von Émile Zola bis Gerhart Hauptmann. Erinnerungen zur Geschichte der Moderne, Leipzig 1902. Für die Literatur entscheidend würde sein, „ob wir rassige, blut- und heimatechte, wurzel- und bodenständige Eigenpersönlichkeit haben": „Im Geheimnis des Blutes und des Bodens ruht das Geheimnis der Kunst", womit auch gegen die „gemachte" Kunst, die experimentierend-diskutierende Poesie, protestiert war. Conrad, ursprünglich einer der ersten und leidenschaftlichsten Verbreiter der Zolaschen Kunstlehre in Deutschland, hatte sich mit der von ihm herausgegebenen Zeitschrift „Die Gesellschaft" längst einem sogenannten „landschaftlichen Naturalismus" zugewandt und sich in den Dienst einer Opposition gegen die „Asphaltliteratur" der Großstadt und ihres „vaterlandlosen Gebarens" gestellt. Statt Zola wurde jetzt – Hermann Allmers gepriesen! – Vgl. dazu, mit ähnlichen, radikaleren Gedanken, die aufschlußreiche Broschüre des ebenfalls in München lebenden Georg Fuchs, Der Kaiser, die Kultur und die Kunst. 1. und 2. Aufl. anonym München 1904, 3. Aufl. mit Verfassernamen unter dem Titel: Der Kaiser und die Zukunft des deutschen Volkes, München 1906, eine typische Kampfschrift gegen die Entartung der „Moderne" und für eine rassische, art- und blutrhythmische Volkskultur, die auf der Macht und Kriegsgewalt der kaiserlichen Flotte gründe.

33 Deutsche Schriften 1878–1881; Gesamtausgabe 1886. Vgl. Fritz Stern, Kulturpessimismus als politische Gefahr. Eine Analyse nationaler Ideologie in Deutschland, Bern, Stuttgart 1963.

34 Vgl. Hermann Glaser, Spießer-Ideologie. Von der Zerstörung des deutschen Geistes im 19. und 20. Jahrhundert, Freiburg 1964, S. 158ff. Schon Friedrich Ludwig Jahn forderte (1828), sozusagen im Stil der Völkerwanderungszeit, gegen „geengten Landraum" Landnahme nach Maß der Lebensbedürfnisse und der Volkskraft und dort arteigene Volkszucht; s. Werke, Bd. 2, Abt. 1, S. 427f.

35 Diese (erste) Sprachkrise der „Moderne" um 1900, besonders eindringlich bei Hofmannsthal, George, Rilke, wenig später bei Musil und Kafka, fällt zeitlich zusammen mit dem Oppositionsprogramm der Heimatkunst, ihrerseits ein Rückzug in die vorexperimentelle, vorindustrielle Sprache eines utopischen, sogenannten heilen Agrarzeitalters. Hier scheinen kommunizierende Zusammenhänge vorzuliegen, die bisher wenig deutlich geworden sind. – Vgl. dazu Klaus Günther Just, Ästhetizismus und technische Welt. Zur Lyrik Karl Gustav Vollmoellers, in: Zeitschrift für deutsche Philologie, Bd. 82, 1963, H. 2, bes. S. 224f.

36 Vgl. die Dreiteilung, die Alfred Döblin 1946 vorschlug: die „feudalistische" Gruppe; die „humanistisch-bürgerliche" Gruppe; die „progressive" Gruppe, zu der er selbst sich zählte – diese sei „rabiat entschlossen", „ihre eigene Sprache zu reden und zu eigenen Formen zu gelangen. Sie versucht. Sie experimentiert . . . Sie will traditionslos echt, und zwar ich- und zeitgerecht sein . . . mit rigoros moderner Fragestellung"; Die deutsche Utopie von 1933 und die Literatur, in: Das goldene Tor, 1946, S. 143ff.; ähnlich wiederholt in: Die literarische Situation, Baden-Baden 1947, S. 14ff.

37 Zu Britting jetzt Dietrich Bode, Georg Britting. Geschichte seines Werkes, Stuttgart 1962.

38 „Der Kaiser steht außerhalb der ästhetischen Bewegung, die das deutsche Volk ergriffen hat und die im Augenblicke, wie es scheint, an Begriffsmangel hinsiecht . . ."; a.a.O., Jg. 5, 1908, Bd. 2, S. 237ff. (nicht enthalten in den „Gesammelten Werken in Einzelbänden"); vgl. Werner Kraft, Rudolf Borchardt. Welt aus Poesie und Geschichte, Hamburg 1961, S. 407ff.

39 Vgl. die aufgezeigten Strukturähnlichkeiten bei Weigand von Miltenberg [Herbert Blank], Adolf Hitler Wilhelm III., Berlin 1931, 2. Aufl. 1932.

WOLFDIETRICH RASCH

Aspekte der deutschen Literatur um 1900

I

Im Jahre 1873 spielte Friedrich Nietzsche in den Einleitungssätzen der ersten seiner „Unzeitgemäßen Betrachtungen" auf den gewonnenen Krieg und die Bismarcksche Reichsgründung von 1871 an und gab eine eindringliche Warnung vor dem „weitverbreiteten, ja allgemeinen Irrtum: . . . daß auch die deutsche Kultur in jenem Kampfe gesiegt habe und deshalb jetzt mit den Kränzen geschmückt werden müsse, die so außerordentlichen Begebenheiten und Erfolgen gemäß seien." In Wahrheit, sagt Nietzsche, drohe die Gefahr einer Niederlage des deutschen Geistes zugunsten des deutschen Reiches.[1] Nietzsche sprach damit etwas aus, was viele Zeitgenossen zunächst unklar empfanden und bald mit bewußter Beunruhigung und mit fordernder Ungeduld ebenfalls feststellten. Man fand, daß das geistige und künstlerische Leben mit der allgemeinen Entwicklung nicht Schritt gehalten hätte. Im Hochgefühl der erfüllten nationalpolitischen Hoffnungen, die sich in einer schnell ansteigenden wirtschaftlichen Entfaltung bestätigten, vermißte man eine Literatur, die solchem Aufschwung des nationalen Lebens gemäß und würdig wäre. Die Dichtung dieser Jahre bewegte sich vorwiegend in abgestandenen Formen und verbrauchten Tönen, in einer wesenlos gewordenen poetischen Scheinwelt. Nietzsches Mahnung klingt noch nach, wenn etwa drei Jahrzehnte später in Stefan Georges ‚Blättern für die Kunst' gesagt wird, der Deutsche müsse endlich eine neue, eigene Geste bekommen, das sei wichtiger als 10 eroberte Provinzen.[2] In den achtziger Jahren wurde mit sehr lautem Pathos und oft mit unklarer und widerspruchsvoller theoretischer Begründung die Forderung nach einer völlig neuen Literatur vorgetragen, die Ausdruck der eigenen Zeit sein sollte.

Diese Forderungen und Theorien gingen für etwa ein Jahrzehnt einem echten Ansatz neuer dichterischer Produktivität voraus. Vor dem Ende der achtziger Jahre gibt es – wenn man von Nietzsches „Zarathustra", von einigen Gedichten Nietzsches und etwa von Liliencron absieht – kein einziges Dichtwerk, das als überzeugende Formung neuer künstlerischer Gesinnung gelten könnte. Dann aber, in den Jahren 1889 bis 1891, entstehen unter der Wirkung starker Impulse, die von der außerdeutschen, europäischen Literatur ausgehen, eine Reihe solcher Werke, die mit Recht als Beginn einer neuen Ära des literarischen Lebens angesehen werden. Es sind Werke sehr verschiedener Art, die durchaus gleichzeitig hervortreten: die ersten Dramen Gerhart Hauptmanns, die ersten Gedichte Stefan Georges, Frank Wedekinds dramatische Dichtung „Frühlingserwachen" und die frühesten Verse und Versspiele Hofmannsthals. Talente wie Richard Dehmel, Arno Holz und manche andere, die ebenfalls in diesen Jahren ihr eigentliches Wort zu sagen beginnen, kennzeichnen die Breite des neuen Ansatzes. So läßt sich der markante Beginn einer literarischen Epoche erkennen, die sich etwa bis zum Anfang des ersten Weltkrieges erstreckt und in dieser zeitlichen Entfaltung zwar sehr verschiedenartige, ja gegensätzliche Formen herausbildet, sich aber dennoch als eine Einheit, als einheitlicher Entfaltungszusammenhang verstehen läßt. Es ist diese Phase des literarischen Lebens zwischen 1890 und 1914, die ich mit der Formel „Dichtung um 1900" oder „Dichtung der Jahrhundertwende" bezeichne.

In dieser sehr knappen, andeutenden Kennzeichnung sind bereits einige Abweichungen von der gängigen Auffassung enthalten, einige sachlich begründete Richtpunkte für eine neue Sicht dieser Literatur.[3] Das gilt zunächst für die Bemerkung, daß die Dichtung der achtziger Jahre als Dichtung belanglos sei, obwohl deren Verfasser sich selbst anspruchsvoll revolutionär gebärdeten und als Avantgarde eines neuen Stiles, als eine Art „Sturm und Drang" interpretierten. Jedoch, eine Phase literarischer Entwicklung kann erst dann als geschichtliche Wirklichkeit gelten, wenn sie sich in sprachlichen Gebilden besonderer Art, in gestalthafter Prägung bezeugt. Man kann die bloß programmatischen Romane, den deklamatorischen Vortrag moderner Ideen in epigonenhaften Formen nicht als Beginn und auch kaum als Vorstufe einer neuen Dichtung ansehen. Von dieser Art waren die Versuche von Schriftstellern wie Carl Bleibtreu und Hermann Conradi, Michael Goerg Conrad, Max Kretzer. Man kann die Struktur der seit 1889 entstehenden Dichtung kaum verstehen, wenn man sie von diesen sogenannten Vorläufern her betrachtet.[4]

Daß ich die Gleichzeitigkeit des Hervortretens so verschieden gearteter Dichter wie Hauptmann, George, Hofmannsthal, Wedekind akzentuiere, ergibt den zweiten Richtpunkt für eine neue Sehweise. Natürlich war diese Gleichzeitigkeit als Faktum bekannt, aber sie wurde in der literarhistorischen Betrachtung kaum bewußt gemacht und eher verschleiert, weil man das Schema einer zeitlichen Aufeinanderfolge von Stilen gewaltsam festhielt und die Dinge so darstellte, als sei zunächst der Naturalismus vorherrschend gewesen, der dann „abgelöst" wurde vom literarischen Impressionismus; daß später die sogenannte Neuromantik sich durchgesetzt hätte, danach eine Neuklassik, schließlich der Expressionismus. Solcher Aufteilung stellt sich – als dritter Richtpunkt – die These von der inneren Einheit der Zeit von 1890 bis 1914 entgegen, einer Zeit, in der klar unterscheidbare Formungsweisen, die keimhaft schon im Anfang nebeneinander hervortreten, sich *nebeneinander* entfalten.

Schon im Grundschema also erweist sich die herkömmliche Anschauungsweise als unzulänglich und revisionsbedürftig. Aber mit einer Revision des Schemas ist natürlich noch nichts getan. Sie ist nur der Ausdruck einer veränderten Gesamtanschauung der Dichtung um 1900.

Wir befinden uns heute gegenüber der Literatur um 1900 in einer eigentümlichen Situation; denn diese Dichtung und das Zeitalter ihres Entstehens sind, wenigstens für die Älteren von uns, zwar noch nicht völlig Vergangenheit geworden, aber sie sind doch auch nicht mehr Gegenwart, sondern schon so weit zurückgesunken, daß sie sich der historischen Betrachtung stellen. Sie *wird* Geschichte, diese Zeit der Jahrhundertwende, der Prozeß ihrer Historisierung vollzieht sich heute in unserem Bewußtsein, und wir wirken mit an diesem Prozeß. Sie tritt in eine Distanz, die sachliche Interpretation und sachliche Wertung möglich macht, und eben durch solche objektive Betrachtung vergrößert sich die Distanz. In der Generation der kurz nach 1900 Geborenen ist wohl jeder einmal von einer Szene Hofmannsthals oder Hauptmanns, von einem Gedicht Georges, einem Vers Rilkes oder Trakls, von einer Erzählung Thomas Manns so berührt und betroffen worden, wie man nur von einer Dichtung der eigenen Zeit und Lebenswelt betroffen wird. Das kann vielleicht auch den Jüngeren noch geschehen, aber es geschieht immer seltener. Die Farbe der unmittelbaren Gegenwärtigkeit dieser Dichtungen verblaßt, und es wird von Jahr zu Jahr schwerer zu unterscheiden, ob ihre lebendige Wirkung noch aus der zeitgenössischen Nähe stammt oder jene Art der Wirkung ist, die von aller großen Dichtung über die Zeiten hinweg ausstrahlt. Die zeitenthobene Wirksamkeit, in der das literarisch Überlieferte zu einer inneren, geistigen Präsenz gelangt, kommt selbstverständlich auch der bedeutenden Dichtung der Jahrhundertwende zu. Wenn sie in eine geschichtliche Vergangenheit zurücktritt, so heißt das nicht, sie würde insgesamt bloßes Bildungsgut und gelangte in den luftarmen Bezirk bloß gewußter oder erinnerter Werte. Vielmehr gewinnt die echte Dichtung dieser Jahre, indem sie ihre Aktualität einbüßt, jene „zweite Gegenwart", in der wir die große Literatur vergangener Zeiten erfahren.

Freilich ist diese Verwandlung der Gegenwart in Geschichte, die wir an der Literatur um 1900 heute erleben, der kritische Augenblick für den Bestand dieser Literatur. In diesem Augenblick stellt sich von selbst die Frage, was von ihr überdauert und der „reißenden Zeit" widersteht. Bei der enormen, gegenüber früheren Zeiten gewaltig angewachsenen Menge des Gedruckten wird es sehr vieles sein, was von der Literatur um 1900 in Vergessenheit zurücksinkt oder nur noch als zeittypische Erscheinung von Interesse bleibt. Nur die Kraft der geprägten Form schützt das sprachliche Gebilde vor dem Versinken, sobald seine Thematik als solche nicht mehr aktuell ist. Die ordnende Sichtung und distanzierte Deutung der Dichtung um 1900 schließt notwendig eine Wertung ein. Sie muß sich freihalten vom Urteil der Zeitgenossen. Die Divergenz damaliger und heutiger Bewertung gewisser Werke ist zuweilen außerordentlich. Als Johannes Schlaf, ein bescheidenes Talent, 1893 die kleine Prosadichtung „Frühling" schrieb, eine Reihe von gefälligen Naturbildern und schlichten Reflexionen, da begrüßte Richard Dehmel mit pathetischem Enthusiasmus dieses Büchlein als ein erhabenes Meisterwerk. Er wisse, so schreibt er in tiefer Erschütterung, „daß die Welt um eines von den ewigen Kunstwerken reicher ist . . . Was das ‚Hohe Lied' des israelitischen Lyrikers für seine Zeit gewesen und alle Zeit geworden ist . . .: das ist für unsre Zeit und unser Volk und unsre Zukunft dieser „Frühling", und noch mehr!"[5]

Richard Dehmel selbst galt Ende der neunziger Jahre im öffentlichen Bewußtsein weithin für den größten Dichter dieser Zeit, auch bei manchen höchst gebildeten Kennern. Hans Carossa berichtet, wie ihm ein literarisch bewanderter Arzt, ein bedeutender Kopf, von Dehmels Versen sagte: „Wenn man diese Sachen liest, so muß man sich fragen, ob vorher überhaupt jemals gedichtet worden ist."[6] Man hört in solchen Urteilen die Neigung des wilhelminischen Zeitalters zu allzu großen Worten, zu pompöser Übertreibung, aber man hört heute darin auch die verborgene tiefe Unsicherheit, das heimliche Mißtrauen in die eigene Kraft, das durch die großen Worte übertönt wird. Dieses Bedürfnis kennzeichnet überhaupt jene Zeit, die seit den Gründerjahren auf allzu schnellen Ausbau der politischen und wirtschaftlichen Macht gerichtet war. Der vehemente Aufstieg wurde zum guten Teil getragen von bescheidenen Bürgern, die in der Stille kleiner Städte ein provinziell begrenztes, philiströses Dasein geführt hatten. Wenn sie jetzt als Fabrikanten rasch zu Geld oder in anderen Tätigkeiten in größeren Städten zu Ansehen gelangten, so bauten sie ihre Häuser dreimal größer, als sie sie brauchten und von innen her ausfüllen konnten. Die Leere suchten sie zu verbergen durch die pedantisch nachgeahmten Bauformen und Zierformen vergangener Zeiten. Sie brauchten diese Türmchen und Erker, diese historischen Formen zur Legitimierung ihres Daseins. Die öffentlichen Bauten sahen ebenso aus. Das Deutsche Haus auf der Pariser Weltausstellung von 1900 war vom Baudirektor der Reichspost im Stile einer Pseudo-Spätgotik errichtet worden. Nur im Souterrain, im dort untergebrachten Weinrestaurant, durften die neuen architektonischen Formen, die damals schon im Jugendstil durchgedrungen waren, wenigstens als Innenausstattung und Dekoration zur Geltung kommen.[7] Diese Zweiteilung kann als ein Sinnbild der Zeitsituation dienen. Die neue Dichtung hatte es ebenso schwer wie die bildende Kunst, sich bei den herrschenden Mächten Geltung zu verschaffen. Sie stand in Opposition gegen die wilhelminische Gesellschaft, die in ihrer

Oberschicht von geringem geistigen Niveau und sehr unsicherem Geschmack blieb. Doch hat die literarische Bewegung, die sich gegen den Geschmack dieser Gesellschaft wandte, bei ihrem geistigen Kampf manches vom Habitus und Verhalten, vom Tonfall der Gegner unbewußt übernommen; etwa eben die Neigung zu allzu großen Worten und prahlerischen Übertreibungen, wie sie das Urteil Dehmels über Schlaf zeigt.

Ebenso notwendig wie die Abkehr von den zeitgenössischen Wertungen ist der Verzicht auf die eigenen Deutungen, die Selbstdeutungen der Literatur um 1900. Auch sie sind für uns fast nur noch auf mittelbare Weise interessant. Die Art, wie eine Literatur sich selbst versteht, gibt Aufschluß gerade über ihre verborgenen, ihr selbst nicht ganz bewußten Intentionen. Schon das seit Nietzsche immer zunehmende, leidenschaftliche Bedürfnis nach Selbstdeutung überhaupt ist kennzeichnend für die Bewußtseinslage um 1900. Zahlreiche Schriften und Aufsätze bezeugen eine unaufhörliche Reflexion über die Situation der Gegenwart. Unablässig wird die Frage erörtert, wie die eigene Zeit beschaffen sei, welche Forderungen und Möglichkeiten sie enthalte, wodurch sie sich unterscheide von aller Vergangenheit. „Es wird in unserer Zeit gar zu viel Wesens gemacht von unserer Zeit", schreibt Hofmannsthal.[8] Man hat zuweilen fast den Eindruck, als sei das Leben nirgends mehr unbefangen gelebt worden, sondern stets mit dem Seitenblick auf die ängstliche Frage, ob es auch zeitgerecht, dem Stil der Gegenwart gemäß gelebt würde. Die große Anzahl der kritischen Kommentare und grundsätzlichen Eröterungen, von denen die künstlerische und literarische Bewegung begleitet wird, sind nur Sonderformen des allgemeinen Bedürfnisses nach Selbstinterpretation, an der sich auch die Dichter beteiligt haben. Die zeitgenössischen Kritiker haben auch jene sich so rasch ablösenden „Stile" konstatiert, die dann als Ordnungsbegriffe auch in die literarhistorische Betrachtung übergegangen sind. Sie scheinen uns nicht brauchbar, aber indem wir sie aufgeben, fragen wir, wie sie zustande kamen. Da zeigt sich wiederum, daß oppositionelle Gruppen manches von den Formen und Denkweisen ihrer Gegner annahmen. Der Historismus des 19. Jahrhunderts, den die Vorkämpfer der Moderne angriffen, war in ihrem eigenen Lager wirksam. Man lehnte die Nachbildung historischer Stile heftig ab, aber man wünschte ebenso heftig nicht nur einzelne Werke neuer Art, sondern sofort einen neuen Stil, eine verbindliche allgemeine Formungsweise, deren Vorstellung nach dem Modell vergangener Zeitstile gebildet war. Die historische Betrachtung hatte solche Stile sehen gelehrt. Man interpretierte die Gegenwart unter historischen Kategorien und wollte aus der eigenen Zeit eine Epoche einheitlichen Stiles machen. Der sogenannte Jugendstil in Architektur und Dekoration, in dem gewiß auch spontane Antriebe wirken und der ohne Zweifel bedeutende Keime künftiger Entwicklungen birgt, war insofern eine problematische Erscheinung, als eine allzu bewußte Absicht an ihm teilhatte. Es war ein Entwurf, der weitgehend in seinen Formen mitbestimmt wurde durch die Aufgabe, die er erfüllen sollte: eben diese, der Zeit ein eigenes, einheitliches Gepräge zu geben, wie man es von früheren Zeiten her kannte. Die Neigung, allzu schnell literarische Stile zu konstatieren, ist eine verwandte Erscheinung. Wenn in einigen Dramen Hauptmanns eine starke Wirklichkeitsillusion erzeugt wird und Arno Holz in einer sehr schwach fundierten theoretischen Schrift erklärt, die Kunst habe die Tendenz, wieder die Natur zu sein, so spricht man sogleich davon, daß die Zeit des Naturalismus begonnen habe. Aber schon drei Jahre später erklärt man diese Zeit für überwunden, – und so geht es weiter.

Diese Art einer Historisierung der eigenen Gegenwart verrät eine tiefe Unsicherheit, einen Zwiespalt. Man fühlt sich einerseits bedrückt von der Tradition, vom epigonenhaften Zustand des späten 19. Jahrhunderts, und man möchte sich von ihm freimachen, –

aber man hat gleichzeitig auch Furcht vor dem Bruch mit der Tradition. Daraus begreift sich der schnelle und ängstliche Versuch, einen neuen Zeitstil, eine neue historische Epoche zu statuieren, in der man Geborgenheit suchte.

Bruch mit der Tradition jedoch schien das Schicksal der Zeit, sofern sich ihre Menschen der neuen Situation bewußt wurden, die neue Wirklichkeit annahmen, in die sie sich gestellt sahen. Sie fanden sich inmitten einer Spätzeit technischer Zivilisation, die das Leben jedes Einzelnen immer entschiedener umgriff und von Grund auf veränderte. Die technische Revolution war freilich schon seit dem Anfang des Jahrhunderts im Gange, aber sie gelangte um 1900 in eine Phase der eilfertigen Realisierung eines neuen Lebenssystems, das in zunehmendem Maße und unentrinnbar jede Existenz einspannte. Die vehement vordringende Naturwissenschaft schuf neue Denkformen und in ihren technischen Anwendungen neue materielle Grundlagen und Lebensbedingungen, die sich in der werdenden Industriegesellschaft ausprägten. Was sich, zusammen mit dem wirtschaftlichen Machtzuwachs und kommerziellen Erfolg, an neuen technischen Erfindungen und Methoden durchsetzte, wurde als Fortschritt, als restlos-großartige Entwicklung gepriesen. Es erfüllte die Menschen dieser Jahrzehnte mit Stolz und Hochgefühl – aber gleichzeitig auch mit Angst. Die Angst beruhte auf dem unbehaglichen Gefühl, daß durch den Fortschritt ein Erbe veruntreut würde und ein notwendiger, zum menschlich erfüllten Leben unentbehrlicher Besitz verlorenging. Der Bruch mit der Tradition wurde scharf zum Bewußtsein gebracht vor allem durch Nietzsche, der mit angestrengter Leidenschaft den Abbau der überlieferten Transzendenz beförderte und verkündete, der die religiösen Bindungen, die sich durch das 19. Jahrhundert hindurchgerettet hatten, zu zerstören suchte und unerbittlich die Orientierung des Menschen in einer puren Diesseitigkeit forderte. Was er selbst seine „naturalistische Moral" nennt, ist eine radikale Abdankung überlieferter Werte. Durch die suggestive Macht seines außerordentlichen Prosastiles und dessen verführerische Kadenzen erreichte er eine unvergleichliche Wirkung, die in dieselbe Richtung weist wie die naturwissenschaftliche Weltdeutung. Das Lebensgefühl, das sich aus dieser Situation um 1900 bildet, ist zwiespältig: seine eigentümliche Farbe ergibt sich aus einer spezifischen Mischung von Stolz und Angst.

In dieser Konstellation entsteht die neue Dichtung. Ein herber Kritiker der Zeit wie Rudolf Borchardt hat sich freilich heftig geweigert, die Formel vom Zeitalter der Naturwissenschaften als Kennzeichnung der Epoche gelten zu lassen, weil damit nur gleichgültige Äußerlichkeiten bezeichnet würden.[9] Borchardt war sich offenbar nicht bewußt, wie entscheidend seine eigene geistige Haltung und seine Dichtung durch die naturwissenschaftlich-technische Zivilisationswelt, nämlich durch die Opposition zu ihr, bestimmt war. Hofmannsthal sieht die Dinge unbefangener und präziser, wenn er von der „Übergewalt der technischen Ereignisse" spricht und von dem „schwindelnden Weltzustand", der durch sie entsteht.[10] Viele Dichter dieser Zeit, Borchardt oder Stefan George oder die Expressionisten, haben in heftiger Abwehr und leidenschaftlichem Protest die herrschenden Mächte der Gegenwart verurteilt und verhöhnt. Doch ist es unbezweifelbar, daß auch der Gegensatz eine sehr feste und folgenreiche Relation ist. Von der Haltung des Protestes, der Verdammung der eigenen Zeit ist das Werk vieler Dichter nicht nur in seinen Themen und Gesinnungen, sondern in seiner Gestalt und sprachlichen Struktur bestimmt.

Die allseitige Entfaltung der technisch-industriellen Zivilisation gilt dem heutigen Blick nicht nur als eine geschichtliche Phase wie jede andere, sondern als eine universalgeschichtliche Wende höchster Ordnung, vergleichbar mit dem Übergang zur Seßhaftigkeit in der Menschheitsgeschichte.[11] Das moderne Industriesystem ist, so hat man gesagt, eine Kulturschwelle von gleicher Bedeutung wie die des Neolithikums.[12] Es ist klar, daß ein so tiefgreifender Wandel das Schicksal der Dichtung wie aller Kunst entscheidend berührt. Es ist notwendig, dabei auf die neuen wirtschaftlich-soziologischen Bedingungen zu blicken, z. B. auf die weitgreifende Kommerzialisierung im Zeitalter der Massenordnungen und auf die Folgen, die das „Gesetz der großen Zahl" für das literarische Leben hat. Dergleichen ist sicherlich wichtig, aber es ist nicht alles. Denn was sich ändert, ist nicht nur die Umwelt des Menschen, die immer stärker in eine naturferne Künstlichkeit verwandelt wird, sondern es ändert sich auch die menschliche Innenwelt, die Bewußtseinsstruktur. Von dieser Veränderung bleibt keiner ganz frei, – vielleicht am wenigsten der, der sich ihr zu entziehen meint. Die Naturwissenschaft ermöglicht Maschinen und neue Arbeitsmethoden, aber sie bewirkt auch unvermerkt eine andere Art unseres Verhältnisses zur Welt, das bereits die bloße Wahrnehmung der Außenwelt mitprägt. Der Mensch sieht die Wirklichkeit, die Natur immer entschiedener als eine Reihe bloßer, vereinzelter Fakten. Jede Erscheinung, jeder Vorgang ist nur noch eine blanke Faktizität, jedes Ding bedeutet nur sich selbst und ist durch sein tatsächliches Vorhandensein genügend legitimiert. Gewiß ist diese Sehweise seit langem vorbereitet. Aber im Vergleich zu ihren Vorstufen wird sie um 1900 zu einem höchsten Grade der Profanierung und Entzauberung gesteigert, sie erreicht eine äußerste Ferne vom Mythos oder von einer geglaubten Ganzheit der göttlichen Schöpfung, in der jedwedes Einzelding befaßt ist. Einen Zusammenhang zwischen den isolierten Fakten gibt es jetzt nur noch im Sinne wissenschaftlicher Naturgesetzlichkeit, etwa als Kausalität, oder als bloßen Zweckzusammenhang, in dem die Fakten zu Ansatzpunkten einer rationalen Praxis werden, einer Verwendung der gesetzlichen Naturkräfte im Arbeitsfelde technischer Auswertung. Die Schärfe solcher Reduktion der Wirklichkeit wird darin deutlich, daß auch der Mensch selbst, in einer Reihe mit Sachen und Prozessen, zu einem bloßen Faktum degradiert zu werden droht, als Arbeitskraft oder Konsumkraft, als berechenbare, vertauschbare Größe.

In dieser Situation ergreift die Dichtung ihre zeitgerechte, zeitnotwendige Aufgabe im Bewußtmachen dieses Zerfalls der Wirklichkeit in beziehungslose Fakten und in der gestaltenden Beschwörung von Gegenkräften gegen diesen Vorgang. Die Dichtung stiftet den verlorenen Zusammenhang zwischen den isolierten Erscheinungen neu, oder anders gesagt: sie macht die realen Einzeldinge zu Symbolen eines Universalen. Das hat die Dichtung freilich immer getan, doch nie war sie dabei so sehr auf sich selbst angewiesen, so ohne Rückendeckung durch mythische, religiöse, metaphysische Weltdeutungen, die schon im außerdichterischen Verhältnis zur Wirklichkeit eine symbolisierende Anschauung sicherten. Noch der Naturwissenschaftler Goethe verstand die Natur als eine Sprache Gottes, nicht als eine Reihung blanker Fakten. Die Dichtung um 1900 hatte ihr Werk gegen eine überaus starke anti-dichterische Gegenströmung zu tun. Das prägt ihre Sprechweise und all ihre Formen, so wie der Kurs des Segelschiffes von Richtung und Stärke des Gegenwindes bestimmt ist. Von daher werden viele Eigentümlichkeiten der Literatur um 1900 begreiflich, ihre extreme Stoffwahl, das Ungewohnte oder Seltsame in der Sprachgebung, die Überbetonungen, die grellen oder die pretentiös leisen Akzente, die Abweichung von der Norm.

Was das Tun des Dichters in der entgötterten Zeit schwierig macht, das eröffnet ihm zugleich auch neue Chancen, besonders in der Erweiterung des Darstellungsbereichs. Wenn alle Wirklichkeit in neutrale, bedeutungslose Einzelheiten zu zerfallen droht, so kann auch jedes Stück dieser Realität dichterisch mit Bedeutung erfüllt werden. Daher gelten jetzt nicht mehr die herkömmlichen, bevorzugten Gegenstände als poetisch, sondern schlechthin alles kann Symbol werden. Die Theoretiker der achtziger Jahre hatten verkündet, daß alles Wirkliche, das Hohe und das Niedere, darstellenswert sein sollte, und sie hatten diese Forderung naturalistisch verstanden. Ihr dichterischer Sinn aber ergibt sich erst, wenn z. B. Hofmannsthal das Gleichnishafte alles Wirlichen neu entdeckt und es eben deshalb darstellenswert findet. Er notiert 1893: „Sein und Bedeuten ist eins, folglich ist alles Seiende Symbol."[13] In einem Brief des jungen Paul Valéry an Pierre Louis vom Jahre 1890 findet sich eine beiläufige Bemerkung, die, richtig verstanden, die gesamte Intention der modernen Dichtung andeutend formuliert. Valéry sagt da vom Künstler: „Bald schließt er sich ein in ein Traumgehäuse à la Flaubert, hält Gottesdienst ab am Altar des Stiles und des Worts; bald überläßt er sich ganz den äußeren Eindrücken, freut sich einer Straßenecke an einem Abend im Regen, wenn feuchtglänzende Dinge aufleuchten, das Trottoir wie ein metallischer Spiegel schimmert, darin die elektrischen Feuer und das Gas sich zu goldenen und silbernen Flammen mischen, freut sich an der wimmelnden, dunklen und eiligen Volksmenge ... Er achtet die Lampen eines Omnibus nicht geringer als die Sterne, er schlüpft in die Seele von Heliogabal oder Nebukadnezar wie in die eines eben vorübergehenden Zuhälters, immer ist sein Geist bereit, die Essenz aller Impressionen des Seins (welch Geschwätz!) auszudrücken – und so lebt er in einem Wort tausend Leben!"[14] In der deutschen Dichtung findet man um 1890 alles wieder, was Valéry andeutet: die hochmütig abgeschlossene, künstliche Welt Algabals in Stefan Georges Gedichtzyklus, der zwei Jahre später erscheint, den Zuhälter bei Wedekind, und die einfachen Menschen, die dunkle Menge bei Hauptmann; man findet das Preisen der Schönheit und der Kunst beim jungen Hofmannsthal, die Poesie der Omnibuslaternen bei Dehmel oder Holz, die Poesie der Sterne bei Dauthendey oder Mombert.

Alles Einzelne, alles Wirkliche wird Symbol in dieser Dichtung. Aber was symbolisiert es? Jede einzelne Erscheinung weist in der dichterischen Darstellung über sich selbst hinaus, – aber nicht in ein Jenseits, in eine Sphäre eigentlicher Transzendenz, die für die maßgeblichen Dichter dieser Zeit nicht mehr in Geltung steht. In ihrer Dichtung erscheinen Menschen, Gegenstände und Vorgänge nicht in einer Beziehung zu einer außerweltlichen Sphäre, sondern in ihrer Beziehung zu einer zwar das Einzelne übergreifenden, aber rein welthaften, diesseitigen Totalität. Die Einzelerscheinung transzendiert ins Diesseits, d. h. sie verweist auf den großen Zusammenhang der Welt, in den sie eingefügt ist, sie symbolisiert das Ganze des Seins, das All, den von ewigen Kräften durchwalteten Kosmos. Dieses Gefühl der großen Einheit, des flutenden Allebens wird grundlegend für die Dichtung um 1900, gleichzeitig mit der Erfahrung, daß der Mensch in gesteigerten Momenten eins wird mit den Dingen und dadurch mit dem Ganzen. Es ist die Erfahrung der unmittelbaren Kommunikation mit der Welt, der Teilhabe am Gesamtleben. Mustert man die Bekenntnisse wie die Werke der Dichter um 1900, so ist es erstaunlich, wie stark sie bei den größten Unterschieden der Individualität und des persönlichen Stiles übereinstimmen in der Gemeinsamkeit dieser Erfahrungsweise. Für ihr Bewußtsein bedeutet Poesie vor allem: die Welt so in Sprache zu verwandeln, daß der Zusammenhang jeder Erscheinung mit dem umgreifenden Ganzen, mit dem Gesamtleben fühlbar wird. Das ist gleichsam die Antwort der Dichtung auf den Zerfall der Welt in sinnleere Fakten.

Hofmannsthal sagt in einer Tagebuchnotiz von der „Prosa des Dichters", sie enthalte „ein beständiges Anderswo. Sein Objekt ist nie das vorliegende Objekt, sondern die ganze Welt. *Wie* evoziert er das Ganze?"[15] Das ist die Frage, die sich der Dichter dieser

Zeit in hoher Bewußtheit stellt. Auch darin, in dieser Bewußtheit, ist ein Unterschied zur Dichtung früherer Jahrhunderte zu erkennen, in denen sich die Evokation des Ganzen selbstverständlicher und unreflektierter in der Kunst verwirklichte.

Man sieht leicht, daß in diesen Anschauungen und Erfahrungsweisen das Erbe der Romantik weiterwirkt. Aber die Symbole der romantischen Poesie waren verbraucht und verwelkt, sie hatten keine evozierende Kraft mehr. Will man die neuen Symbole und zugleich die neue Gestaltungsweise der Dichtung seit 1890 verstehen, so gilt es, neue Kategorien der Anschauung zu bilden. Unentbehrlich ist etwa die Kategorie der Abweichung. Dichterische Formen bilden sich damals in der Notwendigkeit der Abweichung einerseits von der herkömmlichen Motiv- und Sprachwelt und andererseits zugleich von der zeitgenössischen Wirklichkeitswelt und ihren Normen. Stefan George z. B., auf Abweichung bedacht bis in die Orthographie und die Drucktypen, setzt seine eigenwillige, am Beispiel der französischen Symbolisten inspirierte Verssprache sehr markant ab von der deutschen Tradition und der zeitgenössischen Sprachwelt. Im „Algabal" beschwört er eine fremdartige Figur und eine Atmosphäre seltsamer Künstlichkeit, und gerade durch die äußerste Ferne von seiner Gegenwart will er auf die Menschen dieser Gegenwart wirken. Da nach der Anschauung Georges und vieler anderer das Wort von den Zeitgenossen mißbraucht wird, da alles zerredet und jede wesentliche Einsicht verfälscht wird, so ist eine verschlüsselte, geheimnisvolle Sprechweise der Dichtung notwendig. Karl Wolfskehl sagt in seinem Beitrag zu Georges ‚Blättern für die Kunst', „Über die Dunkelheit": „Schöner dünkt es uns verborgenes gut zu ahnen als in offene truhen zu greifen."[16] Die Form dient ebenso sehr der Verschleierung wie der Offenlegung:[17]

Verschlungnes gefüge
Geschnörkelte züge
Verbieten die lüge
Von wesen und welt.

Aber auch die frühen Dramen Gerhart Hauptmanns bedeuten Abweichung, nur mit anderen Mitteln, in anderer Richtung. Daß Hauptmann die Alltagssprache gewöhnlicher Menschen dichterisch verwendet, das ist hier das Ungewohnte und Abweichende, weiterhin der Verzicht auf den herkömmlichen Helden im Drama, die Darstellung durchschnittlicher, in Not und Leiden unlösbar verstrickter Menschen. Es ist ein Irrtum, in dieser Kunst naturalistische Abbildung um ihrer selbst willen zu sehen. Die Umgangssprache dieser Dramen ist eine Sprache zweiter Potenz, ein künstlerisches Mittel, eine Schöpfung der Sprachphantasie. Hauptmann, ein Erbe der Mystik, macht mit seinem symbolischen Realismus gerade das unscheinbare, geringfügige Dasein zum bewegenden Sinnbild des Lebens. Auch er evoziert auf seine Weise „das Ganze". Wenn Georges erlesene Wortkunst dem Vulgären der Zeit ausweicht, so weicht Hauptmanns Kunst dem optimistischen Fortschrittswahn und dem billigen Hochmut der wilhelminischen Prosperität aus, und seine derbe, dialektgefärbte Umgangssprache vermeidet die entleerte, abgeblaßte Bildungssprache der Zeit, die auch George so entschieden verwirft. Hofmannsthal meidet sie ebenfalls und gewinnt dem lyrischen Wort die echte magische Kraft zurück, verwandelt die Wirklichkeiten durch die Macht des poetischen Bildes in vielsinnige Gleichnisse. In den dramatischen Spielen seiner Frühzeit wird die schmerzliche Ferne von der Realität des täglichen Daseins zu einem wesentlichen Thema. Wedekind wiederum zeichnet eine kunstvoll verzerrte Wirklichkeit, eine exzentrischphantastische Welt, um für den Protest gegen die lähmende Konvention nicht nur Worte zu finden, sondern eine dramatische Form zu gewinnen und das Aufbrechen elementarer Lebensregung in der erstickenden Enge der Zivilisationswelt mit suggestiver Kraft darzustellen.

Es ist, denke ich, leicht zu sehen, wie unter der Kategorie der Abweichung auch andere repräsentative Gestalten der modernen Literatur sich begreifen lassen, etwa Rilke, Thomas und Heinrich Mann, selbst Hesse, die alle in den neunziger Jahren ihren Weg beginnen. Man kann dabei an die oft bis zur Preziosität gehende Artistik des jungen Rilke denken, seine Leidenschaft für die seltene, erlesene Nuance, die sich doch verbindet mit dem Sinn für das dumpfe und gequälte Dasein der Armen und seine Nöte. Thomas Manns Vorliebe für groteske Motive in den frühen Erzählungen ist in diesem Zusammenhang zu sehen, ebenso die Art, wie er den Konflikt zwischen Künstler und Bürger immer wieder zum Thema macht. Der Künstler ist dabei stets der Abseitige, ist der Realität entfremdet, aber eben um diesen Preis nach Thomas Manns Meinung mit dem Ganzen des Seins tiefer verbunden. In den „Buddenbrooks" von 1901 stellt Thomas Mann der Zeit des bürgerlichen Aufstiegs und breiter bürgerlicher Entfaltung das Bild vom Untergang einer Bürgerfamilie kontrastierend entgegen, und seine differenzierte Kunst der Prosa bringt gerade die Farben des Verfalls zu subtiler Wirkung.

Zur Kategorie der Abweichung wäre als eine weitere die der Herausforderung, der künstlerischen Provokation zu stellen. Sie erweist gleichfalls in den neunziger Jahren ihre Geltung, z. B. bei Wedekind oder bei einem Lyriker wie Ludwig Scharf, und sie wird besonders wichtig in den Jahren nach 1900. Damals verfestigte sich das industrielle Lebenssystem, die rationale Praxis drohte alle Wirklichkeit zu beherrschen. So fand besonders die junge Generation, die um 1910 zu Worte kam, alles ursprüngliche Leben entstellt und verzerrt, das eigentliche Sein tief verborgen unter dem lastenden Druck wesenloser Wirklichkeiten. Die expressionistischen Dichter haben diese Erfahrung in ihre Formensprache hineingebildet, den Protest und die Herausforderung in der Destruktion der Wirklichkeitswelt und der ihr zugehörigen Sprache Gestalt werden lassen. Die radikale Verneinung der sichtbaren Wirklichkeit schließt jede Abbildfunktion der Kunst, auch als Teilfunktion, aus. Durch die herausfordernde Deformation des Wirklichen hindurch wird die Symbolkraft der Kunst oft gewaltsam erzwungen. In der bildenden Kunst vollzieht sich die gleiche Entwicklung. Wenn Franz Marc in einem berühmten Bilde die Pferde blau malt, so hat dieses Blau einen mehrfachen künstlerischen Sinn, – aber zunächst einmal sichert es das Bild davor, als Abbild mißverstanden zu werden. Man kann es unausweichlich nur noch als Sinnbild aufnehmen.

Mit dem Mittel der Herausforderung hängt ein weiteres Prinzip künstlerischer Darstellung zusammen – es läßt sich unter der Kategorie einer dialektischen Gegenwirkung fassen. Das bedeutet: ein Motiv wird nicht um seiner selbst willen gesetzt, sondern wegen der Gegenwirkung, die es im Aufnehmenden hervorruft. Eine Negation lockt ein Positivum heraus. Wenn Thomas Mann im „Zauberberg" die schmerzliche Bewegung Hans Castorps beim Tode seines Vetters Joachim darstellt, so heißt es: er „ließ über seine Wangen Tränen laufen, ... dies klare Naß, ... dies alkalisch-salzige Drüsenprodukt ... Er wußte, es sei auch etwas Muzin und Eiweiß darin."[18] Dieser vermutete Rückgriff auf die chemische Beschaffenheit der Tränen wirkt als Schock, als heftige Desillusionierung. Der Leser wird abrupt aus der menschlichen Gefühlswelt in die naturwissenschaftliche Faktenwelt versetzt. Aber es wäre ein Irrtum zu meinen, daß diese fast zynische Demaskierung Thomas Manns eigentliche Absicht sei. Die genaue Interpretation solcher Stellen zeigt, daß die Regung der Abwehr im Leser einkalkuliert ist, daß der menschliche Wert und Sinn der Tränen nicht aufgehoben, sondern gesteigert zur Geltung gebracht werden soll. Gewiß, man weiß genau, was die Tränen nach ihrer chemischen Analyse sind – aber sie sind dennoch auch etwas anderes, sind echtes Zeugnis der seelischen Bewegung, sie haben trotzdem Wert und Würde, humane Bedeutung. –

Diese knappen Hinweise auf einige Gestaltzüge der Literatur um 1900 möchten zeigen, wo die literaturwissenschaftlichen Aufgaben liegen, die die Epoche stellt. Die Zeit der Jahrhundertwende ist heute – besonders in den Erzeugnissen ihrer bildenden Kunst, des Jugendstils – modisch beliebt, und sie wird gleichzeitig kritisch angezweifelt. In beiden Verhaltensweisen ist ebenso viel Verständnis wie Mißverständnis enthalten. Es gilt, die maßgeblichen Strukturen dieser Dichtung zu erkennen, Kategorien der Anschauung zu entwickeln, die ihr gemäß sind und ein objektives Bild von ihr ermöglichen. Die Vielfalt der Formungsweisen müßte dabei deutlich werden, aber auch ihre Verwandtschaft, die – unter gegensätzlichen, zuweilen sich befehdenden Richtungen oft verborgene – Einheitlichkeit des Zeitstils. Diese Einheitlichkeit wird erkennbar in der allen gemeinsamen Bindung an das, was der Epoche als Grundwert gilt: an *das Leben*. Alle Formprinzipien, die in der Literatur dieser Zeit wirksam werden, lassen sich schließlich zurückbeziehen auf diesen Lebensbegriff, der die – bereits hervorgehobene – entscheidende Erfahrung jener Jahrzehnte, die Erfahrung der Einheit und Allverbundenheit des gesamten Seienden mit enthält. Leben ist das Grundwort der Epoche, ihr Zentralbegriff, vielleicht noch ausschließlicher geltend als der Begriff Vernunft für die Aufklärungszeit oder der Begriff Natur für das spätere 18. Jahrhundert. Das 19. Jahrhundert ist nicht an einem solchen Zentralbegriff orientiert. „Erst um die Wende des 20. Jahrhunderts", schreibt Georg Simmel, „schienen weitere Schichten des geistigen Europa gleichsam die Hand nach einem neuen Grundmotiv für den Aufbau einer Weltanschauung auszustrecken: der Begriff des *Lebens* strebt zu der zentralen Stelle auf, in der Wirklichkeit und Werte metaphysische wie psychologische, sittliche wie künstlerische – ihren Ausgangspunkt und ihren Treffpunkt haben".[19] Weiterhin heißt es bei Simmel: „Zu reinster Ausprägung gelangt das Leben als Zentralbegriff der Weltanschauung da, wo . . . das Leben zur metaphysischen Urtatsache, zum Wesen alles Seins überhaupt wird, so daß jede gegebene Erscheinung ein Pulsschlag oder eine Darstellungsweise oder ein Entwicklungsstadium des absoluten Lebens ist."[20]

In der Absolutsetzung des Lebens konvergieren die verschiedensten literarischen Richtungen, und jeder Autor der Zeit, ohne Ausnahme, hat sich auf irgendeine Weise zu ihr bekannt. Es ist vielleicht angebracht, als ersten Zeugen dafür nicht einen Lyriker oder einen romantisierenden Dichter zu nennen, sondern einen Gegner des Irrationalismus, den bedeutendsten gesellschaftskritischen Romancier der Zeit: Heinrich Mann. Das erste Kapitel in seinem autobiographischen und zeitgeschichtlichen Rückblick „Ein Zeitalter wird besichtigt" ist überschrieben: „Das Lebensgefühl". Es heißt da: „Wäre es schmerzlich bis nahe der Selbstvernichtung, das Leben stark fühlen ist alles. Es ergibt die Werke und die Taten."[21] An anderer Stelle schreibt Heinrich Mann: „Das Leben fördern, es erhalten, es wohltätiger gestalten ist die einzige Art, wie der gewöhnliche Mensch – und der aussergewöhnliche – von Gott weiss. Der Begriff von Gott ist ein hoher Begriff des Lebens, zuerst des eigenen." Schließlich ein weiterer Satz: „Die wirkliche Kraft der Religion besteht in der Heiligung des Lebens allein."[22]

Die Gesinnung, die zu dieser Heiligung des Lebens führt, und den vielfältigen Ausdruck dieser Gesinnung bezeichne ich als „Lebenspathos", – das scheint mir die treffendste Kennzeichnung des Phänomens. Es ist jedoch entscheidend zu erkennen, daß Lebenspathos nicht etwa nur als „weltanschauliches Moment" in der Dichtung um 1900 erscheint. Vielmehr stehen der Weltentwurf, der in diesen Dichtungen gestaltet ist, und ebenso das Verhalten und das Schicksal der dargestellten Menschen – nicht nur ihre Denkweise – im Zeichen dieses Lebenspathos. Es bestimmt weitgehend die Themenwahl und die Formungsweise. Es ist themenbildend, strukturbildend, sprachbildend. Das Dichten selbst versteht sich als eine Äußerung des Lebens, als Betätigung seiner schöpferischen Kräfte. „Das Erste, was noth tut, ist *Leben:* der Stil soll *leben.*“[23] Hofmannsthal notiert: „Gegenüber der eigentümlichen Trennung, Feindseligkeit von Dichtung und Leben, die Ibsen vielmals ausspricht, jene uns näherstehende Auffassung zu sehen, wie in einem Brief Immermann sie ausspricht: Ist Dichten etwas anderes als Leben in höchster Potenz. –“[23a] Dichtung gilt im Selbstverständnis der Epoche als Wortwerdung des Lebens selbst, als Leben in der Form der Sprache.

II

Das Wort „Leben“ wird natürlich auch in der Zeit um 1900 noch im üblichen Sinne verwendet. Kennzeichnend aber ist der überaus häufige emphatische Gebrauch des Wortes, der zur Signatur dieser Zeit gehört und sie von anderen Epochen unterscheidet. In Franziska Reventlows Roman „Herrn Dames Aufzeichnungen“ notiert der naive junge Herr Dame, der aus seiner konventionellen Bürgerwelt in die Schwabinger Bohème gerät, in seinem Tagebuch: „Hier wird ja überhaupt so viel vom ‚Leben‘ gesprochen, und immer so, als ob es durchaus nichts Selbstverständliches wäre, sondern gerade das Gegenteil. Aber gerade darin liegt wohl etwas, was reizt und anzieht – ich möchte ja selbst endlich einmal dahinter kommen, was es eigentlich mit dem Leben auf sich hat . . .“[24] Dem naiven Sinn muß es freilich merkwürdig scheinen, daß das einfach Gegebene, die bloße Tatsache des Daseins als der höchste Wert, als das Absolute gelten soll, während das unbefangene Denken meint, daß nicht schon das Leben als solches, sondern erst sein Inhalt den Wert ausmacht und daß ein armes oder reiches, leeres oder erfülltes, anständiges oder gemeines Leben zu unterscheiden wäre. Wie legitimiert sich das Pathos, mit dem vom Leben gesprochen wird? Es bezieht sich nicht so sehr, wie man meinen könnte, auf eine Überwertung des Organischen, obwohl die Vorstellung des Organismus und seine seit der Goethezeit hohe Einschätzung stets mitenthalten sind in diesem Lebensbegriff. Aber Biologismus wäre eine viel zu enge und schon dadurch irreführende Bezeichnung für das Lebenspathos, und Vitalismus wäre ein ebenso verfehlter Name. Auch wird dieser Terminus in einem anderen Sinne verwendet. Vitalismus nennt man eine bestimmte, von Hans Driesch erneuerte Anschauungsweise in der Biologie, die Annahme einer spezifischen Lebenskraft, die von allen physikalischen und chemischen Strukturen streng geschieden ist. Aber auch wenn man absehen würde von dieser Fixierung des Terminus, wäre Vitalismus eine ungeeignete, zu Mißverständnissen führende Bezeichnung des Lebenspathos. Denn sie legt die Deutung nahe, daß es sich um eine Akzentuierung und besondere Hochschätzung der Vitalität, der kraftvollen, gesunden und lebensstarken Aktivität handle. Darum geht es jedoch nicht. Gewiß ist auch dies eine Komponente jenes Lebensbegriffs, und sie wird zuweilen einseitig hervorgehoben und findet literarisch etwa in manchen Gedichten Richard Dehmels einen etwas lärmenden, lauten oder in den „Göttinnen“ Heinrich Manns einen schwelgerisch-üppigen Ausdruck. Auch Nietzsche hat die starke, unbedenkliche, sieghaft sich durchsetzende Lebenskraft zuweilen überakzentuiert, – besonders, wie er später zugab, in den Jahren seiner „niedrigsten Vitalität“.[25] Aber der Nietzsche der übersteigerten vitalen

Kraftgebärde ist nicht der ganze, auch keineswegs der eigentliche Nietzsche. Das Preisen kraftstrotzender Vitalität und überschäumender Lebenslust ist eine Simplifizierung und fast schon eine Korruption des in der Zeit wirksamen Lebensbegriffs. Nur diese fatale Vereinseitigung, nicht das auch ihn geistig bindende Lebensphatos meint etwa Thomas Mann, wenn er in der Erzählung „Der Weg zum Friedhof" den robusten jungen Mann, der auf seinem Fahrrad unbekümmert auf dem verbotenen Wege daherfährt („mit blitzenden Pedalen in Gottes freie Natur hinein, hurra!") ironisch „das Leben" nennt. Er erzählt, wie dann „das Leben" grob und brutal dem schwächlichen Lobegott Piepsam einen harten „Stoß vor die Brust" gibt und selbstsicher weiterradelt.[26] Noch diese ironisch pointierte Darstellung weist freilich auch zurück auf die Totalität des Lebensbegriffs, zu dem auch das Grausame, Gewissenlose, Zerstörende als Komponente gehört.

Das Pathos, mit dem allenthalben und in unzähligen Wiederholungen das Wort Leben ausgesprochen wird, hat eine seiner Wurzeln in der vehementen Diesseitigkeit, in einer polemischen Spannung gegenüber der herkömmlichen Daseinsorientierung am Jenseits, die besonders durch Nietzsche destruiert wurde. Vom Leben pathetisch sprechen, das bedeutet, in ihm selbst seinen einzigen Sinn sehen, keine Sinngebung des Daseins anzunehmen, die von irgendeiner Instanz außerhalb des Lebens selbst ausgehen könnte.

Unter diesem Aspekt kann auch vom Leben eines einzelnen mit Emphase gesprochen werden. Aber im ganzen gilt das Lebenspathos nicht dem personhaften Einzelleben, das zwischen Geburt und Tod in der Zeit verläuft, sondern durchaus dem Gesamtleben, dem Ganzen der überindividuellen, vorindividuellen, ewig flutenden Strömung, die jedes Einzelwesen gleichermaßen durchdringt. Diese Zugehörigkeit jeglicher Einzelerscheinung, auch des Ich, zum Gesamtleben ist der Kern jener Vorstellung, die das emphatisch gesprochene Wort Leben bezeichnet. Sie eigentlich motiviert sein Pathos. Leben ist für die Anschauungsweise der Zeit immer mehr als Einzelleben. Es gibt kein wirklich isoliertes Einzelnes, jedes besteht aus der gleichen Substanz wie jedes andere, und die abgesonderte, begrenzte Gestalt des Einzelwesens kann nur den täuschen, der vom „Leben" nichts weiß. Das eine und gleiche Leben wirkt in allen Einzelwesen und Dingen und verbindet alle. Rilke hat das höchste Bewußtsein dieser Einheitlichkeit dem Bildhauer Rodin zugeschrieben, und er bekundet, indem er es beschreibt, zugleich sein eigenes Bewußtsein vom Gesamtleben, das in allen Dingen das gleiche ist. „Dieses Leben hat er hier in der ländlichen Einsamkeit seiner Wohnung mit noch gläubigerer Liebe umfassen gelernt. Es zeigt sich ihm jetzt wie einem Eingeweihten, es verbirgt sich ihm nirgends mehr, es hat kein Mißtrauen ihm gegenüber. Er erkennt es im Kleinen und im Großen; im kaum mehr Sichtbaren und im Unermeßlichen. Im Aufstehen und im Schlafengehen ist es, und es ist im Nachtwachen; die schlichten altmodischen Mahlzeiten sind erfüllt davon, das Brot, der Wein; in der Freude der Hunde ist es, in den Schwänen und im glänzenden Kreisen der Tauben. In jeder kleinen Blume ist es ganz und hundertmal in jeder Frucht. Irgendein Kohlblatt aus dem Küchengarten brüstet sich damit, und mit wieviel Recht. Wie gerne schimmert es im Wasser, und wie glücklich ist es in den Bäumen. Und wie nimmt es, wo es kann, das Dasein der Menschen in Besitz, wenn sie sich nicht sträuben."[27]

Freilich wird solches Bewußtsein der Einheit und des großen Zusammenhanges im Zwange der Selbstbehauptung des Individuums innerhalb einer auf Zwecke ausgerichteten Wirklichkeitswelt oft getrübt und geschwächt. Vor allem aber ist dieses Ganze des Lebens niemals sichtbar und auch nicht anschaulich vorstellbar. So sucht der Mensch eine gesteigerte innere Wahrnehmung dieses Gesamtlebens. Er erfährt Momente eines Innewerdens des großen Zusammenhangs, in den er selber einbezogen ist. Diese

Augenblicke, in denen die Trennungen im Bewußtsein an Schärfe verlieren, die Individuation verblaßt und die Identität von Ich und Welt erfahrbar wird, sind den ekstatischen Entgrenzungen der alten Mystiker verwandt. Sie werden deshalb auch um 1900 „mystisch" genannt. Jedoch ist diese Mystik nicht mehr auf Gott gerichtet, es ist eine säkularisierte, innerweltliche Mystik ohne Gott, – präzis zu bezeichnen als Lebensmystik. Das Lebenspathos ist mit der Lebensmystik eng verbunden, eins geht ins andere über. Hofmannsthal beschreibt Momente solcher Entgrenzung und Einheitserfahrung, die sich unversehens beim Betrachten eines unscheinbaren Einzeldinges einstellen und nicht willentlich herbeizuführen sind. Von solchen Augenblicken berichtet der junge Lord Chandos seinem Freunde Bacon in Hofmannsthals berühmtem Prosastück „Ein Brief",[28] der „die Situation des Mystikers ohne Mystik" spiegelt:[28a] „Es wird mir nicht leicht, Ihnen anzudeuten, worin diese guten Augenblicke bestehen; die Worte lassen mich wiederum im Stich. Denn es ist ja etwas völlig Unbenanntes und auch wohl kaum Benennbares, das in solchen Augenblicken, irgendeine Erscheinung meiner alltäglichen Umgebung mit einer überschwellenden Flut höheren Lebens wie ein Gefäß erfüllend, mir sich ankündet. Ich kann nicht erwarten, daß Sie mich ohne Beispiel verstehen, und ich muß Sie um Nachsicht für die Albernheit meiner Beispiele bitten. Eine Gießkanne, eine auf dem Felde verlassene Egge, ein Hund in der Sonne, ein ärmlicher Kirchhof, ein Krüppel, ein kleines Bauernhaus, alles dies kann das Gefäß meiner Offenbarung werden. Jeder dieser Gegenstände und die tausend anderen ähnlichen, über die sonst ein Auge mit selbstverständlicher Gleichgültigkeit hinweggleitet, kann für mich plötzlich in irgendeinem Moment, den herbeizuführen auf keine Weise in meiner Gewalt steht, ein erhabenes und rührendes Gepräge annehmen, das auszudrücken mir alle Worte zu arm scheinen. Ja, es kann auch die bestimmte Vorstellung eines abwesenden Gegenstandes sein, dem die unbegreifliche Auserwählung zuteil wird, mit jener sanft und jäh steigenden Flut göttlichen Gefühles bis an den Rand gefüllt zu werden . . .

Diese stummen und manchmal unbelebten Kreaturen heben sich mir mit einer solchen Fülle, einer solchen Gegenwart der Liebe entgegen, daß mein beglücktes Auge auch ringsum auf keinen toten Fleck zu fallen vermag. Es erscheint mir alles, alles, was es gibt, alles, dessen ich mich entsinne, alles, was meine verworrensten Gedanken berühren, etwas zu sein. Auch die eigene Schwere, die sonstige Dumpfheit meines Hirnes erscheint mir als etwas; ich fühle ein entzückendes, schlechthin unendliches Widerspiel in mir und um mich, und es gibt unter den gegeneinander spielenden Materien keine, in die ich nicht hinüberzufließen vermöchte."

Bei einem als Naturalisten bezeichneten Dichter wie Gerhart Hauptmann finden sich ganz ähnliche Stellen (von geringerer Sprachkraft), etwa in der Erzählung „Der Ketzer von Soana". Was in solchen Momenten erfahren wird, ist die Allverbundenheit der Einzeldinge, ihre Verwebung, in der für Hofmannsthal das eigentliche Geheimnis bestand, „. . . dieses große Rätselhafte des Lebens, daß alle Dinge für sich sind und doch voller Beziehung aufeinander".[29] Für diese Verflechtung steht der Teppich als Symbol, gleichsam als Strukturmodell der Lebenseinheit. Er begegnet bei George, bei Hofmannsthal und Rilke, aber überaus häufig auch in der Literatur zweiten und dritten Ranges.[30] Er findet sich auch bei Thomas Mann. In der Erzählung „Der Tod in Venedig" wird die Hauptfigur, Aschenbach, bezeichnet als „der geduldige Künstler, der in langem Fleiß den figurenreichen, so vielerlei Menschenschicksale im Schatten einer Idee versammelnden Romanteppich, „Maja" mit Namen, wob."[31] Wir wissen, daß Thomas Mann selbst einen Roman „Maja" plante. Er hat in den Notizbüchern die „Idee" verzeichnet, in deren „Schatten" die Menschenschicksale stehen sollten. Es ist der „illusionäre Charakter des

Lebens", aus „dem Blendwerk des principii individuationis abgeleitet".[32] Dieser Schopenhauerischen Konzeption entspricht genau die Teppichstruktur, die Thomas Mann dem Roman Aschenbachs zuschreibt.

Das Gesamtleben, dessen Einheit in gesteigerten Augenblicken erfahren wird, ist immer zugleich Werden und Vergehen, Schaffen und Zerstören. Es enthält den Tod in jedem Augenblick in sich, es besteht als Einheit von Leben und Tod. Immer wieder sprechen es die Dichter aus, daß das Leben zugleich auch Tod sei. Die Paradoxie solcher Aussagen löst sich auf in der Erkenntnis, daß nur die Individuen sterben, daß das Gesamtleben als solches keinen Tod kennt. Da es aber in den individuellen Erscheinungen sich manifestiert und in diesen stirbt, so sind Leben und Tod eines. Deshalb sind in der Literatur um 1900 alle Lebenssymbole gleichzeitig auch Todessymbole. Es besteht ein geschärftes Bewußtsein dafür, daß das Leben jedes Einzelwesens von Anfang an zugleich auch ein immerwährendes Sterben ist. Werden und Vergehen sind ein einziger Vorgang, jeder Moment der Lebensentfaltung führt auch dem Tode näher. „Blühn und verdorrn ist uns zugleich bewußt", heißt es in der vierten von Rilkes „Duineser Elegien".[33]

Schon diese „dionysische" Gleichung von Leben und Tod erweist, daß das Lebenspathos nicht als einseitige Verherrlichung vitaler Kräfte verstanden werden darf. Daß aber das Leben seine von ihm geschaffenen Einzelgeschöpfe wieder vernichtet, wird als Zeichen der zerstörenden, grausamen Komponente in seiner Beschaffenheit gedeutet. Insbesondere Nietzsche hat leidenschaftlich gefordet, in der totalen Bejahung des Lebens auch seine grausamen, furchtbaren Züge mitzubejahen.

Damit sind Umfang und Bedeutung des gewiß vieldeutigen, widerspruchsvollen, aber in seinen Grundbeständen klar erkennbaren Lebensbegriffs der Epoche umschrieben. Das wichtigste, in unzähligen Abwandlungen begegnende Symbol dieses Lebens ist das Meer. Seine Deutung als Lebensgleichnis weist auf Goethe zurück, auf die Verse des Erdgeistes im Faust:

> Geburt und Grab,
> Ein ewiges Meer,
> Ein wechselnd Weben,
> Ein glühend Leben,
> So schaff ich am sausenden Webstuhl der Zeit
> Und wirke der Gottheit lebendiges Kleid.

Der Anblick des Meeres scheint fast die Anschauung des nicht sinnlich wahrnehmbaren Gesamtlebens zu ersetzen; denn das Meer hat eine unübersehbare, grenzenlos scheinende, ins Ungewisse sich verlierende Weite, eine ständige Bewegtheit und den jähen Wechsel von relativer Ruhe und Sturm. Es ist sowohl einladend und schön wie bedrohlich und vernichtend. Vor allem aber bildet das Verhältnis der Welle zum Meer in unvergleichlicher Genauigkeit das Verhältnis des Individuums zur Lebensganzheit ab. Aus der gewissermaßen amorphen Masse des Wassers bilden sich in jedem Augenblick neue Wellen, die aber sofort wieder sich auflösen, in das Ganze zurücksinken. Dieses aber erzeugt sogleich wieder neue Wellen, wie der schöpferische Urgrund neue individuelle, schnell vergängliche Gestalten hervorbringt.

Ludwig Klages schreibt 1897 an einen Freund über sein Erlebnis des Meeres auf Borkum: „Borkum – ich glaube Du kennst das Meer noch nicht. Ich habe dort das Welträtsel begriffen."[34] Bei Thomas Mann heißt es: „Das Meer ist keine Landschaft, es ist das Erlebnis der Ewigkeit, des Nichts und des Todes, ein metaphysischer Traum . . ."[35]

Das Meeressymbol findet sich auch in den Schriften der sogenannten „Lebensphilosophie", die sich in der Zeit um 1900 entfaltet. Man rechnet Nietzsche und Dilthey (mit dessen Schülern), Denker wie Bergson und Klages, Simmel und einige andere zu ihr.[36] Auch für die Philosophie wird das Leben zum Zentralbegriff, auf den alle Erkenntnisse in den verschiedensten Bereichen zurückbezogen werden. Karl Löwith stellt das bei Nietzsche fest, wenn er sagt, „daß der maßgebende Ort von Nietzsches sämtlichen Lehren mit dem Wort ‚Leben' bezeichnet wird, das seinerseits auf eine alles tragende und beherrschende, erzeugend-vernichtende Physis abzielt."[37] Der Baseler Philosoph Karl Joël hat 1912 in seinem Buch „Seele und Welt" eine Art Zusammenfassung der in den vorangehenden Jahrzehnten in der Philosophie wie in der Literatur hervorgetretenen Anschauungen des Lebens gegeben. Er findet die einfachste Formel für die in allen Vorstellungen des Lebens wahrnehmbare Grundanschauung: „Die Dinge relativ, das Leben aber absolut!"[38] Man findet bei Joël alle wesentlichen Züge des „Lebensgefühls" um 1900. „Wir fühlen in uns den grenzenlosen Strom des Lebens, unsere Gemeinschaft mit Nahem und Fernem, wir fühlen uns eins mit allem Sein, wir tragen in uns das ewige Leben, wir haben in unserm Gefühl das Unendliche gegenüber allem Einzelnen und Vergänglichen, das uns in den Sinnen vorüberzieht."[39] Das ist die Welterfahrung, die auch bei den Dichtern der Zeit allenthalben erscheint. Die Übereinstimmung ist evident. Wenn Joël sagt: „Und die Welt ist *ein* Leben . . .",[40] so erklingt dazu aus dem Bereich der Dichtung ein Echo auch dort, wo man es vielleicht weniger vermuten würde, nämlich in Friedrich Gundolfs Deutung Stefan Georges. „Im Vorspiel Georges sind das Sein des Ich und das Gesetz des *Lebens* die beiden Spieler des ewigen Dramas, d. h. die beiden Pole: All und Ich. Bei Dante heißt das All: Gott . . . bei Goethe: Welt . . . bei George: Leben . . . . . . Dante kommt zu Gott, Faust wird Welt, George west Leben."[41] Stefan George hat gewiß weniger als die meisten anderen Dichter um 1900 die Entgrenzung des Ich, die Relativierung des Individuums zugunsten eines umgreifenden Ganzen verkündet. Er ist, im Sinne Nietzsches, der am stärksten „apollinische" Dichter, antimusikalisch, der begrenzten und dadurch plastischen Gestalt verpflichtet und darauf bedacht, die Leser „zu jenem ruhigen Entzücken an der Welt der individuatio zu zwingen."[42] Auch dies ist ein Mittel, das Leiden am principium individuationis zu bewältigen, und verrät eher ein Teilhaben an solchem Leiden, nicht etwa dessen Unkenntnis. „Das *eine* Lebendige, mit dessen Zeugungslust wir verschmolzen sind", gilt, wie für Nietzsche, auch für George mehr als die „Individuen".[43] Auch für George ist, wie für seine Zeitgenossen, der Augenblick der Allverbundenheit der höchste. Gundolf sagt: „Kairos ist jetzt der Augenblick da der Geist des Gesamtlebens aufglüht . . ."[44]

Im ersten Gedicht des Vorspiels zum „Teppich des Lebens" erscheint als Figuration des höheren Selbst im Dichter der Engel. Auch hier ist er ein Bote, wie die Engel der Bibel, aber nicht mehr ein Bote Gottes, sondern des Lebens.[45]

> Das schöne leben sendet mich an dich
> Als boten . . .

Das Beiwort „schön" darf nicht überakzentuiert, nicht als Eingrenzung aufs Ästhetische verstanden werden. In Georges ‚Blättern für die Kunst' heißt es (in einem Beitrag von Paul Gerardy): „das leben ist schön da es göttlich ist". Immer wieder wird hier dieses Leben gerühmt, „das immer schöne und harmonische leben."[46] George selber erklärte in den Blättern: „wesentlich ist die künstlerische umformung eines lebens – welches lebens? ist vorerst belanglos." Er forderte, im Sinne Nietzsches, „eine kunst frei von jedem dienst: über dem leben nachdem sie das leben durchdrungen hat: die nach dem Zarathustraweisen zur höchsten aufgabe des lebens werden kann."[47]

Die lebensphilosophischen Schriften gehören zur Literatur der Jahrhundertwende. Auch sie verkünden das Lebenspathos und geben, parallel zur gleichzeitigen Dichtung, eine ähnliche Auslegung des Lebensbegriffs wie diese. Es wäre jedoch ein Mißverständnis, wenn man den Hinweis auf diesen Tatbestand so verstehen wollte, als sei die Dichtung eine Umsetzung der Lebensphilosophie in dichterische Formen, und als sei sie von ihr aus, von der gedanklichen Erörterung des Lebens her zu interpretieren. Beides bewegt sich vielmehr nebeneinander, und die Dichter geben nicht Einkleidung von Lehrmeinungen, sondern sie gestalten aus einer geistigen Erfahrung, die derjenigen der Lebensphilosophen eng verwandt ist und auf der gleichen Tradition beruht.[48] Die Vorstellung des Gesamtlebens bildet ein Bezugsfeld, auf das die Motive und Gehalte, die in Sprache dargestellten lyrischen Augenblicke und die in ihnen enthaltene Welterfahrung, die epischen Weltentwürfe, Begebenheiten und Schicksale, die dramatischen Konflikte verweisen. Die Interpretation der Dichtungen erfordert den Blick auf dieses vom Lebenspathos abgesteckte Bezugsfeld. Auch ihre Struktur läßt sich nur in diesem Zusammenhang erkennen.

Daß freilich von der lebensphilosophischen Literatur wesentliche Wirkungen auf die Dichter ausgehen, ist unverkennbar. Denn das Lebenspathos der Zeit ist – das wird aus der geschichtlichen Distanz sehr deutlich – eine stark reflektierte Haltung, eine sehr bewußte Weltinterpretation. In Rilkes Szene „Die weiße Fürstin" (einer Szene des lyrischen Theaters) sagt die Fürstin:[49]

> Sieh, so ist Tod im Leben. Beides läuft
> so durcheinander, wie in einem Teppich
> die Fäden laufen; und daraus entsteht
> für einen, der vorübergeht, ein Bild.
> Wenn jemand stirbt, das nicht allein ist Tod.
> Tod ist, wenn einer lebt und es nicht weiß.

Der letzte Vers enthält eine sehr eigentümliche, wohl zu keiner anderen Zeit denkbare Anschauung. „Tod ist, wenn einer lebt und es nicht weiß." Das seiner selbst unbewußte Leben also ist kein Leben, ist nichtig, ist Tod. Es scheint zuweilen, als käme es den Verkündern des Lebenspathos nicht eigentlich auf das Leben selbst an, sondern auf das gesteigerte Bewußtsein des Lebens. Gerade das unbefangene, unreflektierte, naive Leben gilt nicht mehr als wirkliches Leben. Hier verrät sich ein tiefer, meist verheimlichter Zwiespalt, die eigentliche Problematik dieser Zeit. Sie will überall das Unmittelbare, und was sie findet und schafft, sind lauter Vermittlungen. Sie wertet, von den Rationalisierungen der Zivilisationswelt bedrängt und enttäuscht, das Elementare und Unbewußte, das Spontane und Ursprüngliche besonders hoch und stellt es über alles Abgeleitete. Aber sie kann damit die unbewußte Regung nicht erzwingen, sie gewinnt nur ein gesteigertes Bewußtsein für ihren Wert, sie erzeugt nur die Gebärde, das Zeichen des unmittelbaren Lebens. Alfred Seidel hat später, 1927, in seinem Buch „Bewußtsein als Verhängnis" die Zeit des Lebenspathos kritisch analysiert, indem er aufdeckt, daß sie genau das will, was „nicht gewollt werden kann". Man will „bewußt unbewußt sein".[50] Auch Gläubigkeit, Erlebnisfähigkeit können nicht programmatisch gefordert und gefördert werden, ebensowenig die Natürlichkeit, wie sie die um 1900 einsetzende Jugendbewegung proklamiert hat. „Das entkleidet die Natürlichkeit gerade des sie allein auszeichnenden Merkmals und macht sie damit zu einer unechten, unnatürlichen Natürlichkeit."[51] Hier berührt sich Seidel mit Max Webers Kritik an der Jugendbewegung. In seiner Schrift „Wissenschaft als Beruf" wendet sich Max Weber dagegen, daß die letzten noch nicht vom Intellektualismus berührten „Sphären des Irrationalen jetzt ins Bewußtsein erhoben und unter seine Lupe genommen werden ... Dieser Weg zur Befreiung vom Intellektualismus bringt wohl das gerade Gegenteil von dem, was diejenigen, die ihn beschreiten, als Ziel darunter sich vorstellen."[52] Auch Kunst und Kultur können nicht gewollt werden, meint Seidel; er nennt die Jünger Stefan Georges „kulturelle Voluntaristen". „Die Leistungen eines gewollten Stiles, einer gewollten Einheitlichkeit verraten ihre gewaltsame Entstehung."[53] „Alle Erscheinungen, die das Leben einer weiteren Bewußtwerdung überantworten und mit ihrer Hilfe aufbauen wollen, wollen doch ewig nur das, was seinem Wesen nach nicht bewußt gewollt werden kann. Sie schlagen in ihr Gegenteil, in die Selbstzersetzung um." Sein eigenes Ziel, sagt Seidel, sei „das nichtgesteigerte, sondern harmonische, unbewußte Leben als letzter Wert."[54]

Seidels Kritik trifft die problematische Seite des Lebenspathos, die sich auch in vereinzelten Äußerungen manchmal schon in der Zeit der Jahrhundertwende selbst findet. So notiert Thomas Mann in seinen Aufzeichnungen zu einer geplanten Abhandlung über „Geist und Kunst" einige Gedanken über die Fragwürdigkeit des intellektuellen, der Zivilsationswelt angepaßten Literatentums. „Das Schwächende von all dem kann empfunden werden und zu einer bewußten Naivisierung, zum willentlichen Unbewußt werden, zur künstlichen Dummheit, zum künstlichen Künstlertum führen."[55]

Das Elementare, was die Zeit ersehnt und fordert, formt sie oft nur in Zeichen, in einer sehr künstlichen Stilisierung. Gerhart Hauptmann hat sich davor gescheut, dort, wo er nicht im Drama Menschen natürlich sprechen läßt, die dichterische Sprache ganz gestalthaft und genau zu prägen, ein Äußerstes an sprachkünstlerischer Geformtheit zu geben, wie es etwa George oder Thomas Mann taten. Hauptmann läßt das Gegenständliche gern halb im amorphen Stofflichen stecken, wie manchmal der Bildhauer Rodin die Figur nur halb aus dem Stein holt, um den Stein mitsprechen zu lassen. Das vorgestalthafte Leben soll spürbar werden, sich nicht im Gehäuse der Form zur Starrheit verfestigen. Heinz Hilpert berichtet, daß nach der Aufführung von „Griselda" ein alter Freund, der Schauspieler Forest, Hauptmann fragte, ob er wisse, warum er so gute Stücke schreibe, und die Frage selbst beantwortete: „Weil du so dumm bist." Hauptmann verstand, was Forest meinte, und war nicht gekränkt. Er gab eine Antwort, die sein dichterisches Verhalten außerordentlich genau kennzeichnet. Er sagte: „In der Tat denke ich nie zu Ende. Wenn ich es täte, würde ich wohl nicht schreiben. So aber verweile ich immer im Lebensprozeß und bin selbst manchmal davon überrascht, wie er sich, während ich an einem Stück arbeite, entwickelt. Ja, ja, so ist es wohl! Ich verweile im Lebensprozeß! Ich verweile im Geschehen, und wie ich es bewege, bewegt es auch mich."[56] Hauptmann, der im sprachmimischen Dialog ein Stück „Leben" vermitteln konnte, versagte oft bei Dichtungen anderer Art, bei denen er nicht den Sprechtext für die artistisch gestaltenden Schauspieler zu geben hatte; denn er konnte und wollte nicht so weit aus dem „Lebensprozeß" heraustreten, wie es nötig war, um die Distanz für die Reflexion und die Erzeugung einer sich selbst tragenden Form zu gewinnen. Es fehlte ihm nicht an Erfindungs- und Vorstellungskraft, wohl aber an jenem Formungswillen, der eine Entfernung vom „Leben" voraussetzt, die man, wie Thomas Mann, beklagen mag, aber nicht scheuen darf, um das hart geschlossene, gestalthafte Gebilde zu schaffen, das sich dem Fluß des Lebens entzieht wie ein Kristall.

Man wird die kritische Betrachtung der Literatur um 1900, wie sie etwa Seidel in Gang setzt, als notwendig ansehen. Aber zunächst gilt es zu erkennen, daß und wie Lebenspathos und Lebensmystik produktiv werden und formenbildende Kräfte entwickeln.

Es wurde erwähnt, daß Richard Dehmel die bescheidene Prosadichtung „Frühling" von Johannes Schlaf übermäßig bewunderte. Sein in Otto Julius Bierbaums ‚Modernem Musen-Almanach' von 1894 abgedruckter, mit einem zustimmenden Kommentar Bierbaums versehener Brief wurde übrigens von Wedekind scharf abgelehnt. Ein Komödienfragment Wedekinds, „Elins Erweckung", war im gleichen Musenalmanach erschienen, neben dem Erstdruck von Hofmannsthals Spiel „Der Tor und der Tod". Wedekind schrieb (am 29. 1. 1894) an Bierbaum: „. . . ich kann mich weder dem Urtheil Richard Dehmels über Schlafs Frühling noch dem Ihrigen über Richard Dehmels Brief anschließen. Den Brief finde ich abgeschmackt und den Frühling langweilig."[57] Wedekinds Lebenspathos schafft sich einen andersartigen Ausdruck. Es entzündet sich im Protest gegen die Unterdrückung und Verdächtigung der Sexualität durch die konventionelle Moral; in der Sexualität erblickte Schopenhauer den „Brennpunkt des Willens zum Leben". Wedekind sah die Schwierigkeit, das Elementare in einer Zeit, die es zugleich wünschte und fürchtete und allzu fern von ihm war, nicht nur beredsam bewußt zu machen, sondern es in seiner ungebrochenen Mächtigkeit künstlerisch zur Geltung zu bringen. Er erfand dafür die grellen, schockierenden Situationen und die grotesken Strukturen seiner exzentrischen Stücke. „Das Leben" erscheint bei ihm (im Prolog zum Erdgeist) wohl auch als schlangenhaftes Weib, wie in Nietzsches Zarathustra, aber nicht als robuster Jüngling wie bei Thomas Mann, nicht als engelhafter Lebensbote wie bei George, sondern zunächst, am Ende von „Frühlingserwachen", in der allegorischen Figur des „vermummten Herrn", dem das Stück beziehungsvoll gewidmet ist. Das Leben ist verhüllt, unerkannt, jenseits des Bewußtseins mächtig. Lautes Lebenspathos erklingt z. B. in einer Szene des Einakters „Der Kammersänger", wenn der berühmte Tenor der bürgerlichen Ehefrau in der Provinzstadt, die er früher verführt hatte und die jetzt mit ihm die Stadt verlassen will, ihre Liebe auszureden sucht. Er erinnert sie an ihre Kinder. Aber sie erwidert, daß sie sich ihm bedenkenlos wieder antragen würde. „Kein Mann, keine Kinder hielten mich zurück! Wenn ich sterbe, dann habe ich gelebt, Oskar! Durch dich gelebt! Das danke ich *dir* . . ." Sie bittet ihn schließlich auf den Knien, sie mitzunehmen. „*Leben* erflehe ich von dir! Leben."[58]

Dehmels Fehlurteil über Schlafs „Frühling" ist überaus lehrreich. Er beschreibt in seinem Brief, wie er das Manuskript Arno Holz, seiner Frau und „noch drei Kennern" vorlas. „Und der heilige Eindruck wurde immer mächtiger; und in der Mitte, urplötzlich, zerbrach mir die Stimme – buchstäblich!"[59] Es ist zu fragen, was es eigentlich war, das Dehmel an diesem Prosastück zu so überschwenglichem Lob bewegte. Er vernimmt darin „eine Täuferstimme an der Wiege eines neugeborenen Einheitswillens". Er zitiert einen Satz: „Das ist das Lied der Kraft." Zwar weiß Dehmel, daß Kraft ein Modewort ist, „eine vage Formel; die Nichts und Alles sagende Klausel des Monismus." Aber Schlaf, so meint er, hätte diesen dürren Begriff mit der Tiefe seiner Erfahrung erfüllt, „daß wir von dem flachen Rand herunterstürzen in den Trichter, den lebensströmenden Wirbelgrund, in den Schooß Gottes."[60] Prüft man den Text des Schlafschen Werkes, so zeigt sich, daß das lyrisch erzählende Ich, „draußen am Hinterdeich" im Gras liegend, den Einklang mit der umgebenden Natur sucht und erlebt. Wind, Himmel, Kühe, Vögel, das Kleinleben in Busch und Gras wird beglückt aufgenommen. Auch beim Weiterwandern dringt das Naturleben auf den Erzähler ein, der sich wechselnd mit einem alten Bauern, einem Kind, schließlich einem kleinen Käfer identifiziert und aus dieser Perspektive die kleine Welt der Grashalme und Pflanzen, ihr „millionenfältiges Gewirr" als übermächtiges

Spiel der Naturkraft erlebt. Alle Naturschilderung ist angelegt auf die Einheit der ineinander verwebten Erscheinungen, und in der Mitte des Textes, dort also, wo dem vorlesenden Dehmel die Stimme vor Ergriffenheit versagte, wird „die Klausel des Monismus“ als Einheitserfahrung verkündet: . . . und das endlos lichte Bei- und Ineinander aller Wesen leuchtet mir eine Offenbarung . . . Alles, alles ist eine einzige, große, fröhliche Einheit und alles Lebendige eine einzige große Familie.“[61] Der Erzähler hört „eine Musik“. „Sie lebt in dem Gebrüll der Kühe, in der prächtigen Schwunglinie glänzender Pferdeleiber“ usw. – „in unendlichen Farben, Formen, Tönen ein einziges Lied, ein einziger, einender, mächtiger Rhythmus, ein gewaltiger Einklang.“[62] Er hört „einen einzigen millionenstimmigen Akkord: das ist das Lied der Kraft. Das ist die Kraft.“

Auch das entscheidende Kennwort für diese Einheit wird wiederholt genannt. „Das ist das Leben.“ Alle Einzelerscheinungen sind „Milliarden von verschlungenen Lebenswellen“.

Schlafs Prosa ist von geringer Sprachkraft, ein schwacher Nachklang etwa von jenem Rühmen der großen Einheit, wie es in Hölderlins „Hyperion“ Sprache geworden ist: „Eines zu sein mit Allem was lebt, in seliger Selbstvergessenheit wiederzukehren ins All der Natur, das ist der Gipfel der Gedanken und Freuden, das ist die heilige Bergeshöhe, der Ort der ewigen Ruhe, wo der Mittag seine Schwüle und der Donner seine Stimme verliert und das kochende Meer der Woge des Kornfelds gleicht.“ (Hyperion tönt aus der Natur „das Lebenslied der Welt“. – „Es scheiden und kehren im Herzen die Adern und einiges, ewiges, glühendes Leben ist Alles.“[63]

Was Schlaf auszusprechen sucht, ist also eine alte, in großen Dichtungen überlieferte Erfahrung. Dehmel scheint diese Tradition in Schlafs Werk nicht zu erkennen. Er hört nur die Botschaft, das „Evangelium der zeugenden Liebe“, den „Auferstehungspsalm“.[64] Er erinnert sich daran, wie er als Kind seine kranke Großmutter die letzten Verse des Liedes „O Haupt voll Blut und Wunden“ beten hörte. „Das war der alte Glaube; gestern habe ich den neuen erlebt.“ Schlafs Dichtung erfüllt also für Dehmel ein Bedürfnis, das durch den Abbau der im christlichen Glauben verbürgten Transzendenz entsteht. Nietzsches markante Formel „Gott ist tot“ steht hinter der Aktualisierung der romantischen Alleinheits-Erfahrung, die sich im Lebenspathos der Zeit um 1900 erneuert. Heinrich Heine hatte die romantische Weltdeutung als „Pantheismus“ bezeichnet, und er hatte in einer ironischen Wendung Nietzsches Formel vorweggenommen. „Kniet nieder – man bringt die Sakramente einem sterbenden Gotte.“[65] Heine meinte, Deutschland sei „der gedeihlichste Boden des Pantheismus“, er sei „die Religion unserer größten Dichter, unserer besten Künstler“. – „Der Pantheismus ist die verborgene Religion Deutschlands . . .“ Damit ist zugleich die Verdiesseitigung der Daseinsorientierung ausgesprochen, für die das Leben zum absoluten und einzigen Wert wird. So versichert bereits Heine – mit deutlicher Anspielung auf das bekannte Wort Schillers –: „Das Leben ist der Güter höchstes, und das schlimmste Übel ist der Tod.“[66] Aus romantischem Erbe hat Heine ein Bewußtsein für den universalen Zusammenhang des Einzellebens. „Und ich lebe! Der große Pulsschlag der Natur bebt auch in meiner Brust, und wenn ich jauchze, antwortet mir ein tausendfältiges Echo.“[67] Heine hat auch, so romantisch wie modern, den Sinn und die Möglichkeit der Dichtung in der Vergegenwärtigung des universalen Zusammenhanges gesehen, in dem jede Einzelerscheinung steht: „In dem Dichtergeiste spiegelt sich nicht die Natur, sondern ein Bild derselben, das dem getreuesten Spiegelbilde ähnlich, ist dem Geiste des Dichters eingeboren; er bringt gleichsam die Welt mit zur Welt, und wenn er, aus dem träumenden Kindesalter erwachend, zum Bewußtsein seiner selbst gelangt, ist ihm jeder Teil der äußern Erscheinungswelt gleich in seinem ganzen Zusammenhang begreifbar: denn er trägt ja ein Gleichbild des Ganzen in seinem Geiste, er kennt die letzten Gründe aller Phänomene, die dem gewöhnlichen Geiste rätselhaft dünken und auf dem Wege der gewöhnlichen Forschung nur mühsam oder auch gar nicht begriffen werden . . . Und wie der Mathematiker, wenn man ihm nur das kleinste Fragment eines Kreises gibt, unverzüglich den ganzen Kreis und den Mittelpunkt desselben angeben kann: so auch der Dichter, wenn seiner Anschauung nur das kleinste Bruchstück der Erscheinungswelt von außen geboten wird, offenbart sich ihm gleich der ganze universelle Zusammenhang dieses Bruchstücks."[68]

Diese Bestimmung der Dichtung, der Kunst überhaupt, wird hinübergerettet über die Einbruchstelle, die das moderne naturwissenschaftliche Denken in der romantischen Tradition verursacht. Heines Anschauung wird um 1900 in vielfacher Abwandlung formuliert. Bei Dehmel heißt es z. B.:[69]

> Das Leben läßt sich stets nur stückweis fassen,
> Kunst will ein Ganzes ahnen lassen.

Angesichts der Dehmelschen Auslegung des „Frühlings" von Schlaf ist man vielleicht geneigt, von einer Säkularisierung religiöser Werte zu sprechen. Aber das wäre ungenau. Es handelt sich eher um eine Sakralisierung profaner Kräfte und Phänomene. Die Analogie dieser weltlichen Vorstellungen zu religiösen gründet sich – man kann hier Hans Blumenbergs grundsätzliche Formulierungen benutzen – „auf eine Identität im geschichtlichen Prozeß", die „allerdings nicht Identität der Sache, sondern der Funktion ist, welche letztere ganz heterogene Gehalte an bestimmten Stellen des Systems der Welt- und Selbstdeutung des Menschen annehmen können."[69a] Blumenberg betrachtet vornehmlich „appellative Texte", Manifeste u. dgl. Aber auch bei einem literarischen Text genügt es oft nicht, ihn nach Entstehung und Inhalt in seiner eigenen Struktur zu untersuchen, sondern man muß auch fragen, „welchen Bedürfnissen er zugemessen sei".[70] Schlafs „Frühling", der hier nur als Beispiel für viele, an Rang oft weit höher stehende Dichtungen ganz ähnlicher Thematik verwendet wird, ist offensichtlich einem bestimmten Bedürfnis, nämlich einem religiösen Anspruch genau „zugemessen". Dehmels Reaktion zeigt das deutlich. Die Beziehung der Einzeldinge auf die göttliche Schöpfungsordnung wird jetzt ersetzt durch ihre Einfügung in den Allzusammenhang. Das ist, wie schon Heine erklärte, Vermögen und Leistung des Dichters. Nietzsche hat es neu formuliert, wenn er im Vorwort zur „Geburt der Tragödie" sagt, daß er „von der Kunst als der höchsten Aufgabe und der eigentlich metaphysischen Tätigkeit dieses Lebens" überzeugt sei.[71]

Wenn Dehmel in Erinnerung an die Frömmigkeit seiner Großmutter sagt: „Das war der alte Glaube; gestern habe ich den neuen erlebt", so spielt er an auf den Titel des bekannten Spätwerkes von David Friedrich Strauß, „Der alte und der neue Glaube", 1872 erschienen. Dieses Buch hat bekanntlich Nietzsche in der ersten seiner „Unzeitgemäßen Betrachtungen" zum Gegenstand eines scharfen Angriffs gemacht. Auch Strauß möchte den verlorenen christlichen Glauben durch den „Glauben an das All" ersetzen. Nicht dies ist es, was Nietzsche angreift, sondern die unglaubwürdige, dürftige, trocken-philiströse Art seiner „Empfindung für das All". Sie könnte nicht „dieselben Dienste" leisten wie „der Glaube alten Stils".[72]

Strauß hat bemerkt, daß der Verlust des „alten Glaubens" den Zerfall der Welt in isolierte, beziehungslose Fakten zu bewirken droht. Er sucht dem entgegenzuwirken, wenn er schreibt: „Vergiß in keinem Augenblick, daß du und Alles was du in dir und um dich her wahrnimmst, . . . kein zusammenhangloses Bruchstück, kein wildes Chaos von Atomen und Zufällen ist, sondern daß es alles nach ewigen Gesetzen aus dem Einen Urquell alles Lebens, aller Vernunft und alles Guten hervorgeht – das ist der Inbegriff der Religion".[73] Aber der vage Optimismus einer solchen Annahme von Gesetzen schien Nietzsche armselig, und was Strauß Glauben nennt, „fällt mit der modernen Wissenschaft zusammen, ist also als solche gar nicht Religion". Nur „wenige zerstreute Seiten" in Strauß' Buch „betreffen das, was Strauß mit Recht einen Glauben nennen dürfte: nämlich jene Empfindung für das All . . . Er zieht arm und schwächlich daher, dieser exstimulierte Glaube . . ."[74]

Strauß als Gegner Schopenhauers hat keine wahre Alleinheits-Erfahrung, er ist ein „Bildungsphilister", der im Grunde als ein banaler Materialist das Leben in nützlicher Tätigkeit aufgehen sieht und für den Menschen nur „Kulturmomente" neben diesem trivial erfolgreichen Dasein gelten läßt. „Neben unserem Berufe", sagt Strauß, sollen wir auch für die „höheren Interessen" offenbleiben, für Dichtung und Musik empfänglich sein, uns daran läutern. – „Doch das ist nur für flüchtige Augenblicke . . ."[75]

Strauß' Schrift bezieht sich auf die gleiche Zeitsituation wie Nietzsches im selben Jahr erschienenes Buch „Die Geburt der Tragödie". Durch beide Schriften kann man den Beginn der Moderne in Deutschland bezeichnet sehen, deren Bewußtseinslage und geistige Situation in Nietsches erster „Unzeitgemäßer Betrachtung" eine kritische Diagnose von unvergleichlicher Prägnanz und Schärfe erfahren hat. In der „Geburt der Tragödie" umschreibt Nietzsche statt des Straußschen philiströsen Religionsersatzes eine weit gültigere, in den kommenden Jahrzehnten maßgeblich werdende Möglichkeit der Seinserfahrung. Es ist die „tragische" Erfahrung, in der sich dem Künstler und durch seine Vermittlung dem Menschen „seine Einheit mit dem innersten Grunde der Welt *in einem gleichnisartigen Traumbilde* offenbart".[76] Nietzsche übernimmt die Weltkonzeption Schopenhauers, wenn er etwa sagt, bei den dionysischen Festen der Griechen „bricht gleichsam ein sentimentalischer Zug der Natur hervor, als ob sie über ihre Zerstückelung in Individuen zu seufzen habe", und in der dionysischen Dichtung werde „die Vernichtung des Schleiers der Maja, das Einssein als Genius der Gattung, ja der Natur" gefeiert.[77] Am Modell der griechischen Tragödie und des Musikdramas Richard Wagners, dem die Schrift ja gewidmet ist, wird gezeigt, wie die Kunst eine Seinserfahrung, eine Erlösung des Individuums „und eine mystische Einheitsempfindung" vermitteln kann, die den „alten Glauben" abzulösen vermag.[78]

Daß aber diese Frühschrift Nietzsches gleichzeitig mit der Spätschrift von D. F. Strauß erschien, hat eine vorausweisende Bedeutung. Am Beginn der Moderne steht damit eine zweifache Antwort auf die Tatsache der Auflösung herkömmlicher christlicher Bindungen. Einerseits wird ein banaler Religionsersatz vorgeschlagen, und er verbreitet sich schnell (die Schrift von Strauß hatte 1873 bereits sechs Auflagen), andererseits eine Erneuerung der wahren „mystischen Einheitsempfindung", die die besten Köpfe der Epoche ansprach und produktiv machte. Auf beiden Ebenen geht es um das, was Nietzsche „die Grunderkenntnis von der Einheit alles Vorhandenen" nannte.[79] Diese Grunderkenntnis ist vielfach schematisiert und trivialisiert worden und erscheint in vielen literarischen Werken um 1900 als Cliché. Aber es liegt nicht so, daß Nietzsches Anschauungen in der anschließenden Entwicklung allmählich korrumpiert worden wären. Vielmehr tritt die korrumpierte Form des Einheits-Enthusiasmus gleichzeitig mit dessen gültiger Ausprägung hervor, als philiströs gewordene Romantik bei Strauß. Diese doppelte, auf zwei Rangstufen sich vollziehende Ausformung der gleichen Grundanschauung hat das geistige und künstlerische Schicksal der Zeit um 1900 mitbestimmt. Sie steht in einem Zwielicht, wie kaum eine andere Epoche. Was als geistig gespannte Erfahrung, als substantielle Weltdeutung hervortritt, wird gleichzeitig auch in einer trivialen Variante, als billige und gängige Formel verbreitet. Was in großer Kunst sich formt, erscheint zugleich auch als Kitsch. Zuweilen begegnet dieses verwirrende Nebeneinander in verschiedenen Werken des gleichen Künstlers: Man mag an manche Stücke oder Prosawerke Gerhart Hauptmanns denken, an nicht wenige Gedichte Dehmels, an Dichtungen des frühen Rilke, auch an einzelne Bilder des Malers Ludwig von Hofmann, an Lieder und symphonische Werke von Richard Strauss. Auch im Kunstgewerbe des Jugendstils gewinnen die korrumpierten, industriell vervielfältigten Formen, die fast gleichzeitig mit den gültigen entstanden, überaus schnell die Oberhand. Der Verfall, der sonst die Spätzeiten großer Stile in gewissem Maße charakterisiert, setzt hier schon fast am Beginn der sich nur wenige Jahre haltenden Jugendstilphase ein. Dieses schnelle Abwelken und Absinken hängt wahrscheinlich mit dem Absichtlichen und Gewollten der Formkultur um 1900 zusammen.

Das harte Nebeneinander von echten und verdorbenen Formen, von Kunst und Pseudokunst, die Unsicherheit des Formniveaus auch bei respektablen Künstlern machen das Gesamtbild der Zeit um 1900 verwirrend zwiespältig und begründen bei den Nachlebenden eine häufig wahrnehmbare Unsicherheit des Urteils, ein Mißtrauen gegen Dichtung und Kunst der Jahrhundertwende, das sich nicht selten auch auf ihre gelungenen Schöpfungen erstreckt. Diese Zwiespältigkeit ist eine der Voraussetzungen für die Ironie, mit der Robert Musil in seinem Roman „Der Mann ohne Eigenschaften" rückblickend die Zeit der Jahrhundertwende schildert. Ulrich, die Hauptfigur des Romans, der die Generation des 1880 geborenen Musil repräsentiert, erlebt die Zeit eines „Auf- und Anbruchs, eine kleine Wiedergeburt und Reformation" zunächst gläubig mit, aber dieses „beflügelnde Fieber" wird ihm „bei Beginn der Mannesjahre" fragwürdig. Die neuen Menschen und Vorstellungen „waren nicht schlecht, gewiß nicht; nein, es war nur ein wenig zu viel Schlechtes ins Gute gemengt, Irrtum in die Wahrheit, Anpassung in die Bedeutung. Es schien geradezu einen bevorzugten Prozentsatz dieser Mischung zu geben, der in der Welt am weitesten kam; eine kleine, eben ausreichende Beimengung von Surrogat . . .[80]

Besonders eindringlich hat Musil den Unterschied der „mystischen" Einheitserfahrung, wie sie Ulrich im „anderen Zustand" zuteil wird, von der zeitgenössischen, weitverbreiteten Pseudomystik in seinem Roman sichtbar gemacht. Ulrich trifft überall in seiner Umwelt das gängige Erlebnisschema, das die große Einheit des Alls, die Identität von Ich und Welt, die übergreifende Mächtigkeit des Gesamtlebens verfügbar macht. „Ulrich verabscheute diese Schleudermystik zu billigstem Preis und Lob . . ."[81] Er findet sie beim Spießbürger, für den „Einsamkeit, Blümelein und rauschende Wässerchen der Inbegriff menschlicher Erhebung" sind.[82] Die Alleinheit, die er dabei empfindet, ist, wie Ulrichs Schwester sagt, „eine Ferialstimmung". Die Schleudermystik steht also in der Gefolgschaft von D. F. Strauß, ist unverbindliche Sonntagsstimmung des Bildungsphilisters. Musil weiß, daß die mystische Einheitserfahrung ihr konventionelles Gegenspiel hat „in der namenlosen Welle von Dünnromantik und Gottessehnsucht, die das Maschinenzeitalter als Äußerung des geistigen und künstlerrischen Protestes gegen sich selbst eine Weile lang ausgespritzt hat."[83]

Nietzsche hat in der „Geburt der Tragödie" die trotz allen Erschreckens wirksame „Freude an der Vernichtung des Individuums" aus dem Geiste der Musik als „dionysischer Kunst" verständlich gemacht, als Ausdruck der Gewißheit, daß das überindividuelle Gesamtleben in seiner Mächtigkeit weiterbesteht. „Denn an den einzelnen Beispielen einer solchen Vernichtung wird uns nur das ewige Phänomen der dionysischen Kunst deutlich gemacht, die den Willen in seiner Allmacht gleichsam hinter dem *principio individuationis*, das ewige Leben jenseits aller Erscheinung und trotz aller Vernichtung zum Ausdruck bringt . . . ‚Wir glauben an das ewige Leben', so ruft die Tragödie."[84] Nietzsches frühe Schrift ist gleichermaßen wichtig für die Kunstanschauung wie für die Daseinsorientierung der Zeitgenossen, indem er in ihr die bereitwillig aufgenommene Vorstellung „von jenem Fundamente aller Existenz, von dem dionysischen Untergrunde der Welt" vermittelt.[85] „Ja, meine Freunde, glaubt mit mir an das dionysische Leben . . ."[86] Nietzsches Ruf wurde in der Tat vernommen, viele wandten sich diesem Lebensglauben zu. So kritisch Nietzsche später die „Geburt der Tragödie" beurteilt hat, in der umfassenden und prägnanten Bestimmung des Dionysischen, die er für den geplanten „Willen zur Macht" formuliert hat, behält er durchaus die frühere Konzeption des Begriffs bei. Diese Stelle ist ein Grundtext der Epoche.[87]

Die Wirkung Nietzsches auf die Literatur um 1900 ist unabsehbar groß. Dabei ist es nicht eigentlich der philosophische Gehalt seiner Schriften, der rezipiert wird. Dieser bleibt weithin unentdeckt. Was wirkt, sind die Grundpositionen, in dreißig oder vierzig Sätzen erkennbar: Die radikale Verdiesseitigung, die Destruktion der Transzendenz, die neue Bestimmung des Verhältnisses von Geist und Leben, „so daß das Leben das Erkennen, den Geist als ihm selbst zugehörig umgreift".[88] Nicht nur Erkenntnis, auch Moral, Kunst, Politik und alle anderen Bereiche hat Nietzsche unter der „Optik des Lebens" gesehen, und er hat diese Optik mit suggestiver Sprachkraft dem Bewußtsein der Zeit eingeprägt.

Franziska Reventlow hat in ihrem autobiographisch fundierten Roman „Ellen Olestjerne" berichtet, wie die junge, gegen die bürgerliche Konvention ihrer Eltern sich auflehnende Ellen mit ihrem Bruder Detlef Nietzsches Zarathustra liest. „Sie bebten beide – der Himmel tat sich über ihnen auf in lichter blauer Ferne – jedes Wort löste einen Aufschrei aus tiefster Seele, band eine dumpfe, schwere Kette los, sagte etwas, was kein Mensch sagen konnte oder je gesagt hatte, wonach man im Dunkeln herumgetappt hatte und geglaubt, es nie zu finden. Das war nicht mehr Verstehen und Begreifen – es war Offenbarung, letzte, äußerste Erkenntnis, die mit Posaunen schmetterte – brausend, berauschend, überwältigend. Und alles andere, der Alltag, das Alltagsleben und -empfinden schrumpfte in eine öde, farblose Masse zusammen, verlor sein Dasein – nur das wahre, das heilige große Leben leuchtete und lachte und tanzte."[89]

Das ist nur ein einzelnes Zeugnis für die enthusiastische Nietzsche-Rezeption, ein Beispiel für unzählige ähnliche. Stefan George versicherte noch 1910 in einem Brief an Gundolf (11. Juni 1910): „In Nietzsche steht doch ziemlich alles. Er hat die wesentlichen grossen dinge verstanden . . ."[90] Die Anschauung der großen Einheit alles Seienden, wie sie Nietzsche und viele andere verkünden, ist freilich nichts Neues, sondern durch sehr alte Überlieferungen vermittelt. Sie wird um 1900 vor allem in der Form aufgenommen, die Goethe und die Romantik geschaffen hatten. Der Bruch mit der Tradition ist bei weitem nicht so schroff, wie es der jungen Generation um 1890 oft schien. Sie bewältigte vielmehr die Krise, in die sie durch das Verblassen der christlichen Überlieferung getrieben wurde, mit einem Rückgriff auf die romantische Tradition. Schon Goethe hat zuweilen die Gesamtheit des Seienden, nicht nur seine organischen Erscheinungsformen, als „Leben" bezeichnet. „Das Leben, das in allen existierenden Dingen wirkt, können wir uns weder in seinem Umfange noch in allen seinen Arten und Weisen, durch welche es sich offenbart, auf einmal denken."[91] Mit Entschiedenheit hat dann die romantische

Naturphilosophie den Lebensbegriff ausdrücklich auf die anorganischen Weltbestände ausgedehnt. Das tat z. B. Gotthilf Heinrich Schubert in seinem Buch „Ahndungen einer allgemeinen Geschichte des Lebens" (Leipzig 1806–07). Der Vermittler des totalen, alles Vorhandene umfassenden Lebensbegriffs wird dann vor allem Schopenhauer. Denn er nennt die Urkraft, die alles, was wir wirklich nennen, ins Dasein treibt, den „Willen zum Leben", meint also mit dem Wort Organisches wie Anorganisches. Von Schopenhauer aus hat sich der Lebensbegriff als Bezeichnung der Totalität durchgesetzt, weil dieser Name die Weltwirklichkeit als dynamische, werdende, als Prozeß kennzeichnet.

Die Romantik, nämlich Friedrich Schlegel, hat bekanntlich auch die Polarität des Dionysischen und Apollinischen entdeckt.[92] William Blake hat in seiner Dichtung „The Marriage of Heaven and Hell" (1793) die Verbindung des Guten und Bösen sich vollziehen lassen und bereits die Durchdringung von Positivem und Negativem in der Weltwirklichkeit ausgesprochen. Der Chorus, der diese Dichtung beschließt, feiert mit dem letzten Satz alles Lebendige als heilig: „For everything that lives is Holy".[93]

Johann Jacob Bachofen hat an vielen Stellen seiner Schriften insbesondere die Einheit von Leben und Tod in der Mythologie der Frühzeit hervorgehoben. „Der stoffliche Urgrund der Dinge, der aus sich alles Leben ans Licht gebiert, umschließt beides, Werden und Vergehen . . . Der Tod ist die Vorbedingung des Lebens, und nur in demselben Verhältnis, in welchem die Zerstörung fortschreitet, kann auch die schaffende Kraft tätig werden. In jedem Augenblicke gehen Werden und Vergehen nebeneinander her."[93a]

Schopenhauer gelangt gegen Ende des Jahrhunderts zu seiner breitesten Wirkung. Theodor Fontane berichtet 1873 von der intensiven Lektüre Schopenhauers während seiner Ferienwochen in Tabarz. „In die Tiefen Schopenhauers wird hinabgestiegen, und Wille und Vorstellung, Trieb und Intellekt sind beinahe Haushaltungswörter geworden, deren sich auch die Kinder bemächtigt haben."[94] Fontane scheint auch eine breite Kenntnis Schopenhauers in den deutschen Familien beobachtet zu haben. In seinen Aufzeichnungen für den geplanten Roman „Oceane von Parceval" fragt der ältere Freund den jüngeren, der sich um Oceane bewirbt, worüber er beim Ball mit ihr gesprochen habe. Als er die Antwort bekommt, daß sie „philosophierten", bemerkt er: „Also echte Ball-Unterhaltung. War sie für Schopenhauer? Aber was sag ich für Schopenhauer. Das ist viel zu trivial. Sie hat gewiß einen Spezialphilosophen entdeckt . . ."[95] Schon 1882 also scheint Schopenhauer für ein Ballgespräch mit belesenen Damen zu trivial. Thomas Manns denkwürdige Darstellung der Begegnung des trostbedürftigen Senators Thomas Buddenbrook mit der Philosophie Schopenhauers (1901) kann man von hier aus als Schilderung eines Vorgangs sehen, der nichts Überraschendes hat. Fontane läßt dann in jenem Romanentwurf die Lockerung der christlichen Bindungen, das Einströmen der Lebensmystik bereits erkennbar werden. Auf einer Soirée bei den Parcevals bemerkt „der Freund": „Eine entzückende Seite in unsrer modernen Kunst ist das Hervorheben des Elementaren. Das Geltendmachen seiner ewig sieggewissen Macht über das Individuelle, das Menschliche, das Christliche. In unsrer klass. Dichtung finden Sie's nicht. Die einzige Ausnahme die mir vorschwebt, ist Goethes ‚Fischer'". Frau von Parceval greift diese Bemerkung auf und versucht, die moderne Vorliebe für das Elementare mit der christlichen Anschauung zu verbinden." „Es ist ein neues apartes Wort aber nicht ein apartes Ding; die *Sache* war längst da. Und wie bei so vielem läuft alles nur auf einen Streit um Worte hinaus. Elementar. Elementar ist alles. Alles an und in uns ist Teil vom Ganzen, und dieser Teil will ins Ganze zurück. Ich will nicht Pantheismus damit predigen, keinen Augenblick, ich predige nur einen christlichen Satz damit und wenn wir Gottes Kinder sind, Ausströmungen seiner Herrlichkeit, so drängt alles nach Wiedervereinigung mit ihm."[96] Frau von Parceval gibt eine christliche Deutung des sogenannten Pantheismus, auf der Linie eines Kompromisses, der gewiß in der zeitgenössischen Wirklichkeit oft auf ähnliche Weise versucht wurde. Aber „das Elementare" wurde schnell mächtiger, als Fontanes Causeur, so hellhörig er ist, voraussehen konnte. Die junge Generation, von Nietzsche erregt, sah schärfer, daß die christliche Wahrheit ihre tragende Macht weithin eingebüßt hatte, und sie suchte innerhalb einer diesseitigen Orientierung in der Lebensmystik Zuflucht vor der Isolierung des Ich. Das ist das entscheidende Motiv für die Aufnahme dieser Lebensmystik. Wenn Thomas Mann Schopenhauers System als den Versuch ansieht, „den wahren Zusammenhang der Welt und des Daseins zu erfassen", so versichert er sogleich: „Was den Menschengeist allein zu dem inständigen Versuch, dies zu tun, ermutigt und berechtigt, ist die notwendige Annahme, daß auch unser selbsteigenes Wesen, das Tiefste in uns, jenem Weltgrunde angehören und darin wurzeln muß . . ."[97]

Man sucht Bestätigung für diese „Annahme", um die tödliche Vereinsamung des Ich zu überwinden. Der junge Gustav Landauer hat das in seiner Schrift „Skepsis und Mystik" von 1903 sehr deutlich ausgesprochen. Er ist durch Fritz Mauthners Sprachkritik zum Skeptiker geworden, dem keine Wahrheit gültig scheint. Aber darin sieht er den Weg zu einer „neuen Mystik". Eigentlich bleibt ihm nur „die Gewißheit meines Ich", aber gerade diese muß er aufgeben. „Mein inneres Gefühl, daß ich eine isolierte Einheit sei, kann falsch sein, und ich erkläre es für falsch, weil ich mich nicht mit der entsetzlichen Einsamkeit zufriedengeben will . . . Um nicht einsam und gottverlassen zu sein, erkenne ich die Welt an und gebe dabei mein Ich preis; aber nur, um mich selbst als Welt zu fühlen, in der ich aufgegangen bin." Die Entgrenzung des Ich rettet vor Isolierung, Landauer findet dadurch „das Leben".[98] „Es muß uns endlich wieder einfallen, daß wir ja nicht bloß Stücke der Welt wahrnehmen, sondern daß wir selbst ein Stück Welt sind." – „Wir kennen nurmehr immanentes Leben . . ."[99]

Die romantische Anschauung vom Allzusammenhang findet um 1900 eine starke Stütze und Absicherung durch die Ergebnisse des naturwissenschaftlichen Denkens, das die Wirklichkeit als physisches Kontinuum erweist. Nicht nur Häckel hat in diesem Sinne gewirkt, sondern z. B. auch Ernst Mach und viele andere Naturwissenschaftler. Eine Synthese mystischer Naturphilosophie und exakter Naturwissenschaft scheint sich manchmal anzubahnen. Auch der junge Hofmannsthal, für den Leben vielleicht mehr als für jeden anderen die zentrale Vorstellung und das Bezugsfeld aller Gedanken ist,[100] erkennt diesen materialen Zusammenhang. „Wir sind mit unsrem Ich von Vor-zehn-Jahren nicht näher, unmittelbarer *eins* als mit dem *Leib* unserer Mutter. Ewige *physische* Kontinuität." Die nächste Eintragung (1894) lautet: „Den Gedanken scharf fassen: wir sind eins mit allem, was ist und was je war, kein Nebending, von *nichts* ausgeschlossen."[101] Ernst Häckel war Hofmannsthal trotz seines platten Tones „sehr wertvoll"; er las ihn 1895 während seiner Militärübung und bemerkte dazu in einem Brief an Hermann Bahr: „Ich les' hier viel, Schopenhauer, Häckel und solche Bücher, wo von dem Großen die Rede ist, das zugrunde liegt."[102]

Malwida von Meysenbug, die Freundin Nietzsches, hat ebenfalls die von der wissenschaftlichen Chemie entwickelte Einsicht in „die Ewigkeit der Materie" hilfreich gefunden zur „Lösung der Fragen nach dem Grund der Dinge".[103] Von Malwida von Meysenbug stammt auch eines der frühesten modernen Zeugnisse mystischer Allerfahrung, das sie in ihren zuerst 1875 erschienen Memoiren aufzeichnet. „Ich war allein am Meeresufer, als mich alle diese Gedanken befreiend und versöhnend umflutheten, und wieder, wie einst in fernen Tagen in den Alpen der Dauphiné, trieb es mich, hier niederzuknien vor der unbegrenzten Fluth, Sinnbild des Unendlichen.

Ich fühlte, dass ich betete, wie ich nie zuvor gebetet hatte, und erkannte nun, was das eigentliche Gebet ist: Einkehr aus der Vereinzelung der Individuation heraus in das Bewusstsein der Einheit mit Allem was ist, niederknien als das Vergängliche und aufstehen als das Unvergängliche.

Erde, Himmel und Meer erklangen wie in einer grossen weltumfassenden Harmonie . . ."[104]

Malwida von Meysenbug vermittelte die Bekanntschaft Nietzsches mit Lou Salomé, die 1882 im Salon der Frau von Meysenbug im Rom verkehrte und dort Paul Rée traf, der mit Nietzsche befreundet war. Die innere Verwandtschaft Lou Salomés mit Nietzsche begründete für kurze Zeit eine nahe geistige Verbundenheit. „Der religiöse Grundzug unserer Natur ist unser Gemeinsames, und vielleicht gerade darum so stark in uns hervorgebrochen, weil wir Freigeister im extremsten Sinne sind." So lautet ein Eintrag in Lou Salomés Tagebuch.[105] Etwas vom Lebenspathos des „Zarathustra", dessen erste Teile im folgenden Jahr entstanden, klingt voraus in Lou Salomés Gedicht „Lebensgebet", das Nietzsche als eine „erstaunliche Inspiration" begeistert aufnahm, weil es, wenngleich sprachlich ungelenk und recht konventionell, eine ihm verwandte Gesinnung ausdrückt. Die Anrede an das Leben schließt mit folgender Strophe:[106]

> Jahrtausende zu sein! zu denken!
> Schließ mich in beide Arme ein:
> Hast Du kein Glück mehr mir zu schenken –
> Wohlan – noch hast Du Deine Pein.

Nietzsche hat das Gedicht in etwas veränderter Fassung vertont und unter dem Titel „Hymne an das Leben" 1887 als Chorlied veröffentlicht.

Lou Andreas-Salomé, die immer in einem gesteigerten Bewußtsein der Identität von Ich und Welt lebte, wird die wichtigste Vermittlerin der Anschauungen Nietzsches und der Lebensmystik an Rilke, den sie 1897 in München kennenlernte. Rilkes Dichtung veränderte sich entscheidend durch diese Begegnung. Die nach ihr entstandene Gedichtsammlung „Mir zur Feier" (1899) enthält eine Abteilung mit der Überschrift: „Im All-Einen".[107] In dem ganz von den Denkformen der Jahrhundertwende bestimmten Weltverhältnis wurzeln noch die Duineser-Elegien, zu deren Deutung Rilke an Witold Hulewicz schreibt: „*es gibt weder ein Diesseits noch ein Jenseits, sondern die große Einheit . . . aber nicht im christlichen Sinne . . .*, sondern, in einem rein irdischen, tief irdischen, selig irdischen Bewußtsein gilt es, das *hier* Geschaute und Berührte in den weiteren, den weitesten Umkreis einzuführen. Nicht in ein Jenseits, dessen Schatten die Erde verfinstert, sondern in ein Ganzes, *in das Ganze.*"[118]

Als Lou Andreas-Salomé 1911 die Schülerin Freuds wurde, tat sie diesen Schritt, um – im Sinne der Lebensmystik – dem überindividuellen Bereich näherzukommen. Ausschlaggebend, so schreibt sie, ist „das intime Beschenktwerden", das von der Psychoanalyse ausgeht: „dieses erstrahlende Umfänglicherwerden des eigenen Lebens durch das Sich-herantasten an die Wurzeln, mit denen es der Totalität eingesenkt ist".[109] Manches, was sie 1913 aufzeichnet, klingt noch immer wie jenes „Lebensgebet" von 1881: „Meist teilen wir alles ganz stückartig in Schmerzen und Freuden, und nur unsere höchsten Stunden wissen, inwiefern erst dahinter das Leben am lebendigsten quillt: wo wir nicht mehr fragen, ob bitter oder süß."[110]

Sigmund Freud hat die Lebensmystik der Lou Andreas-Salomé respektiert und durchaus anerkannt, welchen Zuwachs ihre Denkweise den psychoanalytischen Arbeiten seiner Schülerin, die er in höchstem Maße bewunderte, einbrachte. Er selbst stand freilich der Lebensmystik sehr fern, war so distanziert von ihr wie wohl – sieht man von den Mathematikern und von mathematisch orientierten Naturwissenschaftlern ab – kaum einer von den Großen der Epoche. „Die Einheit dieser Welt scheint mir etwas Selbstverständliches, was der Hervorhebung nicht wert ist."[111] Daraus spricht die gelassene Abwehr des analytischen Denkers. „Was mich interessiert, ist die Scheidung und Gliederung dessen, was sonst in einen Urbrei zusammenfließen würde."

Am Anfang seiner Schrift „Das Unbehagen in der Kultur" (1930) erwähnt Freud den Brief, in dem sein Freund Romain Rolland seine Untersuchung über die Religion („Die Zukunft einer Illusion") besprochen hatte. Rolland bedauere, schreibt Freud, daß er „die eigentliche Quelle der Religiosität nicht gewürdigt hätte. Diese sei ein besonderes Gefühl, das ihn selbst nie zu verlassen pflege ... Ein Gefühl, das er die Empfindung der ‚Ewigkeit' nennen möchte, ein Gefühl wie von etwas Unbegrenztem, Schrankenlosem, gleichsam ‚Ozeanischem'".[112] Freud erläuterte das Ichgefühl einer frühen Entwicklungsstufe und sagt, die zu einem solchen Gefühl passenden Vorstellungsinhalte wären „gerade die der Unbegrenztheit und der Verbundenheit mit dem All, dieselben, mit denen mein Freund das ‚ozeanische' Gefühl erläutert".[113] Aber er sieht in diesem „Einssein mit dem All" einen „Gedankeninhalt", und er kann das ozeanische Gefühl als Quelle der Religion nicht anerkennen, sondern meint, daß es „nachträglich in Beziehungen zur Religion geraten ist". Freud hebt hervor: „Ich selbst kann dies ‚ozeanische' Gefühl nicht in mir entdecken." Er leugnet aber nicht, daß es in anderen Menschen vorhanden ist, nämlich als Rest eines vom reifen Ichgefühl überholten „allumfassenden Gefühls, welches einer innigeren Verbundenheit des Ichs mit der Umwelt entsprach." Freud leugnet seine religiöse Relevanz, bestätigt aber seine psychologische Tatsächlichkeit. „Normalerweise ist uns nichts gesicherter als das Gefühl unseres Selbst, unseres eigenen Ichs. Dies Ich erscheint uns selbständig, einheitlich, gegen alles andere gut abgesetzt. Daß dieser Anschein ein Trug ist, daß das Ich sich vielmehr nach innen ohne scharfe Grenze in ein unbewußt seelisches Wesen fortsetzt, das wir als Es bezeichnen, dem es gleichsam als Fassade dient, das hat uns erst die psychoanalytische Forschung gelehrt ..."[114] Nun, daß das abgegrenzte Ich „ein Trug ist", lehrte bereits Schopenhauer. Freud gibt „eine Übersetzung seiner Metaphysik ins Psychologische" – so kennzeichnet Thomas Mann sehr genau den geistigen Tatbestand.[115] Damit erweist sich, daß doch auch Freud als Kritiker der sich religiös verstehenden Lebensmystik seinen Anteil am großen Generalthema der Epoche hat. Ihre Dichtung sucht, was immer sie im einzelnen gestaltet, die Verbundenheit des Einzelmenschen mit der Lebenstotalität und den verborgenen Zusammenhang aller Dinge in der großen Einheit bewußtseinsfähig zu machen. „Die Menschen suchen ihre Seele und finden dafür das Leben."[116]

Anmerkungen

Dem Text liegt ein Vortrag zugrunde, der zuerst 1958 als Antrittsvorlesung in Münster gehalten und 1959 in etwas veränderter Form in Paris wiederholt wurde. Umgearbeitete Fassungen wurden später in Zagreb, New York, Los Angeles und anderen Orten vorgetragen. Für den Druck wurde das Manuskript erheblich erweitert.

1 Friedrich Nietzsche, Werke in drei Bänden, hrsg. v. Karl Schlechta, München 1954–56, Bd. I, S. 137.
2 Blätter für die Kunst. Eine Auslese aus den Jahren 1898–1904, Berlin 1904, S. 15.
3 Von der gängigen Auffassung entfernen sich mit wichtigen neuen Ansätzen vor allem die Darstellungen von Richard Hamann und Jost Hermand: Naturalismus, Berlin 1959; Impressionismus, Berlin 1960; Gründerzeit, Berlin 1965. Das gleiche gilt von dem Aufsatz von Hans Schwerte, Deutsche Literatur im Wilhelminischen Zeitalter, Wirkendes Wort, Jg. 14, 1964, S. 254ff. Jetzt auch in: Zeitgeist im Wandel. Das Wilhelminische Zeitalter, hrsg. von Hans Joachim Schöps, Stuttgart 1967, S. 121ff.
4 Dieses Urteil ist absichtlich summarisch. In Conradis Prosa z. B. kann man wohl einige Ansätze zu neuen Formungsweisen finden. Es geht hier aber zunächst um die Grundlinien der Gesamtentwicklung. Theodor Fontane bleibt hier als Vertreter einer weit älteren Generation außer Betracht.
5 Moderner Musen-Almanach auf das Jahr 1894, hrsg. v. Otto Julius Bierbaum, München o. J., S. 270.
6 Hans Carossa, Das Jahr der schönen Täuschungen, Leipzig 1945, S. 56.
7 Vgl. Julius Meier-Gräfe, Die Weltausstellung in Paris 1900, Paris und Leipzig 1900, S. 34.
8 Hugo von Hofmannsthal, Gesammelte Werke in Einzelausgaben, hrsg. v. Herbert Steiner, Prosa III, Frankfurt 1964, S. 63.
9 Rudolf Borchardt, Gesammelte Werke in Einzelbänden, hrsg. v. Marie Luise Borchardt, Prosa I, Stuttgart 1957, S. 105ff.
10 Hugo von Hofmannsthal, Prosa IV, Frankfurt 1955, S. 76.
11 Vgl. Hans Freyer, Theorie des gegenwärtigen Zeitalters, Stuttgart 1955, S. 242.
12 Vgl. Arnold Gehlen, Urmensch und Spätkultur, Bonn 1956, S. 294.
13 Hugo von Hofmannsthal, Aufzeichnungen, Frankfurt 1959, S. 106.
14 Paul Valéry, Briefe, übertr. v. Wolfgang A. Peters, Wiesbaden 1954, S. 8. – Die Übersetzung von Peters ist an einigen Stellen verändert worden.
15 Hugo von Hofmannsthal, Aufzeichnungen, Frankfurt 1959, S. 204.
16 Blätter für die Kunst. Eine Auslese aus den Jahren 1892–1898, Berlin 1899, S. 129.
17 Stefan George, Das Buch der hängenden Gärten, Werke, Ausgabe in zwei Bänden, Bd. I, München und Düsseldorf 1958, S. 102.
18 Thomas Mann, Der Zauberberg, Gesammelte Werke in 12 Bänden, Bd. III, Frankfurt 1960, S. 743f.
19 Georg Simmel, Der Konflikt der modernen Kultur, München und Leipzig 1921, S. 8f.
20 Ebenda, S. 20.
21 Heinrich Mann, Ein Zeitalter wird besichtigt, Stockholm 1948, S. 4.
22 Ebenda, S. 214.
23 Friedrich Nietzsche, Nachgelassene Werke, hrsg. v. E. und A. Horneffer, Leipzig 1901, S. 334.
23a Hugo von Hofmannsthal, Aufzeichnungen, Frankfurt 1959, S. 145.
24 Franziska Reventlow, Gesammelte Werke, hrsg. von Else Reventlow, München 1925, S. 729.
25 Friedrich Nietzsche, Ecce Homo, Werke, Bd. II, S. 1072.
26 Thomas Mann, Der Weg zum Friedhof. In: Sämtliche Erzählungen, Frankfurt 1963, S. 150, 152.
27 Rainer Maria Rilke, Auguste Rodin, Leipzig 1924, S. 106.
28 Hugo von Hofmannsthal, Prosa II, Frankfurt 1959, S. 14, 16.
28a Hugo von Hofmannsthal, Aufzeichnungen, Frankfurt 1959, S. 215.
29 Ebenda, S. 117.
30 Ein Beispiel für die Verwendung der gleichen Symbole auf sehr verschiedenen literarischen Rangstufen ist die Einsetzung des Teppichsymbols in Otto Julius Bierbaums Roman „Prinz Kuckuck“, Neudruck München o. J. S. 450. Hier finden sich auch viele Beispiele für literari-

sches Lebenspathos, so wenn Henry Felix, die Hauptfigur, seine Frau anredet: „Auf der ganzen Welt ist keine Schönheit wie deine. Du bist das Schönheit gewordene heilige Leben." (a.a.O., S. 619).

31 Thomas Mann, Der Tod in Venedig, In: Sämtliche Erzählungen, Frankfurt 1963, S. 357.

32 Die Notiz ist neben vielen anderen mitgeteilt in dem instruktiven Aufsatz von Hans Wysling, Aschenbachs Werke, Euphorion Bd. 59, 1965, S. 287.

33 Rainer Maria Rilke, Sämtliche Werke. Bd. I, Wiesbaden 1955, S. 697.

34 Zitiert nach: Hans Eggert Schröder, Ludwig Klages. Die Geschichte seines Lebens. Erster Teil, Bonn 1966, S. 207.

35 Thomas Mann, Lübeck als geistige Lebensform, Ges. Werke, Bd. XI, S. 394.

36 Vgl. dazu Otto Friedrich Bollnow. Die Lebensphilosophie, Berlin – Göttingen – Heidelberg 1958. Ferner: Heinrich Rickert, Die Philosophie des Lebens, Tübingen 1920. – Max Scheler, Versuch einer Philosophie des Lebens. In: Vom Umsturz der Werte, Leipzig 1915. – Philipp Lersch, Lebensphilosophie der Gegenwart, Philosophische Forschungsberichte Nr. 14, München 1932.

37 Karl Löwith in der Einleitung zu der Anthologie: Friedrich Nietzsche, Vorspiel einer Philosophie der Zukunft, Frankfurt 1959, S. 16.

38 Karl Joël, Seele und Welt, Jena 1912, S. II.

39 Ebenda, S. 386.

40 Ebenda, S. 367.

41 Friedrich Gundolf, George, Berlin 1920, S. 164.

42 Die Formulierung von Nietzsche in der „Geburt der Tragödie", Werke, Bd. I, S. 129.

43 Ebenda, S. 93.

44 Gundolf, a.a.O., S. 170.

45 Stefan George, Werke, Bd. I, S. 172.

46 Blätter für die Kunst. Eine Auslese aus den Jahren 1892–98, Berlin 1899, S. 112.

47 Ebenda, S. 15.

48 Für Hofmannsthal wird das Verhältnis von Lebensphilosophie und Dichtung in ähnlicher Weise bestimmt bei Karl Pestalozzi, Sprachskepsis und Sprachmagie im Werk des jungen Hofmannsthal. Züricher Beiträge zur deutschen Sprach- und Stilgeschichte, Nr. 6, Zürich 1958, S. 14.

49 Rainer Maria Rilke, Sämtliche Werke, Bd. I, S. 225.

50 Alfred Seidel, Bewußtsein als Verhängnis, hrsg. von Hans Prinzhorn, Bonn 1927, S. 185.

51 Ebenda, S. 184.

52 Max Weber, Wissenschaft als Beruf, Leipzig und München 1930, S. 21.

53 Alfred Seidel, Bewußtsein als Verhängnis, a.a.O., S. 181.

54 Ebenda, S. 203.

55 Hans Wysling, Aschenbachs Werke, S. 312.

56 Gerhart Hauptmann, Meisterdramen, Berlin 1960, Einleitung von Heinz Hilpert, S. 9.

57 Frank Wedekind, Gesammelte Briefe, hrsg. von Fritz Strich, Erster Band, München 1924, S. 265.

58 Frank Wedekind, Gesammelte Werke, 3. Bd., München 1920, S. 232, 236.

59 Moderner Musen-Almanach auf das Jahr 1894, hrsg. von Otto Julius Bierbaum, 2. Jahrgang, München o. J., S. 271.

60 Ebenda, S. 272.

61 Ebenda, S. 287.

62 Ebenda, S. 291. Die nächste zitierte Stelle S. 292.

63 Friedrich Hölderlin, Sämtliche Werke, hrsg. von Friedrich Beißner, Frankfurt 1961, S. 492f., S. 640, S. 642.

64 Moderner Musen-Almanach, a.a.O., S. 277. Die nächste zitierte Stelle S. 273.

65 Heinrich Heine, Zur Geschichte der Religion und Philosophie in Deutschland, Sämtliche Werke, hrsg. von Ernst Elster, Leipzig und Wien o. J., Vierter Band, S. 246.

66 Heinrich Heine, Ideen. Das Buch Le Grand, Sämtliche Werke, Dritter Band, S. 136.

67 Ebenda, S. 137.
68 Heinrich Heine, Shakespeares Mädchen und Frauen, Sämtliche Werke, Fünfter Band, S. 379.
69 Richard Dehmel, Gesammelte Werke, Erster Band, Berlin 1913, S. 99.
69a Hans Blumenberg, Die Legitimität der Neuzeit, Frankfurt 1966, S. 41.
70 Ebenda, S. 58.
71 Friedrich Nietzsche, Die Geburt der Tragödie, Werke, Bd. I, S. 20.
72 Ebenda, S. 182.
73 David Friedrich Strauß, Der alte und der neue Glaube, Gesammelte Schriften, hrsg. von Eduard Zeller, Bd. 6, Bonn 1877, S. 161.
74 Friedrich Nietzsche, Die Geburt der Tragödie, Werke, Bd. I, S. 182.
75 David Friedrich Strauß, Ges. Schriften, Bd. 6, S. 198.
76 Friedrich Nietzsche, Die Geburt der Tragödie, Werke, Bd. I, S. 26.
77 Ebenda, S. 28.
78 Ebenda, S. 25.
79 Ebenda, S. 62.
80 Robert Musil, Der Mann ohne Eigenschaften, hrsg. von Adolf Frisé, Hamburg 1952, S. 57, 56, 59.
81 Ebenda, S. 1112.
82 Ebenda, S. 768.
83 Ebenda, S. 106. Vgl. dazu Wolfdietrich Rasch, Über Robert Musils Roman „Der Mann ohne Eigenschaften", Göttingen 1967, S. 96f., 112f.
84 Friedrich Nietzsche, Die Geburt der Tradödie, Werke, Bd. I, S. 92.
85 Ebenda, S. 133.
86 Ebenda, S. 113.
87 Friedrich Nietzsche, Aus dem Nachlaß der achtziger Jahre, Werke, Bd. III, S. 791.
88 Paul Böckmann, Die Bedeutung Nietzsches für die Situation der modernen Literatur, Deutsche Vierteljahrsschrift für Literaturwissenschaft und Geistesgeschichte, Bd. 27, 1953, S. 80.
89 Franziska Reventlow, Gesammelte Werke, a.a.O., S. 575.
90 Stefan George, Friedrich Gundolf, Briefwechsel. Hrsg. von Robert Boehringer mit Georg Peter Landmann, Düsseldorf 1962, S. 202.
91 Goethe, Sämtliche Werke, Jubiläumsausgabe, Stuttgart und Berlin o. J., Bd. 39, S. 10.
92 Friedrich Schlegel, Über das Studium der griechischen Poesie. Kritische Schriften, hrsg. von Wolfdietrich Rasch, München 1964, S. 184.
93 Complete Writings of William Blake, Edited by Geoffrey Keynes, New York 1952, S. 160.
93a Johann Jacob Bachofens gesammelte Werke, Vierter Band, Versuch über die Gräbersymbolik der Alten, hrsg. v. Ernst Howald, Basel 1954[3], S. 23.
94 Brief vom 14. Juni 1873 an Karl und Emilie Zöllner. Theodor Fontane, Briefe an seine Freunde, Erster Band, Berlin 1925, S. 312.
95 Theodor Fontane, Sämtliche Werke, hrsg. v. Walter Keitel, Fünfter Band, München 1966, S. 797.
96 Ebenda, S. 804, 805.
97 Thomas Mann, Schopenhauer, Ges. Werke, Bd. IX, S. 528.
98 Gustav Landauer, Skepsis und Mystik, Zweite Aufl. Köln 1925, S. 7f.
99 Ebenda, S. 10, 13.
100 „Leben" war so sehr sein Lieblingswort, daß Gundolf in einem Brief an Wolfskehl Hofmannsthal spöttisch das „Leben" nannte. Stefan George, Friedrich Gundolf, Briefwechsel, a.a.O., S. 56. – Zu Hofmannsthals Lebensbegriff vgl. Karl Pestalozzi, Sprachskepsis, a.a.O., S. 13ff.
101 Hugo von Hofmannsthal, Aufzeichnungen, Frankfurt 1959, S. 107.
102 Hugo von Hofmannsthal, Briefe 1890–1901, Berlin 1935, S. 141.
103 Malwida von Meysenbug, Memoiren einer Idealistin, Berlin und Leipzig 1900[5], S. 37.
104 Ebenda, S. 166.
105 H. F. Peters, Lou. Das Leben der Lou Andreas-Salomé, München 1964, S. 106.
106 Lou Andreas Salomé, Lebensrückblick, Zürich und Wiesbaden 1951, S. 47.

107 Für die Intensität der inneren Beziehung Rilkes zu Lou Andreas-Salomé gibt es noch ein spätes indirektes Zeugnis. Sie schrieb am 26. Dezember 1920 an Sigmund Freud: „Tod und Leben stehen eben in einer Aufeinanderbezogenheit, die uns notwendig als Ganzes entgeht, sind immer die Hälfte *eines* Geschehens; wie die unsichtbar bleibende Mondhälfte steht das Abrundende um den Begriff unfaßlich herum." (Sigmund Freud, Lou Andreas-Salomé, Briefwechsel, hrsg. von Ernst Pfeiffer, Frankfurt 1966, S. 116f.). In dem vielzitierten Brief, den Rilke 1925 an Hulewicz zur Erläuterung der Elegien schrieb, klingt ein Satz wie ein Echo jenes Satzes von Lou, mit der Rilke 1919 zwei Monate in München verlebte. *Lebens- und Todesbejahung erweist sich als Eines in den ‚Elegien'* . . . Der Tod ist die uns abgekehrte, von uns unbeschienene *Seite des Lebens.* (R. M. Rilke, Briefe, Frankfurt 1966, S. 896).

108 R. M. Rilke, Briefe, Frankfurt 1966, S. 896–898.

109 Lou Andreas-Salomé, In der Schule bei Freud, hrsg. von Ernst Pfeiffer, München 1965, S. 58.

110 Ebenda, S. 148.

111 Sigmund Freud, Lou Andreas-Salomé, Briefwechsel, S. 36. Die folgende Stelle ebenda.

112 Sigmund Freud, Abriß der Psychoanalyse. Das Unbehagen in der Kultur. Fischer-Bücherei, Frankfurt 1953, S. 90f.

113 Ebenda, S. 95. Die folgenden Stellen ebenda. S. 101, 91, 95.

114 Ebenda, S. 92.

115 Thomas Mann, Freud und die Zukunft, Ges. Werke, Bd. IX, S. 487.

116 Hugo von Hofmannsthal, Aufzeichnungen, Frankfurt 1959, S. 117.

WOLFGANG KAYSER

Der europäische Symbolismus

Versuch einer Einführung

Als in den dreißiger Jahren Stefan George, Albert Verwey, Gabriele d'Annunzio, William Butler Yeats und schließlich, im Jahre 1945, Paul Valéry starben, da traten die letzten großen Gestalten von der Bühne ab, denen noch der „Symbolismus" das Stichwort für ihr Erscheinen gewesen war. Gewiß, sie waren keine Symbolisten mehr, als sie starben – sonst hätten sie nicht so lange gelebt –, aber Kräfte jener Bewegung hatten in ihnen bis zum Schluß gewirkt; jetzt war sie endgültig abgeschlossen. Es ist heute vielleicht möglich, den Symbolismus als Gesamtheit, als historische Bewegung in der Literaturgeschichte zu überschauen, das heißt seinen Beginn und Verlauf, sein Wollen und Können.

Denn es ist wohl zweierlei, die Intentionen einer dichterischen Bewegung erkennen und erörtern, auf Grund ihrer Programme und theoretischen Äußerungen, – und aus den repräsentativen Werken ihr Wesen erkennen, wie es den Dichtern selber vielleicht gar nicht immer bewußt war. Wir haben als Beitrag für die erste Aufgabe, das künstlerische Wollen des Symbolismus zu erfassen und zu ihm Stellung zu nehmen, im Jahre 1948 den so reichen, interessanten, ja erregenden Essay von T. S. Eliot, *From Poe to Valéry* bekommen. Es soll im Folgenden versucht werden, über einige Erscheinungen der symbolistischen Dichtung selber zu sprechen, einige Wesenszüge symbolistischer Kunst zu behandeln. Aber zunächst sollen einige gemeinsame Züge erwähnt, einige Namen und Daten genannt werden, um den Raum abzustecken, in dem wir uns zu bewegen haben.

Es ist heute vielleicht möglich, so sagten wir, die Bewegung als Ganzes zu überschauen. Dabei stellen wir wohl als erstes fest, daß sie bedeutende Produktionen hervorgebracht hat – „ich gestehe zu, daß in dieser Tradition von Poe zu Valéry einige von den modernen Gedichten stehen, die ich am höchsten bewundere", sagt T. S. Eliot, so kritisch er auch der Theorie des Symbolismus gegenübersteht. Wir beobachten zweitens, daß sie eine mächtige Bewegung gewesen ist, deren Einfluß sich einige Jahrzehnte lang nur wenige Dichter haben entziehen können und der die dichtenden Anfänger noch heute leicht verfallen, und drittens, daß sie eine große europäische Bewegung ist, wie Klassik, Romantik, Naturalismus große europäische Bewegungen waren. Ein Unterschied wird dabei freilich sofort greifbar: Klassiker, Romantiker, Naturalisten: sie antworten uns auf die Fragen nach dem Menschen, seinem Wesen und seinem Schicksal, nach der Zeit und ihren Problemen, nach Volk und Menschheit, Liebe und Tod, Geschichte und Ewigkeit, Natur und Gott. Die Symbolisten aber sprechen weder in den dichterischen noch in den theoretischen Schriften davon. Dafür sprechen sie, und nun häufiger und eifriger, ja mit einer befremdenden Intensität, von einer Frage, die ihnen alle zu ersetzen scheint: von der Kunst. Sie alle kennen E. A. Poe's *Philosophy of Composition*, sie sprechen über den Akt des Schaffens, über das Wesen der Kunst, über die Mittel des Handwerks, und in Frankreich übertönt um 1890 der Lärm der Kampfrufe für oder wider den „vers libre" alles andere, selbst die Politik. Bei manchen Symbolisten überwiegen die kritischen und ästhetischen Schriften die poetischen.

Die Werke der portugiesischen Symbolisten sind von einem Verlag herausgegeben worden, jedem Band steht als Motto – in deutscher Sprache – das Wort des Novalis voran: „Die Poesie ist das echt absolut Reelle. Dies ist der Kern meiner Philosophie. Je poetischer, desto wahrer." Das Wort könnte als Motto über den Werken aller Symbolisten stehen, und es ist von vielen zitiert worden. Wir empfinden ein solches Bekenntnis vielleicht als übersteigert, wir spüren darin etwas Bedenkliches, Ungesundes, einen Verlust des Gleichgewichts. Es ist in der Tat der Ausdruck einer Gesinnung, die an keine anderen Werte glaubt, die in bewußter, scharfer Opposition zur eigenen Zeit und ihrem Geist, zur Gesellschaft und nicht zuletzt zur literarischen Tradition steht. Welche Gefahren eine solche Übersteigerung und Isolierung für den einzelnen Dichter birgt, das erweist sich auch aus den Biographien; über dem Symbolismus liegt, von dieser Seite her gesehen, etwas Ungesundes, Krankhaftes, Morbides oder gar Selbstzerstörerisches. „Poète maudit" – diese Formel, die Verlaine prägte, kennzeichnet in der Tat die Lebensform vieler dieser Dichter; die andere, gar nicht so sehr verschiedene, die sie mit Baudelaire als letzte Offenbarung einer aristokratischen Haltung feiern – George, d'Annunzio und andere leben sie – ist der Dandysmus. In der Biographie spiegelt sich aber noch ein anderer Zug: die Internationalität. Sie haben sich zum großen Teil gekannt, das heißt sich gesucht; das wichtigste Zentrum lag in Paris, im Hause Mallarmés. An seinen berühmten Dienstagabenden begegneten sich Stefan George, Symons, Yeats, Rubén Dario; Swinburne, Wilde, d'Annunzio waren in Paris, wie die führenden spanischen und portugiesischen Symbolisten und später Rilke. Mallarmé, Verlaine, Rimbaud ihrerseits kannten England und englische Dichter. Sie verstanden die Sprachen der andern, lasen ausländische Dichtung, und fast alle sind als Übersetzer berühmt: Baudelaire und Mallarmé übertrugen aus dem Englischen (Mallarmé, Lehrer des Englischen, war mit einer Deutschen verheiratet, Laforgue, Vorleser bei der deutschen Kaiserin Augusta, heiratete eine Engländerin). Bei Rossetti bilden die Übersetzungen einen wesentlichen Teil seines Werkes. Stefan George übersetzte die Franzosen, Engländer, Italiener, Holländer und Polen seiner Zeit. Rilke übersetzte Valéry und schrieb auf Französisch, wie es auch Wilde tat, dessen *Salomé* zuerst auf Französisch erschien, während Verlaine vielfach englische Titel über seine Gedichte setzte. Sie alle behorchen die andere Sprache auf ihre Ausdruckskraft, auf ihre dichterischen Mittel, und überall begegnet man bei diesen Dichtern neuen, fremd anmutenden Sprach- und Versformen. Denn das eint sie alle, das ist ihr gemeinsames Streben: in dem dichterischen Wort noch neue Wirkungsmöglichkeiten freizumachen, ihm die letzten Tiefen seiner Kraft abzufordern. Sie alle suchen hinter der eigenen und hinter den andern eine neue Sprache, das magische Wort, das die Kraft alter Gebete und Zauberformeln besitzt, die Alchemie des Wortes, le Verbe, das schöpferische, geheimnisvolle Wort, das nicht mehr Scheinwirklichkeit meint und bezeichnet, sondern Wesen beschwört und, in den Urgrund, ins Absolute dringend, etwas von der „beauté absolue" aufleuchten läßt.

Und wieder hätten sie mit solcher Sehnsucht Novalis zitieren können:

Wenn nicht mehr Zahlen und Figuren
Sind Schlüssel aller Kreaturen ...
Und man in Märchen und Gedichten
Erkennt die wahren Wundergeschichten,
Dann fliegt vor einem geheimen Wort
Das ganze verkehrte Wesen fort.

Oder sie hätten, und haben es auch getan, Keats' Hymne *To Intellectual Beauty* zitieren können. Die Tatsache, daß der Symbolismus in England und Deutschland an die romantische Tradition anknüpfen konnte, erklärt, warum er in diesen Ländern nicht so tief und revolutionär wirkt wie in den romanischen Ländern, für die er geradezu das Nachholen der Romantik bedeutet. Überall aber erweitert sich im Symbolismus der Kanon dessen, was als große Dichtung gilt; neben die Entdeckung fremder Literaturen (in starkem Maße jetzt auch des Vorderen und Fernen Orients) treten Entdeckungen im eigenen Land. So werden Blake in England, Gérard de Nerval in Frankreich, Hölderlin in Deutschland, Góngora in Spanien von den Symbolisten erst in ihrem Wesen erkannt.

Die Tendenz, alle Kräfte des dichterischen Wortes zu offenbaren, erklärt nun auch, daß der Symbolismus vor allem die Lyrik pflegt; wo er sich dem Drama zuwendet, da entstehen jene meist einaktigen, dichterisch gewiß bedeutsamen, aber im Grunde lyrisch-balladesken und damit undramatischen Gebilde, wie wir sie bei Maeterlinck und im Frühwerk von Yeats, Rilke und Hofmannsthal finden. Aus jener Tendenz erklärt sich aber auch der Kampf der Symbolisten gegen die zu ihrer Zeit herrschende Dichtung, gegen die gefeierten Lamartine, Tennyson, Geibel, weil sie mit einer sterilen, poetischen Sprache arbeiteten, weil sie die Sprache nutzten als Mittel, um etwas Gedankliches zu sagen oder Gefühle zu übermitteln oder etwas zu lehren oder zu beschreiben. „Die symbolistische Kunst ist die Feindin des Belehrens, der Deklamation, der falschen Empfindsamkeit, der objektiven Beschreibung", so heißt es im Manifest des Symbolismus, das Moréas 1886 im Figaro veröffentlichte. Und aus Stefan Georges *Blättern für die Kunst* erklang das Echo:

„Den Wert der Dichtung entscheidet nicht der Sinn (sonst wäre sie etwa Weisheit, Gelahrtheit), sondern die Form, das heißt nichts Äußerliches, sondern jenes tief Erregende in Maß und Klang . . ." Und am bündigsten war die Formel O. Wildes: „Die Kunst drückt nicht die Zeit, sondern sich selber aus."

Das Tieferregende in Maß und Klang, die geheimnisvolle, magische Kraft dichterischer Sprache haben sie nun in einem Gedicht erlebt, das man wohl das wirksamste Gedicht des 19. Jahrhunderts nennen kann: in E. A. Poe's *The Raven.* Elizabeth Barrett-Browning hat uns berichtet, wie das Gedicht in ihrem Bekanntenkreise gewirkt hat: „Einige meiner Freunde sind von dem schauerlichen, andere von dem musikalischen Element des Gedichts ganz eingenommen. Man erzählt mir von Personen, denen das Nevermore nicht mehr aus dem Sinn geht, und ein Bekannter, der das Unglück hat, eine Pallasbüste zu besitzen, wagt es nicht mehr, sie in der Dämmerung anzusehen." Das „Nevermore" ist vielen Symbolisten nicht aus dem Sinn gekommen (bei Verlaine erscheint das englische Wort als Gedichttitel); sie haben es übersetzt und auf seine Wirkungen untersucht und nachgeahmt. Und sie haben die *Philosophy of Composition* studiert, in der Poe die Entstehung aus hellster Bewußtheit und in steter Überprüfung der Mittel beschrieb. Sie haben Poe als den Herold ihrer Poetik, ihres bewußten Schaffens gefeiert. Noch Valéry nennt ihn „den Dämon der Klarsicht, den Erfinder der verführerischsten Kombinationen . . . zwischen Mystik und Berechnung, den Psychologen des Ausnahmezustandes, der die Hilfsmittel der Kunst vertieft hat", und der Kernsatz von Gottfried Benns Poetik: „Das Gedicht wird gemacht" ist im ausdrücklichen Hinblick auf Poe formuliert worden.

Aber wenn wir Poe als einen Anreger des Symbolismus hier kurz erwähnen, dann müssen wir auch den anderen und seinen Kreis nennen, der das Gegenstück zum *Raven* schrieb. Aus anderer Perspektive gewiß: nicht das Bild des verlassenen, sich grämenden Liebhabers auf der Erde zeichnend, sondern das unvergeßliche, hoheitsvolle Bild des über die Brüstung des Himmels gelehnten Mädchens, das ihm entgegenwartet: Rossetti mit seiner *Blessed Damozel.* Eine andere Perspektive waltet aber auch in einem tieferen Sinne. Denn wir befinden uns mit den Gedichten Rossettis nicht mehr in einer Welt des psychischen Ausnahmezustandes, sondern in einer Welt der großen Gestalten, der hoheitsvollen Gebärden, der Beherrschung und Zucht im Verhalten und, um sein eigenes Wort aus *Hand and Soul* zu verwenden, der „moral greatness"; denn was trifft uns so am Schluß jenes Gedichts? Daß erst hier der so lang beherrschte, tiefe Schmerz in einer Ausdrucksgebärde durchbricht:

> And laid her face between her hands,
> And wept.

Man weiß, wie Rossetti und seine Freunde, aus Abscheu vor der niedrigen Gegenwart, aus Sehnsucht nach einem Bereich der Hoheit, Zucht und moral greatness, sich ihre Welt – als Dichter und Maler – aus Dante und der mittelalterlichen Epik aufgebaut haben. Man weiß aber vielleicht noch nicht genug, wie stark sie damit auf den Kontinent gewirkt haben. Am ehesten weiß man es noch in der Malerei; die Bilder von Stefan Georges Freund Melchior Lechter sind zum Beispiel ganz an den Präraffaeliten inspiriert (die übrigens am nachhaltigsten auf das Reklamebild des beginnenden 20. Jahrhunderts gewirkt haben). Man weiß es auch noch von den Nachwirkungen eines William Morris, des Möbelgestalters und Erneuerers der modernen Buchkultur, aber weiß es noch wenig von Rossetti. Der junge Mallarmé steht unter seinem Einfluß, Verlaine schreibt Gedichte auf Bilder von Rossetti, Stefan George eröffnet die beiden repräsentativen Bände der Übersetzungen *Zeitgenössische Dichter* mit 13 Gedichten Rossettis und stellt ihn damit als den Beginner der neuen Lyrik des Symbolismus hin, wie es auch Yeats getan hat. Die stilisierte Welt der Zucht und Haltung, der „greatness", der hohen Gebärden, hinter denen alle Leidenschaft lodert (und gerade dieses nur Ahnenlassen der seelischen Abgründe, das Andeuten ist typisch für diese neue Kunst), wir finden sie bei St. George und bei dem jungen d'Annunzio. Der Zwiespalt zwischen äußerer Beherrschung und Kälte und innerer Leidenschaftlichkeit wird bei den beiden bis zum Äußersten, bis zum Sensationellen getrieben.

Es scheint, als habe Rossetti mit einem Kunstmittel anregend gewirkt, von dem er besonders wirkungsvollen Gebrauch zu machen wußte. Auf den zitierten Schluß der *Blessed Damozel* folgen noch vier Worte, die in Klammern gesetzt sind. Solche Klammern finden sich an vier Stellen des Gedichts. Es spricht da, wie der Leser erst erschließen muß, der einsame Liebhaber auf Erden. Innerhalb des Gedichts lagern sich also zwei Ebenen übereinander, so daß man von Gedichten mit doppelter Ebene sprechen darf. In *Sister Helen* sind es sogar drei Ebenen, die kehrreimartig durcheinander spielen. Nun ist solche Zweischichtigkeit der Lyrik von Haus aus vertraut. Aber wenn sich in volkstümlichen Liedern die vom Einzelsänger vorgetragene Strophe und der vom Chor gesungene Kehrreim aneinander fügen, so bleibt das eine klare Sonderung. Die Symbolisten erreichen nun aber durch Verlegung der doppelten Perspektive in den einen Sprecher (Verlaine: mehrere Gedichte aus der Sammlung *la bonne chanson*) ganz neue, zum Teil psychologisch raffinierte Wirkungen. Mit jeder Fassung seines *L'après-midi d'un Faune* verwebt Mallarmé Vergangenheit und Gegenwart enger, und wenn solches Verschmelzen der beiden Schichten für den modernen Roman kennzeichnend wird (Proust, Virginia Woolf, Faulkner), so zeigt sich darin zumindest eine Ähnlichkeit zu Tendenzen des Symbolismus (ein Ahnherr solchen Erzählens ist wieder Hölderlin mit seinem *Hyperion*).

Nachdem wir einige gemeinsame Züge und in Poe und Rossetti zwei Anreger des Symbolismus kennen gelernt haben, sei im folgenden versucht, einige wesentliche Kennzeichen symbolistischer Dichtung, typische, bedeutsame Stilzüge also, herauszuheben. Wir wollen dabei drei Wege verfolgen und beginnen jeweils mit einem der großen französischen Symbolisten: Verlaine, Mallarmé, Baudelaire. „De la musique avant toute chose“ – so lautet ein Satz aus dem *Art poétique* von Verlaine, und Klang und Rhythmus hat er in einem Maße zum Ausdrucksträger werden lassen, wie es in der französischen Dichtung noch nicht vorgekommen war. Dabei wirken seine Gedichte niemals forciert, er übertreibt kein sprachliches Mittel, ein wunderbarer Zusammenklang entsteht, und gerade das Unmerkliche, das Hauchzarte, das Intime, das Leise-vor-sich-hin-singen ist das Besondere seines Tones. Das Lied, bisher nur gering vertreten in der französischen Lyrik, gewinnt mit ihm nun plötzlich Rang. Wenn er in Deutschland von allen neuen Dichtern zunächst am schnellsten Eingang fand, so wirkte der Reiz mit, den das Vertraute in fremdem Mund bekommt. Es war wie eine Erneuerung, eine Verfeinerung des romantischen Liedes.

Was hier als Bekanntes erschien, erschien in den romanischen Ländern als Revolution. Und immer wieder wurde Verlaine dabei als Vorbild gefeiert. Wie es begreiflich ist, wurden die neuen Mittel übertrieben. Schon in Frankreich selber folgten Dichter, die die Leistungskraft der einzelnen Laute dogmatisch festlegen wollten. Die „Audition colorée“, das farbige Hören, wurde zum Gegenstand von Untersuchungen, ja von Gedichten. Man hat, und wohl mit Recht, gezweifelt, ob man den Anfang des Sonetts *Voyelles* von Rimbaud ganz ernst nehmen dürfte. „A noir, E blanc, I rouge, U vert, O bleu.“ Ernstgemeint war jedenfalls die „instrumentation verbale“ von Rhené Ghill, der jedem Laut nicht nur seinen Farbwert, sondern auch einen bestimmten seelischen Ausdruckswert zuschrieb und ihn als Ton eines bestimmten Instrumentes festlegte: o, oi und p, r gehörten zu dem damals gerade aufgekommenen Saxophon und bedeutet Ruhm, Wille, Herrschaft. Sehen wir von solchen Verirrungen in Rezepte des musikalischen Konponierens ab: ohne Frage hat der Symbolismus das Ohr der Dichter und Leser verfeinert und auf den Sprachklang aufmerksam gemacht. Wieder darf man dabei an Rossetti und Poe erinnern: in der siebenzeiligen Strophe seines *Raven* gibt es zwei dreifache und einen vierfachen Reim – und der vierfache immer auf „nevermore“! Die Häufung der Reime finden wir überall, besonders typisch sind sie für den jungen Rilke. Daneben erscheint die Alliteration. In den germanischen Literaturen ist sie seit je bekannt, – der Beginner des portugiesischen Symbolismus dagegen, Eugénio de Castro, konnte sich rühmen, der erste zu sein, der sie in seiner Sprache bewußt als Kunstmittel verwendet hätte. Neben Verlaine wurde dabei übrigens auch R. Wagner als Vorbild gerühmt. Für die Häufung des gleichen Vokals sei ein Beispiel dem Werk des ersten der Symbolisten in spanischer Sprache, Rubén Dario, entnommen. Da es nur auf den Klang ankommt, muß es im Original geschehen:

Sinfonia en gris mayor

El mar como un vasto cristal azogado
Refleja la lámina de un cielo de zinco,
Lejanas bandadas de pájaros manchan
El fondo bruñido de pálido gris . . .

Das Gedicht ist überschrieben *Sinfonia en gris mayor*, und solche Titel *Sinfonie, Sonate, Sonatine* finden sich mit Berufung auf Gautier, Mauclair und Verlaine häufig und in aller Welt; es darf an den Titel der Rilkeschen Erzählung erinnert werden: *Die Weise von Liebe und Tod.* Aber auch diese Technik der musikalischen Titel findet sich schon in der Romantik. Was ist an allem das Neue? Für die romanischen Literaturen ist gewiß dieses intensive Nutzen des Sprachleibs an sich etwas Neues. Und in den germanischen

Literaturen? Man könnte sagen: das oft so schwelgerische Musizieren sei auch hier etwas Neues. Der Zauberklang, die raffinierte Sinnlichkeit von Strophen aus Swinburne's *Atalanta* scheint doch erst im späten 19. Jahrhundert möglich zu sein. Aber ganz gewiß haben wir damit noch nicht das Wesentliche an der symbolistischen Wortmusik erfaßt, und um das zu tun, müssen wir noch einmal zu dem Meister, zu Verlaine. Und da erkennen wir, daß das Wesentliche von Verlaines Kunst nicht die Tatsache ist, daß er mit Klängen und Rhythmen wirkt, auch nicht, daß die Musikalität seiner Gedichte unsere Sinne angenehm berüht, sondern wesentlich ist, was diese Mittel leisten. Wir müssen auf seine Verse hinhören und wählen eines seiner bekanntesten Gedichte:

Chanson d'Automne

Les sanglots longs
Des violons
De l'automne
Blessent mon cœur
D'une langueur
Monotone.

Tout suffocant
Et blême, quand
Sonne l'heure,
Je me souviens
Des jours anciens
Et je pleure;

Et je m'en vais
Au vent mauvais
Qui m'emporte
De-cà, de-là,
Pareil à la
Feuille morte.

Was in der dritten Strophe auffällt, sind nicht die ungewöhnlichen Klänge, vielmehr sind es gerade die unauffälligen Wörter im Reim. Wenn da der Artikel la im Reim erscheint, dann gehen an dieser Stelle von ihm – wir werden uns dessen gar nicht bewußt – besondere Wirkungen aus. Es ist, als ob die Kleinheit, Hilflosigkeit, Getriebenheit des sprechenden Ich in dem Vergleich mit „dem", mit diesem ganz leicht betonten toten Blatt erst ganz deutlich wird. Und die drei Gleichklänge „de cà, de là, Pareil à la" drücken die ganze Ohnmacht, Richtungslosigkeit des Ich aus, das Hin- und Hergeworfenwerden. Wir können den Klang nicht von den Bedeutungen und der Konstruktion lösen: sie steigern sich alle gegenseitig und machen mit ihrer Suggestion die Verlorenheit des Ich abgründig. Es löst sich auf, daß es nicht einmal mehr als Träger des Schmerzes übrig bleibt. Und dieses Aufgelöstwerden von dem, was von draußen als Hauch, als Klang, als Erinnerung heranschwebt, ist kennzeichnend für Verlaine, immer wieder entgleitet er sich im Verschmelzen mit einem Draußen, das nur als Hauch, als Duft, als Klang schwebt. Es ist ungewiß: kommen die Erinnerungen aus ihm, oder kommen sie wie Luft von draußen? Ein bestimmtes Weltgefühl, ein bestimmtes Ichgefühl prägen sich in der Verlaineschen Musikalität aus – und nun verstehen wir, warum er so wirkte.

Das war etwas anderes, als wenn die Romantiker sich der Natur, dem Göttlichen der Natur hingaben oder den Anruf göttlicher Kräfte spürten, indem sie die *Intellectual Beauty* oder den Westwind ansangen. Dieses Sich-Auflösen des Ich in ein ungewisses, schwebendes Draußen, dessen Dichter Verlaine war, beobachten wir bei vielen Dichtern der Zeit, und nur bei den größten liegt es implizit so wie bei Verlaine in den unbewußt wirkenden Mitteln der dichterischen Sprache, so daß es explizit nur angedeutet oder gar nicht gesagt zu werden braucht. „Nur von außen weht uns unser Ich an" sagt einmal der junge Hofmannsthal und drückt damit jenes Ich-Gefühl aus, das auch aus dem Vers des großen holländischen Symbolisten Leopold „Mijn hoofd hangt in een web van schemeringen" zu uns spricht und wohl auch in Rimbauds Satz liegt: „Je est un autre." Ebenso ist Verlaine Vorbild in diesem Erfassen des Draußen als eines Hauches, der uns auflöst, als Gestalter dieses Hauches um die Dinge, der mit dem Verstand gar nicht zu fassen ist. Wenn der Erzähler in Rilkes *Aufzeichnungen des Malte Laurids Brigge* durch die Straßen von Paris geht, das Paris von 1900, dann spürt er wie Nadelstiche die Schreie der im Mittelalter an dieser Stelle Gefolterten, dann ist das Vergangene in der Atmosphäre lebendig und dringt stumm auf den Menschen ein. Deshalb nehmen die Symbolisten auch die Dinge auf, die Verlaine als Träger der dichtesten Atmosphäre einer ungewissen, reichen Vergangenheit, eines entflohenen und doch noch spürbaren Lebens bedichtet hat: die Masken, die alten Parke, und wir müssen die alten Städte hinzunehmen: Gent, Brügge, Wien, Venedig, Byzanz: sie bergen für die Symbolisten den Reiz von abgelegten Masken, um die dennoch das Geheimnis früheren Lebens schwebt.

Wir kommen damit zum erstenmal in Versuchung, den Namen Symbolismus zu deuten, der sich eingebürgert hat, obwohl er uns nicht sehr treffend zu sein scheint. Wollen wir dennoch solche Gegenstände der symbolistischen Dichtung wie Masken, alte Parke, alte Städte als Symbole bezeichnen, so müssen wir uns freilich ihres besonderen Charakters und ihrer besonderen Verwendung bewußt sein. Sie haben nichts von der Geschlossenheit, dem Statischen und der eindeutigen Richtung auf den tieferen Gehalt, wie es den Symbolen klassischer, aber auch romantischer Kunst wesentlich ist. Von welcher Klarheit ist, um ein romantisches Gedicht auf eine Stadt zu nennen, die Symbolik in Wordsworth's Sonett auf London: *Composed upon Westminster Bridge,* mit seiner Schlußzeile:

> And all that mighty heart is lying still!

Die Symbolisten wissen nicht, wohin sie ihre Gegenstände weisen, sie spüren nur das Ziehende, Lockende, Verschwebende, in das sie aufgelöst werden. Ein Sprachzug ist kennzeichnend: die Vorliebe bei Mallarmé, Rilke, Hofmannsthal und vielen anderen für das Unbestimmte: quelque, irgend, some, einschließlich der Komposita: einer, irgendwer, irgendwo, irgendwie. Damit erfassen wir einen Unterschied zur Romantik, spüren ein Mißverständnis, wenn die Symbolisten Novalis zitieren: „Je poetischer, desto wahrer." Die Romantiker wußten, wo das Wahre, das Wesentliche, das Eigentliche lag, zu dem die Poesie die einzige Brücke war. Die Symbolisten wissen es nicht, sie fühlen nur das Fortgezogenwerden: de çà, de là.

Gewiß, sie versuchen mitunter, eine Richtung festzulegen, ein letztes Übersinnliches, ein Absolutes in einem Mythos zu verdichten. Der junge Mallarmé hat es versucht, und wir kommen damit auf den zweiten Weg von den drei, die wir beschreiten wollten. Mallarmé wird angeregt von Baudelaire und Poe und von der englischen Romantik; denn wir meinen einen Nachklang von Shelley und besonders Keats zu spüren, wenn er – wie auch Poe und Baudelaire – die absolute Schönheit zu seiner Göttin macht. Aber T. S. Eliot hat wohl völlig recht, wenn er sagt: „Poe und Mallarmé haben einen Drang zur metaphysischen Spekulation, aber es ist augenscheinlich, daß sie nicht an die Theorien glauben, für die sie sich interessieren oder die sie erfinden: so wie Dante und Lukrez die ihren bestätigen. Sie bedienen sich der Theorien, um ein beschränkteres und exklusiveres Ziel zu erreichen; um ihre Fähigkeit zur Reizbarkeit und Empfindung zu verfeinern und auszubilden." Mallarmé hat die Jugendmythologie später aufgegeben, er spricht wohl noch von idéal und idée (unter dem Einfluß der Ästhetik Schopenhauers), er bezeichnet als Aufgabe der Poesie: „die göttliche Umsetzung des Faktums ins Ideal", aber der Schwerpunkt liegt jetzt auf der Umsetzung durch die Sprache. Er plant ein Werk: Wissenschaft von der Sprache, – Symptom jenes Strebens der Symbolisten nach dem verwandelnden, magischen, schöpferischen Wort.

Die Lehre von der Verwandlung der Dinge als „drängender Auftrag" begegnet später bei Rilke in der 9. *Duineser Elegie:*

> Sind wir vielleicht hier, um zu sagen: Haus,
> Brücke, Brunnen, Tor, Krug, Obstbaum, Fenster,
> Höchstens: Säule, Turm . . . aber zu sagen, versteh's,
> oh zu sagen so, wie selber die Dinge niemals
> innig meinten zu sein.

Aber diese Verwandlung erfolgt als Auftrag der Erde an den Menschen und in Richtung auf den anderen Bezug, an dessen Grenze der Engel steht und von dem die Duineser Elegien Kunde geben wollen. So deutlich Rilke die Kunstmittel des Symbolismus nutzt: die verkündende Haltung, dieses priesterliche Wissen entfernt ihn von den Symbolisten, wie sich d'Annunzio mit dem mythologischen Preisen in seinen *Laudi* von seiner symbolistischen Jugend entfernt hatte. Oder wirkte bei Rilke die Macht einer eigenen Sprache als Verführung?

Mallarmé verkündet nicht, er vollzieht in jedem Gedicht die Verwandlung. Und dabei entwickelt er Kunstmittel, die von unabsehbarer Wirksamkeit geworden sind. Zu den Kunstmitteln gehört schon das Äußere; die Verteilung des Gedichts, die Drucktype, der weiße Raum der Seite, sie spielen schließlich eine bedeutsame Rolle. Dazu gehört weiter die eigene Interpunktion. Wenn weithin Komma, Semikolon einfach gestrichen werden, so zwingt das zu langsamem Lesen und steigert das Gewicht des Wortes. Und das ist Mallarmés Anliegen. Ihm dient die Streichung der unbedeutenden Sprachformen, er konzentriert bis zum Äußersten, er erlaubt sich syntaktische Umstellungen, die im Französischen unerhört sind:

> . . . si plonge
> Exultatrice à côté
> Dans l'onde toi devenue
> Ta jubilation nue.
> (Petit Air)

Man spürt, wie durch die Verzögerung des Subjekts eine Spannung auftritt, wie es emotional aufgefüllt wird und nun das Gedicht wirkungsvoll abschließt. Aber wer springt? Nicht ein Mensch, sondern ein Jubel. Ein Abstraktum würden die Grammatiker sagen; aber bei Mallarmé gibt es keine Abstrakta, sie sind körperlich da und handeln. Die Welt ist verwandelt bei ihm, und was für uns Abstrakta sind oder unbelebte Dinge oder unselbständige Teile, das besitzt bei ihm ein eigenes Leben. Die Körperteile, die Hand, der Finger: sie sind eigene Wesen wie auch das Lächeln, der Blick. Das haben sie alle von ihm gelernt. Aber die Verwandlung seiner Welt reicht weiter: auch unsere zeitliche und räumliche Ordnung hat sich aufgelöst: ganz weit Entferntes, Abwesendes ragt plötzlich herein wie auch längst Vergangenes.

Was so entsteht, ist eine sehr exklusive Kunst voller Dunkelheit, an den exklusiven Manierismus des Barocks oder der Troubadoure erinnernd. Es gibt Stellen, die mehrere Deutungen zulassen, und Mallarmé hat diese Offenheit ausdrücklich bejaht und verteidigt. Diese Gedichte, besonders aus der späteren Zeit, reizen den Kenner zur Entschlüsselung – und man muß schon Mallarmékenner sein, um sich überhaupt heranwagen zu können. Mallarmé hat selber einmal von dieser absichtlichen Undeutlichkeit gesprochen, er hat sie als Mittel der Suggestion bezeichnet und dabei den Begriff des Symbols gebraucht: „Ein Objekt nennen, das heißt dreiviertel des Genusses an einem Gedicht unterdrücken, der aus dem Glück besteht, allmählich zu ahnen: es (das Objekt) suggerieren, das ist der Traum. Das ist der vollkommene Gebrauch jenes Geheimnisses, das in dem Symbol liegt."

Symbol hat hier also gar keinen Zusammenhang mehr mit einem symbolisierten, einem transzendenten Gehalt. Es meint einfach das Geheimnisvolle der Unbestimmtheit. Es klingt fast blasphemisch: so als sei von der göttlichen Umsetzung ins Ideal nur noch der Reiz der eingekleideten Rechenaufgabe übrig geblieben, der durch den Gebrauch jener besonderen Kunstmittel erreicht werde. Aber Mallarmés Worte erfassen zu wenig von seiner Dichtung. Er hat mit seiner Sprachmagie die Welt verwandelt oder besser: er hat mit seiner Kunst Wesentliches der Welt beschworen, für das unser alltägliches Sprechen und Denken blind sind.

Wir betreten den letzten Weg. An seinem Ausgangspunkt steht der Älteste der Symbolisten, Baudelaire. Die Wertung hat sich verschoben. Zunächst galt Verlaine als der größte Lyriker des Symbolismus, dann war es eine Zeitlang Mallarmé – heute, bei wachsendem Abstand, erkennen wir wohl Baudelaire als den bedeutendsten an. Uns geht es hier nicht um das Werk einzelner Dichter. Und so begnügen wir uns, einen Zug an Baudelaire herauszuheben, der nun freilich, wie wir meinen, grundlegend für die Kunst des Symbolismus geworden ist. Es gibt ein Gedicht von Baudelaire, im Anfang seiner *Fleurs du Mal*, das die späteren Dichter als ihre Poetik anerkannt haben. Es heißt *Correspondances* und beginnt:

> La Nature est un temple où de vivants piliers
> Laissent parfois sortir de confuses paroles,
> L'homme y passe à travers des forêts de symboles
> Qui l'observent avec des regards familiers.
>
> Comme des longs échos qui de loin se confondent
> Dans une ténébreuse et profonde unité
> Vaste comme la nuit et comme la clarté,
> Les parfums, les couleurs et les sons se répondent.

Düfte, Farben und Klänge antworten einander, der Stilzug, den wir Synaesthesie nennen und der typisch ist für den Symbolismus, erfährt eine tiefere Begründung: er ist Ausdrucksmittel für die Gestaltung der Welt, wie sie das tiefer dringende Auge des Dichters wahrnimmt. Alles in der Natur hängt zusammen und weist aufeinander. Wir wollen nicht fragen, was diese Idee enthält und woher sie kommt – wir würden als unmittelbare Anreger für Baudelaire auf den deutschen Romantiker E. T. A. Hoffmann und den schwedischen Geisterseher Svedenborg, weiterhin aber in die Pansophie geführt werden, – für uns ist wichtig, daß die so jeweils über sich hinausweisenden, in heimlichem Bezug stehenden Dinge von Baudelaire deshalb als Symbole bezeichnet werden. Von „Wäldern von Symbolen" spricht er, und wenn wir schon bei Verlaine im Vergleich zur Geschlossenheit und klaren Intentionalität des Symbols bei Wordsworth von seiner Offenheit sprachen, von der Vielfalt der Richtungen, in die es uns zieht, so ist bei Baudelaire ein weiteres Kennzeichen des typischen Symbolismus erfaßt: das Sich-Verschlingen der Symbole, das In-einander-Übergehen, während bei Wordsworth das Gedicht sich in einem Symbol rundete. „Wälder von Symbolen" sagte Baudelaire; Hofmannsthal gebraucht ein anderes und doch entsprechendes Bild, wenn er von dem Dichter spricht:

Der . . . alle Stimmen in der Luft
Verstand . . .
Und als den Preis des hingegebnen Lebens
Das schwerlose Gebild aus Worten schuf,
Unscheinbar wie ein Bündel feuchter Algen,
Doch angefüllt mit allem Spiegelbild
Des ungeheuren Daseins, und dahinter
Ein Namenloses, das aus diesem Spiegel
Hervor mit grenzenlosen Blicken schaut
Wie eines Gottes Augen aus der Maske.

Es ist nicht mehr nötig, das Weltgefühl, das in solchen Gedichten liegt, ausdrücklich in Worte zu fassen. Nur eine Entsprechung, eine Verbindung, die sich nun zwischen unseren drei Wegen hergestellt hat, darf erwähnt werden. Jene Unfestigkeit des Ich, das Sich-Nicht-Bewahren-können, das Aufgelöstwerden in die Welt, das wir bei Verlaine fanden, wir finden es hier nun gleichsam als Teil eines umfassenden Weltbildes und Lebensgefühles, als Gesetz alles Seins. Wir übertragen ein kleines Gedicht von Sá-Carneiro, dem bedeutendsten portugiesischen Symbolisten, in deutsche Prosa; alles bisher Besprochene findet sich hier beisammen:

Der Spiegelsaal des Schlosses liegt verlassen.
Ich habe Furcht vor mir. Wer bin ich? Woher kam ich?
Hier ist alles schon vergangen . . . In dunklen Schatten
Starb die Farbe – und selbst die Luft liegt in Trümmern.
Aus anderer Zeit kommt das Licht, das mich erleuchtet.
Ein undurchsichtiger Klang löst mich zum König auf.

Sá-Carneiro hat sich 1917 in Paris erschossen, als ihm der Glaube zerbrach, daß die Poesie ein Weg wäre, an dessen Ende ein Ziel stünde. Aber der Preis des hingegebenen Lebens sind einige schwerelose Gedichte, die zu den schönsten des europäischen Symbolismus gehören. Man könnte die Symbolisten daraufhin untersuchen, wie sie die Bilder, die Symbole, die Spiegelbilder ungeheuren Daseins ineinander fügen. Bei Hofmannsthal fänden wir wohl das musikalische Ineinandergleiten, bei Baudelaire oft eher einen tektonischen, klaren Bau. In *La Cloche fêlée* etwa lagern sich drei korrespondierende Bildschichten übereinander. Bei Rilke fänden wir Beispiele für das Ineinandergleiten wie für den Bau in zwei und drei Bildschichten. Wir finden bei ihm und anderen noch eine neue Art der Fügung, die typisch symbolistisch ist und dabei so einfach, daß sie als Technik ablesbar ist. Wir wählen als Beispiel ein Gedicht des spanischen Symbolisten Juan Ramón Jiménez.

Alrededor de la copa
del árbol alto,
mis sueños están volando.

Son palomas, coronadas
de luces puras,
que, al volar, derraman música.

Cómo entran, cómo salen
del árbol solo!
Cómo me enredan en oro!

Um den Wipfel
des hohen Baumes
schweben meine Träume!

Tauben sind es, gekrönt
mit reinen Lichtern,
die im Fliegen Musik ausströmen.

Welch hin und wieder
um den einsamen Baum!
Wie sie mich in Gold einhüllen!

Die Ausgangsebene ist das Ich mit seinen Träumen. Aber das Gedicht beginnt gleich auf der Metaphernschicht mit Baum und Tauben. Und auf dieser Schicht dichtet es sich weiter. Genau genommen steigt es noch auf eine dritte Metaphernschicht. Mit „reinen Lichtern" hieß es schon in der fünften Zeile, der Schluß endet auf dieser Ebene des Lichtes und des Goldes. Das Einsetzen auf der Metaphernschicht und Umspringen auf eine neue Metaphernschicht, auf der sich das Gedicht nun fortsetzt, kann leicht in eine äußere Technik entarten, die die Kleinen den Meistern abgucken.

Aber nicht mit einem Blick auf die Kleinen, sondern auf die Großen, die vielen großen Dichter des Symbolismus wollen wir schließen. In dem einseitigen, oft verzweifelten Glauben an die Gewalt der Poesie haben sie es unternommen, das dichterische Wort und die sprachliche Fügung zu befreien: nicht nur von der Beschreibung, das heißt der Bindung an das Hier und Jetzt der Wirklichkeit, sondern von der Bindung an diese Wirklichkeit überhaupt, und zu befreien nicht nur von Gefühl und Meinungen, das heißt der Bindung an das Hier und Jetzt des Sprechenden, sondern von der Bindung an einen persönlichen Sprecher überhaupt. Auf daß die heimliche Magie der Sprache sich rein entfalten konnte. Auf daß im Akt der Verwandlung das Knistern, Funkeln und Fluten der Sprachmagie wirksam werden konnte. Wohin die Verwandlung führte, das wurde immer fraglicher. Die Unmöglichkeit einer Antwort ist manchen Symbolisten zum Verhängnis geworden, andere verstummten, auf Jahre oder auf immer. Und sie war wohl ein Grund, daß der Symbolismus als Bewegung schließlich zerrann. Seit 1910 traten zwei andere Bewegungen in die Erscheinung, in Deutschland der Expressionismus, in Frankreich der Surrealismus, wie ihn Apollinaire, sein erster großer Vertreter, nannte, – man könnte auch von Fragmentarismus sprechen. Beide haben viel vom Symbolismus in sich aufgenommen, dessen Kenntnis damit zur Hilfe, fast zur Voraussetzung wird, wo das Verständnis der gegenwärtigen Lyrik erstrebt wird.

ZWEITER TEIL

SOZIALGESCHICHTE UND PROGRAMMATIK

HANS WILHELM ROSENHAUPT

Die Kritik des Dichters an der bürgerlichen Gesellschaft

Für die Beziehungen des deutschen Dichters zur Gesellschaft seit 1890 ist es entscheidend, daß ein tiefer Abgrund zwischen Dichtertum und Bürgertum klafft. „Gesellschaft“ ist hier wie im folgenden mit „Bürgertum“ identisch. Diese Gleichsetzung ist insofern berechtigt, als die hier hauptsächlich betrachteten Dichter – *Rilke, George, Hofmannsthal, Thomas Mann, Gerhart Hauptmann* – unter Gesellschaft die für sie relevante Schicht, nämlich das Bürgertum verstehen.

Aus der Isolierung des Dichters vom Bürgertum nun lassen sich Erscheinungen verstehen, die für die deutsche Literatur seit 1890 typisch sind: Unfestigkeit, Vektorlosigkeit, Stückhaftigkeit und als deren Resultat die Unwirklichkeit der dichterischen Welt. Aus diesen Strukturverhältnissen lassen sich dann weiter typische Lebenslösungen ableiten, die hier unter den Stichworten Inseldasein, Wandererdasein, Geistigendasein geschildert sind. In den beiden ersten Kapiteln soll jedoch zunächst gezeigt werden, in welcher Weise dem Dichter seit 1890 sein Abstand von der Gesellschaft bewußt wird.

Wahrscheinlich besteht ein solcher Abstand immer. Der Sager und Rühmer ist ebenso wie der Kritiker wesensmäßig von dem Täter entfernt. Bevor uns nicht zahlreiche literarsoziologische Einzelarbeiten über die Funktion des Dichters in verschiedenen Epochen vorliegen, werden wir jedoch kein klares Bild von der soziologischen Situation des Dichters gewinnen können – wenn es überhaupt eine gültige soziologische Formel für die Situation des Dichters gibt, und wenn nicht in jeder Epoche der Dichter jeweils wesensverschiedene Funktionen in der Gesellschaft erfüllt.[1] Es ist auf jeden Fall ein Wesensmerkmal des deutschen Dichters um die Jahrhundertwende, daß ihm seine Abgelöstheit von der Gesellschaft als Einsamkeit *bewußt* wird und daß sein Denken um dieses Problem kreist.

Diese Erscheinung mag zu allererst darin begründet sein, daß um die Jahrhundertwende die bürgerliche Gesellschaft von dem Künstler anderes und mehr erwartet als vorher. So schreibt Kuno Francke um die Jahrhundertwende:

> there ist no country where literary and artistic questions are so eagerly discussed and evoke such serious consideration among the broad mass of average people as in the Germany of today.[2]

Und Utitz schreibt in seiner „Kultur der Gegenwart“ von der „gewaltigen Bedeutung dieser Kunst“. Aber nicht auf Kunst allein, so meint er, darf man den Nachdruck legen. „Einer ganzen Generation offenbarten sich ein neues Leben, ein neues Ethos, eine neue Welt!“ (S. 89). Hofmannsthal sagt in einem Vortrag über den „Dichter und diese Zeit“: „Waren sonst Priester, Berechtigte, Auserwählte, die Hüter dieser Sitte, jener Kenntnisse, so ruht dies alles jetzt potentiell in allen.“[3] Und er fährt fort: „Nie haben vor diesen Tagen Fordernde so ihr ganzes Ich herangetragen an Gedichtetes.“ Franz Werfel sagt rückblickend über diese Zeit:

> Ich glaube kaum, daß junge Menschen von heute die Entzückungen, ja, Lebenswandlungen verstehen können, die für uns aus einem Verse strömten.[4]

Jakob Wassermann schreibt in seinem „Bekenntnis" zu Gerhart Hauptmann über die neunziger Jahre: „Schon das allein machte uns stolz und zuversichtlich, daß Dichtung der Gesprächsstoff der Bürger war." Hermann Conradi geht in den „Modernen Dichtercharakteren" von 1894 noch weiter, wenn er in seinem „Credo" sagt, die Dichter seien „Hüter und Heger, Führer und Tröster, Pfadfinder und Weggeleiter, Ärzte und Priester der Menschen."[5] Er deutet damit an, wie mit Zerfall der Religion als Institution priesterliche Funktionen auch an den Dichter übergehen können, wie „der Dichter als Wegzeiger der Zukunft" (Nietzsche) oder wie „der Dichter als Führer" (Max Kommerell) wirken kann.[6]

„Was Menschen früherer Zeiten von den Priestern und Propheten, in zweiter Linie wohl auch von den Philosophen erwartet hatten, das erwartete man nun, nachdem die geistige Säkularisation fast durchgeführt war, von den Dichtern: Lebensdeutung und geistige Führung." Mit dieser Beobachtung Kluckhohns (S. 20) ist allerdings noch nicht alles gesagt. Vielmehr drückt sich in der Wendung des Bürgers zur Dichtkunst als lebensformender Macht nicht nur die geistige Säkularisation aus, sondern das Bestreben, notwendige Umstellungen dadurch zu erledigen, daß man sie im Reich der Kunst vornimmt, das für die Wirklichkeit nicht verbindlich ist. Indem der Bürger die Kunst für eine neue Weltordnung verantwortlich macht, verlegt er alle Kämpfe in ein politisch einflußloses Gebiet und sichert dadurch den status quo. Eine gute Beobachtung hat in diesem Zusammenhang Stoecklein gemacht:

> Was nun Gerhart Hauptmanns Stellung zu Gesellschaft und Staat betrifft, so kann man sagen, daß er sich in seinen Prosadramen ziemlich viel mit gesellschaftlichen Fragen, aber nur sehr wenig mit Staatsangelegenheiten befaßt und daß die Gesellschaftsfragen gewöhnlich in der Form von Reformvorschlägen oder -bestrebungen erscheinen, deren Ausführung dann aber unterbleibt, und zwar hauptsächlich wegen der Unzulänglichkeit der Reformer (S. 127).[7]

Das Bewußtsein der Notwendigkeit einer Änderung ist der ganzen Zeit gemeinsam. Von einer wichtigen Ausnahme abgesehen, sprechen alle Dichter der Zeit von der *Wende*. Rilke stellt seiner Gedichtsammlung „Traumgekrönt" 1897 ein Wort von Zoozmann als Motto voran: „Pfadschaffend naht sich eine große mit neuen Göttern schwangre Zeit",[8] und Morgenstern schreibt in einer Roseggerkritik: „Bald werden die ersten Streifen am Horizont den neuen Tag Dir künden".[9] „Man spürt den Wind von einem großen Blatt", das Gott bald herumwenden wird, heißt es im Stundenbuch Rilkes; „Wir wittern Gewitterwind, wir Volk", bei Richard Dehmel; „so etwas wie ein frischer Luftstrom, sagen wir aus dem zwanzigsten Jahrhundert, ist hereingeschlagen" (DrW I, S. 266), sagt Anna Mahr in Hauptmanns „Einsamen Menschen", und Hugo von Hofmannsthal schreibt 1900 an den Minister von Hartel, daß wir im Anfang einer Epoche zu stehen scheinen, „die keine jetzige Form ganz unberührt weiter bestehen lassen will."[10] Unversöhnlich und machtvoll heißt es in der „Einleitung der Herausgeber" zum dritten Jahrgang des „Jahrbuchs für die geistige Bewegung":

> Vom Kaiser bis zum geringsten arbeiter spürt jeder daß es so nicht weitergehen kann und gibt es zu wenigstens für die bezirke die ihn nicht unmittelbar berühren. Das erhaltende ist nur noch die sorge des einzelnen um amt, hab und gut. Kein mensch glaubt noch ehrlich an die grundlagen des heutigen weltzustands.[11]

Es ergänzt unsern Gedankengang, wenn Martin Sommerfeld im Nachwort zu seiner Anthologie moderner Lyrik die chiliastischen Züge in der Literatur der Gegenwart als ihr wesentlichstes Unterscheidungsmerkmal gegenüber früheren Epochen entdeckt und in diesem Chiliasmus das Gemeinsame von Idealismus und Naturalismus sieht (S. 210).

Eine Ausnahme in dieser Beziehung bildet das Werk Thomas Manns, und das aus zwei Gründen. Einmal hebt ihn seine Ironie weit genug über seine Zeit hinaus, um ihn das Ewig-Menschliche unter dem zeitlich Bedingten sehen zu lassen. So sind die Buddenbrooks lebendige Menschen. Zweitens steht Thomas Mann geistig auf dem Boden des Bürgertums und empfindet um die Jahrhundertwende wohl den Ausgang, nicht aber die Wende der Kultur. Die wirkliche Zeitenwende verlegt er vielmehr sehr viel später, in den Weltkrieg. Im „Vorsatz" zum Zauberberg sagt er:

> Die hochgradige Verflossenheit unserer Geschichte rührt daher, daß sie *vor* einer gewissen, Leben und Bewußtsein tief zerklüftenden Wende und Grenze spielt . . . Sie spielt, oder, um jedes Präsens geflissentlich zu vermeiden, sie spielte, und hat gespielt vormals, ehedem, in den alten Tagen der Welt vor dem großen Kriege, mit dessen Beginn so vieles begann, was zu beginnen wohl kaum schon aufgehört hat (I, S. 10).

Der Chiliasmus der Jahrhundertwende steht im Gegensatz zum Epigonentum der Gründerjahre. Die Epigonen gestalteten eine bessere Welt, die sich allgemach von der Wirklichkeit so weit entfernte, daß Literatur „Poesie", belangloses und unwirkliches Spiel wurde. Die Künstler wurden „Luxusartikel der Bourgeoisie", wie es in Wedekinds Kammersänger heißt, und sehr bezeichnend sagt der Maler Braun in den „Einsamen Menschen": „Kunst ist Luxus, – und heutzutage Luxusarbeiter sein, ist schmachvoll unter allen Umständen" (DrW I, S. 271).

Nun wendet sich der Dichter wieder der gesellschaftlichen Wirklichkeit zu, und der ganze Naturalismus ist nichts als das ehrliche und verzweifelte Bemühen um die Wirklichkeit, die mit Forderungen neuer Art an die Kunst herangetreten war. Der Naturalismus ist eine gesunde Reaktion auf eine Kunst der Unwirklichkeit. Wenn Bölsche in seinen „Naturwissenschaftlichen Grundlagen der Poesie" schreibt: „Was der Poet sich über das innerste Wesen der kosmischen Erscheinungen denkt, ist seine Sache" (S. 13), so ist das keine Plattheit, sondern ein ernster und idealistischer Drang zur Begrenzung auf das Mögliche und Faßbare: den Menschen. So fährt Bölsche fort: „Einen Menschen bauen, der naturgeschichtlich echt ausschaut und doch sich so zum Typischen, zum Allgemeinen, zum Idealen erhebt, daß er im Stande ist, uns zu interessieren, aus mehr als einem Gesichtspunkte, – das ist zugleich das Höchste und das Schwerste, was der Genius schaffen kann."

Mit der durch den Naturalismus eingeleiteten Wendung zur Wirklichkeit beginnt ein Prozeß, der die kommende Entwicklung der deutschen Literatur entscheidend formt: Indem der Dichter sich der Wirklichkeit zuwendet, wird ihm der Abgrund zwischen sich und der Gesellschaft bewußt und es kommt zu einem Phänomen, das wir hier als *Abgelöstheit* bezeichnen. In dieser Formulierung drückt sich aus, daß der Dichter im Gegensatz zu anderen Epochen der Literatur seine Isolierung schmerzhaft als Entfernung von seiner Bestimmung auffaßt, daß ihm ein innigeres Verhältnis zu seiner Gesellschaft vorschwebt, von der er sich entfernt, getrennt, abgelöst empfindet.

Richard Dehmel schreibt 1893 an Hans Thoma:

> Gerade Das, was den „Modernen" von einer oberflächlichen Kritik und einem unwissenden Publicum vorgeworfen wird, nämlich die „Richtung", Das fehlt im tiefsten Grunde unsrer jungen Kunst noch ganz. Wir sind erst eine Bewegung, leider *nicht* getragen von dem starken, Richtung gebenden Strome eines seelischen Bedürfnisses, eines höheren Gemeingefühles mit Volk und Zeit.[12]

In zwei verschiedenen Formen wird dem Dichter seine Abgelöstheit bewußt:

Die eine Form dieser Bewußtmachung können wir als Selbstkritik des Dichters bezeichnen. Er fühlt sich anders als seine Umgebung und beklagt die Tatsache seiner Vereinsamung.

Die andere Form der Bewußtmachung ist Gesellschaftskritik durch den Dichter. Damit stellt er sich außerhalb seiner Gesellschaft, beurteilt oder verurteilt sie. Mit dieser Erscheinung wollen wir uns zunächst befassen, um dann später die selbstkritischen Züge in der deutschen Literatur seit 1890 zu betrachten.[13]

Da ist zunächst auf eine ganze Reihe von Dramen hinzuweisen, in denen das soziale Problem erörtert wird, ohne daß es allerdings zu einer Forderung käme. Allen diesen Dramen ist gemeinsam, daß sie nach naturalistischem Rezept die Wirklichkeit „wie sie ist" schildern, wobei die anklägerische Haltung mehr oder weniger stark hervortritt, immer aber das treibende Motiv ist. Wir nennen in diesem Zusammenhang Max Halbes „Eisgang", „Die Familie Selicke" von Holz und Schlaf, Gerhart Hauptmanns „Vor Sonnenaufgang" und „Das Friedensfest", Hermann Bahrs „Die große Sünde" und „Die Mutter", Schnitzlers „Freiwild" und „Vermächtnis", Rilkes „Gleich und Frei" und sein „Jetzt und in der Stunde unseres Absterbens", Sudermanns „Ehre" und die kritischen Komödien Sternheims. Hierher gehören auch die naturalistischen Romane und Novellen, in denen meistens die naturgetreue Schilderung der Wirklichkeit eine versteckte Anklage enthält. Diese Anklage richtet sich nur in den seltensten Fällen gegen das ökonomische oder politische System. Wenn Toni Selicke über ihr grauenhaftes materielles Elend sagt: „Darauf kommt es ja gar nicht an!"[14] so spricht sie die Meinung des Dichters aus. Aber die geistige Leere der Bürgerwelt und ihre Verlogenheit aufzuzeigen, *darauf* kommt es dem Naturalismus an.[15]

Die Kritik findet an der Bürgerwelt immer das Nämliche: Ihre Entseeltheit, ihre Entleertheit von Werten, ihre Flachheit, ihren Materialismus. Was Gerhart Hauptmann in seinem „Buch der Leidenschaft" schreibt, gilt für eine ganze Generation von Dichtern: „Dieses bürgerliche Dahinleben sah ich als etwas Totes, Apparathaftes an. Ich allein stand in der Wiedergeburt" (I S. 43).[16]

Um eine solche Wiedergeburt ging es Gerhart Hauptmann, als er am 20. Oktober 1889 mit der Uraufführung von „Vor Sonnenaufgang" vor die Öffentlichkeit trat. Wie in Ibsens Dramen verkörpert hier ein Bote einer besseren Welt ein neues Menschentum. Und wenn Alfred Loth das Mädchen Helene aus erbbiologischen Erwägungen nicht als Frau nimmt, und sie damit zum Selbstmord veranlaßt, so drückt sich darin aus, wie hart Gerhart Hauptmann in seiner Kritik der bestehenden Mißstände ist. Loth kämpft um das Glück aller (DrW I, S. 49), und er muß deshalb die Missetaten einer kleinen Bürgerschicht unnachsichtlich ahnden, auch wenn sein eigenes Glück damit zerstört wird.

Als Symptom für die gesellschaftskritische Haltung der deutschen Literatur ist es wichtig, auf diese Züge in Gerhart Hauptmanns frühem Drama hinzuweisen. Man darf aber dabei nicht übersehen, wie schon hier eine Note angeschlagen ist, die Hauptmann von der Gesellschaftskritik weg und zu schönen historischen und märchenhaften Idealbildern führt. Er lehnt nämlich durch den Mund seines Helden Zola und Ibsen ab. Was sie bieten ist Medizin. Es sind gar keine Dichter sondern notwendige Übel. „Ich bin ehrlich durstig und verlange von der Dichtkunst einen klaren, erfrischenden Trunk" (DrW I, S. 48) sagt Loth zu Helene. Schon in der sozialen Utopie der Ikarier, die in Amerika Land gemeinsam bewirtschaften und dessen Ertrag gemeinsam teilen (S. 44) deutet sich ebenso wie in der Utopie seines „Apostels", „wo Tiger und Büffel nebeneinander weiden, wo die Schlangen ohne Gift und die Bienen ohne Stachel sind" (EW III, S. 57), Hauptmanns Neigung zu schönen wirklichkeitsfernen Träumen an. In dieser Ausgestaltung wirklichkeitsferner schöner Märchen drückt sich allerdings insofern eine Kritik aus, als der Kontrast der Märchenwelt zur Bürgerwelt eine Kritik an dieser herausfordert. Ja es mag, wie in der „Versunkenen Glocke", dazu kommen, daß innerhalb des Märchenidylls der Vergleich zur Bürgerwelt gezogen wird. So sagt in der „Versunkenen Glocke" der Nickelmann:

> Weh jedem, der aus freier Bergeswelt
> sich dem verfluchten Volke zugesellt,
> das, schwachgewurzelt, dennoch wahnbetört
> den eignen Wurzelstock im Grund zerstört
> und also, krank im Kerne, treibt und schießt,
> wie 'ne Kartoffel, die im Keller sprießt.
> Mit Schmachterarmen langt es nach dem Licht;
> die Sonne, seine Mutter, kennt es nicht (DrW II, S. 287).

Hauptmanns Drama nach „Vor Sonnenaufgang", „Das Friedensfest", spielt in engeren Räumen als sein erstes, das er selbst „soziales Drama" nannte, während er „Das Friedensfest" als „Eine Familienkatastrophe" bezeichnet. Hier ist die Familie „ein stehender, faulender, gärender Sumpf" (DrW I, S. 130), eine Gruppe ohne Triebkräfte und Werte, in engem Raum das, was etwa in Heinrich Manns „Im Schlaraffenland" die ganze Gesellschaft des Berliner Westens ist. Johannes Vockerat in „Einsame Menschen" ist „der ganze Kram" verhaßt und er steht in weiteren Bezügen als die Familie Scholz im „Friedensfest". „Wenn nur ein Mensch in der weiten Welt etwas für mich übrig hätte" (DrW I, S. 199) klagt er und drückt damit aus, wie ihn die Verständnislosigkeit der ganzen Gesellschaft bedrückt.

Mit dem „Webern" schreibt Hauptmann sein größtes und letztes soziales Drama. Die Kugel, die den alten frommen Hilse trifft, der nichts von sozialer Revolution wissen will, ist gegen das eigene Gottvertrauen des Dichters gerichtet: Er will realistisch die Unabwendlichkeit des Konfliktes zweier Klassen sehen, der den Frommen ebensowenig verschont wie den Revolutionär. Aber seine ganze weitere Entwicklung straft diesen Vorgang Lügen: der „Emanuel Quint" ist eine Fortsetzung der Haltung des alten Hilse. „Wenn dereinst, wie ihr sagt, das Arbeiter-Paradies auf der Erde blühen wird, so werde ich weit davon entfernt im Reiche Gottes sein" sagt der schlesische Apostel Emanuel Quint zu zwei Sozialrevolutionären (Ew I, S. 99).

Zugleich ist der Fabrikant Dreissiger in den „Webern" nicht Repräsentant einer Schicht, sondern einmaliges Individuum; alle Kritik trifft also eigentlich nicht die Gesellschaft als solche, sondern einen einzelnen Menschen; ebenso wie die Vertreter der unteren Stände und ihr Leiden nicht zum sozialen Wirken auffordern, sondern die Schönheit der Menschenseele enthüllen sollen. „For Hauptmann is neither a sozialist nor a social reformer" (S. 274), schreibt von Klenze, der die Verwandtschaft Gerhart Hauptmanns mit der Romantik gesehen und beschrieben hat. Es ist auch in späteren Werken Gerhart Hauptmanns immer dafür gesorgt, daß die Vertreter des status quo, der Bürgerwelt oder des Staates, schuldige Individuen, nicht Typen sind. Mit einer Ausnahme: Im „Michael Kramer" sind die Bürger in Bänschs Wirtschaft Typen, allerdings ganz im Hintergrund der Handlung.

Gerhart Hauptmann steht in einer Entwicklungsreihe, die von Nietzsche herführt. Er stellt seiner Zeit das Bild eines volleren, lebendigeren Menschentums entgegen und gestaltet eine heidnische Fülle, an der gemessen die bürgerliche Gegenwart saftlos und dekadent erscheint. Wie die Darstellung eines solchen Vollmenschentums aus der Opposition gegen die Zeit geboren ist, das verrät ein Zug in Hauptmanns Werk, der sich in fast jedem Einzelwerk findet. Es ist dies der Kontrast zwischen einem Vollmenschen und einem weniger starken Dasein oder, in umgekehrter Richtung, der Kontrast eines starken Daseins mit dem eines ihm wehrlos unterlegenen modernen Menschen, der in der christlichen, „lebensfeindlichen" Moralität vertrocknet ist. Angedeutet ist das bereits in dem „Friedensfest" in der Ungeduld des genialischen Vaters Scholz über seine Frau. In den „Einsamen Menschen" findet es seine erste Ausbildung in der Form des Konfliktes eines Mannes zwischen zwei Frauen. Dieser Konflikt hatte, wie wir heute wissen, im Leben des Dichters eine Grundlage, er ist aber vor allem als geistige Notwendigkeit zu verstehen, als der Ausdruck eines immer lebendigen Zwiespalts zwischen der Tradition des bürgerlichen Christentums und eines Heidentums, das, zuerst als kaum geformtes Wunschbild, später immer deutlicher hervortritt. In den „Einsamen Menschen" verkörpern sich in der ängstlichen, kränklichen und konventionellen Frau des Johannes Vockerat alle lebensfeindlichen Kräfte des Bürgertums, während Anna Mahr wie ein Bote des neuen schönen und freien Menschentums erscheint. Im „Bahnwärter Thiel" erscheinen dann zum ersten Mal die dämonisch zerstörenden Kräfte des Lebens, wie so oft später im Werk Hauptmanns in der Gestalt einer Frau, und auch hier wieder im Gegensatz zu der bürgerlichen Gewöhnlichkeit, verkörpert durch die erste Frau des Bahnwärters. Der Glockengießer Heinrich in der „Versunkenen Glocke" steht wie Johannes Vockerat zwischen zwei Frauen; der im Tale, dessen Dienst ihn nicht mehr lockt (DrW II, S. 301), und Rautendelein, der Elfin, dem Märchen. Die Frau im Tal ist hier eine blasse Hintergrundsfigur, wie Gerhart Hauptmann auch später die Vertreter der Bürgerwelt nur als Hintergrundsfiguren bringt. Der „Florian Geyer" ist die großartige Tragödie des Führers, der zu früh gekommen ist, und der an der Niedrigkeit und Gemeinheit seiner Gesellschaft, hier der Ritter, zugrunde geht. Weil der Dichter um die Jahrhundertwende nicht führen kann, weil er an der Bürgerwelt scheitert, deshalb ist auch die letzte Szene des „Florian Geyer" von so überzeugender Wucht, als die feigen und prahlerischen Ritter Florian Geyer wie ein Tier zu Tode hetzen, ihn nicht selbst umzubringen wagen sondern durch den Schuß eines Meuchelmörders sterben lassen. Und aus dem gleichen Grund fehlt es einem andern Werk an Wirklichkeit, das die gleiche Situation herumwendet. Im „Bogen des Odysseus" nämlich richtet der Vollmensch, Odysseus, der allein den Bogen spannen kann, unter den feigen und prahlerischen Freiern ein fürchterliches Blutbad an.

> Trotzdem die Schicksalsstunde mich durchschüttert,
> Hüpft mir, von heiliger Mordlust froh, das Herz.
> O Kind, o Sohn! o welche Wollust! o
> Welch ein Geschenk der Götter, Rache üben! (DrW, V, S. 179)

Aber gestelzt und unnatürlich wie diese Verse ist das ganze Stück, worin die Wollust der Rache vorbereitet und genossen wird, denn im Konflikt des Übermenschen mit der Wirklichkeit geht dieser in der Wirklichkeit unter, weil in der Gesellschaft kein Platz für Übermenschen ist.[17]

Wir finden den Konflikt des freien und edlen Menschen mit einer gemeinen, schalen und wertlosen Bürgerwelt wieder in den Werken der Spätzeit, vor allem in „Dorothea Angermann", die das Opfer der Christenmoral ihres Vaters wird, die „den unergründlichen Sumpf" kennenlernt, „auf dem auch die Welt des Bürgertums höchstens wie eine irisierende Pfütze schwimmt" (DrW VI, S. 164), und in „Vor Sonnenaufgang", worin ein Vollmensch von der kleinlichen Habgier und Eifersucht seiner Verwandten in den Tod getrieben wird.

Heinrich Mann schreibt seinen „Roman unter feinen Leuten", „Im Schlaraffenland", der die Berliner Gesellschaft der Jahrhundertwende unter die Lupe nimmt, und setzt diese Art der Gesellschaftskritik in seiner Trilogie „Das Kaiserreich" fort, die aus den Teilen „Der Untertan" (1914), „Die Armen" (1917) und „Der Kopf" (1925) besteht. Allen sozialkritischen Werken Heinrich Manns – und man kann darin die letzten, in Frankreich und Holland erschienenen, gegen den Nationalsozialismus gerichteten einschließen – ist gemeinsam, daß sie das Falsche sehen, ohne ihm das Richtige entgegenzustellen. Und wenn Heinrich Mann das Bild eines Lebens entworfen hat, das ihm wünschenswert scheint, dann ist es in eine fremde Luft entrückt – so in der „kleinen Stadt" – oder – so in „Madame Legros" – in eine fremde Zeit.

Peter Altenberg, der Wiener Caféhaus-Literat, steht in dem seltsamen Verhältnis des Stiefsohnes zu seiner Gesellschaft. Er ist nur als das Produkt seiner Gesellschaft zu verstehen, als letzte Blüte des bürgerlichen Impressionismus, stellt sich aber kritisch seiner Gesellschaft gegenüber. Dabei spürt er, wie seine Kritik erfolglos ist, erfolglos sein muß, weil sie ja nur kleinste Reformen vorzuschlagen hat. Aber während George sich ebenso wie Rilke von seiner Gesellschaft abwendet, bemüht sich Altenberg immer erneut um sie, wie ein Stiefsohn um die Mutter. Seine Kritik des Bürgers ist immer persönlich: „Ich habe meinen Beruf verfehlt, ich predige Leuten, die nicht lernen *können* noch *wollen* !" klagt er in „Nachfechsung".

Wedekind richtet sich gegen eine bestimmte Erscheinungsform der Bürgerlichkeit, gegen die „Moral". Er setzt ihr „das schöne wilde Tier" entgegen. Im Prolog zum „Erdgeist" heißt es:

Was seht ihr in den Lust- und Trauerspielen?
Haustiere, die so wohlgesittet fühlen . . .
Das *wahre* Tier, das *wilde, schöne* Tier,
Das – meine Damen – sehn Sie nur bei mir.

Wedekinds Ablehnung der gesitteten bürgerlichen Gesellschaft, die das lebendige Dasein erstickt, ist typisch für seine Zeit. Sie hat ihren geistigen Vorfahren in Nietzsches Verachtung für den Herdenmenschen. In ihrer Auffassung ist das Bürgertum ohne Lebenskraft, vertrocknet in einer lebensfeindlichen christlichen Moralität. Die gleiche Ablehnung ist in Max Halbes „Jugend", ist vor allem als ewig wiederkehrendes Motiv im Werk Gerhart Hauptmanns zu finden.

Wedekinds heißeres Temperament und seine ungeduldige Geistigkeit haben ihn in den gleichen Trotz gegen die Bürgerwelt getrieben wie Bierbaum, dessen „Stilpe" sich erhängt und der dem Leben der Bürger die Zunge herausstreckt (S. 414). Aber seine positive Leistung ist nicht überzeugend. Man möchte vermuten, daß Wedekind ein Selbstbekenntnis abgibt, wenn er seinen Marquis von Keith sagen läßt: „Meine Begabung beschränkt sich auf die leidige Tatsache, daß ich in der bürgerlichen Atmosphäre nicht atmen kann (IV, S. 10). Wie der gefallene Engel Luzifer stürzt sich Wedekind aus Verzweiflung und aus Trotz gegen Gott in das Laster.[18] Weil die Bürgerwelt schal und sinnlos ist, wählen die Gestalten Wedekinds die ihr entgegengesetzte Lebensform und glauben sich so Gott zu nähern. In seltsam verdrehter Weise sind sie ebenso mit Gott beschäftigt wie der fromme Klosterbruder in Rilkes Stundenbuch.[19] Und während Rilke den Tod als letzten Richter der Wirklichkeit empfindet, stehen die Gestalten Wedekinds immer vor der Möglichkeit, durch den Tod ihr Dasein zu enden. Der Tod ermöglicht es ihnen, dieses schale Leben aufzugeben, über die Welt zu lachen, wie Hauptmanns „Elga" vom Tod gelernt hat, „auf eine ganz besondere Weise über vielerlei ernste Dinge des Lebens" zu lachen (DrW II, S. 239). Weil Wedekinds Figuren so immer vor dem Tode stehen, haben sie auch, wie Wedekinds Biograph Paul Fechter bemerkt hat, kaum einmal die Sehnsucht, den Bann ihrer Vereinzelung zu durchbrechen (S. 16).

In Hugo von Hofmannsthals „Gestern" findet sich eine Stelle, die auf eine antimoralistische Komponente in seinem Werk schließen und damit diesen scheinbar ganz bürgerlichen Geist als Kritiker seiner Gesellschaft erscheinen läßt. Andrea sagt dort:

> Eintönig ist das Gute, schal und bleich,
> allein die Sünde ist unendlich reich!
> Und es ist nichts verächtlicher auf Erden,
> als dumm betrügen, dumm betrogen werden! (I, S. 112)

Vielleicht verstehen wir Hofmannsthal erst richtig, wenn wir diese Stelle auch bei anscheinend harmlosen Sünden seiner Gestalten im Auge halten. Wir können dann die Abenteurergestalten in seinem Werk als Sünder auffassen, deren Schönheitskult und deren bürgerliche Anrüchigkeit einen Kontrast zur schalen und bleichen Bürgerwelt bilden sollen.

Wir finden eine solche Einstellung zur Schönheit bei einem anderen Zeitgenossen, bei Richard Dehmel. In seinem Roman in Romanzen „Zwei Menschen" hat der Kult der Schönheit einen revolutionären Grund. Die Fürstin hat ein blindes Kind geboren und es umgebracht. Nun verlangt ihr Geliebter als Liebesprobe, daß sie sich ihm nackt zeigt.

> Wenn dann die Male deiner Mutterwehn
> dich nicht dem Gott in meiner Brust verleiden
> oder dem Tier in unsern Eingeweiden,
> will ich nach soviel Sehnsucht und Kasteiung
> nicht wie ein Nachttier mich mit dir vergehn:
> ich will mit dir ins Licht der Menschlichkeit!
> Sei bereit! – (II, S. 189)

Dehmel steht dem Bürgerlichen zu nahe, als daß er diese Stelle nicht selbst als anstößig empfinden müßte. Wenn er sie dennoch hersetzt, so kann nur seine revolutionäre Einstellung dafür verantwortlich gemacht werden. Und es ist nicht ohne Bedeutung, wenn diese Revolution aus der Bürgerlichkeit nur negativ ist. Sie ist hierin dem revolutionären Ästhetizismus des „Algabal" verwandt, der in dem Gedicht „Gift der Nacht" der Fibel schon vorgedeutet ist. Als Knabe wollte der Dichter

> finden
> Die weise Lasterreiche
> Mit zerstörenden Künsten!
> Wollte mit offenen armen
> In mein unheil rennen
> Wie ein rasender lieben
> Mich ganz verderben
> Und bald des Todes sein (I, S. 96).

Georges Bejahung des dem Bürgerlichen Entgegengesetzten geht weiter als im „Algabal". In einem Jahrhundertspruch aus dem „Siebenten Ring" heißt es:

> Der Mann! die tat! so lechzen volk und hoher rat.
> Hofft nicht auf einen, der an euren tischen aß!
> Vielleicht wer jahrlang unter euren mördern saß,
> In euren zellen schlief: steht auf und tut die tat (VI–VII, S. 208).

Ähnliche Züge finden sich in der deutschen Literatur seit 1890 in großer Zahl: Von Johannes Schlafs „Meister Oelze" und Thomas Manns „Erlebnissen des Hochstaplers Felix Krull" über Gerhart Hauptmanns Mutter Wolffen im „Biberpelz" und im „Roten Hahn", Rose Bernd und den Sträfling Lorenz Lubota im „Phantom" bis zu Döblins Franz Biberkopf in „Berlin Alexanderplatz" und Wassermanns „Fall Maurizius" ist das Verbrechen und der *Verbrecher* als der von der bürgerlichen Gesellschaft Ausgestoßene immer wieder zum Gegenstand der Darstellung gemacht worden.

Es wäre eine dankbare Aufgabe, einmal alle Gestalten von Verbrechern in der Literatur der Gegenwart auf ihre Ähnlichkeiten und Verschiedenheiten zu vergleichen. Thomas Manns zwiespältige Stellung wäre zum Beispiel schon an seiner Behandlung des Felix Krull aufzuzeigen, die zwischen Bewunderung und Ablehnung schwankt und ihn durch die Ironie vom festen Boden der Wirklichkeit entfernt.[20] Schlafs Bindung an Nietzsche wäre aus seinem „Meister Oelze", worin der Verbrecher der Vollmensch ist, aufzuweisen[21] und Georg Kaisers soziales Mitleid aus seiner Behandlung des Kassierers in „Von Morgens bis Mitternachts", Wedekind ist seinem König Nicolo verwandt, der sich unter die Verbrecher mischt und mit ihnen gemeinsam dem Leben und der Bürgerwelt seine Verachtung zum Ausdruck bringt,[22] Bronnens unversöhnlicher Haß gegen ein feiges und kleines Mitleids-Sozialistentum kommt zum Ausdruck in der Gestalt des Walter Fessel in „Vatermord", der seinen eigenen Vater umbringt.[23] Brechts marxistische Anklage, daß der Mensch gut ist, aber die Verhältnisse ihn schlecht machen, kommt in seinem „Dreigroschenroman" wie in der „Dreigroschenoper" in der Gestalt des Mackie Messer, des kaltblütigen Ausbeuters und Mörders zur Anschauung. Und schließlich plädiert Bruckner in seinem Schauspiel „Die Verbrecher" für die Gemeinschaft der Menschen, die der jüngere Richter nur dort feststellt, „wo dieses vereinbarte Recht umgeworfen wird, wo wir eben von Verbrechern sprechen" (S. 102).

Wo sich Verbrechergestalten in der Literatur finden, die als Vorbilder gezeichnet sind, da steht der Dichter seiner Zeit und ihren Werten ablehnend gegenüber, denn er macht ja gerade den von der Gesellschaft Abgelehnten zum Gegenstand seines Werkes. Ähnlich steht es mit den Gestalten von Krüppeln, Kranken, Blinden, Trinkern, Vagabunden, die in der Literatur der Gegenwart zahlreich vertreten sind und in denen der Dichter immer den von der Gesellschaft Verworfenen feiert. Sehr oft identifiziert sich der Dichter mit dem Krüppel, wie Rilke mit seinem „König Bohusch", der wie Rilke ein Träumer ist: „Was Taten hätten werden können, die aus einem starken Körper frei und festlich hervorwachsen, wurden bunte, seltsame Träume in dem armen Buckligen, scheue Schwärmereien, welche eine immer kleinere Welt betrafen" (VII, S. 165). Oder Rilke identifiziert sich mit dem gelähmten Werner in „Alle in Einer" (VII, S. 94 ff.), wie Thomas Mann mit dem „kleinen Herrn Friedemann", der wie andere Gestalten aus der gleichen Zeit vom Leben schlecht behandelt wird, wie Wedekind mit dem buckligen Karl Hetmann in „Hidalla", der in einer verfaulenden Zeit der einzige Vollmensch ist, wie Stefan Zweig mit seinem „Thersites", der menschlich alle griechischen Helden überragt, wie Gerhart Hauptmann mit seinem Arnold Kramer. Auch der ehemalige Sträfling Lubota in „Phantom" ist ein Krüppel, er hinkt, und dieses Gebrechen hat, wie er selbst sagt, auf seine Lebensführung eingewirkt (EW IV, S. 20). Auch mit ihm identifiziert sich der Dichter in gewisser Weise, sein Erlebnis ist typisch für das Werk Hauptmanns: Die

Leidenschaft zu einem Kind hat ihn ohne seinen Willen, ja gegen seinen Willen, in die Gewalt bekommen (S. 38). „Ich bin einfach durch einen Brand gleichsam in Asche gelegt worden, weil ich dem Einbruch des göttlichen Feuers gegenüber, nach meinem Maulwurfsdasein, völlig wehrlos gewesen bin" (S. 15).

Gestalten von Krüppeln in der Dichtung weisen allerdings nicht notwendig auf eine kritische Einstellung des Dichters zu seiner Gesellschaft hin. Vielmehr kann es so sein, daß das Leiden des Dichters an seiner Zeit und sein Bewußtsein, für die Bürgerwelt unbrauchbar zu sein, sich in Verstümmelungen seiner Personen auswirkt – wie er sind sie mit einem Gebrechen behaftet, das sie von der Bürgerwirklichkeit abhebt. Besonders einleuchtend ist diese Erklärung für Schaeffers „Helianth", in dem zahlreiche Gestalten durch ein körperliches Leiden oder Gebrechen charakterisiert sind: der Großherzog ist gelähmt, seine Frau plagt ein ewiger und wütender Kopfschmerz, Josef Montfort verliert sein halbes Gesicht, Magda erblindet, der Maler Bogner hat eine schwer heilende eiternde Wunde und Jason al Manach und Sigurd sind irrsinnig.[24]

Über Georges Stellung zum Bürgertum von 1890 erfahren wir indirekt aus dem Buch von Wolters über „Stefan George und seinen Kreis" und auch aus Georges Werk selbst. So ist der „Algabal" nicht, wie Gundolf in seinem George-Buch glaubte, aus der Gleichgültigkeit gegen die Zeit zu erklären, der „die ihr fremdeste, fernste, unfaßlichste und widerlichste Art gerade willkommen" sei (S. 81).[25] Gleichgültigkeit orientiert ihre Wahl nicht sondern wählt das ihr Gemäße. George dichtet im „Algabal":

> Hernieder steig ich eine marmortreppe
> Ein leichnam ohne haupt inmitten ruht
> Dort sickert meines teuren bruders blut
> Ich raffe leise nur die purpurschleppe (II, S. 103).

Wenn Algabal seine finstre Pein adlig verschweigen wollte, wie Gundolf meinte, so würde er nicht von der gräßlichen Begegnung sprechen. Daß George diese Situation zur Gestaltung wählt, kann nur den Sinn haben, zu der Welt des Bürgers einen Kontrast zu bilden. So ist in dem „Ich raffe leise nur ..." schon ausgedrückt, daß er mit der Erwartung von etwas anderem rechnet. Die Geste ist eine Herausforderung der bürgerlichen Welt und eine Äußerung von Georges Verachtung. Ähnlich steht es mit den Äußerungen der Blätter für die Kunst, die scheinbar unberührt feststellen, „daß wir uns in einem bildungsstaat zweiter ordnung befinden" (Blätter 92–98, S. 16). Wie tief aufgewühlt und betroffen George von dem Schicksal seiner Zeit ist, das belegen uns drei Zeilen aus dem Maximin-Gedicht, wo die Zeit vor Maximins Erscheinen in einer apokalyptischen Vision so gesehen wird:

> Damals lag weites dunkel überm land
> Der tempel wankte und des Innern flamme
> Schlug nicht mehr hoch (VIII, S. 8).

Stefan George hat in den „Blättern für die Kunst" seine Einstellung zur Gesellschaft festgelegt. Eine Stelle, vielleicht von ihm selbst, sicher aber von ihm inspiriert, gibt seine Ablehnung wieder:

> man beklagt sich darüber daß der Künstler sich nicht mehr auf die herrschenden allgemeinheiten stützt und doch folgt er dabei einem naturgesetz. Allgemeinheiten bestehen heut nicht mehr kraft wesenhafter normen und innerer nötigungen sondern durch zufällige übereinkünfte und wirtschaftliche bedürfnisse ... Der Künstler allein vielleicht auch der beruflose betrachter der sich von diesen allgemeinheiten unabhängig hält hat noch die möglichkeit in

einem Reiche zu leben wo der Geist das oberste gesetz gibt. Daher seine absonderung und sein stolz. Das innerste leiden der zeit kommt daher daß trotz vieler sachlicher vervollkommnungen alle allgemeinheiten ohne unterschied von stamm partei und glaubensbekenntnis nur noch die schmarotzer – und zweiterhand – leistung (parasitäre und sekundäre) hervorbringen und verwerten und kraft ihrer einrichtung keine andere hervorbringen und verwerten können: weshalb auch ihre dunkle sehnsucht nach dem Ersten hoffnungslos bleiben muß. Heut ist wirklich „die Kunst ein bruch mit der Gesellschaft" (Blätter 04 bis 09, S. 8).

Diese Kritik sieht tiefer als zeitgenössische Klagen über die Flachheit des Bürgertums. Sie erkennt das, was Karl Wolfskehl im „Jahrbuch für die geistige Bewegung" von 1910 als „wahllos verleimte Zusammenrottung" unserer Gesellschaft gekennzeichnet hat (S. 13).

In ähnlichem Sinne bekennt Christian Morgenstern in seinen „Stufen":

Von irgend einer bewußten organischen Kultur um mich herum, die das Einzelindividuum zu benutzen und systematisch auszubilden vermocht hätte, spürte ich nie etwas (S. 18).[26]

Beide Kritiken, die Georges und die Morgensterns, richten sich gegen die tiefere Wurzel derselben Fehler, die auch Heinrich Mann bewußt waren: zufällige Übereinkünfte und wirtschaftliche Bedürfnisse und keine organische Kultur schließen die Menschen zusammen. Das heißt: die bürgerliche Gesellschaft besitzt kein verbindliches Wertsystem mehr, sondern besteht aus einer Summe von Individuen, die sich nur als Herdentiere zu praktischen Zwecken vergesellschaften.

Ein Bürger sein heißt davon absehen können, daß der Mensch „das Geheimnis der Geheimnisse ist"[27] meint Morgenstern, und er schreibt an die Braut: „aber daran, daß unsere Liebe nicht *verbürgerlicht*, hängt alles, alles."[28]

Rainer Maria Rilke hat sich in seinem Frühwerk gegen den Bürger ausgesprochen. „Ernst und einsam wie ein Gott" will er weiße Wandelwege wallen, während das Volk, „das drohnenträge, trabt den altvertrauten Trott" (I, S. 118). Ja, in einem Gedicht vom 7. April 1900 macht er sich die Entfernung von den „Gewogenheiten" der „Dienstbereiten", von den Gepflogenheiten des Bürgers zur Aufgabe.

Entfremden mußt Du den Gepflogenheiten,
die Du in allen diesen Gassen schaust,
und Dich verschließen den Gewogenheiten
der Dienstbereiten, drauf Du jetzt noch baust;
erst bis Du allen den Verlogenheiten
entwachsen sein wirst, denen Du vertraust,
bist Du am Anfang Deiner selbst und stehst
an einem Meer, auf dem Du ruhig gehst,
ohne zu ahnen, daß Du Wunder tust,
die von den Menschen Dich für immer scheiden (IX, S. 253).

Der Bürger im Frühwerk Rilkes ist der unbedeutende Mensch, der zwischen Armen und der Aristokratie steht. Während der Arme in seinem Leid festgefügt und in Gottes Hand steht, ist der Bürger durch keine äußere Notwendigkeit an eine bestimmte Daseinsform gebunden. Und während der Adlige einer inneren Stimme folgt, wenn er versucht ein in sich geschlossenes, stetes und sich selbst treues Leben zu führen, so besitzt der Bürger kein solches Gewissen.

Rilke spürt die Verpflichtung, sich wie der Arme in sein Schicksal fallen zu lassen ebenso wie den Wunsch, ein stetes, traditionsgebundenes und selbstloses Leben zu leben wie der Adlige. Im Frühwerk Rilkes allerdings ist nur der Kontrast zwischen Dichter und Bürgerumwelt ausgedrückt.

Das Motiv der zart empfindenden Seele, die sich an einer rohen und stumpfen Bürgeralltäglichkeit wund stößt, hat er immer wieder in denjenigen Geschichten und Skizzen behandelt, die in dem Band „Erzählungen und Skizzen aus der Frühzeit" vereinigt sind. Da ist der Assekuranzbeamte Theodor Fink in der Erzählung „Weißes Glück" (VII, S. 67ff.), der die Erzählung der jungen Kranken nicht verstehen kann, die ihm von der seligen, zarten und unwirklichen Behütetheit ihres Krankenzimmers erzählt. Da ist die böse dicke rote Stiefmutter in „Das Christkind" (VII, S. 75ff.), die den Tod der kleinen Elisabeth auf dem Gewissen hat, die ihr Weihnachten allein im Walde feiert und dabei erfriert. Da ist Doktor Henke in „Die Stimme" (VII, S. 87ff.), der den Freund Erwin nicht versteht, der nach einer Stimme sucht, die „anders" ist. Da ist der Aktivist Rezek, der den Träumer Bohusch ermordet (VII, S. 121ff.), die Familie von Meerhelm, die das zarte Leid der Frau Wanka ebensowenig versteht (VII, S. 194ff.) wie den Gleichmut, womit sich Luisa über bürgerliche Vorurteile hinwegsetzt, als sie nach dem Tode der Mutter einen jungen Mann bei sich wohnen läßt. Da ist schließlich Hermann Holzer, der die Frau nicht versteht, die sein Freund Ernst Lang liebt (VII, S. 286ff.).

In den „Geschichten vom lieben Gott" vertreten die Gestalten der Frau Nachbarin, des Herrn Lehrers und des Herrn Baum ein poesieloses, materialistisches Bürgertum, das den zarten Märchengespinsten des Dichters verständnislos und mißtrauisch gegenübersteht,[29] ebenso wie in der Erzählung aus der Frühzeit „Das Lachen des Pan Mráz" der Kontrast des rohen Bürgers zu seiner adligen Frau das Thema abgibt oder wie in der Erzählung „Der Apostel" das gleiche Thema behandelt wird.[30] Aber Rilkes Einstellung zu seiner Zeit ist nie Haß. Vielmehr leidet er für seine Zeit, für die Menschen seiner Umgebung. So konstatiert er auch die Mißstände seiner Zeit nicht als Ankläger, sondern als Mitbetroffener, der sich verpflichtet fühlt, etwas zu unternehmen. Seine Kritik richtet sich schon früh gegen „der Menschen Wort", die alles so deutlich aussprechen.

> Kein Berg ist ihnen mehr wunderbar;
> ihr Garten und Gut grenzt grade an Gott (I, S. 353).

Im „Stundenbuch" wird deutlicher, worin für Rilke die Leerheit des Bürgerdaseins besteht, sein Mangel an „Wunderbarem". Der Bürger ist von den lebendigen Kräften der Welt entfernt, seine Worte, in denen er von den Dingen Besitz ergreifen will, wie er von der Natur durch die Technik Besitz ergriffen hat, entfernen ihn von dem inneren Leben, das Rilke zu erfassen sich bemüht. Fremd ist dem Bürger sein Weib, wie ihm die Blume fremd ist, denn er gibt sich nicht unter Aufgabe seines Besitzwillens an die Welt hin. (31) Im „Stundenbuch" heißt es über die Bürger:

> So sagen sie: mein Leben, meine Frau,
> mein Hund, mein Kind, und wissen doch genau,
> daß alles: Leben, Frau und Hund und Kind
> fremde Gebilde sind, daran sie blind
> mit ihren ausgestreckten Händen stoßen.
> Gewißheit freilich ist das nur den Großen,
> die sich nach Augen sehnen. Denn die andern
> *wollens* nicht hören, daß ihr armes Wandern
> mit keinem Dinge rings zusammenhängt,

> daß sie, von ihrer Habe fortgedrängt,
> nicht anerkannt von ihrem Eigentume,
> das Weib so wenig *haben* wie die Blume,
> die eines fremden Lebens ist für alls (II, S. 264).

Diesen Gedanken hat Rilke in einem späteren Werk wieder aufgenommen. Malte Laurids Brigge, der in seiner Pariser Kammer eine Bestandsaufnahme der menschlichen Errungenschaften macht, fragt sich: „Ist es möglich, daß man „die Frauen" sagt, „die Kinder", „die Knaben" und nicht ahnt (bei aller Bildung nicht ahnt), daß diese Worte längst keine Mehrzahl mehr haben, sondern nur unzählige Einzahlen?" (V, S. 30) Und er antwortet sich: „Ja, es ist möglich."

Die bürgerliche Sprache ist deshalb so unwirklich und sinnentleert, weil das bürgerliche Leben ohne Gemeinsamkeiten ist. In einer solchen Situation verliert die Sprache an Wirklichkeit und Eindeutigkeit. Es ist kein Zufall, daß der Sprachphilosoph Fritz Mauthner zur gleichen Zeit den Ausdruck „Wortfetischismus" prägt, und damit die Ablösung des Wortes von dem, was er bezeichnet, beschreibt.

Von der Unwirklichkeit und Zufälligkeit der Sprache ausgehend schreitet Rilke weiter: Nicht nur die Sprache des Bürgers ist unwirklich und sinnentleert, sondern sein Dasein selbst ist fragwürdig. Im „Stundenbuch von der Pilgerschaft" heißt es:

> Keiner lebt sein Leben.
> Zufälle sind die Menschen, Stimmen, Stücke,
> Alltäge, Ängste, viele kleine Glücke,
> verkleidet schon als Kinder, eingemummt,
> als Masken mündig, als Gesicht verstummt (II, S. 241).

In diesen Worten klingt schon ein Ton, wie er in Rilkes Worten zu Leopold von Schlözer deutlicher hervortritt:

> Der moderne Mensch hat die innere Festigkeit verloren. Durcheinander fließen die Gedanken, sie huschen vorüber und scheinen um Entschuldigung zu bitten und keiner bleibt. Es ist das Lied morscher Seelen, welche die Gegenwart martert, die Zukunft erschreckt, die Vergangenheit anekelt.[33]

Das Leben der Menschen läuft ab, mit nichts verknüpft, „wie eine Uhr in einem leeren Zimmer" (V, S. 30). Das ist auch der Grund, weshalb wir kein Theater haben:

> Laßt uns doch aufrichtig sein, wir haben kein Theater, so wenig wir einen Gott haben: Dazu gehört Gemeinsamkeit (V, S. 271).

schreibt Malte Laurids Brigge in seine Aufzeichnungen. Und George sagt das Gleiche zu Verwey: „Ein Drama ist in unserer Zeit unmöglich" (Verwey, S. 59).

Die Unzusammengehörigkeit der bürgerlichen Welt sieht Jakob Wassermann im „Moloch": „Seitdem weiß ich, was es mit dem Beisammenleben der Menschen in den Städten auf sich hat, weiß ich, daß es keine im rein menschlichen Sinne wirkende Gesellschaft mehr gibt und daß das Ding, welches diesen Namen trägt, nur ein Haufen niedriger Interessen-Gemeinschaften ist. Wie die Einheit der Person, ist auch die Einheit des Theaters, der Nation und der Familie zugrunde gegangen. Die alten Formen sind zersprengt und der gewachsene Körper hat noch kein Kleid gefunden" (S. 479). Es ist eine Folge der Auflösung, daß das Leben des Bürgers aus unzusammengehörigen Stücken besteht. Das beobachtet der zurückgekehrte Auswanderer in Hugo von Hofmannsthals „Briefen des Zurückgekehrten" von 1907, wenn er über die Deutschen schreibt:

> ... ihre Kopfgedanken passen nicht zu ihren Gemütsgedanken, ihre Amtsgedanken nicht zu ihren Wissenschaftsgedanken, ihre Fassaden nicht zu ihren Hintertreppen, ihre Geschäfte nicht zu ihrem Temperament, ihre Öffentlichkeit nicht zu ihrem Privatleben. Darum sag ich Dir ja, daß ich sie nirgends finden kann, nicht in ihren Gesichtern, nicht in ihren Gebärden, nicht in den Reden ihres Mundes: weil ihr Ganzes auch nirgends darin ist, weil sie in Wahrheit nirgends sind, weil sie überall und nirgends sind (Sphären, S. 192f).

Wir konnten hier nur einige typische Beispiele dafür anführen, wie der deutsche Dichter um die Jahrhundertwende sich seiner Gesellschaft kritisch gegenüberstellt. Uns waren diese Stellen nur insoweit bedeutend, als sie die Ablösung des Dichters von seiner Gesellschaft beweisen. Deshalb können wir hier auch noch das Werk Thomas Manns heranziehen, der sich dem Bürgertum zwar nicht kritisch gegenüberstellt, dessen Gestalten aber nie ein naiv verbundenes Verhältnis zur Bürgergesellschaft haben. In seinen frühen Novellen finden sich gelegentlich Andeutungen einer kritischen Einstellung zu dem Dasein der „Normalen". Für den kleinen Herrn Friedemann ist Gerda von Rinnlingen das Schicksal, das den armen Krüppel zermalmt. Und sie trägt ebenso wie Frau Amra in der Novelle „Luischen" von 1897 Züge des Bürgertums. In der Novelle „Der Weg zum Friedhof" von 1901 fühlt sich Thomas Mann durch sein Wissen von dem Schmerz geadelt. Diese Geschichte ist den „Blonden und Blauäugigen" erzählt. Tonio Kröger gibt ihnen Recht. Der Erzähler dieser Geschichte klagt sie unausgesprochen an:

> Er war ein wenig gedrückt, wie? – es ist schwer, so lustigen Leuten wie euch dergleichen begreiflich zu machen, ein wenig unglücklich, nicht wahr? ein bißchen schlecht behandelt (Novellen I, S. 143f.).

Schon in den Buddenbrooks ist eine Wendung eingetreten. Die robusten Hagenströms, die über die Familie der Buddenbrooks triumphieren, haben nicht die Funktion der Robusten in den „Kleinen Novellen". Dem Zarten und Schwachen, das gegen sie unterliegt, gehört immer noch die Liebe des Dichters, aber diese Liebe klagt nicht an, sondern sie ist von traurigem Mitleid, das sich über das Schicksal keinen Illusionen hingibt. Tony Buddenbrook ist das Opfer ihrer Schwäche, aber Herr Grünlich ist nicht hassenswert. – Der Dichter Spinell in der Novelle „Tristan" von 1902 schreibt an Konsul Klöterjahn einen Brief:

> Nehmen Sie das Geständnis, mein Herr, daß ich Sie hasse, Sie und Ihr Kind, wie ich das Leben selbst hasse, das gemeine, das lächerliche und dennoch triumphierende Leben, das Sie darstellen, den ewigen Gegensatz und Todfeind der Schönheit (Novellen I, S. 363).

Aber Spinell ist so lächerlich, daß dieser Ausbruch nicht als ernsthafte Kritik des Dichters am Bürger zu verstehen ist.

Wir werden im Kapitel über die Selbstkritik sehen, wie fragwürdig für Thomas Mann die Tätigkeit des Künstlers ist. Hier genügt es uns festzustellen, daß er dem Bürgertum als Außenstehender gegenübersteht. Dabei ist es nicht ohne Bedeutung zu sehen, wie sehr er äußerlich auf Respektabilität Wert legt, und wie er in kleineren Dichtungen wie „Herr und Hund", „Unordnung und frühes Leid", „Gesang vom Kindchen" den bürgerlichen Teil seiner äußeren Existenz zum Gegenstand seiner Dichtung macht. Bei allen diesen Dichtungen denken wir an ein Wort Tonio Krögers, das uns einen Schlüssel zu Thomas Manns bürgerlicher Respektabilität gibt:

> Man ist als Künstler immer Abenteurer genug. Äußerlich soll man sich gut anziehen, zum Teufel, und sich benehmen wie ein anständiger Mensch (Novellen II, S. 33).

Dem Ästheten Hofmannsthal ist der Bürger, wie für Schopenhauer, der aner amusos, der amusische Mensch, der sich nicht in die abgelegenen Schönheitsparadiese des Künstlers hineinfindet. Der Bürger, was ist der Bürger? „Der häßlich Empfindende". So definiert ihn auch der Maler Jakobus Halm in Heinrich Manns „Göttinnen" und in Rudolf Hans Bartschens „Hannerl" sagt der Melancholiker van den Bosch:

> Meine Herren, es ist so sonderbar, daß fast alles, was der Kaufmann, der Händler, Fabrikant, Beamte und Unternehmer tut, häßlich wird. Wer nach Geld und Erwerb geht, zieht hinter sich über die blühende Erde den Rauch und Ruß, die Schlackenhalden, das hohlwangige verworfene Massenelend. Alles aber, was jene Stände umgibt, die als überwunden gelten, ist schön.[34]

In Hofmannsthals „Tod des Tizian" erzählt der schöne Knabe Gianino, wie er nachts den Dunst über der Stadt sah und davon einen Eindruck von dem bekam, was das Leben ist. Aber der ältere Desiderio weiß, was die Stadt für eine Gefahr birgt. Sie könnte das schöne abgelegene Idyll im Hause des Tizian stören.

> Siehst du die Stadt, wie jetzt sie drunter ruht?
> Gehüllt in Duft und goldne Abendglut
> Und rosig helles Gelb und helles Grau,
> Zu ihren Füßen schwarzer Schatten Blau,
> In Schönheit lockend, feuchtverklärter Reinheit?
> Allein in diesem Duft, dem ahnungsvollen,
> Da wohnt die Häßlichkeit und die Gemeinheit,
> Und bei den Tieren wohnen dort die Tollen;
> Und was die Ferne weise dir verhüllt,
> Ist ekelhaft und trüb und schal erfüllt
> Von Wesen, die die Schönheit nicht erkennen
> Und ihre Welt mit unsren Worten nennen (I, S. 67).

Das ist die Ablehnung einer Welt, mit der man nichts als die Sprache gemeinsam hat.

> Denn unsre Wonne oder unsre Pein
> Hat mit der ihren nur das Wort gemein . . . (I, S. 68)

Tizian hat seine Schüler die Schönheit sehen gelehrt, wie sein Sohn sagt:

> Das macht: Er lehrte uns die Dinge sehen . . .
> (Bitter)
> Und das wird man da drunten nie verstehen! (I, S. 72)

Schließlich drückt sich die Spaltung des Dichters von seiner Gesellschaft darin aus, daß sowohl die materielle wie die ideelle Entlohnung dem Dichter fragwürdig geworden sind. So hielt Nietzsche den vierten Teil seines „Zarathustra" geheim und bedauerte die Veröffentlichung der ersten drei Teile. George veröffentlichte bis 1907 kein Werk in einer Auflage von mehr als zweihundert Exemplaren. Rilke schreibt 1903:

> Allein schon das Bewußtsein, daß zwischen meinem Schreiben und des Tages Nahrung und Notdurft eine Beziehung besteht, genügt, mir die Arbeit unmöglich zu machen (X, S. 60).

In diesem Mißtrauen gegen bürgerliche Anerkennung liegt beschlossen, daß der Künstler und Geistige keinen Platz in der Gesellschaft einnimmt. Witzig hat das Robert Musil in seinem „Mann ohne Eigenschaften" beschrieben:

> Das Leben großer Geister beruht heute auf einem „Man weiß nicht wozu". Sie genießen große Verehrung . . . aber diese Verehrung ist nicht ganz reell; auf ihrem Grunde gähnt die

> allgemein bekannte Überzeugung, daß eigentlich doch kein einziger sie verdient, und es läßt sich schwer unterscheiden, ob sich der Mund aus Begeisterung oder zum Gähnen öffnet (I, 475f.).

Und Jakob Wassermann schreibt 1920 in sein Tagebuch:

> Äußerlich viel Erfolg. In der Abgeschiedenheit seltsam wirkend. In einer zerstückelten Welt verloren.[35]

In ähnlichem Sinn schreibt Rilke 1915 an Kippenberg über den Cornet, es bereite ihm einen leichten Schmerz, ihn so leutselig zu sehen (XIV, S. 251). Schon in seiner Jugend begriff Rilke den Ruhm als „listige Feindschaft, die dich unschädlich macht, indem sie dich ausstreut"[36] und in seinem ersten Rodin-Aufsatz schreibt er: „Denn Ruhm ist schließlich nur der Inbegriff aller Mißverständnisse, die sich um einen neuen Namen sammeln" (IV, S. 299).[37]

Thomas Manns zwiespältige Haltung drückt sich auch in seiner Einstellung zum Ruhm aus. „Jedesmal mit gemischten Gefühlen, voller Skepsis und Dankbarkeit",[38] erlebt er die drei Perioden seines Lebens, in denen sein Ruhm durch alle Welt geht.

Malte Laurids Brigge spricht von dem Alleinsein als Pflicht. Die Gesellschaft aber ist bestrebt, den Einsamen aus der Höhe seiner reinen Schau herabzuziehen. Wenn ihre Ablehnung den Einsamen nicht stört, wenden sie das Letzte an, „das Äußerste, den anderen Widerstand: den Ruhm. Und bei diesem Lärmen blickte fast jeder auf und wurde zerstreut" (V, S. 219). Aus dieser Erkenntnis lehnt Brigge alle Mitteilung ab:

> Es wundert mich manchmal, wie bereit ich alles Erwartete aufgebe für das Wirkliche selbst wenn es arg ist. Mein Gott, wenn etwas davon sich teilen ließe. Aber wäre es dann, *wäre* es dann? Nein, es ist nur um den Preis des Alleinseins (V, S. 90).

Anmerkungen

1 So meint Kohn–Bramstedt, daß mit dem Strukturwandel der Gesellschaft ein Sinnwandel der Kunst verknüpft sei, und er sieht um die Zeit der Klassik eine Wendung von der dekorativen Rolle der Kunst zu einer im höchsten Sinne bildenden (S. 725). Ziegenfuß sieht drei Stufen: 1) primitive Kunst, in der kein Dualismus zwischen Künstler und Publikum besteht, 2) Volkskunst, die auf einer Gemeinsamkeit des Lebensschicksals von Künstler und Publikum beruht und 3) die Künstlerkunst, die durch tragische Entfernung von Werk und Gesellschaft entsteht.
Wir möchten diesen Auffassungen eine allgemeinere Leitdefinition zur Seite stellen: Kunst hat für den Künstler eine zweifache Funktion. Sie formt seine Erlebnisse, macht sie mittelbar und bannt die Erlebnisse dadurch. Kunst verleibt ihn damit aber auch der Gemeinschaft der Menschen mit gleichem Erlebnis ein. Für die Gesellschaft bedeutet Kunst entsprechend Formung und Bannung ihrer Erlebnisse und Schaffung einer Gruppe, der diese Erlebnisse gemeinsam sind.

2 German Ideals, S. 330.

3 Sphären, S. 46.

4 (Begegnung mit Rilke, S. 140). Eine ähnliche Beobachtung macht Francke in „German Ideals". Nicht mehr die Kirche hat die seelische Führung. „The inner life has been secularized in Germany; the men who shape spiritual ideals are philosophers, poets, artists (S. 34) . . . today literature and art have again assumed the rôle of leadership in the national striving for spiritual possessions" (S. 37). Tietze hält eine solche Entwicklung für katastrophal: „Das blasphemische Wort, daß die Kunst bestimmt sei, in unserer Zeit dem Gebildeten die Religion zu ersetzen, ist die letzte Konsequenz, zu welcher die der Renaissance entsprungene Befreiung der Kunst führte; es bedeutet die Hybris, die die Katastrophe im Schoße trägt" (S. 283).

5 In Conradis Fußstapfen geht Conrad, wenn er 1902 sagt: „Der Künstler als Erzieher und Wegleiter, der Künstler als Lebenskenner und Zukunftgestalter, das ist die neue und naturalistische Auffassung von der Stellung und Bedeutung des Künstlerischen im Kulturstaate" (S. 51 f.).

6 Dehmel schreibt 1899 an den Grafen Kessler: „*Gesetzgeber* kann der Dichter auch heute noch sein, und wenn er drauf ausgeht, auch *Heerführer*" (Dehmelbriefe 83–02, S. 291).

7 Thomas Mann hat in der Novelle „Gladius Dei" die Einsicht geformt, daß der Kunstkult der Zeit eine Verdeckung tieferer Probleme bewirkt. „Die Kunst blüht, die Kunst ist an der Herrschaft" (Novellen I, S. 188) heißt es anfangs, aber Hieronymus folgt der Stimme seines Gewissens und fordert die Entfernung eines schamlosen Madonnenbildes aus dem Schaufenster einer Kunsthandlung. „Denkt man, mit prunkenden Farben das Elend der Welt zu übertünchen? Glaubt man, mit dem Festlärm des üppigen Wohlgeschmacks das Aechzen der gequälten Erde übertönen zu können?" (S. 203), so fragt er. Für ihn ist die Kunst eine heilige Fackel, ein göttliches Feuer. Aber wie Lobgott Piepsam im „Weg zum Friedhof", muß Hieronymus der rohen Gewalt des „Lebens" weichen, hier in der Gestalt des Packers Krauthuber, der den randalierenden Weltverbesserer mit unwiderstehlicher Kraft am Kragen nimmt und vor die Tür wirft.

8 Hünich, S. 23.

9 Bauer, S. 72.

10 Briefe 1890–1901, S. 321.

11 Georg Heym dichtet:

> Die Menschen stehen vorwärts in den Straßen
> Und sehen auf die großen Himmelszeichen,
> Wo die Kometen mit den Feuernasen
> Um die gezackten Türme drohend schleichen (Zitiert bei Soergel II, S. 311).

Albert Soergel erkennt als Gemeinsames der expressionistischen Jugend: „Nur aus dieser Überzeugung, eine Weltwende zu erleben, Mitschöpfer sein zu dürfen an einer neuen Welt, die auch nichts, gar nichts mit der Vergangenheit verbindet, erklärt sich der jungen Dichter Vorstellen, Denken, Dichten" (Soergel, II, S. 327).

12 Dehmelbriefe 1883–1902, S. 141.

13 Vergleiche die Arbeit von Brombacher.

14 Neue Gleise, S. 298.

15 Die klassische Kritik am Bürgertum ist in Zarathustras Worten über den letzten Menschen enthalten:

> Seht! Ich zeige euch den letzten Menschen.
> „Was ist Liebe? Was ist Schöpfung? Was ist Sehnsucht?
> Was ist Stern?" – so fragt der letzte Mensch und blinzelt.
> Die Erde ist dann klein geworden, und auf ihr hüpft der letzte Mensch, der alles klein macht. Sein Geschlecht ist unaustilgbar wie der Erdfloh; der letzte Mensch lebt am längsten.
> „Wir haben das Glück erfunden" – sagen die letzten Menschen und blinzeln.
> Sie haben die Gegenden verlassen wo es hart war zu leben: denn man braucht Wärme. Man liebt noch den Nachbar und reibt sich an ihm: denn man braucht Wärme.
> Krank-werden und Mißtrauen-haben gilt ihnen als sündhaft, man geht achtsam einher. Ein Thor, der noch über Steine oder Menschen stolpert! Ein wenig Gift ab und zu: das macht angenehme Träume. Und viel Gift zuletzt, zu einem angenehmen Sterben.
> Man arbeitet noch, denn Arbeit ist eine Unterhaltung.
> Aber man sorgt, daß die Unterhaltung nicht angreife.
> Man wird nicht mehr arm und reich: beides ist zu beschwerlich. Wer will noch reagieren? Wer noch gehorchen? Beides ist zu beschwerlich. Kein Hirt und Eine Herde! Jeder will das Gleiche, jeder ist gleich: wer anders fühlt, geht freiwillig in's Irrenhaus.
> „Ehemals war alle Welt irre" – sagen die Feinsten und blinzeln.
> Man ist klug und weiß alles, was geschehen ist: so hat man kein Ende zu spotten. Man zankt sich noch, aber man versöhnt sich bald – sonst verdirbt es den Magen.

Man hat sein Lüstchen für die Nacht: aber man ehrt die Gesundheit.
„Wir haben das Glück erfunden" – sagen die letzten Menschen und blinzeln – (Also sprach Zarathustra, S. 19f.).

16 Klee findet in seiner Arbeit über die „charakteristischen Motive der expressionistischen Erzählungsliteratur" den „Kampf gegen den Bourgeois" als erstes Motiv (S. 15ff.). Er betrachtet in diesem Zusammenhang die folgenden, hier nicht berücksichtigten Werke: Albert Ehrenstein, Bericht aus einem Tollhaus; Ernst Weiss, Mensch gegen Mensch; Paul Zech, Der schwarze Baal; Josef Winkler, Trilogie der Zeit; Franz Kafka, Der Heizer; Otto Zoff, der Winterrock; Carl Sternheim, Chronik des zwanzigsten Jahrhunderts; Leonhard Frank, Der Bürger. – Die Bürgerkritik des Expressionismus ist realistischer, vehementer als die der Jahrhundertwende und unternimmt vor allem auch einen Angriff auf die ökonomischen Verhältnisse.

17 Über Hauptmanns Ausformung des heidnischen Lebensideals vergleiche Campbells Arbeit.

18 In den „Pilgerfahrten" von 1891 erkennt George diese Verlockung, sich in rauschhafter Zerstörungswut „inmitten trümmersee und flammensud" zu vergessen und rückt sie sich warnend vor Augen:

War so denn wirklich dein erstritten land?
O überhöre jenen lockungsschrei
Und sag nicht daß dein leid dein führer sei
Und wechsel nicht ein würdiges gewand (II, S. 66).

Eine grauenhafte Gestaltung der Verzweiflung über die Wirklichkeit findet sich in einem wenig bekannten Gedicht von Christian Morgenstern. Es ist so wirkungsvoll, weil die weitere Anwendungsmöglichkeit erst in der letzten Zeile erscheint.

Ich will den Kapitän sehn, schrie
die Frau, den Kapitän, verstehn Sie?
Das ist unmöglich, hieß es. Gehn Sie!
So gehn Sie doch! Sie sehn ihn nie!
Das Weib, mit rasender Geberde:
So bringen Sie ihm das – und das –
(Sie spie die ganze Reeling naß.)
Das Schiff, auf dem sie fuhr, hieß „Erde".
(Alle Galgenlieder, S. 270).

19 Dehmel hat das so formuliert: „Jede Fratze zeugt für den Gott, den sie entstellt."

20 Burkhardt bemerkt sehr richtig: „After all, Thomas Mann seems to feel, artists have much in common with criminals" (S. 887). Diese Beobachtung stimmt mit Tonio Krögers Worten über den dichtenden Bankier überein, der aus triftigen Gründen eine Freiheitsstrafe zu verbüßen hatte und im Gefängnis seine Begabung entdeckte. „Man könnte daraus, mit einiger Keckheit, folgern, daß es nötig sei, in irgendeiner Art von Strafanstalt zu Hause zu sein, um zum Dichter zu werden" (Novellen II, S. 38).

21 Ebenso liegt in der Bindung der Dorothea Angermann an den verbrecherischen Koch ein Tribut Hauptmanns an den ausgestoßenen Schurken. Vergleiche die große Rechtfertigung Dorotheas im letzten Akt. Interessant ist in diesem Zusammenhang die enge Verwandtschaft dieser Handlung mit einem früheren Drama von Wilhelm Schmidtbonn „Hilfe! ein Kind ist vom Himmel gefallen", wo die schöne Maria von einem Einbrecher vergewaltigt wird, ihn zur Heirat zwingt und mit ihm nach Amerika reist.

22 Man vergleiche auch Wedekinds Novelle „Brand von Egliswyl", deren Held ein Sträfling ist.

23 Ähnlich wie Bronnen empfindet Stefan George in seinem Gedicht „Der Gehenkte". Auf dem Weg zum Richtplatz sieht der Verbrecher in dem Gesicht dessen, der ihn steinigt

Daß in ihm einer meiner frevel stak
Nur schmäler oder eingezäumt durch furcht (IX, S. 68).

24 Eine psychoanalytische Studie Schaeffers könnte wahrscheinlich das Skizzierte vertiefen; denn alle Gebrechen der Schaefferschen Gestalten haben etwas Traumatisches und wirken wie selbstauferlegt.

25 Was für den Algabal gilt, das läßt sich auch auf andere phantastisch-exotische Literatur der Zeit übertragen; auf Meyrinks Werk – er nennt selbst seine Sammlung „Des deutschen Spießers Wunderhorn" – auf Morgensterns „Galgenlieder", auf Scheerbarts „Tarub", Ewers „Alraune", Kubins Phantasien, auf die zahlreichen Alexanderromane der Zeit.

26 Bauer zitiert eine ähnliche Äußerung aus der Jugend Morgensterns: „... eine einheitliche Volksseele gibt es nicht mehr ... ein Gesamtboden, in den der Dichter den Samen seiner Werke streuen könnte, existiert nicht mehr" (S. 70).

27 Bauer, S. 252.

28 Bauer, S. 279.

29 Schwiefert faßt die „Geschichten vom lieben Gott" geradezu als ein Mittel auf, „von der dringenden Notwendigkeit einer neuen Lebensführung zu sprechen" (S. 46).

30 Beide Erzählungen in Rilke VII.

31 Rilke hat sich an anderem Orte darüber geäußert, wie er gerade das besitzlose Lieben als Aufgabe des künftigen Menschen erfaßt, worüber im letzten Kapitel zu sprechen sein wird.

32 Ähnlich empfindet der aus den Tropen in die Heimat Zurückgekehrte bei Hofmannsthal, wenn er über die Sprache der Deutschen schreibt: „Auch da ist mir immer, als könnten sie auch etwas anderes sagen und als wäre es gleichgiltig, ob sie dies oder jenes gesagt hätten (Sphären, S. 194).

33 Schlözer, Rainer Maria Rilke auf Capri, S. 54.

34 Zitiert bei Riemann, S. 393.

35 Karlweis, S. 321.

36 Faesi, Gedenkrede, S. 11.

37 Im gleichen Sinn sind die folgenden Worte von Paul Ernst zu verstehen: „Nicht umsonst berichtet die Sage, daß Homer ein Bettler war. Die sogenannte Verkennung ist wahrscheinlich eine notwendige Voraussetzung für die große Dichtung" (In: Kindermann, Sendung, S. 23).

38 Lebensabriß, S. 745.

MANFRED DIERSCH

Vereinsamung und Selbstentfremdung als Lebenserfahrung Wiener Dichter um 1900

Das Gefühl hoffnungsloser Vereinsamung und schmerzvoller Resignation kennt nicht allein Schnitzler – es klingt auch aus den Selbstzeugnissen und Dichtungen seiner literarischen Freunde und Zeitgenossen.[1]

> Was frommt das alles uns und diese Spiele,
> Die wir doch groß und ewig einsam sind
> Und wandernd nimmer suchend Ziele?[2]

fragte der junge Hugo von Hofmannsthal in seiner „Ballade des äußeren Lebens", und Richard Beer–Hofmann schreibt in seinem „Schlaflied für Mirjam":

> Blinde, so gehn wir und gehen allein,
> Keiner kann keinem Gefährte hier sein.[3]

Nicht einem flüchtigen Gefühl verleihen Hofmannsthal und Beer–Hofmann mit solchen Worten poetischen Ausdruck – sie bekennen als Dichter, was sie als Menschen erlitten.

Hugo von Hofmannsthal spricht vom „furchtbar Autobiographischen(n)"[4] seines Jugendwerks. Zur „Ballade des äußeren Lebens" notiert er als Thema: „Leben als Verwirrendes".[5] Die Antinomie „der Einsamkeit und der Gemeinschaft"[6] soll vom Dichter ausgesagt werden. Und ständig ist Hofmannsthals Denken auf der Suche nach „dem Bleibenden Entscheidenden".[7] Dies ist schwer zu finden, weil „das Wesen aus der Sphäre der Totalität"[8] herauszufallen droht und so sich verirrt. „Grundproblem" der Selbsterfüllung wird daher: „Verknüpfung mit dem Leben – Durchdringung zum Sein",[9] um ein „Ende aller Lügen, Relativitäten und Gaukelspiele"[10] zu erzwingen. Die Bedrohung „dieses (erhöhten) Zustandes" erfolgt „durch ein Etwas von außen her".[11] Gerade der Dichter, so klagt Hofmannsthal, ist aus „jener höchsten ... Welt",[12] in der eine Einheit von Erscheinung und Wesen, Augenblick und Dauer, Individuum und Gemeinschaft besteht und erkennbar ist, herausgefallen. So bleibt ihm das Gefühl, „im Leben gefangen"[13] zu sein; er erfährt „die Einsamkeit ... inmitten der Menschen".[14] Hofmannsthal erscheint die Antinomie zwischen erstrebtem Sinn des Lebens und der Dichtung einerseits und der Unfähigkeit, diesen bleibenden Sinn zu erhellen, andererseits als unauflösbar – das prägt noch die *Form* der Selbstbestimmung: Sie wird als problemeinkreisende Reihung von Aphorismen und Gedankensplittern versucht, die die offenen Widersprüche zeigt. Auf der Suche nach notwendiger menschlicher Totalität (Selbstentäußerung), die weiter ersehnt bleibt, wird der Verlust wesenhafter Bindung (Selbstentfremdung) empfunden. Als Ursache dafür kann lediglich ein bedrohendes „Etwas von außen" angegeben werden: Die Unsicherheit in der Selbstbestimmung korrespondiert mit der Unbestimmtheit im Erfassen gesellschaftlicher Determination – die Ursache dafür, daß diesem Denker das Leben als verwirrend erscheint.

Aus angesehenen, begüterten bürgerlichen Häusern stammend, führten Hofmannsthal und seine Dichterfreunde ein Leben, dem bedrückende materielle Sorgen fremd blieben. Hermann Bahr war der Sohn eines Linzer Notars und Landtagsabgeordneten,[15]

Richard Beer–Hofmann entstammte der Familie eines Wiener Hof- und Gerichtsadvokaten,[16] Hugo von Hofmannsthal wurde in Wien als Sohn eines Juristen, des Bankdirektors Edler von Hofmannsthal, geboren.[17] Und Arthur Schnitzler, von dem Hofannsthal sagte, er sei „ein Kind der obern Beourgeoisie",[18] hatte einen Universitätsprofessor zum Vater.[19] Felix Salten, ein Zeitgenosse dieser Dichter, wußte von der „gesellschaftlich und materiell bevorzugten Stellung"[20] Schnitzlers und Hofmannsthals zu berichten. Er schrieb, daß seine Freunde „alle wohlhabend und sorgglos leben könnten" und sich „Reisen nach Venedig, nach Paris und Sommeraufenthalte im Salzkammergut gestatten durften".[21] Von Geburt aus gehörten diese Menschen alle zu „einer sinkenden ökonomischen Klasse",[22] wie Hermann Bahr feststellte. Bahr schloß sich in diese Diagnose selbst ein und schrieb: „Aus unserer Empfindung wird sie (die sinkende ökonomische Klasse – M. D.) niemals auszutilgen sein."[23] Nach einem anderen Wort von Bahr gehörten die Eltern seiner Freunde zu den Wiener „Familien":[24] „Es gibt adelige unter ihnen, es gibt bürgerliche unter ihnen . . . sie sind stets als die Vorzugswiener behandelt worden",[25] weil sie in der Verwaltung Stützen des Habsburger Staates bedeuteten.

Ihrer sozialen Stellung und Funktion nach gehörten die Familien, aus denen die Dichter des „Wiener Kreises" stammen, zur Bourgeoisie. Hofmannsthals Wort von der „gehobenen Bourgeoisie" gilt für sie alle. Ihre Väter waren aber nicht in der Produktionssphäre tätig, sondern Glieder im Verwaltungs- und Bildungsapparat der herrschenden Macht – sie waren bürgerliche Intellektuelle. Die Söhne haben in ihren wichtigsten Lebensbindungen wie Beruf und Familie den sozialen Umkreis, dem sie entstammten, zeit ihres Lebens kaum verlassen. Hofmannsthals Bekenntnis gegenüber seinem Vater kann daher als stellvertretend zitiert werden: „Es sind natürlich nicht bestimmte Menschen, von denen Du denken mußt, daß ich sie brauche, sondern es ist einfach von Zeit zu Zeit . . . *ein ganzes Milieu*, bestehend aus vornehmen Leuten, aus Geschäftsleuten, aus Künstlern usf., unter denen ich eine meiner inneren Geltung analoge Stellung von selbst einnehme . . ."[26] Betrachtet man den Briefwechsel dieser Dichter[27] auf den sozialen Standort ihrer Gesprächspartner hin, so überrascht die Geschlossenheit des sozialen Kreises. Zwischen wohlhabenden Intellektuellen findet der Gedankenaustausch statt; ihre soziale Stellung als notwendige Voraussetzung ihrer Bildung bleibt unreflektiert und erscheint nur gelegentlich am Rande, wenn „profane" Fragen erörtert werden. So etwa, wenn Hofmannsthal anläßlich einer Zeitschriftengründung berichtet: „Das Geld ist da, auf drei Jahre, durch Thyssen."[28]

Mit der sozialen Struktur der Elternhäuser hängt ihre geistige Lebensart zusammen. „Feine Bürgersöhne",[29] waren sie nicht nur nach ihrer sozialen Stellung, sondern auch im Sinne einer inneren Verfeinerung. Franz Mehring beschrieb diesen Zusammenhang so: „. . . wer sich mit der handfesten Wirklichkeit des rauhen Lebens herumschlagen muß, erwirbt sich nicht die Feinheit der Sinne . . ."[30] Kultiviertheit, subtiler Geschmack und innere Bindung an eine reiche Kulturtradition ist diesen Schriftstellern eigen. Sie alle, also der Literaturwissenschaftler Dr. Hugo von Hofmannsthal, der Mediziner Dr. Arthur Schnitzler und der Philologe und Nationalökonom Hermann Bahr, hatten die Möglichkeit, sich das Wissen ihrer Zeit in den Bildungsinstitutionen ihrer Gesellschaft anzueignen. Ein wesentlicher Bildungsfaktor war für sie dabei das Elternhaus. Im Gespräch mit den Vätern, im Umgang mit deren Bibliothek und im „Kreis" der bürgerlichen Familie wuchsen ihnen gleichsam spontan Wissen, Kultur, Geschmack und politisches Urteil zu. Die institutionelle Bildung (Gymnsaium, Universität) wurde von der individuellen, privaten Erziehung und Bildung überwölbt.[31] Hofmannsthal notierte in „,Ad me ipsum" über seinen Bildungsweg: „Jünglingszeit . . . alles Vorbereitung, Hindeutung . . . das frühere Wien. Ahnung eines nicht mehr vorhandenen Zustandes."[32] Und weiter: „Beschäftigung mit der Geschichte. Früh (14 bis 17) . . .: Ideen und Geschehnisse in ihrem Zusammenhang . . . *Das Österreichische. Natürliche Verbindung mit dem Theater.*"[33] Charakteristisch an dieser Bildung ist der Versuch, die Vergangenheit in die Gegenwart hineinzunehmen – zur Kenntnis der österreichischen Kulturgeschichte kommt bei Hofmannsthal der suchende Blick in die menschliche Kulturgeschichte überhaupt. Das stoffliche Interesse ist bei den einzelnen Schriftstellern dieser Generation zweifellos verschieden. Aber im selbstverständlichen Anschluß und weitgespannten Aufnehmen der kulturellen Tradition, als deren erlebtes Zentrum das Elternhaus in Wien gilt, gleichen sich die Bildungswege. Dafür gab Hermann Bahr 1894 einen Hinweis, als er seine Wiener literarischen Zeitgenossen charakterisierte: Er schrieb: „. . . sie verehren die Tradition. Sie wollen nicht gegen sie reden. Sie wollen nur auf ihr stehen. Sie möchten das alte Werk der Vorfahren für ihre Zeit zurichten."[34] Neben diese positive Bestimmung der Traditionslinie stellt Bahr einschränkend folgende Bemerkung: „Die Jünglinge wissen es nicht zu sagen. Sie haben keine Formel. Sie haben kein Programm."[35] Hugo von Hofmannsthals aphoristisches Denken, das in „Ad me ipsum" ansatzweise philosophische und ästhetische Probleme einzukreisen versucht, bestätigt noch in der reflektierenden Rückschau die von Bahr notierte philosophische und ästhetische Unsicherheit – das Leben in der isolierten Selbstkonzentration findet nicht die festen Begriffe, die es sucht.

Im bildenden Einfluß, den das Elternhaus ausübte, hebt Hofmannsthal das sensitive Element hervor. In seinem Tagebuch notiert er am 23. Oktober (1904?): „Aufeinanderfolgende Generationen. – Die zärtliche Liebe meines väterlichen Großvaters zu seinen kleinen Besitztümern: den Bildern, die er auf dem Mailänder Markt zusammengekauft hatte, chinesischen Vasen, alten Stoffen, Schnitzereien . . . Er war der Erwerber dieses ganzen Gewebes von Gefühlen, Begierden, Zärtlichkeiten, Behaglichkeiten. Mein Vater erbte dieses Ganze und trug es in sich noch verschönert durch die Erinnerung an seinen Vater . . . In mir ist dies alles auch, zum zweitenmal vererbt; ich kann zuweilen diese Dinge mit dieser Zärtlichkeit ansehen: die Blattpflanzen im Stiegenhaus, ihr Grün und ihre Schatten auf der blaßgelben getünchten Wand . . . die Stiche an den Wänden; die Reihen der Bücher nebeneinander in ihren verschiedenen Einbänden, ich kann mir manchmal wünschen, sie zu vermehren."[36] Mit der Atmosphäre dieser Tagebuchnotiz stimmt eine briefliche Äußerung überein: „Ich möchte endlich ein Haus finden mit alten Empiremöbeln, die nach Lavendel riechen, Alt-Wiener Vasen und viel Musik, wo man leise kommt, still zuhört und dann, wenn man will, ein bißchen plaudert; oder auch nicht."[37] Und die Atmosphäre in Schnitzlers Wohnung beschreibt Hofmannsthal 1891 so: „Man sitzt und plaudert besser wie im Kaffeehaus . . . die Lampen haben rote Schirme. Es gibt Kognak . . . am Schreibtisch liegen Bahr, Barrès, Barbey d'Aurevilly und noch manches anderes, das alliteriert. Es riecht nach der Bohème von Wien 1891."[38] Subtile Bildung, die von emotionalen Werten und atmosphärischen Empfindungen mitbestimmt ist, kennzeichnet nicht nur Hugo von Hofmannsthal; die Sensibilisierung des Lebensnervs und das daraus folgende Widerspiel von Empfindsamkeit und Empfindlichkeit bis an die Grenze der Selbstzerstörung ist auch für Schnitzler charakteristisch. Quälend wird diese Spannung, weil die in ihr liegenden Gefahren gespürt werden. Hofmannsthal schreibt dazu an Leopold von Andrian: „. . . das schöne Leben verarmt einen. Wenn man immer nur so leben könnte, wie man will, würde man alle Kraft verlieren."[39] Und in einem Schreiben an Arthur Schnitzler warnt er: „Ihr aber sitzt vor einem wunderschönen Stilleben mit roten Langusten, goldroten Weintrauben und bunten Truthühnern. Um es zu essen, muß man es rupfen und sieden und schälen und kauen, und dann ist es gar nicht mehr schön: Und doch gehört's zum Essen und nicht zum Anschauen. Es – ich meine das Leben."[40] Der gleiche Sinn spricht aus einer Tagebuchnotiz Hofmannsthals vom 23. Juli (1895?): „Das Ungeheure des Lebens ist nur durch Zutätigkeit erträglich zu machen; immer nur betrachtet, lähmt es."[41] Die Lähmung als Reflex eines kontemplativen und isolierten Lebens wird wahrgenommen. Für diese Dichter wird es zum Lebensproblem, wie sie ihr Leben noch durch „Zutätigkeit", also durch Produktivität, die über ihr Ich hinausgreift, meistern können. Mit der materiellen Sicherheit, die die soziale Herkunft ihnen gewährte, korrespondiert keineswegs innere Harmonie und Sicherheit. Im Gegenteil: Alle „profanen" Lebensprobleme, die werktätigem Dasein Inhalt und Spannung geben, werden als drückende Last empfunden. Hofmannsthal klagt darüber: „Mein Leben ist manchmal . . . schwer, dies Abhängigsein von allem, auch dem Materiellen, vom gänzlich Unberechenbaren . . . und das andere, die Sorge, der Haushalt, das ist immer da."[42] Arthur Schnitzler wünscht sich (als er auf der Suche nach einer Wohnung ist): „Könnten einem doch nur alle diese äußeren Sachen abgenommen werden."[43] Diese in den Briefen zum Ausdruck gebrachten äußeren Lebensspannungen könnten belanglos erscheinen, da in ihnen auch selbstverständliche Probleme alltäglicher menschlicher Existenz enthalten sind. Die Selbstaussagen erhalten jedoch ihr Gewicht aus den tieferen Konflikten, die von den „äußeren Sachen" überdeckt sind. Hugo von Hofmannsthal, der dank seiner außergewöhnlichen Reizempfindlichkeit und der Fähigkeit, fremde Erfahrung zu amalgamieren,[44] dem Lebensgefühl seiner Gefährten den beredtesten Ausdruck gab, charakterisierte die Lebenssituation der ihm verbundenen Schriftstellerfreunde so: „Wir bewegen uns in dem ungeheueren Element des Lebens leicht und ahnungslos wie die Tiere am Meeresgrund unter dem ungeheuersten Druck, der auf ihnen lastet."[45]

Wiederum ist es das menschliche Dasein schlechthin, das als bedrückend empfunden wird. Und doch handelt es sich um das Leben in seiner sozialen Ausformung, das diesen Dichtern die wesenhaften Bindungen erschwert. Ihre eigene soziale Stellung ist die Voraussetzung ihrer Lebensproblematik. Mit schmerzlicher Resignation spricht Hofmannsthal über die Vereinsamung des Menschen. 1907 fragt er in einem Brief, „. . . sind wir Menschen, die etwas ‚Schönes' machen wollen, denn nicht furchtbar vereinsamt in der Welt . . .?"[46] Er schreibt von einem „Gefühl der Unausgefülltheit, der Sinnlosigkeit des Daseins".[47] Dieses Gefühl vom Sinnverlust des Lebens entsteht, weil das Individuum sich von der Wirklichkeit beherrscht fühlt, ohne auf sie bestimmend zurückwirken zu können, weil die Gesetze dieses Beherrschtwerdens nicht erkannt werden. Es gibt für sie keine Transparenz menschlicher Beziehungen. Hofmannsthal klagt: „. . . nicht wir haben und halten die Dinge, sondern sie haben und halten uns, . . . wie fremd und ausgeschlossen geht man im Leben herum, nichts packt, nichts erfüllt einen ganz."[48] Nach Hofmannsthal ist „der Sinn dafür, dem Leben gerecht zu werden, . . . verlorengegangen, so voll ist man von Manier und schiefen Vorurteilen",[49] Als Ausweg in dieser Situation wird versucht, eine eigene „Welt in die Welt hineinzuhauen",[50] um sich in „dem *allgemeinen sittlichen Tod oder Starrkrampf* doch einigermaßen am Leben zu erhalten".[51] Dieser Versuch konnte nicht gelingen. Die ungelösten Gegensätze und unlösbaren Widersprüche ihrer Existenz finden sich in allen Lebensbereichen dieser Schriftsteller wieder. Der Nerv ihres Daseins lag nicht solcherart in Beruf oder Familie, daß daraus soziales Engagement entstanden wäre. Ihre Herkunft erlaubte ein Leben im sozialen Abseits.[52] Daraus entstand das Unbehagen ihres Selbstgefühls, dem sie mit einer Selbstdisziplin zu begegnen trachteten, die die Unrealisierbarkeit eines schrankenlosen und absoluten Individualismus respektiert. Bei Arthur Schnitzler lesen wir zum Beispiel 1898 in einem Brief an Hofmannsthal, er sei „zum Familienleben, selbst im mäßigen Umfang ... nicht geboren".[53] Und doch heiratete er 1903 und gründete eine Familie.[54] Die gleiche Beobachtung macht man auch in den Biographien von Hofmannsthal und Bahr – sie scheuten gleichfalls das Engagement und die Verpflichtungen einer eigenen Familie und gingen sie doch ein.[55] Der Versuch, der inneren Haltlosigkeit auf sozialer Ebene etwas entgegenzusetzen, ist unverkennbar.

Dieser Zusammenhang läßt sich auch in der *Berufs*problematik dieser Wiener Dichter aufdecken. Bei Schnitzler lagen bis 1893 Arzt und Dichter miteinander in Widerstreit;[56] Hugo von Hofmannsthal erstrebte bis 1901 die akademische Laufbahn und entschloß sich erst, als dieses Bemühen an den äußeren Verhältnissen gescheitert war, den Schriftstellerberuf als Existenzform zu wählen.[57] Und Hermann Bahr versuchte bis 1908 immer wieder vergeblich, sich als Theatermann oder Kunstkritiker beruflich zu binden.[58] In diesem Scheitern drückt sich ein Zurückgeworfenwerden in die Isolierung aus; auf diese Weise wird offenbar, wie im Verhaftetsein in der bestehenden gesellschaftlichen Ordnung deren Überwindung nicht möglich ist.[59] Der Dichterberuf bleibt als Existenzmöglichkeit in einer Situation, die zur Vereinsamung drängt. In der dichterischen Aussage wird die real erfahrene Situation aufgehoben – ein kurzes Glück stellt sich immer dann ein, wenn dies gelungen zu sein scheint.[60]

Auch in der *Freundschaft* gab es für diese Schriftsteller keine bleibende Bindung. Isolierung und Kommunikationsschwierigkeiten sind für diesen Lebensbezirk charakteristisch. Sicher geht Eduard Castle zu weit, wenn er meint, „niemals früher und später" habe „sich Literatur- und Kulturleben inniger mit dem Kaffeehaus verschwistert, als das ‚Jung-Wien' mit dem Café Griensteidl", und diese Verbundenheit gehe „so weit, daß man, ohne mißverständlich zu werden, einen Namen für den anderen setzen könne".[61] Das Spezifische dieser Wiener Dichter läßt sich nicht primär von der „Kaffeehausatmosphäre" her fassen, wohl aber vermag sie als ein Akzidenz der Lebenshaltung, die sich in ihr ausdrückt, deutenden Aufschluß zu geben. Alfred Polgar erklärte den Zusammenhang zwischen dem Lebensgefühl dieser Wiener Schriftsteller und dem Kaffeehaus: „Das Café Central liegt unterm wienerischen Breitengrad der Einsamkeit ... Es sind unklare Naturen, ziemlich verloren ohne die Sicherheiten, die das Gefühl gibt, Teilchen eines Ganzen (dessen Ton und Farbe sie mitbestimmen) zu sein. Der Centralist ist ein Mensch, dem Familie, Beruf, Partei solches Gefühl nicht geben: hilfreich springt da das Caféhaus als Ersatztotalität ein, lädt zum Untertauchen und Zerfließen."[62] Auch die Gemeinsamkeit der Bohème schafft diesen Dichtern kein Engagement, und selbst der Kontakt mit den gleichgesinnten Freunden, aus dem Verlust der Lebenstotalität heraus gesucht, gewährt keinen befriedigenden Ersatz. Felix Salten verwunderte sich aus dem Rückblick über die innere Distanz, die zwischen den Dichtern des „Wiener Kreises" bestand. Er schrieb darüber: „Merkwürdig bleibt mir bis zum heutigen Tage die gedeckte Herzlichkeit, mit der wir untereinander verkehrten, und die immer wieder ... auf mich den Eindruck von Kühle, ja sogar von Kälte geübt hat. Arthur Schnitzler war gegen jede körperliche Berührung, wie das vertrauliche Handauflegen auf die Schulter, überaus empfindlich und ablehnend bis zur Schroffheit ... eine schier unmeßbare Distanz hat Beer-Hofmann immer gewahrt. Einmal sagte er sogar: ‚Freunde? Freunde sind wir eigentlich nicht – wir machen einander nur nicht nervös.'"[63] Abgeschnitten vom sozialen Lebensimpuls kann den Einsamen auch der Freundeskreis nicht zur Ersatztotalität werden. Jeder bedeutet eine Welt für sich, „keiner bindet den andern".[64]

Und dennoch darf man sich die Kontaktlosigkeit dieser Freundschaft nicht als rücksichtslosen Individualismus vorstellen. Die Distanz entsteht erst aus dem Wissen um die innere Gefährdung des Selbst. Die Scheu vor der Selbstentblößung ist von dem Gefühl getragen, daß im Nachgeben gegenüber der eigenen Zerrissenheit jeglicher menschliche Kontakt unmöglich würde. Weil man des inneren Haltes sinnvoller Bezogenheit zur allgemeinen gesellschaftlichen Existenz entbehrt, ist das Bedürfnis nach Bindung an den gleichgestimmten Freund stark vorhanden. Wegen der inneren Labilität, die aus dem Bindungsverlust resultiert, ist aber auch dieser Kontakt erschwert. Aus dem Wissen um solch widerspruchsvolle Polarität blieb noch eine Möglichkeit der Selbsterweiterung. Hugo von Hofmannsthal hat die Schwierigkeiten und den Gewinn des freundschaftlichen Gespräches seiner Wiener Zeitgenossen bedacht. In sein Tagebuch schrieb er: „Einsamkeit. – Indem ich an Rudolf Borchardt schreiben will, setze ich mir vor, ihm von der Einsamkeit zu sprechen, von welcher ich mich und meine Arbeiten umgeben fühle. Dies könnte klingen wie Heuchelei; aber es wird mir zugleich klar: daß es wirklich verschiedene Einsamkeiten gibt, ja daß einem jedem Freund gegenüber eine neue Einsamkeit innewird, deren schwarze Gewässer eben von dem Licht dieses neuen Leuchtturmes bestrichen werden."[65] In gleichem Sinne äußerte sich Hofmannsthal über seine Freundschaft zu Schnitzler: *„Wir haben doch in diesen paar Jahren sehr viel schöne Stunden gehabt.* Wir haben sehr oft das Leben reich und groß gesehen . . . und immer hat sichs wieder verändert, das war das schönste. Auch daß wir voneinander nicht gar zu viel wissen und immer ein jeder wie ein Neuer aus seinem Leben hervortritt und wieder hineingeht, ist sehr schön."[66]

Auch auf dieser Lebensebene scheint es so, als habe jeder seine eigene Wirklichkeit. Hofmannsthal versuchte aus der negativen Grundsituation produktiven Gewinn zu ziehen, indem er sie positiv respektierte. Das Motto dafür gibt sein „Buch der Freunde": „Wer im Verkehr mit Menschen die Manieren einhält, lebt von seinen Zinsen, wer sich über sie hinwegsetzt, greift sein Kapital an."[67] Solcherart bleiben die Grenzen der Kommunikation eng gezogen – die Bindung ist auf Takt, verdeckende Distanz und die Scheu vor tiefer Selbstoffenbarung orientiert. Das Gespräch, auch im Briefwechsel, meidet es, den subjektiven Verstimmungen und Erschütterungen nachzugeben, um den Partner nicht in die eigene Unsicherheit hineinzuziehen. Der Verlust, der mit dieser Kontakthemmung entstand, ist aus dem Briefwechsel zwischen Hofmannsthal und Schnitzler abzulesen. In einem Brief Hofmannsthals an Schnitzler lesen wir: „„. . . wenn man es zusammenrechnet, wie oft wir . . . uns gesehen haben, so wird wohl kaum so viele Zeit herauskommen, als wir miteinander verbracht hätten, wenn wir, ich in Petersburg und Sie in London, leben würden und wir uns auf 8 oder 10 Tage etwa in Berlin rendezvous gegeben hätten."[68] Und den Zuwachs an Lebenserfahrung und produktiven Möglichkeiten, den der Umgang mit Gleichgesinnten brachte, bestimmte Hofmannsthal so: „Jede neue Bekanntschaft bewirkt Auseinanderfallen und neue Integration."[69] Jeder Freund ist auch „eine neue Verknüpfung mit der Welt".[70] Das Gespräch, konzentriert in produktiver Stimmung geführt,[71] wirkt als geistige Stimulans und bedeutet so einen glücklichen *Moment.* Die Einsamkeit dieser Dichter vermag die Freundschaft aber nicht auf Dauer zu durchbrechen.

Das auffallende Reisebedürfnis trägt gleichfalls Züge eines Lebensersatzes. Die Reise wird zum notwendigen Ingredienz dichterischer Produktivität. „Reisen. Nach neuen Sensationen botanisieren . . . Man hat so viele Menschen um sich, als man Welten erlebt hat."[72] So sieht Hermann Bahr 1891 auf seiner „Russischen Reise" die Funktion des Reiseerlebnisses. Im Reisedrang wird wiederum äußerste Reizempfindlichkeit und die Abhängigkeit von äußeren Reizen und Eindrücken offenbart. Die innere Beziehung, die zwischen dem Unsteten des äußeren Lebensablaufes dieser Intellektuellen und ihrer

Lebenslage besteht, wird in einem Brief Hugo von Hofmannsthals ausgesprochen: „Das Leben, das wir in Wien führen, ist nicht gut. Wenigstens sollte es unterbrochen werden, auch hie und da durch Reisen."[73] Eine andere charakteristische Briefstelle Hofmannsthals lautet: „Ich möchte eine Menge tun. Vielleicht gehe ich auf ein, zwei Monate fort."[74] Das Reiseerlebnis und der Wiener Alltag stehen demnach in einem spannungsvollen Verhältnis zueinander. Um ihrer bedrückenden Wirklichkeit zu entfliehen, suchen sie entspannende Entlastung. Die Reisen stellen eine Suche nach unverbrauchtem Leben und Erfrischung des eigenen Lebens dar. Hofmannsthal weist auf diesen Bezug in einem Brief hin, der während einer Reise geschrieben wurde: „Ich bin alles Feinen, Subtilen, Zerfaserten, Impressionistischen, Psychologischen recht müde und warte, daß mir die naiven Freuden des Lebens wie Tannzapfen derb und duftend von den Bäumen herunterfallen."[75]

Die Charakteristik, die Bahr 1906 vom Wiener gab, trifft vor allem auf seine Dichterfreunde zu: Hofmannsthal und Schnitzler waren gebürtige Wiener und hatten zeit ihres Lebens ihre Wohnung in dieser Stadt. Für den Wiener, sagte Bahr, müsse es ein Fluch sein, in dieser Stadt zu leben – wenn man auf seine eigenen Aussagen höre. „Aber er bleibt. Es scheint, daß er von der so geschmähten, so gehaßten Stadt dennoch nicht lassen kann."[76] Dieser Widerspruch begegnet auch bei Hofmannsthal und Schnitzler. Sie stöhnen über Wien und fliehen in die Reise.[77] Und zugleich sind sie „immer mehr entzückt"[78] von ihrer Stadt. Diese komplementären Empfindungen sind nicht als Landschaftserlebnis zu erklären; hinter ihnen steht die soziale Existenzform. Während seiner ersten Parisreise 1897 berichtet Schnitzler an Hofmannsthal: „Im ganzen . . . fühl ich mich . . . wohl; insbesondere tritt das sonderbare ein, was sich beinah immer einstellt, wenn ich auf Reisen, besser: wenn ich nicht daheim bin; ich bin beinah gänzlich erlöst von den Bangigkeiten und Hypochondrien, die mir das Leben zu Hause oft so heftig stören."[79] Die Reisen sind mit literarischer Arbeit verbunden; mit der Arbeit stellen sich „Momente innerer Fülle"[80] ein. Die Reisebiefe, die Hofmannsthal und Schnitzler miteinander austauschen, sind immer Arbeitsberichte und haben nahezu alle die gleiche innere Gliederung: Landschaftseindrücke und Naturstimmungen, persönliche Stimmungslage und der Bericht über schriftstellerische Vorhaben bilden eine Einheit.[81] Auf Reisen wird das Leben in kleinen Totalitätskomplexen empfunden. Die Abhängigkeit von äußeren Gegebenheiten reicht so weit, daß einzelne Landschaften und Städte als besonders stimulierend aufgesucht werden. So sind für Hofmannsthal Salzburg und Venedig Stätten reichster Impressionen.[82] Und bei Schnitzler waren es Radpartien in die Alpenlandschaft, die ihn besonders anregten. Von solch einem Ausflug schrieb Schnitzler an Hofmannsthal: „Von Salzburg aus . . . fuhren ich und S. (gemeint ist Felix Salten – M. D.) per Rad davon. Das war sehr schön. Man hat schon ganz aufgehört, so mitten durch Dörfer und Flecken zu fahren, mitten durch das Leben und die Naivität eines Ortes. Von Stationen aus, wo sich naturgemäß künstliches sammelt, sieht man das alles schief. Auch die Landstraßen werden wieder lebendig, wachen auf, und man gehört mit zu den Erweckenden. Auch Zufälle gibt es wieder, und das beste, man hält den Zug an, wo es beliebt."[83] Die Bilder dieses Berichtes sind in ihren Zuordnungen bedeutungsvoll – die Radpartie wird als impressionistisches Reiseerlebnis arrangiert. Hier fühlt sich der Dichter noch als erweckender Teil eines Ganzen, das er selbst mit bewegt. Und die Natur sowie das überschaubare Dorf werden als echtes bewegtes Leben gegen die Künstlichkeit und Verstelltheit einer Existenz gestellt, zu der das gesellschaftliche Dasein mit seinen Bedrückungen in Wien zwingt. Die Rast ist jedoch nur von kurzer Dauer, die so erreicht wird.

Die „naiven Freuden" der Reisen sind ebenso wie die ungelösten Widersprüche, die Beruf und freundschaftliche Bindung dieser Wiener Dichter zeigen, eine Folie zum Verlust wesenhafter Bindungen, den sie in ihrem Leben erfahren. So wird überschauendes Planen und Ordnen schwer. Sie leben nach der Überzeugung Hofmannsthals, „wie alle Welt, von der Hand in den Mund: nur in einem kleinen Bogen".[84] Darum empfiehlt Hofmannsthal einer Freundin: „Versuchen Sie, gegen die Wirklichkeit gerecht zu werden, *gegen Ihre Wirklichkeit.* Versuchen Sie mit aller Kraft . . . von Ihrem Dasein *alle Worte* fernzuhalten . . . Man kann auf *keine Formel hin* leben . . . Hüten Sie sich vor allem, was eine Form hat, ob es der Katholizismus ist oder die sozialistischen Ideen. Man verfängt sich in den Formen, sie sind entsetzliche Netze."[85] Als Ausdruck einer individualistischen Einstellung zur Wirklichkeit äußert sich hier dieselbe Auffassung von der Wirklichkeit, die Ernst Machs empiriokritizistische Erkenntnistheorie und Hermann Bahrs impressionistische Weltsicht kennzeichnen. Mach warnte vor „allzu festen, starren Formen".[86] Für Bahr waren alle normativen Begriffe ein „künstliches Werk der äußeren Welt".[87] Und auch Schnitzler hielt es für unmöglich, das Leben „nach bestimmten Prinzipien"[88] zu gestalten; aus seiner Sicht vermochte die Philosophie darum „nichts auszusprechen als Tautologien".[89] Die Wirklichkeit, das Leben, wie die Abstraktionen für das konkrete gesellschaftliche Sein lauten, erschienen bei Hofmannsthal als sinnlos, weil sie sich „voller Manier und schiefer Vorurteile"[90] zeigten. Eine verbindliche Formel, verstanden als philosophische Wahrheit, die die Beziehung zwischen Ich und Welt adäquat erklärt, wurde nicht gefunden. Bindende Lebensmaximen, nach denen der einzelne tätiger Teil der Gemeinschaft ist, gibt es aus der Perspektive dieser Denker nicht. Die schärfste Kritik, die Hofmannsthal an Bahrs ästhetischen Ambitionen übte, ist von solcher individualistischer Skepsis geprägt. In einem Brief warf er schon 1898 Bahr vor: „Sie protegieren fortwährend Tendenzen: es kommt aber doch auf die Einzelnen an . . . auf das, was der Einzelne ist und hervorbringt, oder auf produktive Individualität kommt's an . . ."[91] Zweifellos entbehrt diese Kritik angesichts der chamäleonhaften Wandlungen Bahrs nicht der Wahrheit: auch wird man produktive Individualität als Voraussetzung denkerischer Leistung, die schöpferisch Eigenes hervorbringt, anerkennen müssen. Jedoch der verallgemeinerungsfeindliche Geist, die antiphilosophische Haltung reichen über die Bahr-Kritik hinaus; und ihrem Wesen nach stimmen sie gerade mit jener impressionistischen Wirklichkeitsauffassung überein, die Bahr entwickelte. Die erkennbare Abstraktionsscheu weist auf jene Wirklichkeitserfahrung, die auch Bahrs Essays über impressionistische Kunst bestimmte: Die Kommunikation zwischen Individuum und Gemeinschaft ist gestört; der Versuch, die Wirklichkeit ausschließlich in ihrer Subjektivität als Wahrheitsrest abzubilden, ist Ausdruck dieser Störung. So schlägt das Bemühen, eine „eigene Welt, in die Welt hineinzubauen",[92] letztlich fehl.

Hugo von Hofmannsthal wußte um diesen Sachverhalt. Er schrieb dazu: „Wir sind zu kritisch, um in einer Traumwelt zu leben . . .; mit unseren schweren Köpfen brechen wir immer durch das dünne Medium wie schwere Reiter auf Moorboden."[93] Selbst für diese Einsamen gilt die Voraussetzung menschlicher Existenz: Auch sie sind ein „Ensemble gesellschaftlicher Verhältnisse".[94] Die Fäden, mit denen sie an die Gesellschaft gebunden sind, können nicht gelöst werden. Die Bindung jedoch wirkt nur noch als Bedrückung. Bei der Konzentration auf die subjektive Erfahrungswelt richtet sich der Blick nach innen, aufs eigene Ich. Dabei wiederholt sich eine Erkenntnissituation, die schon von der Interpretation der Gedanken Machs und Bahrs her vertraut ist. Die Vereinsamung äußert sich in der Selbstentfremdung, die sich bis in quälende krankhafte Spannungen hin anzeigt. Hofmannsthals Selbstcharakteristik gilt ebenso für seine Dichterfreunde. Er bekannte von sich: „... nur habe ich eine sonderbare Natur, in der Geist und Körper so furchtbar von einander abhängen."[95] Die Korrespondenz zwischen Hofmannsthal und Schnitzler ist ein nicht abreißender Bericht über bedrückende Stimmungen, nervöse Reize und andere Hypochondrien.[96] Die neurotischen Leiden[97] zeugen vom psychischer Labilität und inneren Spannungen, die bis an die Grenze des Wahnsinns und der Selbstzerstörung reichen.[98] Hofmannsthals scherzhaftes Wort über Schnitzler als einen „Nervenkasperle"[99] ist darum von tieferer Bedeutung. Die Abhängigkeit von Stimmungen und Empfindungen drückt sich in äußerster Empfindlichkeit aus. An die Stelle durchschauender und festlegender Klarheit tritt der fließende Empfindungskomplex. Qualvoll wird dieser Zustand nicht zuletzt deshalb, weil die in ihm liegende Dekadenz menschlichen Wesens, seine produktivitätslähmende Wirkung nicht zu übersehen ist.[100] Diese Diskrepanz von Wollen und Vermögen, Erkenntnis und Irrtum veranlaßt auch das unablässige Bemühen dieser Denker, ihr Selbst zu bestimmen: Arthur Schnitzler führte zeitlebens Tagebuch, in das minutiös alle Lebensregungen eingetragen wurden; auch versuchte er sich an einer Autobiographie.[101] Zu befriedigen vermochte ihn die Selbstanalyse offenbar nicht. Infolge seiner testamentarischen Verfügung sind diese Dokumente bis heute nur teilweise veröffentlicht. Ähnliches gilt für Hofmannsthal. Schon 1895 schrieb er an Schnitzler: „Wenn ich an die Bretterwand hinflieg und mir das Genick brech (unwahrsch., aber möglich), sollt Ihr meine vielen Notizen u. Zetteln herausgeben, in Gedankengruppen geordnet, mit einem einfachen, die *Assoziationen* aufdeckenden Commentar."[102] Diese frühe Briefstelle charakterisiert bereits Hofmannsthals Selbsterklärungen, die erst nach seinem Tode veröffentlicht wurden. Seine Tagebücher notieren Aphorismen und Assoziationsreihen, die die Probleme nicht begreiflich fixieren, sondern durch das Umstellen mit Assoziationen eingrenzen. Auch die Autobiographie Hofmannsthals „Ad me ipsum", die in immer neue Fassungen gebracht wurde, setzt Gedankensplitter und Stichpunkte gegeneinander und bekommt den Begriff vom Ich nicht in logische Ordnung. Sie blieb Fragment – ihrem Inhalt entspricht die Form;[103] das erklärende Wort für das Ich wurde nicht gefunden. Das Ich wird in Assoziationen aufgelöst, die die Aphorismen festhalten. Verwirrende Vielschichtigkeit soll aussagbar werden durch Gedankenschichtung in simultaner Reihung und Ordnung, um so komplexe Wirklichkeit zu umschreiben.

So drohte für diese Denker das „Drinnen" ihres isolierten Ich unrettbar zu werden,[104] weil sie das „Draußen" ihrer gesellschaftlichen Bindungen nur noch negativ begriffen. Hofmannsthal schrieb dazu: „... mein Denken" ist „merkwürdig schattenhaft, und es braucht immer einen inneren Ruck; ich verliere manchmal den Glauben an die Realität meines Ich ..."[105] Und in Hofmannsthals „Terzinen über Vergänglichkeit" finden wir das Gefühl glückloser Selbstentfremdung so ausgedrückt:

> Das ist ein Dring, das keiner voll aussinnt,
> Und viel zu grauenvoll, als daß man klage:
> Daß alles gleitet und vorüberrinnt
>
> Und daß mein eignes Ich, durch nichts gehemmt,
> Herüberglitt aus einem kleinen Kind
> Mir wie ein Hund unheimlich stumm und fremd.[106]

Kein Wunder also, daß jenes Programm einer Kunst der „Ichlosigkeit",[107] das Hermann Bahr – angeregt von der französischen impressionistischen Malerei – formulierte, bei diesen Wiener Dichtern Anklang fand. Aus eigenem Erleben und Beobachten war ein Bild vom Menschen entstanden, das mit dem Lebensbegriff übereinstimmte, den Bahrs impressionistische Weltsicht vortrug. Die Verschiebung außerdeutscher literarischer Einflüsse und Bezugspunkte, also die Tatsache, daß nicht mehr Zola und der Ibsen der sozialkritischen Periode, dafür aber Maeterlinck, Huysmans, Barrès und Baudelaire als wesensverwandt empfunden wurden, bezeichnet nur die Oberfläche der ideologischen Strömungen. Wesentlich ist, welche Weltanschauung, gewachsen aus den innerhalb der Gesellschaft gesammelten Lebenserfahrungen, der neuen Literaturströmung zugrunde lag. Die in diesem Abschnitt angeführten Zitate sollten den Begriff, den die Dichter des „Wiener Kreises" vom Leben, von den Möglichkeiten und Bestimmungen menschlichen Seins hatten, deutlich machen. Dichter kamen zu Wort, die die Isolierung des Individuums in einer sinnentleerten Welt in ihren Sinnen spürten.

Die festgestellten Konflikte sind durchgehend in der Latenz der Widersprüche gekennzeichnet. Solcherart ist gesellschaftliche Erfahrung im nichtapologetischen Sinne aufbewahrt. Für Hofmannsthal gehörte ebenso wie für Schnitzler und Bahr das Ästhetische zum Sittlichen.[108] Poesie und Leben begriff er unverrückbar als zusammengehörige Phänomene: Seine Kunst sollte das Leben wiedergeben und so ins Leben wirken.[109] Schon 1894 sah Bahr in dieser sittlichen Haltung die größte Leistung des jungen Hofmannsthal. Er schrieb: „Bei uns ist Loris der Einzige, der immer von moralischen Fragen handelt. Er sucht die Stellung des Menschen zur Welt, sucht Sinn und Bedeutung der Dinge, sucht Gewißheit für den Gang des Lebens."[110] Auf der Suche nach *dieser* Gewißheit entstanden die unlösbaren Konflikte. Hofmannsthal wußte, daß individuelle Existenz immer ans Allgemein-Gesellschaftliche gebunden ist. Erst aus diesem Bezug erhält Sittlichkeit ihr Maß. Darum steht folgender Gedanke zentral in Hofmannsthals Selbstanalyse: „Der Weg zum Sozialen als Weg zum höheren Selbst: der nichtmystische Weg."[111] Will der Mensch nicht in „selbstische Erstarrung"[112] geraten, so muß er sich bejahend mit dem sozialen Sein verknüpfen.[113] In dieser Art von Selbststeigerung lag Hofmannsthals Problem als Mensch *und* als Dichter. Der Gebundenheit des Individuums an die Gesellschaft wurde er sich bei Überlegungen zur Sprache bewußt. Auf dieser Denkebene interpretierte er die Sinnentleerung menschlichen Daseins als Verwirrung der Erkenntnis und Kommunikationsstörung. *Sprache* als Ausdruck des Gedankens ist immer allgemein und überschreitet das Nur-Individuellle und Nur-Besondere.[114] Und gerade die „Welt der Worte" erschien Hofmannsthal als eine „Scheinwelt".[115] Mit der Sprache, so schien es Hoffmannsthal, lebt der Mensch in einem „abgeleiteten Zustand"[116] – der Schein liegt über dem Wesen der Dinge. Die Worte gewähren dem Menschen die Möglichkeit zu einer marionettenhaften Erscheinungsform.[117] Bereits 1895, also lange vor der „Chandos-Krise", beschrieb Hofmannsthal die Einsichten, zu denen er bei der Sprachanalyse geführt wurde: „Denn die Worte haben sich vor die Dinge gestellt. Das Hörensagen hat die Welt verschluckt. – Die unendlich komplexen Lügen der Zeit, die dumpfen Lügen der Tradition, die Lügen der Ämter . . . die Lügen der Wissenschaften, alles das sitzt wie Myriaden tödlicher Fliegen auf unserem armen Leben. Wir sind im Besitz eines entsetzlichen Verfahrens, das Denken völlig unter den Begriffen zu erstikken."[118] Mit den Worten bewegen sich für Hofmannsthal die Menschen fortwährend in vorgefertigten Rollen, „in Scheingefühlen, scheinhaften Meinungen, scheinhaften Gesinnungen".[119] Also: Die Worte der Sprache sind bei Hofmannsthal an Sinn und Bedeutung gebunden, in ihnen sollen sich menschliches Wesen und Erkenntnis des Lebens aussprechen. Die vorgefundene Sprache als Kleid der überlieferten Gedanken erweist sich unter dem fragenden Blick jedoch als inadäquat gegenüber der Realität. Die Sprache trifft die Wirklichkeit nicht mehr – so wird die Diskrepanz zwischen bürgerlichem Ideal und imperialistischer Wirklichkeit im Sprachklischee aufgespürt. In den Begriffen der Sprache sind alte Denkinhalte geprägt, die sich angesichts der Wirklichkeitserfahrung als verlogene Ideologie erwiesen. Diese Erfahrung teilten Bahr und Schnitzler mit Hofmannsthal; für sie wurde die Sprache in der gleichen Weise zum Problem wie bei Hofmannsthal. Schon 1891 schrieb Bahr in seiner „Russischen Reise“: „Die Sprache ist alt und verbraucht und ihre Sätze für jedes Gefühl kennen wir lange, bevor wir das Gefühl selbst noch kennen.“[120] Auch Bahr stellt fest, daß die Sprache die Wirklichkeit nicht bezeichnet, sondern sie mit ihren „Formeln“[121] verdeckt.

Und für Arthur Schnitzler sollte „das Reinigungswerk des Geistes . . . bei der Sprache beginnen“,[122] denn „Symbole, Abstrakta, ja schon Pluralia . . . sind Fluchtversuche aus der erschütternden und verwirrenden Realität der Dinge“.[123] Die Kritik richtet sich also immer gegen eine Sprache, in der die geäußerten Gedanken nicht mehr die Wahrheit enthalten und die deshalb zur Verstellung und Ersatzreaktionen gegenüber der Realität verführt. Um Lebenswahrheit und Glaubwürdigkeit geht es Hofmannsthal, Bahr und Schnitzler. Sie wissen, daß das „Material der Poesie die Worte“[124] sind. Sie mußten darum eine Sprache für sich prägen, die ihrer Lebensproblematik gerecht wurde, indem sie diese Wahrheit aufhob. Hofmannsthal beschrieb die erhoffte Leistung so: Dichtung sollte ihm ein „Gewebe aus Worten“ sein, „die durch ihre Anordnung, ihren Klang und ihren Inhalt, indem sie die Erinnerung an Sichtbares und die Erinnerung an Hörbares mit dem Element der Bewegung verbinden, einen genau umschriebenen . . . flüchtigen Seelenzustand hervorrufen, den wir Stimmungen nennen“.[125] So möchte Hofmannsthal einer negativ beurteilten Sprache, die inadäquate Verallgemeinerungen in sich trug, mit sensualistischem Sprachwollen begegnen. Auch in der Sprachauffassung schlägt sich die positivistische Skepsis gegenüber philosophischer Abstraktion nieder. Wahrheit der Aussage, auf die es diesen Dichtern ankommt, scheint nur über den Sensualismus erreichbar zu sein. In „kleinsten Episoden“[126] sollte „der Zusammenlauf von tausend Fäden“[127] des Lebens verdichtet werden, um so noch kleinste Totalität zu reproduzieren. Dafür wurde eine Sprache geformt, die über Emotionen, Zwischentöne und Nuancen ein sinnliches Umstellen und Umschreiben des Problems versuchte; als Realität wurde die Subjekterfahrung der Vereinsamung und Selbstentfremdung ins Werk transponiert.

Die sprachphilosophische Begründung dieses sensualistischen Subjektivismus fanden Hofmannsthal und Bahr bei Fritz Mauthner in dessen Werk „Beiträge zu einer Kritik der Sprache“ (1901).[128] Mauthner stützte die impressionistische Weltsicht mit sprachphilosophischer Argumentation: Nach ihm gibt es „nicht zwei Menschen, die die gleiche Sprache reden“.[129] Der Standpunkt des Einzelnen bedingt die Verschiedenheit aller Horizonte.“[130] Diese verschiedenen Horizonte seien in der Sprache realisiert, und so komme „alles Elend der Einsamkeit . . . von der Sprache“.[131] Aufgabe der Denker müsse es darum sein, eine Sprache zu finden, die *das Spiel der Assoziationen*[132] innerhalb der verschiedenen Subjektwirklichkeiten nachbildet. So entstand bei Mauthner aus der Verabsolutierung des subjektiven Moments, das zweifellos in jeder Sprache liegt, ein subjektiv-idealistischer Positivismus, der in seinem philosophischen Gehalt mit Machs Empiriokritizismus identisch ist. Die an Mach geübte Kritik trifft darum in philosophischer Hinsicht auch auf Mauthners Sprachphilosophie zu, deren Wirkung in eine Zeit fällt, in der auch der Empiriokritizismus sich als ideologische Strömung etablierte. Durch die Subjektivierung objektiven Seins entsteht bei Mauthner ein subjektivistischer Relativismus. Das Sprachideal wird pragmatisch gefaßt als nominalistische Realisierung der jeweils verschiedenen Subjektwirklichkeiten. Die innere Beziehung, die es zwischen den Ansichten von Mach und Mauthner gibt, zeigt sich wiederum in Hermann Bahrs

Essays. Bahr rezipierte Mauthner im Zusammemnahg mit Mach und dem amerikanischen Pragmatisten William James. Wir lesen bei Bahr: „Wir verloren die Sprache: Mauthner hat uns auch diesen letzten Aberglauben zerstört.“[133]

Im Leben und Dichten Schnitzlers und Hofmannsthals wurde aus dem sensualistischen Subjektivismus, den wir in allen ihren Seins- und Denkebenen beobachteten, nicht eine bewußte Apologetik jener Gesellschaftssituation, die diesen Subjektivismus auslöste. Auch in ihrer Auffassung von der Sprache stecken kritische Momente gegenüber der von ihnen erfahrenen Wirklichkeit, deren Wahrheitskern das Sprachverständnis erweiterte. Sie suchen eine sprachliche Verwirklichung ihrer Gedanken, die nicht im vorgefertigten Klischee erstarrt, sondern die erfahrene Subjektisoliertheit wahrheitsgemäß ausdrückt. So bleibt für sie Sprache ans Denken und damit an Aussage gebunden; im subjektivistischen Blickwinkel (die „eigene“ Sprache und nur diese soll ausgeformt werden), unter dem sie entsteht, liegt insofern noch eine Objektivierung von Wahrheit, als die apologetische Sprache inadäquater Gedankenklischees kritisiert erscheint. Die Unfähigkeit zur positiven Erklärung der Subjekt-Objekt-Korrelation, verstanden als Wechselbeziehung zwischen Individuum und Gesellschaft, und das Unvermögen, den erhellenden philosophischen Begriff zu finden, der das Wesen der Erscheinungen in seiner Deutung festlegt, blieben bei diesen Dichtern in die eigene Aussage und in ihr Leben integriert. Darauf weist ein Wort Hofmannsthals, mit dem er nicht nur seine eigene dichterische Aussage, sondern auch die seiner Schriftstellerfreunde in Wien um 1900 charakterisierte: „Wir geben kleine Fetzen unsres Selbst.“[134] Der Sinnverlust des Lebens, der aus den verlorenen wesenhaften menschlichen Bindungen hervorspringt, und die damit verbundenen Erkenntnisschwierigkeiten werden bruchstückhaft, subjektiv ausgesprochen – nicht Apologetik der Sinnlosigkeit menschlichen Daseins schlechthin muß daraus als Konsequenz wachsen; es bleibt der Schmerz über den verlorenen und doch erstrebten Sinn und die Sehnsucht nach Erkenntnis aufbewahrt. Das *Episodische* von Leben und Werk (Hofmannsthal: „Wir leben ... in einem kleinen Bogen ...“) gibt diesen Existenzen einen fragmentarischen Charakter. Im Fragment liegt die Entsprechung zur objektiven gesellschaftlichen Situation, in der das Leben dieser Wiener Dichter verlief. 1891 formulierte Hofmannsthal im Tagebuch seine Aufgabe als Dichter mit den Worten: Nicht „willenloses Hinfluten ... in der Empfindung“, sondern „Pflicht sich zu beschränken, im Schaffen und Denken mit dem *Fragmentarischen* sich zu begnügen ...“[135] Die impressionistische Weltsicht intendiert in Leben und Werk Fragment und unaufgelöste Spannung.

Von einer Position, für die nur noch subjektive Wirklichkeit als Kreuzungspunkt des Lebens, das sich solcherart in unendlich vielen Empfindungen, Wahrnehmungen und Stimmungen darstellt, aussagbar erscheint, ist Bindung und Erkenntnnis als objektivierter Sinn menschlichen Daseins nicht zu erreichen.[136] So steht hinter dem Fragmentarischen des Werkes die ständig bedrohte Anlage des Lebens: „Fragmentarisch geblieben ... so sieht sich ... meine Generation“,[137] stellte Hermann Bahr 1912 im Rückblick fest. Die bitter erfahrene Vereinsamung und Selbstentfremdung wurde innerhalb jener Subjektgrenzen ausgesprochen, in der sie gemacht worden war. Die Interpretation des sensualistischen Subjektivismus hängt ab vom Welt- und Menschenbild, mit dem er konfrontiert wird. Es bedarf einer übersetzenden Deutung, die aus den latenten Konflikten, immanenten Widersprüchen und Begriffsschwierigkeiten den gesellschaftlichen Bezug explizit macht. Für die marxistische Analyse muß der beobachtete Sinnverlust und die Bedrohung menschlichen Wesens als Widerspiegelung gesellschaftlicher Erfahrungen innerhalb der imperialistischen Realität herausgearbeitet werden. Von dem Boden aus, auf dem Bahr, Schnitzler und Hofmannsthal in der imperialistischen Gesellschaft standen, waren ihre Lebens- und Denkkonflikte nicht zu lösen. Dafür zeugen auch die quälenden Krisen, die sich in ihrem Leben um 1900 nachweisen lassen. Das Fragmentarische ihrer impressionistischen Weltsicht und Lebenshaltung, aus dem die Negation menschlichen Wesens als schmerzlicher Verlust und die Sehnsucht nach positivem Inhalt erwuchsen, konnte nicht durchgehalten werden. Die nicht vermittelten Widersprüche der Negation sollten aufgegeben werden. So verstummte um 1900 der Lyriker Hugo von Hofmannsthal; die Verallgemeinerung seiner Krisensituation gab er in der Niederschrift seines Chandos-Briefes. Nach dem Chandos-Brief (1902) suchte er in Leben und Werk stärker das Engagement und die bewußte Wirkung ins Allgemein-Gesellschaftliche. Die Gefahr einer Apologetik bestehender Verhältnisse wurde von da an für ihn akut, da er den objektiven archimedischen Punkt, von dem aus der Subjektivismus hätte überwunden werden können – also die Überwindung eines bürgerlichen Klassenstandpunktes – nicht fand.[138] Bei Hermann Bahr bobachtet man die gleiche Konfliktsituation nach 1904. Von diesem Jahr an trachtete er danach, die mit jeder individuellen Existenz gegebene Gebundenheit an die Gemeinschaft mit Sinn zu erfüllen; er konvertierte zum Katholizismus und blieb also gleichfalls innerhalb seiner Verhältnisse.[139] Und noch ein bedeutsames Zusammentreffen von Ereignissen fällt in den Biographien Hofmannsthals und Bahrs um 1900 auf: Ihr Anschluß an Weltanschauung, die ihrem Leben ich-überschreitenden Sinn geben soll, ist mit dem Engagement in der Ehe verbunden – Hofmannsthal heiratete 1901, Bahr 1904.[140] Von der Negation allein konnten diese Wiener Dichter auf die Dauer nicht leben; auch dies ist aus marxistischer Sicht ein wichtiger Befund. So zeigt sich im Leben die Sinnentfremdung menschlichen Wesens, wenn es sich nur in der Skepsis verstehen will. Und weiter: Vom Skeptizismus können keine neuen menschlichen Werte gesetzt werden. Er führt nicht zur Erkenntnis neuer Wahrheit. Die Deutung der Lebens- und Denkkonflikte der Wiener Dichter um 1900 ist jedoch erst vollständig, wenn die Konflikte in die konkrete gesellschaftliche Situation projiziert werden, aus der sie entstanden.

Aus den Selbstzeugnissen Hofmannsthals, die unmittelbar Daseinserfahrung aussprechen, ist die Beziehung, die die impressionistische Anschauung von der Welt zum Leben in seiner historisch-konkreten Gestalt hat, leichter zu erkennen als bei der im Gewande einer speziellen Terminologie dargelegten empiriokritizistischen Philosophie. Wir zitieren darum noch einmal Hugo von Hofmannsthal. 1901 schrieb er an den österreichischen Minister Hartl: „Nun scheinen wir ... im Anfang einer Epoche zu stehen, die keine jetzige Form ganz unberührt weiterbestehen lassen will. Institutionen erweisen sich von innen heraus als unzulänglich, die Einzelnen fühlen ihre Existenzform durchgerüttelt von den inneren Schwankungen des Ganzen."[141] Hofmannsthal spricht vom Zuendegehen einer Epoche; nicht allein das Ende einer philosophischen oder literaturgeschichtlichen Periode ist gemeint, sondern der Endzustand einer Periode gesellschaftlicher Entwicklung wird von Hofmannsthal erkannt, in der *keine* Form gesellschaftlicher Existenz unberührt bleibt. Wenn die Schriftsteller des „Wiener Kreises" von der Sinnlosigkeit des Daseins, dem „sittlichen ... Starrkrampf" der Zeit sprachen oder Freud von der „Zersetzung der kulturell-konventionellen Sicherheiten"[142] schreibt, so müssen wir hinzufügen, daß es „die Zeit" derjenigen ist, die diese Aussagen machen. Und es ist *ihre* Welt im doppelten Sinne: Einmal ist es die historisch-konkrete Gesellschaft Österreich-Ungarns nach 1890; und zum anderen bezeichnet das Pronomen den sozialen Standort dieser Dichter innerhalb der Gesellschaft. Halten wir deshalb noch einmal fest: Die dargestellte und analysierte Weltsicht entstand bei Denkern, die in ihrem

Fühlen und Wollen, Dichten und Tun dem Bürgertum verpflichtet waren. Die Abwendung von Problemen sozialer Not und politischen Kampfes steht in einem inneren Zusammenhang mit der sozialen Stellung. Die Abkunft aus besitzenden Familien der herrschenden Klasse rückte diese Existenzprobleme an den Rand. Wir behaupten damit keine soziale Determination, aus der es kein Entrinnen gegeben hätte oder zu der keine Alternativen bestanden, sondern versuchen nur die Gründe dafür zu finden, warum diese Schriftsteller das Leben so sahen, wie sie es in ihren Werken und Denken ausdrückten. Ihre Denkleistung soll als das von ihnen vorgelegte *Resultat* durch Beschreibung von Resultanten erklärt werden. Der Unterschied, der zwischen der Dichtung Berliner Naturalisten und Wiener Schriftsteller nach 1890 besteht, muß nach unserer Auffassung auch aus der unterschiedlichen sozialen Stellung ihrer Schöpfer erklärt werden. Für die Beurteilung Hofmannsthals, Bahrs und Schnitzlers ist wesentlich, daß sie in einer bürgerlichen Welt aufwuchsen, deren kulturelle Traditionen sie sich zu eigen machten; daß deren ethische und politische Institutionen und Begriffe ihnen als die Formen des menschlichen Daseins schlechthin erschienen. Und gerade diese Begriffe und Institutionen erkannten sie als sinnentleert und verlogen. Die Suche nach neuen Werten war für sie ergebnislos.

Um den Wahrheitsgehalt des Welt- und Menschenbildes prüfen zu können, muß die Welt, die als sinnlos und unerkennbar vorgestellt wurde, auf ihre objektive gesellschaftliche Struktur hin untersucht werden. Bei der Analyse der historischen Situation in Österreich-Ungarn nach 1890 gilt es eine eigenartige Dialektik von Allgemeinem und Besonderem zu beachten: Die Schriftsteller des „Wiener Kreises" schufen Werke, die nicht nur für Österreich bedeutsam waren, sondern zu europäischer Wirkung gelangten. Gleiches gilt für die empiriokritizistische Philosophie Ernst Machs. Demnach bestand in Österreich-Ungarn eine Situation, die für die Entstehung positivistischer Skepsis und individualistischer Lebenshaltung besonders günstig war. Und gleichzeitig herrschten in den anderen Ländern Europas offenbar gesellschaftliche Zustände, deren Wesen mit der Situation in Österreich–Ungarn identisch war, so daß die ideologischen Reflexe auf diese Wirklichkeit sich als wesensverwandt empfinden konnten.

Anmerkungen

1 Es fällt schwer, einen treffenden Begriff zu finden, unter dem jene Dichter, die um 1900 in Wien wirkten, zusammenzufassen wären. Der Individualismus, der ihre Daseinsform prägte, bestimmt auch die individualistische ästhetische Konzeption. Diese Situation schlägt sich in der erwähnten Begriffsschwierigkeit nieder. Als Arbeitsbegriff wird die Zusammenfassung „Wiener Kreis" von uns verwandt; nach den Erörterungen an Hand von Bahrs impressionistischen Kunstansichten versteht es sich, daß eine Bezeichnung wie „Kreis" für Dichter wie A. Schnitzler, H. Bahr, R. Beer–Hofmann und H. v. Hofmanntshal problematisch ist. Die inhaltliche Bestimmung, nach der bei diesen Dichtern, ausgehend von ihrem Lebensgefühl, doch Gemeinsamkeiten festzustellen sind, versucht der nachstehende Abschnitt der Untersuchung zu geben.

2 v. Hofmannsthal, Die Gedichte und kleine Dramen, S. 17.

3 Beer–Hofmann, Schlaflied für Mirjam (o. S.).

4 v. Hofmannsthal, Ad me ipsum, in: Aufzeichnungen, S. 240. – Dieser Ausspruch bezieht sich auf das Jugendwerk des Dichters; im besonderen erwähnt er seine lyrischen Dramen „Gestern" und „Der Tor und der Tod". Hofmannsthal verwundert sich darüber, daß diesen Werken vorgeworfen wurde, sie seien „l'art pour l'art" – „das furchbar Autobiographische" ist ihm in

diesem Betracht nicht erkannt. Gerade mit diesen beiden Dichtungen habe er, als autobiographisches Problem, die „Gefahr der Isoliertheit, selbstischen Erstarrens“ (ebenda, S. 241) darstellen wollen. Den gleichen Gedanken notiert er noch einmal in der Formulierung „Autobiographisches überall“ (ebenda, S. 242). – Für den frühen Hofmannsthal den Nachweis einer erstaunlichen Übereinstimmung zwischen eigenem Leben, Denken und Dichtung zu erbringen, ist ein sekundäres, aber doch verfolgtes Anliegen der Analyse: Die Zitate aus Hofmannsthals Tagebucheintragungen, Selbstporträts und Briefen stimmen oft wörtlich mit Verszeilen des Werks überein. Als Beispiel siehe: ebenda, S. 152, 214ff.

5 Ebenda, S. 225; siehe auch ebenda, S. 220, 213.

6 Ebenda, S. 228.

7 Ebenda.

8 Ebenda, S. 225.

9 Ebenda. – Erläuternd zu diesem Gedanken führt Hofmannsthal die Verszeilen an, die auch von uns aus seiner „Ballade des äußeren Lebens“ zitiert wurden (siehe S. 127 dieses Bandes).

10 v. Hofmannsthal, Tagebücher, in: Aufzeichnungen, S. 106. – Die Angabe von Jahreszahlen erfolgt mit (?), da Hofmannsthals Tagebucheintragungen nicht immer Jahreszahlen enthalten, und darum die Datierung Wahrscheinlichkeitscharakter hat.

11 v. Hofmannsthal, Ad me ipsum, in: Aufzeichnungen, S. 220. – An gleicher Stelle heißt es weiter: „. . . die Welt als Dunkles Drohendes Verschlungenes empfunden“.

12 Ebenda, S. 223; siehe auch ebenda, S. 214.

13 v. Hofmannsthal, Tagebücher, in: Aufzeichnungen, S. 126.

14 v. Hofmannsthal, Buch der Freunde, in: Aufzeichnungen, S. 31.

15 Siehe Das Hermann-Bahr-Buch, S. 15.

16 Siehe H. v. Hofmannsthal. Arthur Schnitzler, Briefwechsel, S. 331.

17 Siehe ebenda.

18 v. Hofmannsthal, Aufzeichnungen, S. 272.

19 Siehe H. v. Hofmannsthal. Arthur Schnitzler, Briefwechsel, S. 231.

20 Salten, Aus den Anfängen, in: Jahrbuch der Bibliophilen und Literaturfreunde, 1932/33, S. 33.

21 Ebenda, S. 35; siehe auch Wassermann, Erinnerungen an Arthur Schnitzler, in: Die Neue Rundschau, 1/1932, S. 6.

22 Das Hermann-Bahr-Buch, S. 251.

23 Ebenda.

24 Bahr, Wien, S. 39.

25 Ebenda, S. 39f.

26 v. Hofmannsthal, Briefe, Band 2, S. 305 – Hervorhebung M. D.

27 Siehe Kommentar zu: H. v. Hofmannsthal. Arthur Schnitzler. Briefwechsel, S. 323–398. – Die Anmerkungen geben genaue Auskunft über die soziale Stellung der Briefpartner.

28 v. Hofmannsthal, Briefe, Band 2, S. 307. – Der Ausspruch bezieht sich auf die Zeitschrift „Morgen. Wochenschrift für Kultur“, die 1907 von W. Sombart, R. Strauß, G. Brandes und R. Muther begründet wurde.

29 Bab, Die Lebenden, in: Das deutsche Drama, S. 736.

30 Mehring, Aufsätze zur deutschen Literatur . . ., S. 527.

31 Über die Bedeutung des Elternhauses als Bildungsfaktor und damit über die Ausbildung der individuellen Komponenten im Erziehungsprozeß finden sich Belege bei: Bahr, Inventur, S. 36ff.; v. Hofmannsthal, Tagebücher, in: Aufzeichnungen, S. 163f.; Schnitzler, Jugend in Wien. Auch in der Entwicklung Machs übte das Elternhaus diese Funktion aus (siehe Henning, Ernst Mach als Philosoph, Physiker und Psycholog, S. 1).

32 v. Hofmannsthal, Ad me ipsum, in: Aufzeichnungen, S. 232.

33 Ebenda, S. 243 – Hervorhebung M. D.

34 Bahr, Studien, S. 78f.; siehe auch Bahr, Bildung, S. 172ff.

35 Bahr, Studien, S. 78; siehe auch v. Hofmannsthal, Ad me ipsum, in: Aufzeichnungen, S. 239.

36 v. Hofmannsthal, Tagebücher, in: Aufzeichnungen, S. 137.

37 v. Hofmannsthal, Briefe, Band 1, S. 61f. – Die im folgenden zitierten Briefe Hofmannsthals

stammen alle aus den Jahren 1891–1906, sofern nicht ein ausdrücklicher Verweis auf das Datum erfolgt.

38 Ebenda, S. 36. – Die Abhängigkeit von atmosphärischen Dingen und davon bedingter Empfindlichkeit ging bei Schnitzler soweit, daß er nur sehr schwer zu bewegen war, in Wohnungen oder Häuser zu gehen, die ihm nicht vertraut und angenehm waren. In einem Brief an Hofmannsthal sagte er selbst, daß er aus solchem Grunde jahrelang kein fremdes Haus betreten habe (siehe H. v. Hofmannsthal. Arthur Schnitzler. Briefwechsel, S. 156).

39 v. Hofmannsthal, Briefe, Band 1, S. 186.

40 Ebenda, S. 89.

41 v. Hofmannsthal, Tagebücher, in: Aufzeichnungen, S. 126.

42 v. Hofmannsthal, Briefe, Band 2, S. 243.

43 H. v. Hofmannsthal, Arthur Schnitzler. Briefwechsel, S. 90.

44 Siehe v. Hofmannsthal, Ad me ipsum, in: Aufzeichnungen, S. 242, 244. – Die Fähigkeit, fremde Erfahrung aufzunehmen, zeigt sich auch in dem außergewöhnlich umfangreichen Briefwechsel H. v. Hofmannsthals, dessen besonderer Reiz daraus entsteht, wie sich der Briefschreiber auf den jeweiligen Partner und dessen „eigene Welt" einzustellen vermochte, ohne sich selbst zu verleugnen. Seine Sensitivität ist dafür eine wichtige Voraussetzung. Erst in jüngster Zeit erschienen neue Briefbände, die diese Eigenschaft Hofmannsthals wiederum deutlich machen. (Siehe Briefwechsel H. v. Hofmannsthals mit L. v. Andrian, E. Karg v. Bebenburg und J. Redlich.)

45 v. Hofmannsthal, Briefe, Band 1, S. 155; siehe auch ebenda, S. 159.

46 Brief vom 7. November 1907; v. Hofmannsthal, Briefe, Band 2, S. 296.

47 v. Hofmannsthal, Briefe, Band 1, S. 76.

48 Ebenda, S. 76f.; siehe auch ebenda, S. 57, 60, 77.

49 Ebenda, S. 144.

50 Ebenda, S. 130.

51 Ebenda, S. 95 – Hervorhebung M. D.

52 Hofmannsthal spricht davon, er und seine Dichterfreunde seien „ein bißchen verdorben durch Sensivität" (ebenda, S. 57). Und weiter: „... wie fremd und ausgeschlossen geht man im Leben herum, nichts packt, nichts erfüllt einen ganz ..." (Ebenda, S. 77.) Die Sehnsucht nach der Totalität menschlichen Seins wird in der Abseitsstellung empfunden und bewahrt.

53 H. v. Hofmannsthal. Arthur Schnitzler. Briefwechsel, S. 106.

54 Schnitzler heiratete 1903 die Schauspielerin und Sängerin Olga Gussmann (siehe ebenda, S. 357, 358, 363, 369).

55 H. v. Hofmannsthal heiratete 1901 die Fabrikdirektorstochter Gerty Schlesinger. Der Bruder seiner Frau ist der Maler Hans Schlesinger; Hofmannsthals Schwägerin war mit dem Wiener Pelzhändler Schereschewsky verheiratet. – Bahr war seit 1903 mit der Wagnersängerin Anna Mildenburg verbunden. (Siehe ebenda, S. 365; Kindermann, Hermann Bahr, in: Neue Österreichische Biographie ab 1815, Band 10, S. 145ff.)

56 Nach dem Tode seines Vaters, 1893, gab Schnitzler den Arztberuf auf; bis dahin hatte er den Vater in der ärztlichen Praxis unterstützt und häufig nachts als Schriftsteller gearbeitet. Aus dem Jahre 1892 gibt es dazu eine charakteristische Briefstelle Hofmannsthals: „Deshalb wünsche ich für Sie sosehr, den äußeren Erfolg, den Sie als Künstler vor sich selbst und vor uns gewiß nicht notwendig haben, damit sich die Perspectiven, in denen Sie selbst und auch Ihr Vater Ihr äußeres Leben, Ziele, Pflichten und Stil der Lebensführung anschauen, endlich ändern." (H. v. Hofmannsthal. Arthur Schnitzler. Briefwechsel, S. 23.) Siehe auch Allen, An annoted Arthur Schnitzler Bibliography, S. 2: „It is interesting to note that in his youth he had written a few dramas himself, but had given up his literary activities when he entered the medical school of the University of Vienna."

57 H. v. Hofmannsthal promovierte 1899 zum Dr. phil. mit einer Arbeit „Über den Sprachgebrauch bei den Dichtern der Plejade". 1897, als er mit seiner Dissertation beschäftigt war, schrieb Hofmannsthal an Schnitzler: „... lerne nur fleißig an meinen romanischen Texten ... ich fühle mich doch nun recht viel freier und weniger verworren und bin viel zufriedener." (H.

v. Hofmannsthal. Arthur Schnitzler. Briefwechsel, S. 83; siehe auch ebenda, S. 88.) Bei der Arbeit mit überschaubarem Ziel und begründetem Sinn stellt sich innere Harmonie und Zufriedenheit ein. – 1901 schloß Hofmannsthal seine Habilitationsschrift mit dem Titel „Studie über die Entwicklung des Dichters Victor Hugo“ ab (abgedruckt in: v. Hofmannsthal, Prosa, Band 1, S. 367 bis 463). Da Hofmannsthal von der Universität keine Dozentur zugesprochen bekam, wurde das Habilitationsverfahren nicht durchgeführt.

58 Nach der Mitarbeit an E. M. Kafkas „Moderner Rundschau“ gab Bahr 1894 gemeinsam mit I. Singer und H. Kanner „Die Zeit. Wiener Wochenschrift für Politik, Volkswirtschaft, Wissenschaft und Kunst“ heraus. 1899 kam es in der Redaktion zu Meinungsverschiedenheiten, in deren Folge Bahr aus der „Zeit“ ausschied. 1899 übernahm er statt dessen das Feuilleton des „Neuen Wiener Tageblatts“. – 1906 bemühte sich Bahr um eine Mitarbeit am Münchener Hoftheater, 1907/1908 war er als Dramaturg und Regisseur am Deutschen Theater Max Reinhardts beschäftigt. (Siehe Das Hermann-Bahr-Buch, S. 17; Kindermann, Hermann Bahr, in: Neue Österreichische Biographie ab 1815, Band 10, S. 140ff.)

59 Bei diesen Dichtern zeigen sich Isolierung und Distanz als spezifische Formen des Gebundenseins an ihre Welt.

60 Schriftstellerei, als harte Arbeit verstanden, wird zur Form der Selbsterlösung. Psychische Belastung und physische Qual stehen in heftiger Spannung gegeneinander. 1900 schreibt zum Beispiel A. Schnitzler an H. v. Hofmannsthal: „Ich wüßte wirklich nicht, was ich jetzt ohne Arbeit beginnen würde. Komme ich durch äußere Umstände, unruhige Verhältnisse durch einige Tage nicht dazu, wenigstens ein paar kurze Stunden zu schreiben, so versinke ich in wahre Schwermut.“ (H. v. Hofmannsthal. Arthur Schnitzler. Briefwechsel, S. 140.) Schnitzler nimmt sich vor, er wolle „immer mehr arbeiten“ (ebenda, S. 131). Und Hofmannsthal klagt in einem Brief, wenn er nicht zum Arbeiten komme, so stelle sich „Gelähmtheit aller inneren Sinne“ (ebenda) ein. In einem Reisebrief Hofmannsthals aus dem Jahre 1904 lesen wir: „. . . hier bin ich wirklich wie unter dem ersten Anhauch der Luft gesund geworden, und von einem inneren Reichtum, daß ich manchmal, gegen Abend, auf eine steile Berglehne hinaufklettern muß, nur um das Blut vom Kopf abzuleiten und den unaufhörlichen Zudrang von Gedanken, Bildern, Situationen abzuleiten.“ (Ebenda, S. 191.) Das Glück der Produktivität ist immer nur von kurzer Dauer, es bleibt von den Labilitäten eigener Konstitution und äußerer Lebensbedingungen bedroht.

61 Deutsch-Österreichische Literaturgeschichte, S. 1715. – Diese Gleichsetzung der Wiener Dichtergeneration mit dem Café Griensteidl ist schon aus äußeren Gründen nicht stichhaltig: A. Polgar weist auf das Café Central und H. Bahr auf das Café Scheidl (siehe Bahr, Die Überwindung des Naturalismus, S. 219) als Treffpunkte Wiener Dichter hin, und im Briefwechsel zwischen Schnitzler und Hofmannsthal sind außerdem noch die Cafés Pfob, Union und Pucher als Plätze genannt, an denen man sich traf (siehe H. v. Hofmannsthal. Arthur Schnitzler. Briefwechsel, S. 30, 31, 36, 48, 49, 51, 75, 78, 79). 1897 schreibt Hofmannsthal an Schnitzler, er möchte sich mit ihm nicht im Kaffeehaus treffen, dies sei ihm „so zuwider“ (ebenda, S. 79). Man kann also nicht davon sprechen, daß diese Dichter im Kaffeehaus eine befriedigende „Daseinsform“ gefunden hätten.

62 Polgar, An den Rand geschrieben, S. 86f. – Im gleichen Sinne äußern sich: Bahr, Selbstbildnis, S. 121f.; Salten, Aus den Anfängen, in: Jahrbuch der Bibliophilen und Literaturfreunde, 1932/33, S. 35, 45.

63 Ebenda, S. 45; siehe auch Wassermann, Erinnerung an Arthur Schnitzler, in: Die Neue Rundschau, 1/1932, S. 6; Specht, Arthur Schnitzler, S. 41. – In Schnitzlers Drama „Der einsame Weg“ (1903) sagt der Professor Wegrat: „. . . auch unsere Freunde sind doch nur Gäste in unserem Leben, erheben sich vom Tisch, wenn abgespeist ist, gehen die Treppe hinab und haben – wie wir – ihre eigene Straße und ihr eigenes Geschäft.“ (Schnitzler, Die Theaterstücke, Band 3, S. 70.) Diese Äußerungen relativieren auch Sammelbegriffe wie „Dichterfreunde“ und „Freunde“, die in diesem Abschnitt unserer Untersuchung verwendet werden.

64 H. v. Hofmannsthal. Arthur Schnitzler. Briefwechsel, S. 126. – Dieses Zitat bezieht sich auf äußere Modalitäten einer geplanten Radtour – es ist jedoch zutreffend für die innere Beziehung, die diese Menschen zueinander hatten.

65 v. Hofmannsthal, Tagebücher, in: Aufzeichnungen, S. 157.

66 H. v. Hofmannsthal. Arthur Schnitzler. Briefwechsel, S. 66.

67 v. Hofmannsthal, Buch der Freunde, in: Aufzeichnungen, S. 24. – In wörtlicher Übereinstimmung findet sich in Hofmannsthals Tagebuch der gleiche Gedanke (siehe ebenda, S. 162). Ergänzend zitieren wir aus dem „Buch der Freunde": „Die Manieren ruhen auf einer doppelten Grundlage: dem anderen alle Aufmerksamkeiten erweisen, sich selber nicht aufdrängen." (Ebenda, S. 29.)

68 H. v. Hofmannsthal, Arthur Schnitzler. Briefwechsel, S. 169. – In diesem Freundesbund ist Hofmannsthal immer der Werbende, unablässig führt er über die Seltenheit des Zusammenseins Klage (siehe ebenda, S. 207, 226, 229, 244, 250 (!), 272, 273 (!).

69 v. Hofmannsthal, Buch der Freunde, in: Aufzeichnungen, S. 24; siehe ebenda, S. 27.

70 Brief vom 12. Juni 1912; H. v. Hofmannsthal, Arthur Schnitzler. Briefwechsel, S. 266. – An dieser Stelle überblickt Hofmannsthal den Gewinn, den ihm die Freundschaft mit Schnitzler brachte: „. . . aber das kann mir wohl nie wiederkommen, was damals die Verknüpfung mit Ihnen . . . zuerst mir schenkte . . . Frühreif und doch unendlich unerfahren trat ich aus der absoluten Einsamkeit meiner frühen Jugend hervor – da waren Sie für mich nicht nur ein Mensch, ein Freund, sondern eine neue Verknüpfung mit der Welt. Sie waren für mich eine ganze Welt – genug verwandt meiner eigenen, daß ich alles darin lesen konnte wie ein schönes anziehendes Buch, genug fremd, daß mich alles daran verwunderte, reizte, durch Geheimnis anzog . . . Tausende von Begegnungen haben ihr Gewicht in die gleiche Schale getan, Ihre Bücher sind gekommen eines nach dem anderen – und alles ist geblieben wie in jenem ersten Jahr . . . Das große Glück und das unauflösliche Geheimnis, von einem Wesen, das zur gleichen Zeit lebt, gleichzeitig die rein geistige Einwirkung des Dichters und die menschliche des Menschen zu erfahren . . . andererseits das Hin und Wieder des freundschaftlichen Verkehrs, das dem Andern Abgeschaute und Abgefühlte sogleich in Kunstwerken . . . erhöht wiederzufinden – dies ist mir durch Sie widerfahren, und dies verbindet mich mit Ihnen in einer Weise die mir teuer ist . . ." (Ebenda.) Die Freundschaft ist als eine Möglichkeit verstanden, im andern eine neue Welt zu erleben und so sich selbst zu bereichern. Das innerlich verwendete Du erscheint als amalgamierte Wirklichkeit. Und wiederum ist das sensitive Moment in der Lebensaneignung betont.

71 Man darf sich diese Kontakthemmungen nicht als schrankenlosen Egoismus vorstellen; sie sind vielmehr eine Art des Selbstschutzes. Dem Briefwechsel zwischen Hofmannsthal und Schnitzler ist zu entnehmen, wie man in allen äußeren Notlagen aufeinander Rücksicht nahm und sich beistand. Hofmannsthal vor allem ist der Fürsorgliche; häufig bittet er den Arzt Schnitzler um Beistand für die Freunde oder die Eltern, den dieser auch nicht versagt (siehe ebenda, S. 137, 139, 183 ff.). Ein weiteres eindrucksvolles Beispiel für diskrete Fürsorge bietet die jahrzehntelange materielle Hilfe, die Schnitzler Peter Altenberg gewährte, obwohl er diesem Schriftsteller als Mensch kritisch gegenüberstand (siehe dazu Einleitung zu: Schnitzler, Das Wort, S. 6–16). – Aufs äußerste erschwert ist der freundschaftliche Austausch gerade durch die Rücksichtnahme auf die schwierige innere Konstitution der Partner: Wetter, Ort des Treffens, der Gesprächskreis und die eigene psychische Lage mußten berücksichtigt werden, wenn man zu produktiven Gesprächen sich treffen wollte. Bezeichnend dafür ist ein Brief, den Hofmannsthal 1902 an Schnitzler schrieb: „In den 10 Jahren, seit wir uns kennen, hab ich die unaufhörliche Freude eines intimen Verkehrs mit Ihnen immer unter solchen Formen genießen können, die Ihre Bequemlichkeit in Bezug auf Ort und Stunde des Zusammentreffens etc. nie tangiert haben. Es war nicht nur für Sie, sondern auch für mich bequemer, es war durch alle Umstände gegeben, daß Sie fast nie zu mir gekommen sind und ich oft zu Ihnen etc. etc. Und andererseits haben Sie in dieser langen Zeit wohl auch bemerken können, daß mir ziemlich fern liegt, Sie irgend wie durch Bekanntmachen mit Leuten etc. in Anspruch zu nehmen." (H. v. Hofmannsthal. Arthur Schnitzler. Briefwechsel, S. 154.) Dem Brief vorausgegangen war: Hofmannsthal

hatte all diese Rücksichten vorsichtig modifiziert – er lud Schnitzler zu einem Essen bei einer befreundeten Dame ein, da diese den Wunsch nach Bekanntschaft mit dem Schriftsteller geäußert hatte. Schnitzler lehnte ab. Im Brief Hofmannsthals lesen wir weiter: „... man wählt die Stunde des Frühstücks, die Sie in nichts stören kann, weil ich weiß daß Sie nachmittags gern arbeiten und Ruhe haben, es ist eine Wohnung in der inneren Stadt, – ich überschreite eine seit 10 Jahren geübte Zurückhaltung und trage Ihnen diese Sache als herzlichen Wunsch ... von mir vor, und Sie antworten, daß Ihnen Mittagseinladungen in der nächsten Zeit unbequem sind! Ich kann wirklich nicht weiterschreiben, weil ich zu erregt bin, und die Tränen in den Augen habe, natürlich nicht vor Rührung, sondern vor Zorn." (Ebenda, S. 154f.) So sieht die *erregteste* Stelle in einer fast 40 Jahre währenden Korrespondenz aus. Aus einem im Grunde belanglosen Anlaß wird die sonst geübte Zurückhaltung durch innere Bewegung verdrängt: Die Hypochondrie steht an der Grenze zur Psychopathologie.

72 Bahr, Russische Reise, S. 3; siehe auch ebenda, S. 5. – Sensationen sind hier wiederum wörtlich als Empfindungen verstanden; über den Zustrom neuer Empfindungen soll ein neues Ich entstehen.

73 v. Hofmannsthal, Briefe, Band 1, S. 189.

74 Ebenda, S. 92; siehe auch H. v. Hofmannsthal. Arthur Schnitzler. Briefwechsel, S. 87, 86. – Während einer Italienreise schreibt 1897 Hofmannsthal an Schnitzler: „... ich bin so zufrieden ... Glücklich wie glaub ich in meinem Leben nicht, ganz überschwemmt von Plänen und Halbfertigem." (Ebenda, S. 95.)

75 v. Hofmannsthal, Briefe, Band 1, S. 83f.

76 Bahr, Wien, S. 8. – Ganz anders war die Stellung der Berliner Naturalisten zur Stätte ihres Wirkens: Sie kamen von außen nach Berlin hinein, sie waren fasziniert beobachtende Zugewanderte.

77 Siehe H. v. Hofmannsthal. Arthur Schnitzler. Briefwechsel, S. 59; siehe Das Hermann-Bahr-Buch, S. 17. Bahr bekennt an dieser Stelle, daß er sich selbst dieser konträren Spannung ausgesetzt fühlte.

78 H. v. Hofmannsthal. Arthur Schnitzler. Briefwechsel, S. 192.

79 Ebenda, S. 81. – Als H. v. Hofmannsthal 1900 in Paris weilte, stimmte sein Lebensgefühl mit jenen Eindrücken, die der zitierte Schnitzlerbrief einfängt, überein. Er fühlte sich von der Aktivität des Milieus und der Menschen angeregt und schrieb an Schnitzler: „Für mich hat solch eine Suggestion etwas sehr gutes: schon lang hab ich mich nicht so zusammenfassen können. Es fällt mir manchmal mehr ein, als ich aufschreiben kann ... arbeite sehr viel, finde endlich, daß der Tag 24 Stunden hat und bin *nie* schläfrig." (Ebenda, S. 134f.)

80 Ebenda, S. 131. – Mit diesem Ausspruch greift Hofmannsthal wörtlich einen Gedanken Schnitzlers auf, den dieser im vorangegangenen Brief äußerte (siehe ebenda).

81 Wollte man für diese innere Gliederung, die den Briefen Hofmannsthals und Schnnitzlers abzulesen ist, Belege geben, so müßte fast ihr ganzer Briefwechsel zitiert werden. Lediglich als *ein* Beispiel zitieren wir eine Briefstelle Hofmannsthals. Während einer militärischen Übung schrieb er am 17. Juli 1895 an Schnitzler: „Ich habe voriges Jahr sehr glücklich vor mich hin gelebt, von den Tagen in Salzburg bis in den September fühle ich im Zurückdenken das complexe Glück von Bewegung, Blick und Gedanken, sich Hergeben und sich-Behalten, Mitleid, Verliebtheit und Einsamkeit, dunklen Gewittern am Abend und blaßgelben lautlosen Blitzen in der Nacht; am Anfang mehr die Melancholie der kleinen Eisenbahn mit dem Rot vom Sonnenuntergang auf den Kupfernägeln der Bänke, mit den geschminkten und lautredenden Frauen in allen Stationen, mit dem plötzlichen Dunkel und Kaltwerden in dem kleinen Tunnel und gleich darauf den harmlosen von nichts wissenden Bauernhäusern und kleinen Gärten; am Ende mehr die stundenlangen Gespräche in der Nacht im Regen, im Wald und auf der weißen nassen Landstraße mit Edgar und das so starke aufgeregte Fühlen von seinem und meinem Leben wie in einem." (Ebenda, S. 56; als ergänzendes Beispiel verweisen wir auf einen Brief Schnitzlers, ebenda, S. 192.) Bei dieser komplexen und kontrastreichen Empfindungsweise gehören alle Lebensregungen zueinander: Naturstimmung, Landschaftseindrücke, vielfältige Formen menschlichen Lebens, dichterische Arbeit und das Gespräch werden im Selbstgefühl

konzentriert. Das Wort Hofmannsthals, das er in „Ad me ipsum" notierte: „Alles geht auf Totalitäten" (v. Hofmannsthal, Aufzeichnungen, S. 225), ist in der eigenartigen Mischung von Empfindsamkeit und Empfindlichkeit beherzigt. Kein Eindruck steht nur für sich selbst, einer zieht den andern nach sich. Das rezipierende Ich ist der Kreuzungspunkt dieser fließenden Stimmungskomplexe. Es ist von ständiger Instabilität bedroht. – Verblüffend ist die Übereinstimmung, die die Briefe Hofmannsthals in ihrer inneren Struktur mit seinen Tagebucheintragungen aufweisen. Wir zitieren ein Beispiel: Unter dem 19. Juli (1895?) lesen wir: „Bad in der March. – Die ruhigste Landschaft, durch bläuliche Hügel und Pappelalleen begrenzt. Der Fluß in die Wiese eingeschnitten. Über die steilen Ufer schauen weiße Ziegen, steht der goldene Dunst. Am Ufer nackt flußaufwärtslaufen, riesige hölzerne Reifen rollend, um sich mit ihnen hineinzuwerfen und abwärts zu treiben. Tief streifende Schwalben. Die Schatten der Laufenden auf dem Wehr. Unsere Pferde ruhig auf der Wiese." (Ebenda, S. 125f.; siehe auch ebenda, S. 116, 121, 122.) Sujet und Darstellungsform erinnern an ein impressionistisches Gemälde.

82 Hofmannsthal bezeichnete Salzburg als Stadt, in der er die „concentrierteste Menge von Eindrücken zusammengetrunken" habe (H. v. Hofmannsthal. Arthur Schnitzler. Briefwechsel, S. 10; siehe ebenda, S. 7, 92). Und von Venedig schrieb er, „das ist die Stadt meiner arbeitsamsten Arbeit, meiner concentriertsten Concentration und meiner einfältigsten Einfälle" (ebenda, S. 199f.). In seinen Aufsätzen über H. v. Hofmannsthal geht R. Alewyn auf das Verhältnis des Dichters zu Venedig ein. Er beschreibt Venedig als „impressionistische Stadt par excellence" (Alewyn, Über Hugo von Hofmannsthal, S. 81). Venedig erscheint Alewyn als Stadt der aufgelösten festen Grenzen; ständige Übergänge und unaufhörliches Ineinanderfließen heterogener Bezüge sind ihm dafür charakteristisch – Land und Wasser, Morgenland und Abendland, unbedeutende Gegenwart und reiche Vergangenheit greifen ineinander.

83 H. v. Hofmannsthal. Arthur Schnitzler. Briefwechsel, S. 61. – In diesem Briefwechsel sieht man, wie in einem unerfüllten Leben Nebensächlichkeit ins Zentrum rückt. Der Briefwechsel zwischen Hofmannsthal und Schnitzler ist unter anderem auch eine Korrespondenz über Radfahren und Radpartien, die die Dichter gemeinsam unternahmen – bis ins Riesengebirge oder bis nach Italien führten diese Touren. 1893 richtete Schnitzler an Hofmannsthal die dringliche Aufforderung: *„Sie müssen Bicycle fahren lernen!"* (Ebenda, S. 44.) Allein in den Jahren zwischen 1893 bis 1900 wird in der Korrespondenz vierunddreißigmal über Ausflüge per Rad geschrieben: Es entsteht geradezu eine „Philosophie" des Radfahrens (siehe ebenda, S. 39–145). Von Hofmannsthal gibt es aus dem Jahre 1901 eine Äußerung, die den Gewinn des Radfahrens im gleichen Sinne beschreibt wie Schnitzler in der zitierten Stelle: „Es ist wirklich so was schönes das Radfahren. Ich fahre immer gegen Abend, mit meiner Frau oder allein. Wie schön sind diese niederösterreichischen Dörfer, die dunklen Laubmassen auf den Hügeln, der starke grüne kühle Geruch eines schattigen Abhanges, die weißen Straßen hügelan und -ab, die bäurischen kleinen Gärten. Alles riecht so eigen, atmet einem sein Wesen entgegen, jede Stunde hat ihren besonderen Geruch; wie schön ist es das alles zu fühlen." (Ebenda, S. 151.) In einem anderen Brief an Schnitzler bezeichnet Hofmannsthal das Radfahren als eine „Form des Zusammenseins" (ebenda, S. 93). Beim Radfahren ist man also selbst noch bewegender Teil eines Ganzen, das in Bewegung ist. Aktivität ist wohl auch einfach als körperliche Betägigung empfunden; es dürfte kein Zufall sein, daß immer wieder der Arzt Schnitzler zu diesen Partien drängte. – Eine Reduzierung des Lebensinhaltes ist jedoch auch auf dieser Ebene unverkennbar.

84 v. Hofmannsthal, Briefe, Band 1, S. 95; siehe auch ebenda, S. 10.

85 Ebenda, S. 243 – Hervorhebung M. D.

86 Mach, Erkenntnis und Irrtum, 1. Auflage, S. 85.

87 Bahr, Essays, S. 139.

88 Schnitzler, Buch der Sprüche und Bedenken, S. 79.

89 Ebenda, S. 46; siehe auch ebenda, S. 47.

90 v. Hofmannsthal, Briefe, Band 1, S. 144.

91 Ebenda, S. 248. – Von Hofmannsthals Aversion gegenüber bestimmender Verallgemeinerung zeugt auch folgende Briefstelle: „Ihre Art, die ungeheuerlichsten, gerade durch ihre Nähe so

wunderbar schwer zu fassenden Beziehungen des Daseins auf aussprechbare Formeln bringen zu wollen, ist ein Wahnsinn, den nur ganz unreife Seelen vertragen ... Ich ... bin überdies nicht gewohnt, diese Dinge so ins Allgemeine hin auszusprechen.“ (Ebenda, S. 242; siehe auch ebenda, S. 294; v. Hofmannsthal, Aufzeichnungen, S. 103.)

92 v. Hofmannsthal, Briefe, Band 1, S. 130.

93 Ebenda.

94 Marx, Thesen über Feuerbach, in: Marx/Engels, Werke, Band 3, S. 6.

95 v. Hofmannsthal, Briefe, Band 2, S. 41.

96 Der Begriff „Hypochondrien“ wird von Schnitzler selbst mehrfach gebraucht (siehe H. v. Hofmannsthal. Arthur Schnitzler. Briefwechsel, S. 60, 81, 222). Hofmannsthal klagt ständig über Kopfweh und Migräne; zuweilen wechselt er wegen solcher Beschwerden seinen Aufenthaltsort (siehe ebenda, S. 129, 186). Charakteristisch ist auch folgende briefliche Äußerung Hofmannsthals gegenüber Schnitzler: „Ich war mit meinen Nerven noch nie so herunter; ein geräuschvoller Speisesaal macht mir heftige physische Schmerzen im Genick und lauter solche Dummheiten. Ich werde nach dem 28ten mindestens 14 Tage zu arbeiten aufhören und das Landleben führen, das mir allein ganz wohl tut: tennis Bad und vielerlei harmlose Gesellschaft.“ (Ebenda, S. 127.)

97 In den Jahren zwischen 1897 bis 1904 wurde Schnitzler auf Hofmannsthals Drängen hin immer wieder zum ärztlichen Ratgeber für seine Dichterfreunde. Durchweg handelte es sich dabei um neurotische Erkrankungen: 1897 litt z. B. Leopold Andrian unter nervösen Beklemmungen, er bildete sich ein, schwindsüchtig zu werden (siehe ebenda, S. 94 ff.). Und 1899 befürchtete er gar, vom Wahnsinn befallen zu werden. Schnitzler wurde konsultiert – er wußte um das Eingebildete dieser Krankheiten. Über Andrians Leiden schrieb er 1897 an Hofmannsthal: „... ich denke doch, daß ihm manches auszureden wäre.“ (Ebenda, S. 94.) Auch bei Bahrs Erkrankung im Jahre 1904 – Bahrs Übertritt zum Katholizismus wurde davon ausgelöst – spürte Schnitzler das psychisch Bedingte der Krankheit. Er schrieb an Hofmannsthal über Bahrs Zustand: „... seelische ‚Depressionen‘ wirken auf seinen physischen Zustand am heftigsten.“ (Ebenda, S. 194.) – Schnitzler selbst war von dieser neurotischen Bedrohtheit nicht frei. Seit 1898 quälte ihn ein Ohrenleiden, das sich im Fortgang seines Lebens zur Schwerhörigkeit ausbildete. Er selbst führte seine Neigung zur Misanthropie auf diese Qualen zurück. Er schrieb darüber, er höre „ununterbrochen subjektive Geräusche, ein Klingen und Sausen, ... und ein stetes Vogelzwitschern“ (Briefwechsel Brandes–Schnitzler, S. 147; siehe auch H. v. Hofmannsthal. Arthur Schnitzler. Briefwechsel, S. 113, 352). Hofmannsthal ahnte die innere Beziehung, in der diese krankhaften Belastungen mit der äußeren Existenzform standen. Er machte sich Gedanken über seine „absurden Nerven“ (ebenda, S. 277). 1909 schrieb er an seinen Vater aus Berlin: „Es gibt immerhin zu denken, daß ich hier nie eine schlechte Nacht, nie Kopfschmerzen, nie irgendwelche Gesundheitsstörungen hatte und keine Form des Wetters mich hier im geringsten geniert, einfach, weil ich keine Zeit habe, mich damit zu beschäftigen.“ (v. Hofmannsthal, Briefe, Band 2, S. 356.) – Auch bei E. Mach spielt die Krankheit eine Rolle für sein Denken – krankhafte Veränderungen seiner Physis wurden von ihm in den Rückwirkungen auf die Psyche minutiös beschrieben (siehe dazu: Herneck, Über eine unveröffentliche Selbstbiographie Ernst Machs, in: Wissenschaftliche Zeitschrift der Humboldt-Universität Berlin, 3/1956/57, S. 214).

98 Selbstzerstörung ist im wörtlichen Sinne zu verstehen – bei der nachfolgenden Generation zeigt sich auf bittere Art, welche Bedrohung in der unerfüllten Existenz lag: Schnitzlers Tochter beging 1928 im Alter von neunzehn Jahren Selbstmord, ein Sohn Machs erschoß sich, nachdem er eben mit Glanz zum Dr. rer. nat. promoviert war, und Hofmannsthals Sohn beendete sein Leben 1929 durch den Freitod. Hofmannsthal selbst wurde am Tage des Begräbnisses vom Schlag zu Tode getroffen. (Siehe H. v. Hofmannsthal. Arthur Schnitzler. Briefwechsel, S. 397, 398; Herneck, Über eine unveröffentlichte Selbstbiographie Ernst Machs, in: Wissenschaftliche Zeitschrift der Humboldt-Universität Berlin, 3/1956/57, S. 214.) Die Väter hatten als Dichter noch die Kraft, im ausgesagten Sinnverlust die Sehnsucht nach Harmonie und Sinnerfüllung auszudrücken; ihnen war so noch ein geringes Maß zur Objektivierung ihres

Selbst gegeben. Aber auch ihr Leben stand am Rande des Todes. Bei den Kindern führte der Sinnverlust zum Verlust des Lebens. – Eine Tagebucheintragung Schnitzlers zeigt die Selbstdisziplin, die er angesichts extremer psychischer Gefährdung forderte: „Ich habe nichts gegen Leute, die sich umbringen, aber ich hasse Menschen, die sich fallen lassen." (Schnitzler, Das Wort, S. 20.)

99 Im entsprechenden Brief Hofmannsthals an Schnitzler heißt es: „Überhaupt: sollte ich ein Wort auf Sie prägen – so wäre es: Nervenkasperle." (H. v. Hofmannsthal. Arthur Schnitzler. Briefwechsel, S. 219).

100 Unverkennbar ist der Versuch dieser Dichter, menschliches Wesen in seiner Totalität zu erfassen. Aber gerade dieser Versuch mißlingt, weil eine wesentliche Seite, das gesellschaftliche Engagement, ausfällt. So wird in der Betonung des individuellen Zentrums als Lebensnerv dieser objektive Verlust indirekt vorgestellt. Gerade darum war es notwendig, jene Seiten darzustellen, die dem Leben dieser Schriftsteller den Inhalt gaben. Disproportionen objektiver Art zeigen sich: In einem über fast vierzig Jahre geführten brieflichen Dialog zwischen Hofmannsthal und Schnitzler findet sich kein Wort über politisches Tagesgeschehen, epochale Vorgänge werden nicht erwähnt. Und dies wohl nicht darum, weil man von diesen Vorgängen nicht betroffen worden wäre oder sich mit ihnen nicht auseinandergesetzt hätte, sondern weil Politik als Ausdruck des geschichtlichen Prozesses nicht in ihrem Sinn verstanden wurde. Schweigen schien dafür die adäquate Aussageform zu sein. Diese Haltung belegen auch der Briefwechsel zwischen H. v. Hofmannsthal und L. Andrian und die Autobiographie Schnitzlers.

101 Schon 1903 schrieb Hofmannsthal an Schnitzler: „Fast beneide ich diejenigen, die nach uns einmal in Ihren ausführlichen Tagebüchern lesen und wohenlang ganz darin leben werden . . ." (H. v. Hofmannsthal. Arthur Schnitzler. Briefwechsel, S. 170). Schnitzler führte zeitlebens Tagebuch, er veröffentlichte jedoch nichts daraus. Den Herausgebern des Briefwechsels zwischen Hofmannsthal und Schnitzler kam die Einsicht in Schnitzlers Tagebücher für den Kommentar zu dem von ihnen zusammengestellten Band zugute. Da ihnen außerdem H. Steiner, der wissenschaftliche Betreuer des Hofmannsthal-Nachlasses, mit Auskünften und Rat behilflich war, stellen die Anmerkungen zu diesem Briefband eine reiche Dokumentation über die persönlichen Beziehungen dar, die zwischen den Dichtern des „Wiener Kreises" bestanden. Als wichtiges Dokument zitieren wir diesen Briefband daher des öftersn (siehe Anmerkungen zu: H. v. Hofmannsthal. Arthur Schnitzler. Briefwechsel, S. 322). Einen Überblick über den Schnitzler-Nachlaß gibt die Arbeit von Neumann/Müller: Der Nachlaß Arthur Schnitzlers. Verzeichnis des im Schnitzler-Archiv der Universität Freiburg i. Br. befindlichen Materials.

102 H. v. Hofmannsthal. Arthur Schnitzler. Briefwechsel, S. 58 – Hervorhebung M. D. Auf die Bedeutung des Aphorismus bei der Formulierung der Schnitzlerschen Weltanschauung, seines ethischen und ästhetischen Wollens wurde im vorangegangenen Abschnitt verwiesen. Gleichsam als Anschluß an den Gedankengang Hofmannsthals sei ein Zitat aus Schnitzlers autobiographischen Notizen angeführt: „Als 18jähriger plante ich für mein 50. Jahr eine Naturphilosophie, davon kam ich bald ab, wie mir alles Theoretisieren über das Aphoristische hinaus immer unwichtiger wurde." (Schnitzler, Jugend in Wien, S. 323.) – Die Neigung zu einer spezifischen Form des Aphorismus, die bei den hier interpretierten Wiener Denkern zu beobachten ist, stellt eine Folge ihrer impressionistischen Weltsicht dar, aus der sich auch Inhalt und Form ihrer bemerkenswerten Briefwechsel erklären lassen. – In jüngster Zeit entstand eine wissenschaftliche Arbeit, die sich ausschließlich mit dem Aphorismus bei Hofmannsthal und Schnitzler beschäftigt: Noltenius, Hofmannsthal, Schröder, Schnitzler. Möglichkeiten und Grenzen des modernen Aphorismus.

103 H. Steiner, der Herausgeber des Hofmannsthal-Bandes „Aufzeichnungen", schreibt in seinen Anmerkungen: „Hofmannsthals Versuch einer Selbsterklärung und -darstellung. 1916 begonnen, von da ab immer neu ansetzend, erst ‚Ad me ipsum', ‚Mich selbst betreffend', überschrieben, später vielleicht auch als Brief geplant, liegt nur in Entwürfen vor, in vielfach einander überschneidenden und kreuzenden Andeutungen und Schlüsselworten. Eine endgültige Ordnung läßt sich kaum herstellen; denn diese Blätter sind zu vielfach aufeinander bezogen."

(v. Hofmannsthal, Aufzeichnungen, S. 378.) Die Vielseitigkeit und Vielschichtigkeit der eigenen Persönlichkeit und des dichterischen Wollens spricht sich in diesem Versuch einer Selbsterklärung in der Viel-Seitigkeit, im assoziativen Einkreisen der Probleme aus. Das Ich wird komplex betrachtet; der subjektive Standpunkt gibt ihm das Relativierende, das Fließende. – Eine ähnliche Situation offenbaren die autobiographischen Bemühungen A. Schnitzlers. Zeitlebens verfolgte er den Plan, sein Leben darzustellen. Gelungen ist ihm dies nur für die Jugendentwicklung bis 1889 – die Autobiographie schließt ab, wo die Wirkung des Schriftstellers beginnt.

104 In der Machschen Terminologie soll hier die Übereinstimmung der Betrachtungsweise evident werden – das Ich verliert seinen Halt im Subjektivismus. Auch Hofmannsthal wollte „das Ich als Universum“ (v. Hofmannsthal. Ad me ipsum, in: Aufzeichnungen, S. 213) verstanden wissen. Da aber „Introversion als Weg in die Existenz“ (ebenda, S. 215) empfohlen wird, fällt im Ergebnis des Denkens das Universum ins Ich hinein – es wird subjektivistisch relativiert.

105 v. Hofmannsthal, Briefe, Band 1, S. 139. – Ergänzend zitieren wir: „Ich bin, in gewissem Sinn, mutterseelenallein, und doch so montiert, daß ich mich manchmal gewaltsam zwingen muß, an die Realität zu glauben.“ (H. v. Hofmannsthal. Arthur Schnitzer. Briefwechsel, S. 60.)

106 v. Hofmannsthal, Die Gedichte und kleinen Dramen, S. 19. – An Tagebucheintragungen Hofmannsthals kann der autobiographische Gehalt dieser Gedichtzeilen nachgewiesen werden. Hofmannsthal schrieb: „Wir haben kein Bewußtsein über den Augenblick hinaus, weil jede unserer Seelen nur einen Augenblick lebt . . . Mein Ich von *gestern* geht mich so wenig an wie das Ich Napoleons oder Goethes.“ (v. Hofmannsthal, Tagebücher, in: Aufzeichnungen, S. 93; siehe auch ebenda, S. 89, 107, 115.)

107 Bahr, Die Überwindung des Naturalismus, S. 149.

108 Eine Tagebucheintragung Hofmannsthals (1893?) lautet: „Die Grundlage des Ästhetischen ist Sittlichkeit.“ (v. Hofmannsthal, Tagebücher, in: Aufzeichnungen, S. 101.) – Für Schnitzler hat K. Bergel die gleiche Haltung (Ethik als Grundlage literarischen Schaffens) nachgewiesen (siehe Bergel. Einleitung zu: Arthur Schnitzler, Das Wort, S. 23f.).

109 Siehe dazu Hofmannsthals Aufsatz „Poesie und Leben“ (1895) (v. Hofmannsthal, Prosa, Band 1, S. 310ff.).

110 Bahr, Studien, S. 87.

111 v. Hofmannsthal. Ad me ipsum, in: Aufzeichnungen, S. 217. – Für diesen Weg zum Sozialen werden drei Möglichkeiten gesehen: „a) durch die Tat / b) durch das Werk / c) durch das Kind“ (ebenda). – Siehe auch ebenda, S. 218, 221, 225, 226, 230, 238.

112 Ebenda, S. 241.

113 Siehe ebenda, S. 225.

114 Im Konspekt zu Hegels „Vorlesungen über die Geschichte der Philosophie“ notierte sich Lenin von Hegel: „Die Sprache drückt wesentlich nur Allgemeines überhaupt aus; was man aber meint, ist das Besondere, Einzelne. Man kann daher das, was man meint, in der Sprache nicht sagen.“ Dazu machte Lenin die Randbemerkung: „. . . in der Sprache gibt es nur Allgemeines“. (Lenin, Philosophische Hefte, in: Werke, Band 38, S. 264.) Einen ähnlichen Gedanken schrieb Hofmannsthal in sein Tagebuch: „Das was sich ausspricht, geht schon ins Allgemeine über, ist nicht mehr im strengen Sinne individuell.“ (v. Hofmannsthal, Tagebücher, in: Aufzeichnungen, S. 194; siehe auch ebenda, S. 241.) Hier wurde also in der besonderen Situation, in der sich diese Wiener Schriftsteller um 1900 befanden, im Nachdenken über die Sprache zugleich ein allgemeines ästhetisches und philosophisches Problem aufgespürt – es geht darum, wie der Dichter vermittels der Sprache das Allgemeine auf besondere Weise aussprechen kann.

115 Ebenda, S. 119. – Siehe auch ebenda, S. 105: „Worte als versiegelte Gefängnisse . . . der Wahrheit.“

116 Ebenda, S. 126; siehe auch ebenda, S. 127.

117 Im Tagebuch schreibt Hofmannsthal, der Verlust des Wesens zeigt sich in „*Marionetten* (scheinhaftes Leben)“ (ebenda, S. 127).

118 v. Hofmannsthal, Prosa, Band 1, S. 265.

119 Ebenda, S. 266. – 1902 gab Hofmannsthal einen Bericht über die eigene dichterische Krise. Seine Darstellung erschien 1902 unter dem Titel „Ein Brief". Sie gab sich als fingierter Brief des Lord Chandos an Francis Bacon. Im sogenannten Chandos-Brief (v. Hofmannsthal, Prosa, Band 2, S. 7–22), der mittlerweile den Rang eines kulturgeschichtlichen Dokumentes erhielt, ist die dichterische Krise auch mit der vorgefundenen Sprachsituation begründet. Sprache, Denken und Welt sind dabei miteinander verflochten, und dies mit dem gleichen Inhalt, wie er uns aus den Aussagen Hofmannsthals aus den Jahren 1895–97 bekannt wurde. Im Chandos-Brief, als dessen gedankliche Vorbereitung die Hofmannsthal-Briefe seit 1895 gelten dürfen (die sog. Chandos-Krise Hofmannsthals begann also in seiner impressionistischen Phase), lesen wir: „. . . es zerfiel mir alles in Teile, die Teile wieder in Teile, und nichts mehr ließ sich mit einem Begriff umspannen." (Ebenda, S. 14.) So vermag auch die Sprache die Dinge nicht mehr zu fassen: „. . . die abstrakten Worte, deren sich doch die Zunge . . . bedienen muß, um irgendwelches Urteil an den Tag zu bringen, zerfielen mir im Munde wie modrige Pilze." (Ebenda, S. 13.) Die Worte dienen der Verstellung, sie sind Chiffren. Der Briefschreiber aus dem Jahre 1902 hofft, die Harmonie des Ganzen wieder zu erreichen, um so der „unglaublichen Leere" (ebenda, S. 19) zu entgehen. „Mit dem Herzen denken" (ebenda, S. 18) – dies wird seine Aufgabe.

120 Bahr, Russische Reise, S. 103.

121 Ebenda; siehe auch Bahr, Bildung, S. 241.

122 Schnitzler, Buch der Sprüche und Bedenken, S. 44.

123 Ebenda, S. 46.

124 v. Hofmannsthal, Prosa, Band 1, S. 306. – Schnitzler beschäftigte das Thema „Sprache, Poesie und moralische Verantwortung" zeitlebens. Von 1901 bis 1931 arbeitete er an einer Fragment gebliebenen Tragikomödie mit dem Titel „Das Wort". In den Arbeitsaufzeichnungen dafür notierte er die dabei verfolgte weltanschauliche Absicht: „Zum ‚Wort': Unsere ganze Moral besteht vielleicht nur darin, aus diesem unpräzisen Material, das uns das Lügen so leicht, so verantwortungslos . . . macht, aus der Sprache etwas Besseres zu machen. Mit Worten so wenig zu lügen als möglich ist." (Schnitzler, Das Wort, S. 27.)

125 v. Hofmannsthal, Prosa, Band 1, S. 306f.; siehe auch ebenda, S. 334. – Ergänzend zitieren wir eine Tagebucheintragung Hofmannsthals vom 28. Mai (1895?): „Poesie (Malerei): mit Worten (Farben) ausdrücken, was sich im Leben in tausend anderen Medien komplex äußert. Das Leben transponieren." (v. Hofmannsthal, Tagebücher, in: Aufzeichnungen, S. 119.)

126 v. Hofmannsthal, Briefe, Band 1, S. 31.

127 v. Hofmannsthal, Prosa, Band 1, S. 334.

128 F. Mauthners Werk erschien 1901, 1902 wurde Hofmannsthals Chandos-Brief veröffentlicht.

129 Mauthner, Beiträge zu einer Kritik der Sprache, Band 1, S. 97.

130 Ebenda, S. 19.

131 Ebenda, S. 39; siehe auch ebenda, S. 49ff., 56.

132 Ebenda, Band 2, S. 532 – Hervorhebung M. D.

133 Bahr, Vernunft und Wissenschaft, S. 40. – In der Aufsatzsammlung „Inventur" bespricht Bahr die Sprachphilosophie Mauthners unter dem Motto: „. . . nur eine letzte Wahrheit bleibt uns, daß es keine Wahrheit gibt." (Bahr, Inventur, S. 52.) Damit stellt Bahr Mauthner in die Nähe des Pragmatismus von W. James (siehe ebenda, S. 52–60, 115).

134 v. Hofmannsthal, Die Gedichte und kleinen Dramas, S. 87. – Dieses Zitat ist einem Widmungsgedicht Hofmannsthals entnommen, das er unter dem Titel „Zu einem Buch ähnlicher Art" veröffentlichte – das Buch, auf das sich der Titel bezieht, ist Schnitzlers Szenensammlung „Anatol", für welche Hofmannsthal den Prolog geschrieben hatte. Im „Anatol"-Prolog heißt es wiederum mit autobiographischem Bezug: „Also spielen wir Theater / . . . Unsres Fühlens Heut und Gestern, / . . . Agonien /Episoden." (Ebenda, S. 86.) Die Begriffe „Agonie" und „Episode" kehren in einem Brief Hofmannsthals wieder, in welchem er das Lebensgefühl seiner Wiener Dichterfreunde charakterisiert (siehe v. Hofmannsthal, Briefe, Band 1, S. 57).

135 v. Hofmannsthal, Tagebücher, in: Aufzeichnungen, S. 89 – Hervorhebung M. D.

136 Die Beurteilung der dichterischen Leistung und des Lebensgefühls der Schriftsteller des

„Wiener Kreises“ bedarf – wie schon bei der Analyse von Schnitzlers Novelle „Fräulein Else“ festgestellt – eines Weltbildes, in dem die Werte von Gut und Böse als objektiver Maßstäbe des Lebenssinns enthalten sind. Die Interpretation muß übersetzen und aufzeigen, wie im Schmerz über den Wesensverlust ein objektiv wesenhafter Vorgang aufgefangen wurde. Bei den Wiener Dichtern, die hier behandelt wurden und deren Weltsicht vom sensualistischen Positivismus geprägt wurde, ist das Bemühen um Totalität und Sinnerfüllung des Lebens unverkennbar. Diese Art des Denkens schränkt sich auf den Positivismus ein, weil Wahrheit im Ganzen nicht ausgesagt werden kann. Eine merkwürdige Spannung also, in der Positivismus aus antipositivistischer Intention entsteht. Hofmannsthal schrieb in „Ad me ipsum“, er bemühe sich darum, die „empirische Begegnung zu vergeistigen“ (v. Hofmannsthal, Aufzeichnungen, S. 238). Dieses Bestreben ist auch für seine gleichgesinnten Zeitgenossen charakteristisch. Im Fehlschlag des Versuchs zeigt sich die objektive Stellung in der Zeit an.

137 Bahr, Inventur, S. 89.

138 Im Chandos-Brief versuchte Hofmannsthal eine Begründung „wegen des gänzlichen Verzichts auf literarische Betätigung“ (v. Hofmannsthal, Prosa, Band 2, S. 7) zu geben. Als Lyriker war er verstummt; nach 1901 schrieb er vorwiegend Essays, Opernlibretti, Schauspiele. Er versuchte sich im Roman. Das Bemühen um Gattungen und Aussageformen mit stärkerer Möglichkeit zur Wirkung in die Öffentlichkeit ist unverkennbar. Die positiven Werte, die Hofmannsthal nunmehr setzte, leistete er aus der österreichischen Kulturgeschichte, aus geschichtlicher Tradition überhaupt ab. Im bewußten Formulieren positiver Wertsetzung drängt sich Apologetik ein. Am stärksten wird dies in den Essays ablesbar, die Hofmannsthal um das Jahr 1914 herum schrieb. Er entwickelte die „österreichische Idee“ als Vorbild eines übernationalen Europa – die k. u. k. Monarchie erscheint unter diesem Aspekt als Paradigma der „modernen Welt“. Die gegenwärtige Europavorstellung imperialistischer Wirklichkeit ist vorgebildet. Das Beweismaterial für diese These gibt: v. Hofmannsthal, Prosa, Band 3; im besonderen verweisen wir auf die Aufsätze: Appell an die oberen Stände; Die Bejahung Österreichs; Die Idee Europa; Die österreichische Idee.

139 Bahrs Übertritt zum Katholizismus wurde durch eine Erkrankung im Jahr 1904 ausgelöst. Bahr glaubte zu dieser Zeit, vom Tod bedroht zu sein. Er selbst zumindest hat seine Wandlung so dargestellt (siehe Bahr, Inventur. S. 167ff.; Bahr, Kritik der Gegenwart, S. 5f.). Im Grunde geht es auch bei Bahr darum, daß er nach einem positiven Halt suchte. Er schloß sich dem Katholizismus an – und befand sich damit wiederum in einem Strom der Zeit. Katholizismus und Besinnung auf österreichische Kulturtradition standen zusammen; im Werk Bahrs kann man dies nach 1904 ablesen: Die Idee der Salzburger Festspiele geht auf ihn zurück (siehe Kindermann, Hermann Bahr, in: Neue Österreichische Biographie ab 1815, Band 10, S. 144). Bahr rezipiert die katholische Idee als Ausdruck des österreichischen Barock. Auch seine Beschäftigung mit A. Stifter fällt in diese Zeit. Und im politischen Denken tritt die gleiche Wandlung ein wie bei Hofmannsthal – das Multinationalitätenkonglomerat Österreich–Ungarn wird als europäisches Vorbild und als Zukunftsmodell angepriesen (siehe Bahrs Aufsatzsammlungen: Austriaca; Schwarz–Gelb). – Bemerkenswert erscheint es, daß sich nach 1904 bei Bahr, nunmehr im Zeichen der Religion, wieder ein positives Verhältnis zum Marxismus einstellte. 1912 schrieb er, die zukunftsträchtigen Kräfte der Zeit äußerten sich „in den Naturwissenschaften, in den Vorzeichen einer neuen Religiosität und im Proletariat“ (Bahr, Inventur, S. 18). Im Zentrum von Bahrs Denken steht wiederum die Ich-Problematik. Der Marxismus wird als eine Möglichkeit für den Menschen empfunden, sein Ich in der Kollektivität zu steigern. Darüber schreibt Bahr: „Und um dieselbe Zeit ist das Proletariat ins Geheimnis der Organisation eingedrungen, erkennend, daß der Mensch in der Einsamkeit niemals sich selbst ganz erreichen kann, daß er von der Gemeinschaft mit anderen Kräften, Gedanken, Empfindungen . . . Steigerungen empfängt, deren er für sich allein niemals fähig wäre . . .“ (Ebenda, S. 19f.) Im Marxismus wird erlebt: „. . . die Bewährung, Erfüllung, Vollendung eines jeden durch Erlösung von sich selbst, . . . die Entdeckung des Menschen durch Entselbstung“ (ebenda, S. 21: siehe auch ebenda, S. 65f.) Für sich selbst sah Bahr diese Sehnsucht in der Religion erfüllt.

140 Bei A. Schnitzler konnten wir solch eine Umschichtung seiner Denkrichtung weder aus den Selbstzeugnissen noch aus den Werken ablesen. Wir führen das auf Schnitzlers Verhältnis zum Stoff zurück, auf sein spezifisches literarisches Talent. Schnitzlers literarisches Schaffen ist so geartet, daß die ganz persönliche und subjektive Lebenserfahrung, die sich in der Weltsicht niederschlug, in Stoffe transponiert wurde, die dem Ich zwar nahestanden, in ihren Lebenskonflikten ihm bis zur Identität verwandt waren, die aber dennoch eine Form der Objektivierung des Selbst darstellten, indem das Ich nie von sich selbst, sondern von den anderen sprach, deren Welt das Werk vorzeigte. So ist es geradezu verblüffend, wie Schnitzler „seiner" Welt und ihrer Thematik zeitlebens verhaftet blieb – noch im Alterswerk des Dramatikers findet sich die Orts- und Zeitbestimmung „Wien. Um 1900".

141 v. Hofmannsthal, Briefe, Band 1, S. 221.

142 Freud, Briefe an Arthur Schnitzler, in: Die Neue Rundschau, 1/1955, S. 97.

WOLFGANG MARTENS

Zur gesellschaftlichen Stellung des Schriftstellers um 1900 (Schriftstellerfeste)

„Gräfin von Beaufort–Spontin: Entzückendes lichtgrünes Seidenkleid mit lichtgrünem Tüllüberwurfe. Dasselbe war mit reicher, geschmackvoller Silberstickerei und Pierre de Strass dekoriert. Herrliches Brillantdiadem und Kollier. – Gräfin Mathilde Stubenberg–Tinti: Blaugold Velourfrappéprinzeßkleid, Corsage in Perl- und Diamantstickerei, die mit blauem Mousseline de soie voiliert ist. – Marie Gräfin von Oberndorf: Prinzeßkleid aus korallfarbener Duchesse, bedeckt mit einem Überwurfe aus echten Brüsseler Spitzen, Goldstickerei an der Corsage, große, gelbe Rose am Ausschnitte, Perlen um den Hals und Perlenohrgehängen."[1] So beginnt eine seitenlange Beschreibung weiblicher Garderoben, die auf dem Ball eines Schriftstellerverbandes im Jahre 1912 zu bewundern waren. Es handelte sich um das seit 1900 alljährlich stattfindende Fest der Deutsch-Österreichischen Schriftstellergenossenschaft in Wien. Nach dem Bericht waren damals zugegen: der Ministerpräsident Graf Stürgkh, der Prinz Eduard Liechtenstein, der Kriegsminister, der Innenminister, der Arbeitsminister, der Handelsminister, der Bürgermeister von Wien, der Wiener Stadtkommandant, seines Zeichens Feldmarschalleutnant, der Polizeipräsident, Vertreter des diplomatischen Corps, zahlreiche weitere hohe Beamte, Hofräte, Sektionschefs, viele weitere Militärs, Vertreter der Berufsstände, der Industrie- und Geschäftswelt, Abgeordnete und Politiker, Theaterleute und Künstler und die Schriftsteller selber, darunter zahlreiche Journalisten. Ich muß es mir hier versagen, die lyrisch-impressionistischen Stimmungsschilderungen aus dem Ballbericht in den *Mitteilungen der deutsch-österreichischen Schriftstellergenossenschaft* zu zitieren, und mich auf den Passus beschränken, in dem es heißt, es sei auf den Patronessen-, Künstler- und Honoratiorenestraden alles versammelt gewesen, „was in der Stadt der Freude und des Schönheitsgenießens Rang und Namen besitzt (. . .) Das Blinken der Ordenssterne und das satte Gold der Hof- und Staatsuniformen, in das sich das getragene Schwarz des einfachen Frackes nur unterbrechend einschob", wetteiferten „mit dem Funkeln der Brillantrivièren und dem träumerischen Glanze der Perlen".[2] – Kein Zweifel, dieses Schriftstellerfest scheint ein gesellschaftliches Ereignis erster Ordnung gewesen zu sein. Alles, was Rang und Namen hatte, war zugegen. (Neumodisch, simplifikatorisch und affektbesetzt, müßte es wohl heißen: Es war ‚das Establishment', es waren ‚die Herrschenden', die den Schriftstellern auf ihrem Fest die Ehre gaben.)

Was liegt hier vor – abgesehen davon, daß wir es hier offenbar mit einem Reflex gesellschaftlichen Glanzes des alten imperialen Wien zu tun haben? Wie kommen die Schriftsteller zu solchen Ehren? Wie ist ein solches Zusammentreffen von Geist und Macht zu verstehen? Daß es sich nicht um einen Einzelfall handelt, ist bezeugt.[3] Und daß es auch nicht die deutschnational-konservative, zuweilen tendenziell antisemitische Linie der Deutsch-Österreichischen Schriftstellergenossenschaft war, die diesen Schriftstellerverband für Staat und Gesellschaft besonders genehm machte, so daß seine soziale Auszeichnung etwa nur politischer Opportunität entsprochen hätte, das zeigt sich darin, daß der konkurrierende und viel ältere Schriftstellerverein in Österreich, die von Literaten der 1848er Jahre gegründete „Concordia", traditionell liberal eingestellt, mit einem starken Anteil jüdischer Autoren – daß auch die „Concordia" regelmäßig und sehr viel früher schon ähnlich glanzvolle und von den Exponenten der Macht, von der „Gesellschaft" besuchte Feste gefeiert hat. Bereits der erste Concordia-Ball im Jahre 1863 versammelte die Spitzen von Staat und Gesellschaft um die Autoren.[4] Die *Wiener Morgenpost* nennt zwei Jahre später, 1865, den Concordia-Ball „die Krone der Elitebälle" und notiert als erschienen vom Staatsminister von Schmerling bis zur Tänzerin Fanny Elssler, alles, was in Wien Namen und Bedeutung hatte.[5] In den achtziger Jahren hat der Kronprinz Rudolf diese Feste mehrmals durch sein Erscheinen ausgezeichnet, was damals großes Aufsehen erregte. Wir besitzen eine Schilderung des ersten Besuchs des Kronprinzen auf dem Schriftstellerball im Jahre 1884 aus der Feder von Karl Emil Franzos. Franzos wurde an diesem Abend zusammen mit Ludwig Anzengruber und Eduard Mautner dem Kronprinzen persönlich vorgestellt, daneben die Chefredakteure der Wiener Blätter. Auch Franzos bestätigt in seiner Beschreibung – es sind private Aufzeichnungen, die erst kürzlich ans Licht gekommen sind und nicht zur aktuellen Glorifizierung des Festes bestimmt waren –, daß der Ball der „Concordia" ein gesellschaftliches Ereignis war: „In den riesigen, prächtig geschmückten Räumen drängte alles, was in Wien an bedeutenden oder durch den Zufall der Geburt hochgestellten Menschen lebte. Die höchsten Beamten des Reichs, vom Chef des Kabinetts bis zum jüngsten Hofrat, das diplomatische Corps, die Stadtverwaltung, die Mitglieder beider Parlamente, hohe Militärs, der Adel, die Finanzwelt, die Großindustrie waren zur Stelle, dazu jeder, der in dieser Stadt als Künstler einen Namen hatte, selbstverständlich auch die Schauspieler und Schauspielerinnen, dann als Wirte die drei- oder vierhundert Menschen, die in Wien die Feder führten."[6] Die „Concordia" hat ihre Ballfeste in diesem Stil bis zum 1. Weltkrieg alljährlich durchgeführt.

Noch einmal: Was liegt hier vor? Wie sind diese Erscheinungen zu werten? Wie kommen die Schriftsteller zu solch offenkundigem Sozialprestige? Wir sind gewohnt, das Verhältnis des Schriftstellers zu Staat und Macht und Gesellschaft im deutschen bzw. deutschsprachigen Bereich als traditionell prekär anzusehen. Seit Jahrhunderten, so erklärte kürzlich noch Walter Jens auf dem letzten Kongreß des Verbands deutscher Schriftsteller, sei der Autor in den deutschen Landen „politisch mißachtet und ohne Einfluß in der Gesellschaft" gewesen, habe er „das Leben von Parias" geführt. Während in Frankreich und England Schriftsteller hoch im Kurse standen und das Leben der Nation maßgeblich mitbestimmten, sei der deutsche Dichter „ausgesperrt und isoliert" gewesen.[7] – Jens steht mit diesen Ansichten nicht allein. Hermann Kesten äußerte vor etlichen Jahren bei einer Befragung: „In deutschen Ländern achtet man Autoren weniger als in vielen zivilisierten Ländern."[8] Und Wolfgang Koeppen: „Der Schriftsteller ist vogelfrei. Gesellschaftlich gesehen gehört er zu den Asozialen, den Bettlern, den Landstreichern, den Verrückten."[9] Auch mein verehrter Lehrer Robert Minder, immer wieder deutsche Verhältnisse an französischen messend, konstatierte für den Literaten in Deutschland gesellschaftlich nur eine Randsiedlerfunktion,[10] Ausklammerung aus dem Leben der Nation,[11] Weltabgesondertheit, mangelnden Respekt ihm gegenüber: „Das Wort vom Pinscher [der damalige Bundeskanzler Ehrhard hatte es gegenüber Rolf Hochhuth gebraucht] ist keine Entgleisung. Es ist Tradition."[12] – Wie reimt sich das glanzvolle Phänomen der Wiener Schriftstellerbälle, das das Sozialprestige des Autors mit dem Erscheinen der höchsten Repräsentanten staatlicher und gesellschaftlicher Macht nicht eben gering erscheinen läßt, mit solchen Vorstellungen vom Randsiedlertum, von Pariaexistenz und traditioneller Geringschätzung des Autors?

Man könnte einwerfen, daß derartige Festivitäten, zumal in Wien, des Aufhebens nicht weiter wert seien, da man in Wien keine Gelegenheit zu glanzvollen Tanzveranstaltungen ausläßt (das ist auch heute noch so). Dem steht freilich die Beobachtung von Franzos in seiner erwähnten Schilderung der Concordia-Bälle der achtziger Jahre entgegen: „Die Männer waren immer in der ungeheuren Mehrzahl und getanzt wurde fast gar nicht."[13] Ein bloßes Tanzvergnügen in der Ballsaision waren diese Feste nicht, sondern sie waren offenbar eine soziale Demonstration, in welcher der Schriftstellerstand sich als anerkannt, als parkettfähig, als gesellschaftlich arriviert präsentierten konnte und präsentierte.

Zweiter Einwurf: Müssen wir in einem solchen Phänomen vielleicht eine österreichische Sonderentwicklung erkennen, die mit den sonstigen deutschen Verhältnissen nicht übereinstimmt? Hatte der Autor um die letzte Jahrhundertwende in Wien, in Österreich, eine andere, eine höhere Reputation als im Wilhelminischen Deutschland? Schätzte man an der Donau den Dichter freundlicher ein? Eine solche Deutung hat einiges für sich. Auch heute glaube ich gegenüber dem Schriftsteller, dem Dichter, ein herzlicheres Verhältnis in Österreich zu spüren, ein bereitwilligeres Entgegenkommen, größere Verständnis- und Bewunderungsbereitschaft als in den nördlichen Landstrichen deutscher Zunge.

Und gleichwohl hat es auch in reichsdeutschen Ländern um 1900 Veranstaltungen gegeben, in denen der Dichter, der Schriftsteller, öffentlich-festlich geehrt in Erscheinung trat und von den Repräsentanten des Staats und der Gesellschaft mit aller Auszeichnung behandelt wurde – gar nicht als Pinscher, gar nicht als Paria. Ich denke z. B. an den Allgemeinen Deutschen Journalisten- und Schriftstellertag, der 1893 in München stattfand und über den uns einiges Material vorliegt.[14] Was sich da abspielte, ist eine Folge von Sitzungen, repräsentativen Veranstaltungen und Festivitäten, die das Leben der bayerischen Residenzstadt vier Tage lang beherrschten.

Die Tagung, die über 325 namentlich aufgeführte Teilnehmer aus Deutschland, Österreich und Böhmen zusammenführte, stand unter dem Protektorat des Prinzen Ludwig von Bayern, der die Veranstaltungen in einem Festakt im kgl. Odeon mit einer Rede eröffnete und sich viele Autoren persönlich vorstellen ließ. Neben dem Präsidenten des Münchner Journalisten- und Schriftstellervereins Hermann Ritter von Lingg waren der bayerische Staatsminister Frhr. von Feilitzsch und der 1. Bürgermeister Münchens Ehrenpräsidenten. Im Ehrenausschuß waren (Sie verzeihen diese Speisekarte von Honoratioren; aber es scheint mir wichtig) neben namhaften Autoren der Rektor der Universität München, die Direktoren der Technischen Hochschule, der Hof- und Staatsbibliothek, der Akademie der bildenden Künste, des Gärtner-Theaters, der Präsident der kgl. Akademie der Wissenschaften, der preußische außerordentliche Gesandte Graf zu Eulenburg, die Direktoren der Münchner Trambahn AG, der Bayerischen Hypotheken- und Wechselbank, die Generaldirektoren der kgl. Posten und Telegraphen und der kgl. bayerischen Staatsbahnen. Der Festführer war ein Band mit 288 Seiten. Neben der Eröffnungssitzung im Odeon gab es volkstümliche Zusammenkünfte in verschiedenen Bräukellern, eine Matinee mit Dichterlesungen im Odeon, ein Festdiner im großen Saal des alten Rathauses, Festaufführungen mit Wagners *Tannhäuser* und Sudermanns *Heimat*, ferner eine Fahrt im Extrazug nach Starnberg mit anschließender Schiffsrundfahrt auf dem Starnberger See (das ganze Seeufer abends illuminiert), einen erneuten Empfang zu einem ländlichen Fest durch den Prinzen Ludwig und eines Schlußkommers in verschiedenen Gasthöfen von Starnberg. Eisenbahn- und Dampferfahrt waren gratis, die Teilnehmer hatten freien Zutritt zu den königlichen Theatern, auf den bayerischen Staatsbahnen reisten sie mit 50% Ermäßigung, im Odeon war für sie ein eigenes Post-

und Telegraphenbüro errichtet. Nach Abschluß der Tagung konnten die Gäste unter zehn verschiedenen mehrtägigen Ausflügen ins bayerische Land wählen.

Jedenfalls ist dieser Schriftsteller- und Journalistentag – ganz abgesehen davon, daß auf ihm eine Pensionsanstalt deutscher Journalisten und Schriftsteller ins Leben gerufen wurde – ein Ereignis gewesen, bei dem die Männer und Frauen der Feder in jeder Weise ausgezeichnet und allen öffentlichen Glanzes teilhaftig wurden, über den man im Lande und in der Residenz verfügte.

Ein solcher Befund zwingt uns, die gängigen Klischeevorstellungen von traditioneller Mißachtung, von Randsiedlerexistenz und Pariadasein des deutschen Schriftstellers zu überprüfen. Er nötigt uns aber auch zur genaueren Analyse. Welchen Umständen verdankten es die Autoren, daß sie in der zweiten Hälfte des 19. Jahrhunderts und um die letzte Jahrhundertwende so reputierlich auftreten konnten? Und wie ist das gesellschaftliche Schauspiel insgesamt zu bewerten?

Ich kann aus zeitlichen Gründen dazu nur in knappen Thesen Stellung nehmen.

1. Die auf den von mir angeführten Schriftstellerfesten in Erscheinung tretenden Autorenvereinigungen sind stets Dichter- *und* Journalistenvereinigungen gewesen. Das öffentliche Ansehen, der Einfluß, ja die Macht der journalistischen Publizisten ist dem Schirftstellerstand insgesamt zugute gekommen. Es ist fraglich, ob der Kronprinz Rudolf von Habsburg einem Schriftstellerfest die Ehre gegeben hätte, wären nicht auch die Chefredakteure der führenden Wiener Blätter zugegen gewesen. Die Begegnung von ‚Macht' und ‚Geist' erfolgte dort also vielleicht nur, weil der ‚Geist' in der schriftstellerischen Publizität selber ein Machtfaktor geworden war. Der belletristische Autor, der Dichter, hat im 19. Jahrhundert in seinem Ansehen profitiert vom Einfluß seiner journalistischen Kollegen, mochte er sich diesen als Brot- und Tagesschreibern auch überlegen dünken.

2. Andererseits ist die Schätzung des *Dichters* in der zweiten Hälfte des 19. Jahrhunderts im deutschen Bürgertum und weitgehend auch im Adel eine durchaus hohe. Die seit dem 18. Jahrhundert praktizierte ästhetische Erziehung des Publikums trägt im 19. Jahrhundert ihre Früchte. Der schönwissenschaftliche Autor, der Dichter, besitzt einen Nimbus, der zwar mit seinen wirtschaftlichen Existenzbedingungen oft grotesk kontrastiert, der ihn aber in den Augen der gebildeten Welt zu einem achtenswerten, zu einem in irgendeiner Weise hochstehenden Wesen macht. Im Lande der Dichter und Denker (die Formel ist jetzt gängig) einem Dichter zu huldigen oder sich auch selber ein wenig poetisch zu versuchen, ist damals etwas Unverächtliches.[15] Mit den Musen und Grazien und ihren berufenen Dienern umzugehen, steht jedenfalls dem feinen Mann um 1900 wohl an.

3. Es hilft der gesellschaftlichen Stellung des Schriftstellers deutscher Zunge um 1900 nicht unbeträchtlich auf, daß ihm in den Augen des Publikums eine Art nationaler Sendung beigemessen wird. In der Festansprache, die der Prinz Ludwig von Bayern auf dem erwähnten Münchner Schriftstellertag gehalten hat, kommt dies Moment zum Vorschein. Nach einer allgemeinen Würdigung der Bedeutung der Autoren „für unsere Zeit und die ganze Menschheit" heißt es vom deutschen Schriftsteller und Journalisten: „Er ist das Band, welches die vielen Millionen, die gleich uns die deutsche Sprache reden und desselben Stammes mit uns sind, die aber nicht zum deutschen Reich gehören, mit uns verbindet. (Das Protokoll vermerkt: Bravo!) Diese Millionen Deutsche, die theilweise an unseren Grenzen, theilweise in Europa und sonst in der Welt wohnen, werden durch die Litteratur in ständigem Bund mit uns gehalten."[16] Der Schriftsteller, auch wenn er, mit Heine zu reden, nur die Frühlingssonne, die Maienwonne und die Gelbveiglein

besingt, dient also, da er die deutsche Zunge übt, dem deutschen Gedanken – ein Gesichtspunkt, der wohl auch für den Schriftsteller in dem mit vielen Völkerschaften zusammenlebenden Österreich damals eine gewisse Relevanz gehabt hat. Die soziale Respektierung des Autors um 1900 muß von einer solchen im weiteren Sinne auch politischen Rolle her mitgesehen werden.[16a]

4. Andererseits könnte öffentliche Anerkennung des Schriftstellers um 1900 gerade auch darauf beruhen, daß der Dichter den bestehenden Machtverhältnissen innenpolitisch nicht in die Quere kam oder zu kommen schien. Wenn der *journalistische* Autor einen zu berücksichtigenden Machtfaktor darstellte, so durfte der *Dichter*, der Poet, als unpolitischer Künder des Wahren, Schönen und Guten nur um so bereitwilligerer Duldung gewiß sein[17] – ein Exponent der Kultur, auf deren Dekor keine Gesellschaft gern verzichtet.

Der auf den Schriftstellerfesten entfaltete Glanz und die hier einkassierten Ehren erweisen sich damit als ein recht mehrdeutiges Phänomen. Die Mehrdeutigkeit wird freilich noch größer, sieht man diese Feste einmal von der Seite der Autoren her und setzt man sie in Beziehung zu der alles andere als glanzvollen ökonomischen Lage des Schriftstellers um 1900. Die wenigsten konnten sich, wie Paul Heyse, der in München fürstlich residierte, ein sorgenfreies Leben leisten, die Mehrzahl litt Not oder war unfrei, d. h. auf einen bürgerlichen Brotberuf nebenher angewiesen. Die im 19. Jahrhundert zu beobachtende Konstituierung von Schriftstellerverbänden hat gerade in wirtschaftlicher Not ihr Hauptmotiv.[18] – Feste sind Veranstaltungen, die aus dem Alltag herausheben, ihn vergessen machen können. Feste wie die geschilderten müssen also 5. (von der Seite der Autoren her) wohl auch als Versuche begriffen werden, den tristen Alltagsbedingungen einmal zu entkommen, den eigenen materiell armseligen Stand öffentlich aufzuwerten, eine faktisch doch weitgehende gesellschaftliche Bedeutungslosigkeit durch einen großen Auftritt zu kompensieren.[19] – Als wie bitter nötig der Autor öffentliche Aufwertung, gesellschaftliche Akzeptiertheit, empfand, erhellt aus Reflexionen Theodor Fontanes 1891 im *Magazin fuer Litteratur* über Mittel gegen materielles Elend und soziale Geringschätzung der Schriftsteller – Fontanes, der nun freilich im Wilhelminischen Preußen lebte, das, aus altem Puritanismus und neuem Materialismus heraus, im Zeichen harter Machtpolitik, den Musen wenig Raum vergönnte, wo ein Kanzler das Wort von den Schriftstellern als catilinarischen Existenzen hatte fallen lassen. Hier in Preußen, in Berlin, sind ähnliche Schriftstellerfeste nicht gefeiert worden.[20] Ich zitiere Fontane über die Lage des Schriftstellers: „Respekt ist etwas, das kaum vorkommt. Immer verdächtig, immer Blame. Das ganze Metier hat einen Knax weg. (. . .) Unser Aschenbrödeltum ist unzweifelhaft, ist eine Tatsache. Und Änderung? Es gibt nur ein Mittel: Verstaatlichung, Aichung, aufgeklebter Zettel. (. . .) Die Macht des amtlichen Ansehens, immer groß bei uns, ist in einem beständigen Steigen geblieben. (. . .) Die Anschauung, daß nur Examen, Zeugnis, Approbation, Amt, Titel, Orden, kurzum alles, wohinter der Staat steht, Wert und Bedeutung geben, beherrscht die Gemüter mehr denn je". Der Staat also müsse sich hinter seine ungeratenen Söhne stellen, sie auszeichnen; das werde ihnen zu gesellschaftlicher Stellung verhelfen. „Es dürfen nicht immer bloß die Bankiers aus der Tiergartenstraße sich unserer annehmen. (. . .) Mit der veränderten gesellschaftlichen Stellung würde sich viel ändern." Und: „Approbation ist das große Mittel, um dem Schriftstellerstand aufzuhelfen."[21]

Das sind – dem heutigen deutschen Schriftsteller in seinem abgründigen Mißtrauen gegenüber Staat und Macht höchst befremdlich – Gedanken, die ihre Entsprechung finden in der um 1900 erfolgten Initiative, durch Schaffung einer Dichterakademie dem

Autor von Staats wegen Reputation zu verschaffen (was faktisch erst 1926 mit der Begründung der Sektion für Dichtkunst an der Preußischen Akademie der Wissenschaften in die Tat umgesetzt wurde).[22] Der innere Bezug aber zu den glanzvollen Schriftstellerfesten liegt auf der Hand. Auch sie können als Versuch gewertet werden (als in den südlicheren deutschen Landschaften unternommener Versuch), in der großen Welt, im staatlichen und gesellschaftlichen Bereich, die bitter nötige Approbation zu erlangen und dem Aschenbrödeltum des Schriftstellers, wie Fontane es nannte,[23] endlich abzuhelfen. Ob dieser Versuch sehr tauglich war, steht dahin.

Aschenbrödel freilich ging auf das Fest, und der junge Prinz tanzte nur mit ihm. Sein Füßchen paßte in den zierlichen goldenen Pantoffel, und der Königssohn führte es heim . . . Es ist ein schönes Märchen.

Anmerkungen

1 Mitteilungen der Deutschösterreichischen Schriftstellergenossenschaft (Jg. 1912), Wien, Nr. 2, 8. Febr. 1912, S. 7.
2 Ebd., S. 2.
3 Auch nach dem 1. Weltkrieg sind die Bälle der Deutsch-Österreichischen Schriftstellergenossenschaft glanzvolle gesellschaftliche Ereignisse gewesen. Man vergleiche dazu die Berichte in den Mitteilungen der Deutschösterreichischen Schriftstellergenossenschaft, Jg. 1922, Nr. 1 vom 20. Jänner 1922; Nr. 2 vom 10. März 1922; Jg. 1927, Nr. 1 vom 15. Februar 1927; Jg. 1931, Nr. 1 vom 7. Februar 1931.
4 Ein Zeitungsbericht über den ersten Concordia-Ball von 1863: „Wir glauben nicht, unbescheiden zu sein, wenn wir den Erfolg einen glänzenden nennen und daran zweifeln, daß es überhaupt möglich ist, in der Residenz eine interessantere Gesellschaft zu vereinigen. Die Mehrzahl der Herren Minister, die Spitzen der höchsten Behörden, die Direktoren der großen Geld- und Kreditinstitute, Offiziere aller Waffengattungen, Vertreter des Landes, der Gemeinden, des diplomatischen Corps, die Träger der Kunst und Wissenschaft, – kurz alles, was einen Namen hat auf irgend einem Gebiete menschlicher Tätigkeit fand man hier versammelt." Zitiert nach: Julius Stern, Sigmund Ehrlich, Journalisten- und Schriftsteller-Verein „Concordia" 1859–1909, eine Festschrift, Wien 1909, S. 149.
5 Ebd., S. 150.
6 Zitiert nach: Heinrich Benedikt, Kronprinz Rudolf und Karl Emil Franzos. In: Österreich in Geschichte und Literatur, 16. Jg., Graz 1972, S. 308.
7 Walter Jens, Wir Extremisten (Rede auf dem 3. Deutschen Schriftstellerkongreß in Frankfurt am Main). In: Die Zeit, Hamburg, Nr. 48 vom 22. November 1974, S. 17.
8 Angelika Mechtel, Alte Schriftsteller in der Bundesrepublik, Gespräche und Dokumente. München 1972, S. 51; vgl. dort auch die Äußerung von Friedrich Schnack auf S. 102. Vgl. ferner Hermann Kesten, Denken deutsche Dichter? Dichten deutsche Denker? In: Sind wir noch das Volk der Dichter und Denker? 14 Antworten. Hrsg. v. Gert Kalow, Reinbek 1964, S. 79ff.
9 Angelika Mechtel, a.a.O., S. 57.
10 Robert Minder, Dichter in der Gesellschaft. Erfahrungen mit deutscher und französischer Literatur. Frankfurt a. M. 1966, S. 9.
11 Ebd., S. 11.
12 Ebd., S. 19. Vgl. auch Minder, Deutsche und französische Literatur – inneres Reich und Einbürgerung des Dichters. In: Robert Minder, Kultur und Literatur in Deutschland und Frankreich. Frankfurt a. M. 1962.
13 Benedikt, a.a.O.,
14 Festplan des Allgemeinen Deutschen Journalisten- und Schriftstellertags unter dem Protektora-

te Seiner Königl. Hoheit des Prinzen Ludwig von Bayern. München 1893, 7. bis 10. Juli. München o. J. – Allgemeiner Deutscher Journalisten- und Schriftstellertag München 1893, Festführer, München o. J. – Vormittag im Königlichen Odeon zu München (Allgemeiner Deutscher Journalisten- und Schriftstellertag 1893), Berlin o. J. – Protokoll des Allgemeinen Deutschen Journalisten- und Schriftstellertages München 1893, München 1894. – Allgemeiner Deutscher Journalisten- und Schriftstellertag zu München 1893. Excursionen nach Schluß der Münchener Festtage vom 11.–14. Juli 1893, München 1893. – Den Hinweis auf diesen Journalisten- und Schriftstellertag und das in der Staatsbibliothek München dazu vorhandene Material verdanke ich Prof. Herbert G. Göpfert, München.

15 Vgl. dazu die Beobachtungen, die bei Gedichteinsendungen an eine literarische Zeitschrift vom Ende des 19. Jahrhunderts zu machen waren: Zu den Einsendern gehörten auffallend viele Personen mit einem Adelsprädikat. (Wolfgang Martens, ‚Deutsche Dichtung', eine literarische Zeitschrift 1886–1904. In: Archiv für Geschichte des Buchwesens. Bd. I. Frankfurt a. M. 1957, S. 603.

16 Protokoll des Allgemeinen Deutschen Journalisten- und Schriftstellertages München 1893. München 1894, S. 10f.

16a Vgl. dazu die Ausführungen E. Lämmerts über die Selbstauslegung deutscher Dichter (bzw. die für sie vorgenommene Rollenzuweisung) als Repräsentanten des „inneren Reichs" im behandelten Zeitraum: Eberhard Lämmert, Der Dichterfürst. In: Dichtung, Sprache, Gesellschaft. Akten des IV. Internationalen Germanisten-Kongresses 1970 in Princeton, hrsg. von Victor Lange u. Hans-Gert Roloff. Frankfurt a. M. 1971, S. 439–455.

17 Vgl. dazu die Äußerungen von Oskar Maurus Fontana und Sonka (= Hugo Sonnenschein) unter dem Titel „Der Schriftsteller in Österreich". In: Der Schriftsteller, Zeitschrift des Schutzverbandes deutscher Schriftsteller. Berlin, Jg. 1929, Heft 4/5, S. 15–18: „Der Schriftsteller in Österreich war in den Friedensjahren (von 1866 bis 1914) aus seiner 1848er Opposition gedrängt und von den Regierenden in Ehren aufgenommen worden als nützlicher Verlautbarungsapparat. Darum war der Schriftsteller in Österreich nur als ein Officiosus bekannt (oder als ‚Dichter' geduldet, den man aber nicht wichtig nahm, weil nur sein Leichenbegängnis ihn für einen Tag publik machte). (...) Klar, daß ein solcher Gast der Salons wie der österreichische Schriftsteller jener Zeit durch allerhand Benefizien der Regierenden gehätschelt wurde, um ‚standesgemäß', d. h. kavaliersmäßig auftreten zu können (...). Man fuhr umsonst in der ersten Klasse als Nachbar der Exzellenzen und man starb zu ermäßigtem Preis in einem Sanatorium, Tür an Tür mit einem Fürsten, der sein Geschlecht bis zu Friedel mit der leeren Tasche zurückleiten konnte – und man vergaß dabei, daß man ein armer Teufel war, geduldet und ausgenutzt." – Über die Problematik von Schriftstellerfesten äußerte sich auch Arthur Eloesser in einem Artikel „Rhein- und Weinreisen". In: Der Schriftsteller, 13. Jg. Heft 4/5 (Mai 1926), S. 29–31.

18 Vgl. dazu die ersten Kapitel meines Buchs: Lyrik kommerziell. Das Kartell lyrischer Autoren 1902–1933. München 1975.

18 Es gibt in Schriftstellerverbänden der achtziger und neunziger Jahre des 19. Jahrhunders eine Debatte darüber, ob man die Festivitäten bei den Jahrestagungen nicht reduzieren oder streichen solle, da sie der wirtschaftlichen Lage der meisten nicht entsprächen und nur von ernsthafter Verbandsarbeit abhielten.

20 Bertha von Suttner hat in ihrem Schriftsteller-Roman, Dresden und Leipzig 1888, S. 284ff. die Jahrestagung des Allgemeinen Deutschen Schriftstellerverbandes von 1885 in Berlin ausführlich geschildert. Die Festlichkeiten waren, auch wenn der Berliner Bürgermeister die Gäste offiziell begrüßte, im ganzen Zuschnitt wesentlich bescheidener. Der Staat trat nicht in Erscheinung.

21 Theodor Fontane (im Original anonym!), Die gesellschaftliche Stellung der Schriftsteller. In: Das Magazin für Litteratur, Jg. 60/1891, S. 818–819, zitiert nach dem Neudruck in: Erich Ruprecht, Dieter Bänsch (Hrsg.), Literarische Manifeste der Jahrhundertwende 1890–1910. Stuttgart 1970, S. 1–4.

22 Dazu Inge Jens, Zur Vorgeschichte der ‚Sektion für Dichtkunst' an der Preussischen Akademie. In: Wissenschaft als Dialog, Studien zur Literatur und Kunst seit der Jahrhundertwende. Stuttgart 1969, S. 313ff. – In änlicher Weise forderte Richard Dehmel 1917 Sitze für Vertreter

der deutschen Dichtung im Preußischen Herrenhaus: „Aus den Wissenschaften hat man ja schon einige Würdenträger herangeholt, wenn auch noch nicht in genügender Anzahl; bloß die Dichter und Künstler sind noch immer die Eckensteher von Gottes Gnaden, und grade die haben doch ein natürliches Recht, als die berufenen Schildhalter des Volksgeistes aufzutreten." (Richard Dehmel, Ausgewählte Briefe aus den Jahren 1902 bis 1920. Berlin 1923, Brief vom 15. 3. 1917 an Paul Block vom Berliner Tageblatt, S. 412.) – Dichter als „die berufenen Schildhalter des Volksgeistes". Das sind übrigens bereits Begriffe, unter denen dann in der nationalsozialistischen Ära botmäßige Autoren auch gefeiert werden konnten. Eine Studie über öffentliche Dichterehrungen, Dichtertreffen, Dichterlesungen im Dritten Reich könnte noch Interessantes zutage fördern. Einiges Material bietet Joseph Wulf, Literatur und Dichtung im Dritten Reich, eine Dokumentation. Gütersloh 1963.

23 Vom Schriftsteller als dem „Aschenbrödel unserer Verhältnisse" sprach auch Ferdinand Avenarius in seinem Aufsatz „Vom deutschen Schriftstellerstand". In: Der Kunstwart, Rundschau über alle Gebiete des Schönen. 5. Jg. 1891, S. 1–3.

WALTER MÜLLER-SEIDEL

Literatur und Ideologie
Zur Situation des deutschen Romans um 1900

Daß die deutsche Literatur zwischen Naturalismus und Expressionismus als eine in sich zusammenhängende Einheit zu verstehen sei, ist inzwischen eine communis opinio der neueren Forschung. Wolfdietrich Rasch schlägt hierfür Formeln wie ‚Dichtung um 1900' oder ‚Dichtung der Jahrhundertwende' vor, und der Begriff ‚Dichtung', was immer gegen seine Enge zu sagen bleibt, tritt dabei in seine alten Rechte: es ist eine in jedem Betracht hochpoetische Epoche, eine ‚Blütezeit' gewissermaßen, die sich mit dem Reichtum der Literatur um 1800 vergleichen läßt. Ihre bedeutendsten Vertreter – Stefan George oder Thomas Mann, Gerhart Hauptmann, Hofmannsthal oder Rilke – sind heute als Klassiker der Moderne geschätzt. Sie alle und andere findet man in den Studien Raschs wiederholt erwähnt und interpretiert. Dagegen – und das wird noch hier ohne Kritik vermerkt – werden Schriftsteller wie Paul Ernst, Hermann Stehr, Emil Strauß, Gustav Frenssen und verwandte Geister kaum je genannt. Sie sind in der neueren Forschung Verschollene und Vergessene – vielleicht nicht ganz zu Recht, weil es ratsam sein könnte, sich von veränderten Fragestellungen her mit ihnen zu befassen. Denn der Weg dieser ‚völkischen' Schriftsteller, wie sie später genannt wurden und wie sie sich zum Teil selbst genannt haben, beginnt hier: und zumeist beginnt er im Zeichen des Romans. Er führt in zahlreichen Fällen unmittelbar in die Epoche des Faschismus hinein, um einen terminus Ernst Noltes in diesem Zusammenhang zu gebrauchen.

Die kulturgeschichtlichen Darstellungen von Richard Hamann und Jost Hermand tragen dem Rechnung – so sehr, daß über der dankenswerten Verarbeitung eines vielfach dubiosen Schrifttums die glanzvollen Namen bisweilen dem Blick entschwinden. Es handelt sich bezüglich dieses Schrifttums um eine Weltanschauungsliteratur, die den verschiedensten Bedürfnissen dient. In ihr wird ein Kult der Innerlichkeit, des Germanentums oder der Heimatkunde propagiert. Die Wissenschaftsfeindlichkeit dieser Autoren ist ausgeprägt, und es ist nicht ganz nebensächlich, daß eine solche Aversion auf ihre Weise auch im Werk Rudolf Borchardts oder Stefan Georges gewisse Spuren hinterlassen hat. Es fehlt daher nicht völlig an Beziehungen zwischen hoher Dichtung und dieser sehr merkwürdigen literarischen Provinz. Julius Langbehn, der Verfasser des Buches *Rembrandt als Erzieher,* darf als einer ihrer wirksamsten Repräsentanten angesehen werden. Von diesem Buch wurden innerhalb eines Jahres nahezu 60000 Exemplare verbreitet. Der Kaiser war im höchsten Grade davon entzückt, aber auch in Worpswede fand es begeisterte Leser. Es gibt bei Langbehn bestimmte Begriffe, die als Werte gesetzt werden, ohne daß eine Begründung für ihre Geltung gegeben würde. Die Innerlichkeit ist ein solcher Wert. Sie scheint etwas ihrem Charakter nach Unpolitisches zu sein, wenn es in Friedrich Lienhards *Wasgaufahrten* (1910) heißt: *Werft sie ab, die Stimmung der Tiefe! Laßt euch nicht hinabziehen, ringt euch empor zum Lichte! Und wenn die Außenwelt versagt, baut euch eine Innerlichkeit.* Aber deren nähere Bestimmung als eine spezifisch deutsche enthüllt sogleich die politische Bedeutung, die sich in dem Begriff versteckt, hier als eine solche des wilhelminischen Imperialismus. Langbehn läßt daran keinen Zweifel. Die in Frage stehenden Werte sind vorzüglich solche des Gefühls und der

Emotion. Daher die Wissenschaftsfeindlichkeit, von der schon gesprochen wurde. In dem umfangreichen Kapitel „Deutsche Wissenschaft" wird dargetan, was allenfalls noch als Wissenschaft gelten dürfe: eine solche, die sich jeder mechanischen Weltauffassung widersetzt, die den Analysen mißtraut, weil Sinn nur in der Synthese gesehen werden darf. Zur Wissenschaftsfeindlichkeit gesellt sich die Verachtung der Großstädte – eine Verachtung, die sich auch die aufbrechende Jugendbewegung zu eigen macht. In dem Kapitel „Lokalismus" seines Rembrandtbuches führt Langbehn aus: „Geist der Individualität ist Geist der Scholle. Die Kunst bedarf des Lokalismus und des Provinzialismus . . . in den heimatlosen Millionenstädten werden Kunst und Künstler schnell verzehrt, aber selten erzeugt." Es liegt nahe, ein solches Schrifttum behelfsweise als Ideologie im pejorativen Sinn zu bezeichnen, wie sie Theodor Adorno gelegentlich definiert hat: „Denn Ideologie ist Unwahrheit, falsches Bewußtsein, Lüge. Sie offenbart sich im Mißlingen der Kunstwerke, ihrem Falschen in sich, und wird getroffen von Kritik." Im Versuch, das damit Gemeinte einzugrenzen, spreche ich mit Beziehung auf eine bestimmte Romankunst der Zeit von literarischen Ideologien, im Unterschied zu ideologischer Literatur allgemein. Doch geht es zunächst weniger um den Begriff als um die Sache selbst; weniger um die Bezeichnung als um das, was damit bezeichnet werden soll: eine Provinz der Literatur nämlich, die sich nur bedingt isolieren läßt und die in manchen ihrer Tendenzen in die hohe Dichtung hineinreicht, wie sie sich zum anderen mit den Niederungen der Trivialliteratur vielfach berührt. Übergänge von der einen zur anderen Ebene sind häufig. Sie bringen eine eigentümliche Labilität mit sich: eine Umschläglichkeit, die darin beruht, daß etwas literarisch Legitimes unversehens in das Bedenkliche einer falschen Bewußtseinslage übergeht. Jost Hermand gebraucht für verwandte Zeiterscheinungen den Begriff einer fortschrittlichen Reaktion. Ob er sich als brauchbar erweist, stehe dahin. Es kann aber kein Zweifel sein, daß man es mit Fragen des Fortschritts oder der Rückständigkeit zu tun hat, die der Klärung bedürfen.

Doch versteht sich Fortschritt im Umgang mit der Literatur keineswegs von selbst, wie unlängst Max Wehrli ausgeführt hat. Ist Goethes *Faust* fortschrittlicher als Dantes *Divina Commedia?* Das ergibt keinen Sinn. Dennoch ist es nicht sinnlos, von Fortschritten in der Literatur zu sprechen. Man kann sich dabei auf keinen geringeren als auf Schiller berufen: auf seine noch immer hochaktuelle Rezension der Gedichte Bürgers. Er sieht besonders die Lyrik in einer überaus bedrängten Lage, und es ist die Philosophie der Zeit, die eine solche Bedrängnis verursacht hat. Gleichwohl ist er überzeugt, daß der Lyrik wie aller Kunst noch durchaus eigene Aufgaben zukommen. Dazu aber würde erfordert, heißt es wörtlich, „daß sie selbst [die Lyrik] mit dem Zeitalter fortschritte, dem sie diesen wichtigen Dienst erweisen sollen". Fraglos ist zuzugeben, daß sich über Fortschritt und Fortschrittlichkeit streiten läßt, aber daß sich neuzeitliche Wissenschaft durch die Resultate ihrer Fortschritte konstituiert, dürfte unbestritten sein. Ihre Wirkungen im Gesellschaftlichen und Sozialen sind weitreichend. Die Literatur kann sich dem nicht entziehen. Sie muß auf ihre Weise mit dem Zeitalter fortschreiten, indem sie ihre Techniken und Darstellungsformen auf Grund der veränderten Bewußtseinslage verändert. Sie muß deswegen nicht lediglich tun, was die Wissenschaft tut. Daß sie sich einen Spielraum eigener Freiheit bewahrt, ist ihr nicht zu verdenken. Aber offenbar ist es immer schwieriger geworden, diesen Spielraum gegenüber dem fortschreitenden Zeitalter und das heißt: gegenüber der modernen Wissenschaft zu sichern. Wenn Literaturgeschichte als Bewußtseinsgeschichte verstanden werden darf, wie ich sie verstehe, so hängt alles davon ab, ob es gelingt, die Ergebnisse der Wissenschaft mit den Ansprüchen der Kunst in ein einigermaßen erträgliches Verhältnis zu bringen. Wo das nicht geschieht, können jene literarischen Ideologien wuchern, die ich nachfolgend in einigen idealtypischen Gegenüberstellungen erläutern will.

Folgenreich seit Schiller sind die Fortschritte der Wissenschaft im Bereich des Sozialen. Dem deutschen Roman ist es nicht immer leicht gefallen, solchen Veränderungen gerecht zu werden, wie man an der zaghaften Einbeziehung des vierten Standes verfolgen kann. Der für allen Zeitwandel so aufgeschlossene Fontane hat sich darüber in seinen Briefen wiederholt geäußert. In seinen Romanen dagegen tauchen die Angehörigen der sozial niederen Schichten allenfalls am Rande auf. Doch beschränkt er sich auf eine Darstellung der ‚guten Gesellschaft', wie Demetz formuliert, keineswegs. Schon mit dem ersten Roman *(Vor dem Sturm)* war er bemüht, ‚einfache Lebenskreise' zu schildern, und in solchen Blickerweiterungen erweist er sich im Grunde um vieles erfolgreicher als ein am sozialen Roman interessierter Naturalist wie Max Kretzer. Mit einer Darstellung einfacher Lebenskreise hat es auch der 1891 niedergeschriebene Roman *Mathilde Möhring* zu tun, und wie in anderen Romanen der Zeit schließt er die Thematik des sozialen Aufstiegs ein. Daß mit solchen Erweiterungen im Stofflichen auch Veränderungen im Erzählen verbunden sind, wäre zu zeigen. Erzählt wird hier die Geschichte eines kleinbürgerlichen Mädchens, das höchst zielbewußt einen Zimmerherrn ihrer verwitweten Mutter für sich einzunehmen versteht. Es handelt sich um einen Juristen im hohen Semester, der von der Institution eines Examens nicht viel hält und deshalb zum Aufschub tendiert. Die ehrgeizige Tochter der Frau Möhring pflegt ihn während einer Krankheit. Man gleitet in eine Verlobung hinein, die mit Liebe nicht sehr viel zu tun hat. Sie werden ein Paar. Beruflicher Erfolg und bürgerliche Etablierung bleiben nicht aus. Aber die Ehe ist von kurzer Dauer. Der kränkelnde Landrat, der Hugo Großmann geworden ist, erliegt alsbald einer Lungenentzündung, und es sieht ganz so aus, als habe er sich ein wenig übernommen. Die junge Witwe verliert dessen ungeachtet ihr Ziel nicht aus dem Auge. Sie wird Lehrerin und besteht das Examen weit besser, als es ihrem verstorbenen Mann zu bestehen vergönnt war. Zielstrebigkeit im Zeichen sozialen Aufstiegs und Schwächlichkeit im Zeichen der Décadence stehen zueinander im Kontrast. Eine Parteinahme für die eine oder die andere Seite unterbleibt. Die Erfolgreichen wie Mathilde Möhring werden nicht in den Himmel gelobt; und die Erfolglosen wie Hugo Großmann werden nicht verdammt. Glückliches oder tragisches Ende sind kaum noch zu unterscheiden in der Ambivalenz der Dinge, um die es Fontane geht. Hier ist sehr viel von einfachen Verhältnissen die Rede. Die Lebensgewohnheiten der wilhelminischen Zeit werden in Formen kritisiert, die sich der Satire nähern. Aber jede Verklärung einfachen Lebens unterbleibt. Einer solchen Verklärung zugunsten idyllischen Daseins in unserer modernen Welt stünde überdies das ausgeprägte Sprachbewußtsein entgegen, das sich von keinen Illusionen einfangen läßt. Das bezieht sich auf die Sprache der Ungebildeten gleichermaßen wie auf die Sprache derer, die man die Gebildeten nennt. Die vielgerühmte Skepsis Fontanes ist eine Sprachskepsis in erster Linie. Sie wird um 1900 zum Epochenmerkmal jener Literatur, die uns die nächste ist. Im Werk Hofmannsthals, Schnitzlers, Thomas Manns oder des jungen Musils erhält sie eine nachgerade zentrale Stellung. Künstlerisches Bewußtsein ist hier mit Sprachbewußtsein identisch.

Wie die noch aus dem späten Realismus hervorgegangene Darstellung einfacher Lebenskreise in eine Verklärung einfachen Lebens umschlägt, ist an Gustav Frenssens erfolgreichem *Jörn Uhl* (1901) zu zeigen. Der Roman erzählt die Geschichte eines von seinem Vater vernachlässigten Bauernjungen, der zu Höherem berufen ist, aber die Schule vorzeitig verläßt, um den elterlichen Hof vor dem Niedergang zu bewahren. Im

Frieden, wie erst recht im Krieg, zeichnet er sich durch Tapferkeit aus. Aber nachdem der väterliche Hof durch einen Brand zerstört worden ist, löst er sich von der elterlichen Scholle, studiert Kanal- und Deichbau und wird zuguterletzt doch noch ein Deichvogt, der er von Anfang an werden wollte. Dem ehelichen Glück steht nun endgültig nichts mehr im Wege, so daß es am Schluß in schönster Einprägsamkeit heißen kann: *obgleich er zwischen Sorgen und Särgen hindurch mußte, er war dennoch ein glücklicher Mann. Darum, weil er demütig war und Vertrauen hatte.* Dieser unter anderen von Rilke enthusiastisch gefeierte Roman kam in seiner Verherrlichung des Gesunden einer verbreiteten Zeitstimmung entgegen; nicht minder war die Darstellung bäuerlichen Lebens geschätzt. Dem steht der soziale Aufstieg nicht im Wege, der das glückliche Ende verbürgt. Aus der Tradition wird hierfür das Schema des alten Bildungsromans entliehen. Die Bildung selbst wird inmitten unserer modernen Welt ins denkbar Einfache stilisiert. Zwar ist die Darstellung eines sozialen Aufstiegs ohne Lernen nicht denkbar. Aber das kann den Erzähler nicht hindern, die Stätten solchen Lernens unbekümmert herabzusetzen: *Wo lernten wir am meisten?* (so lauten einige rhetorische Fragen unseres Dorfpoeten) *In den Schulen? In den Hörsälen? Von den Professoren? Wir lernten das meiste, als wir aufs freie Feld gingen ...* Die Verklärung derer, die nichts wissen können, wird hier sehr planmäßig betrieben, so daß der Held unseres Romans am Schluß ganz im Sinne seines Verfassers verkünden kann: *aber je älter ich werde, desto unwissender werde ich.* Es ist ganz wie in Wiecherts bukolischer Welt: *Ja, die Lehrer und die Oden* (so steht es in der *Hirtennovelle* geschrieben), *was würden sie bedeuten in dieser wilden Welt? Nirgends steht in der Bibel... daß Gott die Lehrer geschaffen hat. Bloß Sonne und Mond und alle Tiere und Pflanzen ...* Der Widerspruch zwischen einfachem Leben und sozialem Aufstieg findet seinen reinsten Ausdruck in einer ‚Denkform', der im dilettantischen Weltbild Gustav Frenssens eine zentrale Bedeutung zukommt. Es ist diejenige des Grübelns. Denn gegrübelt wird in diesen Romanen unablässig. *Grübeleien* heißen gleich zwei Bände seiner weisheitsvollen Meditationen, und eine Feldpostausgabe mit dem Titel *Gustav Frenssen grübelt* wurde 1943 unter die Soldaten gebracht. Vor allem ist Jörn Uhl ein Grübler, wie er im Buche steht. Das verdeutlicht die Schilderung eines poetischen Feierabends, die für sich selbst spricht: *Er fuhr nichtsahnend mit seinem Sandwagen so gegen Abend unterhalb Ringelshörn entlang ... Er saß auf dem Wagenbrett, ließ die Beine baumeln und summte und brummte so gegen den Wind an, und sah in Grübelei über das ebene, stille Feld, und war so recht das Bild eines friedvollen tiefdenkerischen Bauernjungen.* Doch können solche Grübeleien auch ins Völkische übergehen, wenn gesagt wird, daß in der gewaltigen Volksseele die Gedanken wühlten und grübelten. Hier zeichnen sich deutlich die Umrisse einer literarischen Ideologie ab, und einer deutschen obendrein, die man mit derjenigen der Gralssuche oder des faustischen Menschen vergleichen kann. Bezeichnend ist dabei die einseitige Betonung bestimmter Werte: neben dem Grübeln das Gesunde, das Tüchtige und in allem das Einfache des bäuerlichen Lebens. Im Vergleich mit der zeitgenössischen Wirklichkeit, die solcher Einfachheit ermangelt, entstehen die schiefen Bilder, die das Unglaubwürdige dieses damals so erfolgreichen Romans bewirken. Sie machen Frenssens *Jörn Uhl* zu einem durch und durch verlogenen Buch.

Soziales hat sich hier auf eine rückläufige Art ins Individuelle verengt, und alles Individuelle wird in den Herzensergießungen des Rembrandtdeutschen fast Seite für Seite verklärt. Demgegenüber wird in der zeitgenössischen Literatur von Rang mit der Erforschung des Individuellen und der damit verbundenen Verlagerung in die Innenwelt des Menschen eine Vielzahl sozialer Bezüge aufgedeckt. Die erzähltechnische Erweiterung, um die es sich dabei handelt, hat Erich von Kahler zutreffend als Verinnerung bezeichnet und beschrieben. Zur Erläuterung des Gemeinten richten wir uns auf die 1891 entstandene Erzählung *Sterben* von Arthur Schnitzler, und lassen auf sich beruhen, daß sie den traditionellen Vorstellungen des Romans auf Grund des Umfanges nicht ganz entspricht. Es geht hier um einen jungen Menschen, dem von einem Arzt mitgeteilt wird, daß er noch allenfalls ein Jahr zu leben habe, nicht länger. Seine Geliebte, die es erfährt, versichert ihn ihrer unverbrüchlichen Liebe bis in den Tod. Sie sagt: *ohne dich werde ich keinen Tag länger leben, keine Stunde . . . ohne dich lebe ich auch nicht weiter.* Eine Erholungsreise in den Süden wird verabredet. Man verlebt Tage wundervollen Friedens, Kahnfahrten am Abend und idyllisches Glück. Aber gerade auf den Höhepunkten solcher Gemeinsamkeiten bringt sich die Wahrheit in Erinnerung. Verstimmungen bleiben nicht aus. In Stunden der Angst, die sich wiederholen, setzt sich in dem Kranken der Gedanke fest, die Geliebte vielleicht doch mit in den Tod zu nehmen, während die ihrerseits sich ihres Lebenstriebes immer deutlicher bewußt wird. Gegenseitiges Mißtrauen dringt ein und nicht selten geht man sich aus dem Weg. Während einer erneuten Reise verliert der Todkranke alle Besinnung und versucht die Geliebte mit Gewalt in den gemeinsamen Tod zu reißen. Aber der Versuch mißlingt. Sie läuft davon und findet bei der Rückkehr den Freund tot im Garten des Hotels liegen. Die Erzählung liest sich anfangs wie eine Geschichte aus guter alter Zeit. Aber gerade die Geschichte derer, die nach dem Vorbild Romeos und Julias Hand in Hand in den Tod gehen, ist es nicht. Die Analyse deckt den Lebenstrieb unerbittlich auf, der den Ablauf der seelischen Beziehungen bestimmt. Sie läßt keine Illusionen gelten. Wo hier noch Wahrheit unter Menschen zu finden ist, wird zweifelhaft. Nur noch Momente einer solchen Wahrheit sind auszumachen. Daher verbieten sich denn auch alle Schuldurteile – gegenüber dem kranken wie gegenüber dem gesunden Menschen, der die Poesie des gemeinsamen Todes so gründlich widerlegt. In der Genauigkeit der Analyse nähert sich die Erzählung stellenweise dem Krankenbericht an, der etwas Trostloses hat; und wenn es etwas Tröstliches dennoch geben sollte, so läge es nach einem Wort Kafkas einzig darin, daß schon die Erkenntnis als solche ein Trost genannt werden kann. Sie verbindet sich bei Schnitzler mit der Eigentümlichkeit einer nachsichtigen Melancholie, die ihre eigene Poesie zu haben scheint. Aber der poetische Spielraum liegt nicht wie bei Frenssen offen zutage. Er ist erst aus dem Erzählganzen herauszuinterpretieren.

Die Legitimität einer solchen Verinnerung steht außer Frage. Zugleich sind Zusammenhänge mit der zeitgenössischen Wissenschaft, der damals neuen Psychologie und Medizin, erkennbar. Der Umschlag einer solchen Verinnerung in eine anders beschaffene Innerlichkeit ist gut an einer Erzählung Hermann Stehrs aufzuzeigen. Dessen Verlautbarungen aus der Zeit des Dritten Reiches wollen wir nicht vergessen. Sie sind entsetzlich. Doch wäre es ungerecht, solches Wissen voreilig auf dessen Anfänge zu übertragen. Hofmannsthal hat dem Verfasser des Romans *Der begrabene Gott* ein hohes Lob gezollt, das sich bei näherer Kenntnis dieses Buches als nicht ganz unberechtigt erweist. Auch der schmale Roman *Leonore Griebel* (1901) ist auf seine Art bemerkenswert. Geschildert wird die sich entwickelnde Fremdheit unter Eheleuten, die zueinander nicht finden können. Die Geburt eines Kindes verschlimmert nur noch die Situation. Eines Tages kehrt ein Reisender im Hause des Tuchmachers Griebel ein, auf den die unbefriedigte Frau ihre Liebe überträgt; und daß der Grund der zunehmenden Entfremdung im erotisch Unbefriedigten liegt, spricht der Erzähler unumwunden aus. Die müde Ehegeschichte, die zugleich im Stil der Zeit eine Krankengeschichte ist, nimmt mit dem Tod der Frau ein trauriges Ende und wird dennoch auf eine nicht einsehbare Art poetisiert. Der Erzähler verliert zu dieser Frauengestalt jede Distanz und entrückt sie in eine geheimnisvolle Welt, die sich mit der Wirklichkeit ihres Unbefriedigtseins nicht im mindestens verträgt. Die angefangene Analyse der seelischen Vorgänge wird abgebrochen und durch unvermittelte Poesie ersetzt. Es kommt zum Bruch, der sich im Unverträglichen der verschiedenen Sprachschichten bestätigt. Hin und wieder wird einigen Personen des Romans in Mundart zu sprechen erlaubt. Aber wenn der Erzähler auf die Frau zu sprechen kommt, kann es nicht feierlich genug zugehen. *Die gleichmäßigen Wellen seiner Seele fluteten herrschend in sie. Ihr bebender Leib empfing demütig seine erste Frucht.* In so preziöser Ausdrucksweise wird der Leser mit der Tatsache bekannt gemacht, daß Leonore Griebel ein Kind erwartet. Unbeschadet alles sexuellen Defizits wird die Innenwelt dieser Gestalt als Geheimnis verklärt. Das Unbefriedigte wird stilisiert in ein *Pilgern nach dem inneren Glück*. Die an der Wirklichkeit orientierte Analyse und die in Poesie verwandelte Innerlichkeit ergeben den Widerspruch, der mit dem Widerspruch der Sprachschichten korrespondiert. Obendrein werden die unverbundenen Teile durch eine Schicksalsfrömmigkeit zu überbrücken versucht, für die sich der junge Stehr ein Zitat aus Hölderlins *Hyperion* entlehnt, das dem Buch als Motto vorangesetzt ist. Auch Emil Strauß benutzt für den *Freund Hein* (1901) ein solches Hölderlinzitat als Motto.

Die mißlingende Synthese ist fast allen diesen Werken eigen, die zu jenen literarischen Ideologien tendieren, wie sie hier andeutend beschrieben wurden. Doch breche ich an dieser Stelle – aus Zeitgründen – die idealtypischen Gegenüberstellungen ab, um in der gebotenen Behutsamtkeit einige Folgerungen zu ziehen.

1. Zwischen der hier idealtypisch geschiedenen Literatur ist nicht streng und per definitionem zu unterscheiden. Das gilt auch für das, was hier vorschlagsweise als literarische Ideologie bezeichnet worden ist, für die Übergänge von einer Ebene in die andere charakteristisch sind.

2. Als literarische Ideologien lassen sich um 1900 u. a. ermitteln: Wissenschaftsfeindlichkeit, Großstadtfeindlichkeit, Innerlichkeit, einfaches Leben, Schicksalsfrömmigkeit, ‚irrationales Einheitsstreben' (ein Begriff Jost Hermands).

3. Literarische Ideologien wie diese sind mit literarischen topoi vergleichbar, aber auf Grund ihrer (falschen) Bewußtseinslage unterschieden. Der Zeitraum ihres Gedeihens ist bis in die Epoche des Faschismus zu verfolgen.

4. Der Zusammenhang mit dieser ist ein doppelter: er ist biographisch belegbar in Stellungnahmen zugunsten des 1933 an die Macht gelangten Regimes wie im Falle Stehrs, Kolbenheyers oder Frenssens. Zum zweiten setzen sich diese um 1900 entstandenen Ideologien in bezeichnenden Erscheinungen noch nach 1933 fort: 1934 beginnt die Zeitschrift *Das innere Reich* zu erscheinen, 1941 findet Wiechert für seine tiefpoetische Welt, die erlösende Formel *Das einfache Leben* als Titel seines Romans.

5. Ein Zusammenhang mit der gleichzeitig entstehenden Jugendbewegung ist erkennbar. Für diesen Zusammenhang sind bestimmte Romane Hermann Hesses *(Peter Camenzind)* sehr aufschlußreich.

6. Das läßt den Schluß zu, daß über eine Literatur wie diese leichter verfügt werden kann – es seien dies politische Bewegungen oder Jugendbewegungen, die darüber zu ihren Zwecken verfügen. Werke wie z. B. die *Buddenbrooks* von Thomas Mann oder *Die Verwirrungen des Zöglings Törless* widersetzen sich dem.

7. Die hier beschriebenen Phänomene sind spezifisch literarische Phänomene: Sie sind literarisch auch und vor allem im Maße ihrer falschen Poetisierung – einer solchen, die sich isoliert, indem sie die Komplikationen der Zeit unvermittelt auf sich beruhen läßt.

8. Die Poesie dieser literarischen Ideologien dient in bestimmten Grenzen der Unterhaltung. Das ist ein Vorrecht aller Kunst. Gegenüber der Trivialliteratur, die ausschließlich der Unterhaltung dient, verfolgt sie höhere Ziele. Sie setzt Werte, ohne sie zu begründen. Die hier beschriebenen Phänomene sind im Sinne der Autoren als solche Werte gemeint.

9. Die Setzung solcher Werte kann sich mit Kritik, auch mit vehementer Gesellschaftskritik verbinden. Diese Kritik wird fast stets einseitig geübt. Sie gilt der eigenen Zeit bis zur Negation der Zeit. Man wandert aus: in die Vergangenheit oder in die Zukunft. Selbstkritik, auch als Kritik am eigenen Metier der Sprache, wird weithin unterdrückt.

10. Sprachskepsis als ein Strukturmerkmal der Epoche ist in den Romanen mit erkennbar literarischen Ideologien kaum je zu finden. Demgemäß ist auch Sprachwandel, als Ausdruck erhöhten Sprachbewußtseins, wenig ausgeprägt.

11. Der fehlenden Sprachskepsis entspricht die reduzierte oder eliminierte Erkenntnisfunktion. Sie wird um 1900 von Paul Ernst auch theoretisch fundiert, wenn er sich zu der Behauptung versteigt: *Nicht in der Einsicht liegt unser Wesen als Menschen sondern darin, daß wir Werte erblicken, die das Herz brennen machen.*

12. Demgegenüber beruht die den literarischen Ideologien sich widersetzende Literatur vom späten Fontane bis zum frühen Musil und darüber hinaus in der Wahrnehmung von bestimmten Erkenntnisfunktionen, Ideologiekritik – um eine etwas modische Vokabel zu gebrauchen – ist dieser Art von Literatur auf Grund solcher Funktionen inhärent.

13. Erkenntnis, Analyse, Kritik oder Sprachskepsis als Darstellungsmittel dieser Literatur sind fast stets als Umsetzungen aus der Wissenschaftssituation der Zeit erkennbar: bei Hofmannsthal, Schnitzler, Thomas Mann, Heinrich Mann und ganz besonders bei Musil.

14. Das für uns mit Einschränkung Überzeugende einer solchen Romankunst setzt die Vermittlung einer Vielzahl außerliterarischer Faktoren voraus, während uns die für literarische Ideologien anfälligen Romane solche Vermittlungen schuldig bleiben. Sie isolieren sich in einem Bereich der Poesie und verspielen damit das Eigenrecht der Literatur. Der Begriff der Autonomie wäre auf Grund solcher Vermittlungen und Isolierungen neu zu durchdenken.

15. Der hier im positiven Sinn verwandte Literaturbegriff mit seinen impliziten Funktionen der Erkenntnis ist nicht ohne weiteres generalisierbar. Er wird der Situation um 1900 zugrunde gelegt, reicht aber bis in die Gegenwart hinein. Gegenüber einer solchen Literatur (mit Anspruch auf Wahrheit und Existenzerhaltung) breitet sich heute, wie Dieter Wellershoff soeben ausgeführt hat, etwas gänzlich anderes aus. Er spricht im Anschluß an Leslie A. Fiedler von einer Literatur, die solches nicht mehr will. Diese neue Literatur wolle in erster Linie unterhalten. Sie wolle Reizangebot sein für eine neue Sensibilität. Im Rückblick auf die Situation um 1900 wäre es nichts gänzlich Neues. Es wäre denkbar, daß dabei neue literarische Ideologien auf Grund einer bestimmten Zeitlage entstehen.

Anmerkung:

Dem Vorschlag Hugo Kuhns folgend werden die Anmerkungen auf eine einzige Fußnote reduziert. Das Verfahren ist ebenso unüblich wie reizvoll. Da sich Belege und gelehrte Hinweise damit erledigen, referiere ich in dem zur Verfügung stehenden Fußnotenraum die bescheiden gebliebenen Ansätze der Diskussion. Peter Wapnewski fragte – mit vollem Recht – nach den Kriterien für die Auswahl der Texte. Das hier Gezeigte wäre natürlich auch an anderen Texten zu zeigen. Für die Auswahl maßgeblich war die Nähe der Begriffe Verinnerung und Innerlichkeit, einfache Lebensweise und einfaches Leben; damit das Legitime dieser Begriffe im fortschreitenden Prozeß der epischen Technik und der Umschlag in das Bedenkliche bestimmter literarischer Ideologien. Dieselbe Frage – nach der (gleichsam ideologiefreien) Legitimität literarischer Formen – habe ich in meinem Diskussionsbeitrag im Anschluß an den Vortrag von Eberhard Lämmert über den Dichterfürsten aufgeworfen. Im Vortrag wurde der Begriff Ontologisierung gebraucht, der m. E. weithin dem entspricht, was hier als literarische Ideologie vorgeschlagen wird. Auch in Lämmerts Vortrag ging es zunehmend um eine kritische Durchleuchtung bestimmter Phänomene am Ende des 19. Jahrhunderts, der wilhelminischen Zeit und eben jener Epoche, die hier in Frage steht. Ontologisierung und Ideologisierung – es sind in jedem Fall für den Literarhistoriker unübliche Begriffe. Sie sind auch nicht ohne weiteres auf frühere Epochen anwendbar. Möglicherweise verbieten sie sich für diese überhaupt. Damit würde sich bestätigen, was Jürgen Habermas beiläufig ausgesprochen hat: daß man von Ideologien in dem hier explizierten Sinn erst seit Ende des 19. Jahrhunderts sprechen könne. Im Zusammenhang der in meinem Beitrag aufgeworfenen Fragen ist dieser Gedanke so wichtig, daß der entsprechende Passus in dem Buch „Strukturwandel der Öffentlichkeit", in dem er ausgesprochen wird, zitatweise angeführt sei: „Wenn Ideologien nicht nur das gesellschaftlich notwendige Bewußtsein in seiner Falschheit schlechthin anzeigen, wenn sie über ein Moment verfügen, das, indem es utopisch das Bestehende über sich selbst, sei es auch zur Rechtfertigung bloß, hinaushebt, Wahrheit ist, dann gibt es Ideologien überhaupt erst seit dieser Zeit." *(Strukturwandel der Öffentlichkeit.* Neuwied, 4. Aufl. 1969, S. 101). Habermas verweist in einer seiner zahlreichen Fußnoten bezüglich des Ideologiebegriffes generell auf die Textsammlung „Ideologiekritik und Wissensoziologie, 2. Aufl. Neuwied 1964" mit dem Hinweis: „dort auch Literaturhinweise". Ich folge ihm. Und damit wäre der Diskussion über die Ambiguität und über die Anwendbarkeit des Ideologiebegriffs Tür und Tor geöffnet, die hier auf keinen Fall geöffnet werden dürfen, weil damit das Prinzip der Fußnotenaskese unterlaufen würde, was wir uns hüten wollen zu tun. „So dacht ich. Nächstens mehr."

KARLHEINZ ROSSBACHER

Programm und Roman der Heimatkunstbewegung – Möglichkeiten sozialgeschichtlicher und soziologischer Analyse

1.

Man kann auf verschiedene Arten motiviert werden, den Komplex des Heimatromans, der vorwiegend ein Roman der ländlich-agrarischen Szene war und ist, zu untersuchen. Es gibt aktuelle Anlässe wie den Erwerb der Verfilmungsrechte sämtlicher Ganghofer-Romane durch eine Münchner Gesellschaft, die bereits in Gang gekommene Wiederblüte des Heimatfilms der fünfziger Jahre und die Welle der antithetisch darauf bezogenen Neo-Heimatfilme deutscher Jungregisseure. Da ist ferner die Tatsache, daß auf dem Markt der Heftchenromane der Heimat-Heftroman seinen Anteil zwar nicht in jenem Maße steigert wie Jerry Cotton, seine Verkaufszahlen jedoch behaupten kann. Unter dem Titel ‚Land und Leute heute – erlebt, erzählt' schreibt der Staackmann Verlag, der langjährige Verlag Peter Roseggers, einen Roman- und Geschichtenwettbewerb aus, um den „Rosegger 1974" zu finden. Schließlich gibt es, nun nicht mehr betont aktuell, sondern bereits mit einiger Tradition behaftet, die Erscheinung, daß sich Romane nach 1945 kontrapunktisch auf bewährte Motive und Strukturen des älteren Heimatromans beziehen (G. F. Jonke, Geometrischer Heimatroman). Zudem lassen sich Tendenzen erkennen, die Form des Heimatromans als Vertrautheitsraster vorzugeben, die Erwartung dann aber zu unterlaufen, das Genre ironisch zu dekuvrieren (Reinhard P. Gruber, Aus dem Leben Hödlmosers), wobei freilich zu fragen wäre, ob die Leser solcher Literatur diejenigen sind, deren Heimatromanfixierung unterlaufen werden soll.

1.1.

Wer sich nun mit den genannten literarischen Erscheinungen beschäftigen will, wird wie jeder Auskunftsuchende zunächst einmal von Tür zu Tür verwiesen: vom ironisch bezogenen oder kontrapunktischen Heimatroman zum Heimatroman der Zwischenkriegszeit; dort wird er mit großer Wahrscheinlichkeit auch auf den sogenannten Blut- und Boden-Roman stoßen, von ihm wiederum könnte er auf Romane vor dem Ersten Weltkrieg verwiesen werden; er wird schließlich bei jenen Romanen ankommen, die von der sogenannten Heimatkunstbewegung der Jahrhundertwende als die praktisch-literarische Umsetzung ihres Programms empfunden wurden. Daß auch diese Romane in einzelnen Aspekten auf die Dorfgeschichte des 19. Jahrhunderts und auch auf Romane des poetischen Realismus zurückverweisen, sei hier nur erwähnt.[1]

1.2.

Eine Vorfrage ist anzuschneiden: Ist der Heimatroman das Genre, das sich mit „Heimat" beschäftigt? Wenn ja, dann wäre jeder Analyse dieses Genres ein entwickelter wissenschaftlicher Begriff von Heimat vorauszusetzen, der von der Literaturwissenschaft allein niemals und auch im Verein mit der Soziologie kaum genügend erstellt werden kann. Er ist so sehr an die primären psychischen und sozialen Konditionierungen im Leben jedes Menschen gebunden, daß er nur auf breiter interdisziplinärer Grundlage erarbeitet werden könnte. Die Verhaltensforschung ist bereits zu einer Bestimmung des Begriffes der Heimat herangezogen worden. Dabei wurden die Bedürfnisse nach Identifikation, Sicherheit und Entfaltung und der jeweilige Grad ihrer Erfüllung als Merkmale sogenannter Territorialitätsbezogenheit angeführt.[2] In der – bekanntlich sehr umstrittenen – Umsetzung der Ergebnisse der tierischen Verhaltensforschung auf den Menschen entspräche diese Territorialitätsbezogenheit dem, was man gemeinhin Heimatgefühl nennt. Aber gerade in diesem Transfer zeigt sich, daß die Methoden und Faktoren der Verhaltensforschung aus der Betrachtung des Romans der Heimatkunstbewegung ausgelassen werden können. Die Heimatkunstbewegung und ihre Literatur sind nämlich dadurch zu umreißen, daß man zur obigen Frage die Gegenfrage stellt: Wie steht es mit der ganzen übrigen Literatur, die nicht explizit „Heimat“ zu ihrem Gegenstand macht? Handelt es sich dabei um Literatur, die diesen primären Humaninhalt ganz einfach übergeht? Glücklicherweise ist es nicht ein umfassender Begriff von Heimat, der dem Heimatroman zugrunde liegt, sonst ließe er sich ohne eine – nicht vorliegende – Literaturanthropologie gar nicht analysieren. Vielmehr materialisieren Programm und Praxis der Heimatkunstbewegung den Heimatbegriff in einer derartigen Sonderform, daß sie über den Territorialitätsbegriff der Verhaltensforschung hinausgehen. Während diese nämlich den Inhalt von Territorialität, zum Beispiel für Graugänse, an Minimalbedingungen wie Wasser und Wiese in der jeweils benötigten Fläche usw. festmacht, diese Bedingungen aber als topographisch übertragbar ansieht, bindet die Heimatkunstbewegung das Heimatgefühl an jeweils einmalige Voraussetzungen von Landschaft und Stamm. Ein Marschbewohner aus Schleswig-Holstein müsse sich demnach in einer gleichartigen Landschaft in Holland entheimatet fühlen. Die Bindungen werden als primäre zwischen jeweiliger Scholle und jeweiligem Menschen angesehen. Sie werden als solche „gesehen“, dazu gemacht; das bedeutet aber: Mit diesem Überschuß an Vorstellungen, die über das hinausgehen, was Biologie und Verhaltensforschung konstatieren können, wird der Heimatbegriff der Heimatkunstbewegung ein Problem für historische und gesellschaftsbezogene Analyse, und mit ihm die Literatur, die diesen Heimatbegriff mit den Mitteln der Fiktion gestaltet. Ziel dieser Arbeit, als Skizzierung einer umfangreicheren,[3] ist es, das Genre des Heimatromans an den historisch-sozialen und ökonomischen Bedingungen seiner Entstehung aufzusuchen. Dazu ist erforderlich, die Inhalte des Programms einerseits mit ihren sozialen und ökonomischen Determinanten und/oder Entsprechungen zu verbinden; sie andererseits an den thematischen, motivischen, groß- und kleinstrukturellen Merkmalen der Romane zu überprüfen; und diese wiederum in eine Beziehung zu den historischen und gesellschaftlichen Prozessen der Entstehungszeit zu bringen. Obwohl es möglich ist, daß eine Gattung oder ein Genre die Umstände, denen es seine Entstehung verdankt, überleben und für eine gewisse Zeit ein relatives Eigenleben annehmen kann, werden die Ergebnisse einer solchen Untersuchung auch für die eingangs angeführten aktuellen Varianten wie Heftchenroman und „kontrapunktischen“ Heimatroman nutzbringend sein können.

1.3.

Nicht nur weil eine kulturpolitisch einzuschätzende und folgenreiche Bewegung samt ihrer Literatur zu betrachten sein wird, sondern auch aus Gründen eines integrativen Methodenansatzes empfiehlt es sich, eine umfangreiche Gegenstandsbestimmung vorzunehmen. Sie wird folgende Faktoren des Kommunikationsvorgangs „Heimatkunst“ zu berücksichtigen haben: Die Kommunikatoren, und zwar Programmatiker und Romanciers gleichermaßen in ihrer gesellschaftlichen Position; die Textrealisate, also die zahlreichen Programmschriften ebenso wie die noch zahlreicheren Romane in Auswahl; die Rezipienten, also die recht spezifische Leserschaft in ihrer sozialen Zusammensetzung; die institutionalisierten Vermittler, zum Beispiel die beteiligten Zeitschriften und die Verlage mit inhaltlichen und kommerziellen Praktiken. Der Faktor Wirkung bzw. Einstellungsänderung wäre am besten in Form eines historischen Aufrisses des Heimatromans bis 1945 zu behandeln, kann jedoch hier nicht erbracht werden. Recht breiten Raum muß bei einem solchen Ansatz der soziale, ökonomische und kulturelle Rahmen erhalten, innerhalb dessen die Heimatkunstbewegung entstanden ist. Alle anderen Faktoren sind in die Untersuchung so einbezogen, daß sich folgende Reihenfolge ergibt: Analyse der Programmschriften, Fragen nach der Autorensoziologie, Fragen nach Art der Distribution, Frage nach der Leserschaft, Bezugnahme auf den soziokulturellen Rahmen, Analyse der Romane und Interpretation in ständigem Rekurs auf die vorangehenden Faktoren.

2.

Als Programmatiker der Heimatkunst sind zu bezeichnen: Ernst Wachler, Adolf Bartels, Friedrich Lienhard, Timm Kröger. Sie und eine nicht geringe Anzahl anderer folgen in ihren Äußerungen und Forderungen ganz wesentlich Julius Langbehn, dem „Rembrandtdeutschen“, so genannt nach seinem 1890 anonym erschienenen Buch ‚Rembrandt als Erzieher‘. Dieses Buch und die in der kurzlebigen Zeitschrift ‚Heimat‘ (1900–1904) erschienenen Aufsätze und Forderungskataloge der genannten Autoren, dazu kleinere selbständige Schriften Wachlers, bilden im wesentlichen das Programm der Heimatkunst. Es entspricht dem akklamationsheischenden Stil der Programmschriften, daß sie weniger analysierend und entwickelnd entworfen sind, sondern, in hohem Maße propagandistisch, ihre Zeitklagen, Inhalte, Schlagworte häufig wiederholen und eher überreden als überzeugen. Sie vertrauen nicht auf einen intellektuellen Nachvollzug, sondern auf ständige Präsenz der Inhalte im Bewußtsein der Leser. So ist zum Beispiel im folgenden Abschnitt der Großteil der postulativen Inhalte dicht beisammen:

> Der Stand unserer Gesittung ist durch eine Anzahl beklagenswerter Thatsachen gekennzeichnet. Die Weltanschauung der Deutschen ist zerklüftet, bei viel wie bei wenig Unterrichteten. Der Mangel eines altüberlieferten Volksglaubens wird doppelt fühlbar bei der Zwietracht der christlichen Bekenntnisse, der römischen Richtung des einen und der Aussichtslosigkeit ihrer Verschmelzung ... Unmöglich ist ein Zusammenschluß der im Staate kämpfenden Parteien zum Wohle des Ganzen, weil zwei von ihnen mit weltbürgerlichen Zielen ihren Schwerpunkt außerhalb des Vaterlandes haben. Fremdheit oder gar bitterer Haß trennt die Stände, bisweilen die Berufe voneinander und spaltet die Geselligkeit, so daß ein echtes fröhliches Volksfest nur noch bei einigen Dorfgemeinden zu finden ist ... Durch die höchst unheilvolle Anziehungkraft und den Einfluß der Mittelpunkte von Großhandel und Großindustrie mit der Gleichförmigkeit ihrer Bauten, ihrer Zerrüttung der Seßhaftigkeit, ihrer gewaltsamen, wahnsinnigen Massenhalbbildung, wird die Naturent-

> fremdung befördert; verwüstend dringt die Welschheit in Mode, Tanz, Sitte, Sprache und Denken in die Provinz. Die Kunst, von fremden Vorbildern abhängig, erleidet keine Ausnahme. Von großstädtischen Schriftstellern betrieben, wird die Dichtkunst hineingerissen in die Hast und den Schmutz der Alltags; schattenhafte Schauspiele und Romane erörtern gesellschaftliche oder sozialpolitische Fragen und Fälle ... in gewöhnlicher Sprache, sie reden über eine Sache, statt menschliche Gestalten und ihre Seelenkämpfe darzustellen: eine Welt der Niedrigkeit, von niedren Köpfen gespiegelt. Die dem Preßlärm ferne künstliche Dichtung der Nachfahren, von Gelehrten und Kennern ausgeübt, entbehrt der lebendigen Kraft. Die städtischen Anstalten unterm Namen der Kunst dienen als geschäftliche Unternehmungen unkünstlerischen Zwecken; überdies wären großstädtische Besucher für eine Volkskunst von Leidenschaft und Eigentümlichkeit zu überbildet, zu witzig, zu unkindlich und naturentwöhnt.[4]

Diese Sprache der Zeitklage und des Drohens mit dem Untergang der Kultur verhüllt mehr als sie mitteilt. Zu verdeutlichen wäre, daß der „bittre Haß" zwischen den Ständen Klassenkampf heißt, „Schmutz des Alltags" die Industriewelt als literarisches Sujet meint, „Welschheit" den (französischen) Naturalismus, geschäftliche Unternehmungen der Kunst" die entstehende Kulturindustrie. Auch das Ensemble der Lösungsmöglichkeiten wird nicht entwickelnd, sondern als Forderungskatalog präsentiert:

> Wir verlangen nicht eine zierliche Stimmungskunst für Künstler, sondern eine machtvolle Volkskunst für die Nation; voll Unerschrockenheit, Glut und Größe, mit würdigen Gegenständen, getragen von der Eigenart unsrer Gaue, auf dem Boden unsrer Landschaften, von der Kühnheit echten Deutschtums durchlodert; voll Freude an der Gegenwart und voll Kenntnis unsrer Vergangenheit. Will der Künstler den zerrissenen Zusammenhang mit dem Volkstum wiederherstellen, so darf er nicht, ein markloser Verarbeiter, jedweden Stoff zurecht drechseln, nicht abgeschlossen im Zimmer, vereinzelt im großstädtischen Gewühl schaffen; vielmehr muß er, wandernd oder seßhaft, mit Gefühl und Denkart in die Volksgemeinschaft eintauchen und aus ihr heraus gestalten. Kennt er seinen Gau, die Bräuche und Launen, die Lieder, Sagen, Märchen, Sprichworte und Rätsel der Gegend, empfindet er Freud und Leid mit seinen Landsleuten, klingt die Provinz, die alte Zeit, das Handwerk in seiner Sprache wieder, verschmäht er fremde Maße und Wörter, die dem Bauer unverständlich; so wird ihn auch sein Volk verstehn und ihm auf die Höhen seiner Kunst folgen können. Vor der Einfalt und Einheit solcher volksmäßigen Dichtung verschwinden Bekenntnis, Partei und Bildung, trennende Gewalten, die der künstlerische Ausdruck deutscher Weltansicht in der durchgeistigten Darstellung irdischen, zumal heimatlichen Lebens bezwingt.[5]

Die Abneigung gegen analytisch entwickelndes Denken und Formulieren erscheint zwar nicht direkt als Programmpunkt, wohl aber tränkt sie fast alle Ausführungen der Heimatkunst. In entscheidenden Fragen und Lösungsversuchen, also etwa auch den obigen, gilt ein Satz Friedrich Lienhards: „Zu beweisen ist hier nichts; nur zu fühlen oder eben nicht zu fühlen."[6] Das bedeutet: Irrationalismus ist ein Anliegen des Programms.

Im wesentlichen gruppieren sich die Inhalte und Schlagworte der Programmschriften zur Heimatkunst um folgende Punkte:

2.1. Los von Berlin! Opposition gegen die Stadt.

Diese Opposition beruht nicht einfach auf einer Fortsetzung des alten Topos von schlechter Stadt und gutem Land. Die Stadt, neben Berlin sind noch Wien, München, Hamburg, Dresden gemeint, erscheint als Ort der Dekadenz, als sozialer Sumpf und kulturelle Niederung durch Verfeinerung und Überkultur, von der es bei Langbehn heißt, daß sie „noch roher sei als Unkultur".[7] Sie erscheint ferner als Ort der Industrialisierung und des Kommerzkapitalismus, der Enge und des Proletarismus in Lebensform und literarischer Themenwahl. Vergeblich waren da und dort Stimmen zu hören, die Großstadt als eine Möglichkeit von Heimat anzuerkennen. Vom Vorbild Langbehn und von der hypostasierten Primärbindung des Heimatbegriffs an Landschaft und Stamm her war daran nicht zu denken. Versuche wie das folgende Gedicht dekuvrierten solche Bemühungen fast von vornherein:

> „Ist Heimat nur Dorf und Land? / Nur die kleinen Städte? / Auch über dem Meer der Mietskasernen / wölbt sich der Nachthimmel mit all den Sternen! / Tausende funkeln auch hier, und die Milchstraße spannt ihren Bogen. / Ein Meer von Häusern duckt sich darunter / wie Schafe, die in der Hürde, und Lichter leuchten aus den Stuben / der guten kleinen Menschen; überall sind sie am Werk. Ein rastlos Gewimmel, / wie Bienenfleiß. Wie Ameisenrennen / unter dem unendlich ruhigen Himmel. / Und tausend und mehr als tausend Herzen / nennen Dich, / auch dich / mit bebender Lippe: / Heimat.“[8]

2.2. Opposition gegen Naturwissenschaft und Technik.

„Muß denn alles durch Platte und Phonograph festgehalten werden?“ fragt Timm Kröger aus der älteren Generation norddeutscher Heimatkunst.[9] Das ist durchaus als ein Kernsatz zu verstehen, denn im technischen Bild ist beides enthalten: die Ablehnung der industriellen Technik ebenso wie, als Metapher, die Ablehnung literarisch-technischer Innovation, zum Beispiel des Sekundenstils des Naturalismus. Vorausgegangen war Langbehns Parole „Weltanschauung kontra Wissenschaftsgläubigkeit“, wobei erstere für jegliche synthetische, ganzheitliche, irrationale Geisteshaltung, letztere für Analytik, Aufklärung und Experiment stehen. Dieser Ansicht liegen gewiß Erfahrungen des Jahres 1873 zugrunde, als die explosionsartige Entwicklung des deutschen Industrie- und Finanzkapitalismus durch eine Rezession eine scharfe Zäsur erfahren und in eine Krise geführt hatte, von der im besonderen der wirtschaftende Mittelstand sich nur mühsam erholte. Konsequenterweise, so könnte man fast sagen, tritt in der Heimatkunst Technik kaum mehr ohne ihre finanzierenden Verwerter auf: „An Telegraphen, Eisenbahnen, Dampfschiffe, elektrisches Licht, Börsenpapiere glauben wir allerdings nicht, halten vielmehr die Leute, die das noch tun, für reaktionär.“[10]

2.3. Intellektfeindlichkeit, Antisemitismus.

In der Frage von Beweisen oder Fühlen, die sich für die Heimatkunst gleichsam von selbst zu einer Frage über den Intellekt gegenüber dem Gemüt ausweitet, tauchen als positive Konnotationen auf: Ergriffenheit, Tiefe, das Bewegen der Worte im Herzen, das Innere allgemein; das Ganze erscheint häufig in engem Zusammenhang mit Einsamkeit und Schweigen. Von Sprache, Reflexion, Räsonnement in horizontaler Kommunikation halten die Programmatiker nicht viel, ebenso wenig von zu viel Wissen, das den Willen lähme und das leidenschaftliche, aus der Tiefe kommende, wortknappe Sprechen lediglich belaste. Sprache erhält den Beigeschmack von Literatencafé, wenn sie sich zu sehr auf ihre Mitteilungsaufgabe verlegt. Schon bei Langbehn taucht, wie später vor allem bei Lienhard und Bartels, der Bauer als positive Gegenfigur auf: „Es kann am Ende doch noch sein, daß der Bauer den Professor todt schlägt.“[11] Solcher Gelehrtenhaß ist jederzeit ausweitbar auf alle intellektuelle, experimentierende, analytische Geisteshaltung: „Die künstlerischen und wissenschaftlichen Vivisektoren von heute mögen sich also nicht beklagen, wenn man auch sie einmal viviseziert.“[12] War für Langbehn prototypischer Vivisektor und bevorzugtes Angriffsobjekt der Berliner Physiologe Du Bois-Reymond, so erscheint später als Repräsentant der Intellektuellensphäre der Jude. Er ist ferner auch noch Repräsentant der „roten" und der „goldenen Internationale". Führender Antisemit der Heimatkunstbewegung ist Adolf Bartels, dessen völkische Literaturgeschichtsschreibung im Dienste des Rassismus steht. Weite Abschnitte seiner Bücher lesen sich wie Rassenkarteien des späteren Reichssicherheitshauptamtes. Adolf Bartel, der zum offiziellen Populär-Literaturgeschichtler des Nationalsozialismus wurde und den Hitler in Weimar besuchte, Gustav Frenssen, der sich erst nach 1933 adäquat geschätzt wußte, Graf Ernst Reventlow, kurzfristig Herausgeber der ‚Heimat' und eine wichtige Gestalt in der Verbindung von norddeutschem Adel und Nationalsozialismus: an diesen und anderen Namen wird man die Fragestellung zum Verhältnis von Literatur der Heimatkunst und Literatur der späteren Blut- und Boden-Ideologie einrasten lassen können.

2.4.1. Kult der Persönlichkeit.

„Hat Friedrichs Heer den siebenjährigen Krieg erfochten? Nein, der Mann, der das Heer in der Hand hatte."[13] Hält man diesem Satz Friedrich Lienhards Bertolt Brechts Frage seines lesenden Arbeiters entgegen – „Friedrich der Zweite siegte im Siebenjährigen Krieg. Wer/siegte außer ihm?" –, so hat man eine Vorinformation darüber, was die Heimatkunst unter Individualismus und Persönlichkeitskult verstand. Es ist die Suche nach dem großen Mann, hinter dem der Historismus den Geschäftsträger des Weltgeistes vermutet.

Die Heimatkunstbewegung hat den Kult der (großen) Persönlichkeit nicht erfunden. Sie teilt ihn mit anderen Strömungen des seit Friedrich Nietzsche wiedererwachten Individualismus, an dessen Popularisierung gerade auch Verflacher wie Langbehn und Lienhard beteiligt waren. Auch an der George-Schule, der sogenannten Charon-Bewegung, an den Bemühungen des ‚Dürerbundes' aus dem Kreis um die Zeitschrift ‚Kunstwart' lassen sich ähnliche Züge verfolgen. Die Forderungen nach einer Führerpersönlichkeit in der Kultur, in der Nachfolge von Langbehns Rembrandtbuch dokumentierbar an einer Flut von Monographien des Typs „X als Erzieher", wird nirgendwo so unverblümt als eine Einübung in politisches Führerdenken vertreten wie in der Heimatkunst. Die Analogien von historischer „Persönlichkeit" als Vorbild über die künstlerische Persönlichkeit als Vorbereitung für das Kommen eines politischen Führers verschmelzen in eins. In der Entwicklung des Heimatromans wird denn auch eine Gestalt standardisiert: der nichtproblematische Held, der ganze Mensch, der Große, der Starke, der einzig würdige Gegenspieler des (als undurchschaubar gestalteten) Schicksals.

2.4.2. Persönlichkeit und Volkstum.

Ihren unverkennbar eigenen Akzent innerhalb anderer persönlichkeitskultivierender Strömungen erhält die Heimatkunst dadurch, daß sie ihre Vorstellung von der entfalteten Persönlichkeit als komplementär zum Volkstum sieht. Es handelt sich, wie ein Aufsatz Peter Roseggers aus dem Jahr 1899[14] zeigt, um einen bereits entliberalisierten Persönlichkeitsbegriff, für den ein Sich-Ausleben kennzeichnend ist – allerdings mehr im geistigen Bereich – und in dem von Pflichten nicht mehr, wohl aber von Rechten die Rede ist. Von Rosegger übernimmt Bartels den Gedanken des Sich-Auslebens und des Rechts auf uneingeschränkte Entfaltung und wendet ihn auf das Volk schlechthin an, das somit in Weiterentwicklung älterer Leitideen aus dem 19. Jahrhundert als ein Inidviduum höheren Grades gesehen wird: „Ein Volk [gemeint ist das deutsche] lebt sich in einer sogenannten Blüteperiode seiner innersten Natur nach vollständig aus."[15] Der einzelne Mensch, mit der Aufgabe, sich zur Persönlichkeit auszuleben, und das Volk als eine Über-Persönlichkeit erfahren aneinander eine wechselseitige Steigerung. War die Persönlichkeit des Liberalismus immer auch eine gewesen, die an der anderen ihre Grenze fand – das „freie Spiel der Kräfte" als Leitidee lief auf ein Einspielen eines Interessenarrangements hinaus –, so steht jetzt ein Persönlichkeitsbegriff im Vordergrund, dessen ökonomische Grundlage bereits im Schwinden ist und der deshalb sich auf das „Geistige" verlagert. Dort jedoch, unter der Forderung, ins Volkstum einzutauchen, geht es nicht mehr um Arrangement von Interessen, um Bedingungen aus dem Gesellschaftsvertrag, jenem Sündenfall in der Geschichte der Menschheit. Der Volkskörper ist unerschöpflich tief, die Steigerungen, die der einzelne aus ihm erfahren kann, sind unendlich groß. Hier liegen wichtige Gründe für die Schaffung des Rassemenschen, der im Heimatroman als Starker, als Kämpfer usw. sich ankündigt. Lebt der Mensch im Grundverhältnis von Einzelperson und Volkskörper, nämlich in der „vollsten Hingabe", im „innigsten Anschmiegen an Heimat und Stamm",[16] dann ist in seinem Ausleben auch keine Grenze mehr gesetzt. Es entsteht eine Werthierarchie, die in Antithese zum berühmten Epigramm Grillparzers aus dem Jahr 1849 steht: „Der Weg der neuen Bildung geht / Von Humanität / Durch Nationalität / Zur Bestialität" heißt es dort; Langbehn formuliert: „Humanität Nationalität Stammeseigenthümlichkeit Familiencharakter Individualität sind eine Pyramide, deren Spitze näher an den Himmel reicht, als ihre Basis."[17]

2.5. Heimatkunst als „Höhenkunst": Formel für Desengagement.

In einem frühen Dokument zur Heimatkunst, in Lienhards ‚Wasgaufahrten', heißt es: „Werft sie ab, die Stimmung der Tiefe! Laßt euch nicht hinabziehen, ringt euch empor zum Lichte! Und wenn die Außenwelt versagt, baut euch eine Innenwelt, als moderne Burgherren auf windumstrichener Gebirgskuppe."[18] So umschreibt Lienhard seinen Begriff von „Hochland des Geistes", der schon aus diesem Zitat seine Entsprechung zu unantastbarer, durch Mauern des Desengagements abgeschirmter Innerlichkeit anzeigt. Einen solchen Standpunkt beziehen zu helfen sei Aufgabe einer „Höhenkunst", die aus gelungener Heimatkunst hervorgehen solle, ganz im Sinne des immer wieder anzutreffenden Topos von „Scholle und Firmament", mit Negation des dazwischenliegenden Raumes von Gesellschaft. Die Bereiche von Tiefe und Höhe sind bei Lienhard niemals bloß metaphorisch, sondern immer auch materialisiert gemeint. Seine erste Erfahrung eines Hochlands des Geistes habe er der Flucht aus Berlin nach Garmisch-Partenkirchen zu verdanken. Droben ist demnach der bessere Raum, bei flachländischer Heimatkunst (und auch beim Wandervogel) tritt an die Stelle der Oben-unten-Relation die von Draußen und Unten/Drinnen.

Die beiden Bereiche haben viele Konnotationen aufzuweisen. Droben ist es lichter, es ist der Raum des Sonntags und der Sonnenkinder, der Enthobenheit, der Flucht. Die „Stimmungen der Tiefe" hingegen entstehen durch die Probleme des Werktags, womit die Heimatkunst sowohl die Arbeitswelt im engeren Sinne als auch die sozialen und ökonomischen Probleme des zeitgenössischen Deutschland meint. Den Problemen, deren sich der Naturalismus annimmt (Industrialisierung, Frauenemanzipation, Demokratieverständnis), stellt die Heimatkunst ihren Landschaft- und Stammeskult entgegen. Die Oben-unten-Polarität in kulturellen Äußerungen läßt sich ohne Risiko mit sozialer Abstiegsfurcht und Aufstiegssehnsucht weiter Teile des Mittelstands in Beziehung setzen. Ihnen folgt Widerstand gegenüber Demokratie auf dem Fuße.

2.6. Heimatkunst und Nationalismus, Imperialismus.

Die Heimatkunstbewegung als eine der zahlreichen bürgerlichen Reformbewegungen um die Jahrhundertwende war von der Voraussetzung ausgegangen, daß der äußeren Größe des Wilhelminischen Reiches seine Kultur keineswegs entspreche. Sie geht aber niemals so weit, der Gesellschaft und dem Staat alternativen Trotz zu bieten, sondern fügt ihre Vorschläge zu Änderung und „Gesundung" des völkischen und staatlichen Lebens den Tendenzen des Staates ein. So führt die Betonung der besonderen Charaktere deutscher Landschaften und Stämme in praxi häufig zu Provinzialismus und Partikularismus, ist aber vom Ansatz her als Mittel der nationalen Integration gedacht. Die deutschen Landschaften zum literarischen Klingen zu bringen und einzuführen in das höchste, nämlich das deutsche Kulturleben, ist dabei das Ziel. Langbehn gibt als Leitvorstellung an die Heimatkunst weiter: „Wer ein rechter Deutscher ist, der ist auch ein rechter Mensch; keineswegs umgekehrt."[19]

Auch Vorstellungen von deutscher Kolonialgröße sind schon bei Langbehn zu finden, doch begnügt sich Lienhard zum Beispiel um 1895 noch damit, sein kleines Wasgaudorf als totales Lebensmodell zu feiern. Deutschen Flottenplänen stellen sich zu diesem Zeitpunkt vor allem die Großagrarier entgegen. Als sie jedoch, im besonderen der ‚Bund der Landwirte', nach weitgehenden Zugeständnissen an ihre agrarpolitischen Absichten einem Flottenausbau zustimmen und Wilhelm II. die Flottengesetze rhetorisch feiert, hat Lienhard nichts Eiligeres zu tun, als dessen Ruf „Zur See, mein Volk, zur See!" aufzunehmen und literarisch zu verwerten. In einem Aufsatz aus demselben Jahr (1900), in dem er jungen Dichtern Themenvorschläge macht, heißt es: „Von meinem kleinen Wasgaudorf und den blühenden Weißdornen am Waldsaum und den vielen Kirchen und Dörfern meines schönen Landes am brausenden Rhein bis hinaus nach den Palmeninseln der Südsee – Welt, du Gotteswelt, wie würd' ich dich fassen und halten, umarmen und lieben!"[20] Was im Kern Machtpolitik war, warf auch noch sein Gutes für literarische Bildung ab. Das Wasgaudorf und die Palmeninsel des deutschen Schutzgebietes sind eigentlich dasselbe: Orte des nichtstädtischen, sozial nichtproblematischen, nichtindustriellen Lebens. Der Ausgriff verläuft in konzentrischem Ringen, Kolonialpolitik wird gesehen als ein Wachstumsgesetz im Verlauf nationaler Geschichte, das sich lediglich diesmal am Deutschtum wiederholt: „Wenn es den alten Völkern zu eng, zu unbehaglich, zu hungrig wurde im dürftigen Lande, so lösten die markigen Männer überaus einfach die soziale Frage: sie durchbrachen die Grenzen ihrer Landschaft und suchten auf diesem geräumigen Stern neue Plätze."[21] Hier beginnt jenes Denken, mit dem Hans Grimms Roman ‚Volk ohne Raum' (1926), das literarische Dokument der Landnahme-Ideologie, zum „Zielbuch" der Heimatkunst wurde, wie Hans Schwerte es formuliert hat.[22] Schon 1900 kündigte Adolf Bartels an: „Ja, wenn die deutsche Volkskraft voll erweckt, neu gekräftigt dasteht, dann braucht sie Raum auf dieser Erde . . . Wir werden uns das, was wir für unsere Entwickelung brauchen, sichern."[23] Und nur wenige Jahre nachdem er ‚Jörn Uhl', das meistgelesene Buch der Heimatkunst, geschrieben hatte, wandte sich Gustav Frenssen dem Thema des jungen Deutschen in den Überseebesitzungen zu: Der Roman ‚Peter Moors Fahrt nach Südwest' (1906) wurde den deutschen Rekruten „wie ein Volksbuch in den Kasernen vorgelesen".[24]

3.

Die kommentierende Inhaltsanalyse der Schlagworte und Inhalte der Heimatkunst-Programmschriften führt zu folgender weiterführender Problemstellung: Fast alle Programmschriften haben große Ähnlichkeit miteinander, die eigentlich auf ein beträchtliches Maß an Gruppenmentalität schließen läßt. Aber gerade die Merkmale von Schulen- oder Sektenbildung, von örtlicher Konzentration, von gegenseitigem Faszinosum, wie sie zum Beispiel den George-Kreis kennzeichnen, fallen bei der Heimatkunstbewegung weitgehend weg. Es ist nur ein lockerer Zusammenhang gegeben, aber auch nicht zwischen allen, sondern innerhalb von lokalen Grüppchen; die von gemeinsamen Interessen motivierten Interaktionen erfolgen oft über Distanzen hinweg und benötigen publizistische Mittel; es ist ferner keine einzelne zentrierende Führerfigur vorhanden. Diese Sachverhalte fordern nun dazu auf, eine Untersuchung über Programmatiker und Autoren anzustellen. Zudem ist die nicht selten anzutreffende Behauptung zu überprüfen, die Heimatkunstautoren seien vorwiegend entweder Lehrer- oder Bauernsöhne gewesen.

„Eine empirisch begründete und rational entwickelte, historisch und soziologisch orientierte Kunsttheorie wird keineswegs von den spontanen, sondern von den pragmatischen [. . .] Elementen des künstlerischen Schaffens ausgehen.“ Arnold Hauser, von dem dieser Ansatz stammt, fährt jedoch fort, daß man bei diesen Elementen, zum Beispiel den empirischen einer Literatursoziologie, nicht stehenbleiben dürfe, sondern auch die ästhetischen Strukturen einbeziehen müsse.[25] Mit dieser Relativierung schwächen sich Einwände gegen eine „positivistische“ Literatursoziologie (Exponent: Hans Norbert Fügen) weitgehend ab.

3.1.

Es wurde ein Sample von 116 Autoren (= 100%) erstellt. (Von weiteren 150 Autoren, die von den Chronisten der Heimatkunst genannt werden,[26] waren keine soziologischen Angaben zu beschaffen.) Der Merkmalraster besteht aus Angaben zu sozialer Rekrutierung (Beruf und Statusverhältnis des Vaters), Bildungsgang (Schule), Berufsausübung und zu horizontaler (Dorf/Stadt- usw.)Mobilität. Der Merkmalraster ist differenziert genug, um verbindliche Aussagen zu machen, und grob genug, um ein quantitativ repräsentatives Sample bilden zu können. Es enthält zehn Frauen und geht ferner chronologisch über die erste Welle von Heimatkunst hinaus.

Die Statistik zum Bildungsgang zeigt schon eine Vorentscheidung über die gesellschaftliche Position der Autoren des Samples. Zwar liegen Abiturienten von Gymnasien (mit und ohne Universitätsabschluß) zusammen an der Spitze, jedoch nur, bevor man nach einzelnen Berufen auffächert. Der Bildungstyp Lehrerseminar – in Österreich Lehrerbildungsanstalt – steht mit 33 Prozent an der Spitze; er prägt auch schon die Art des Berufs.

Die Statistik zu gesellschaftlicher Position und Beruf der Autoren zeigt einen noch höheren Anteil an Volksschullehrern als die Statistik zum Bildungsweg, was sich durch Berufwahl nach dem Gymnasial-Abitur erklärt. Der Anteil an Volksschullehrern liegt mit über 37 Prozent höher als jener der beiden nächsten Berufsgruppen, der Publizisten und der als Nur-Schriftsteller eruierten Autoren zusammen. (Die zehn Frauen wurden in der letztgenannten Kategorie erfaßt.) Die Statistik zur sozialen Herkunft zeigt das wirtschaftende Kleinbürgertum (Kleingewerbe, Kleinhandel) mit fast 35 Prozent an der Spitze; damit liegt der Anteil ungefähr so hoch wie der der Söhne von Bauern und niederen bzw. mittleren Beamten und Angestellten zusammen. Der Anteil an Lehrersöhnen liegt nur wenig über dem der Adeligen. 16,5 Prozent stammen von Bauern ab, aber nur 3 (2,7 Prozent) blieben es. In der stärksten Herkunftsschicht (34,5 Prozent) verblieben ebenfalls nur 3 (2,7 Prozent). Von den beiden stärksten Berufsgruppen rekrutiert sich die der Lehrer vorwiegend aus dem wirtschaftenden Kleinbürgertum, die der Publizisten als zweitstärkste vorwiegend aus der Beamten- und Angestelltenschicht. Die Autoren der Heimatkunst sind zum größeren, imageprägenden Teil nicht Bauern-, aber auch nicht etwa zivilisationsmüde Großbürgernachkommen; man kann sie als Bildungsaufsteiger innerhalb des „Mittelstandes" bezeichnen. Zum Teil aus bäuerlicher Großvätergeneration, erreichen sie über den wirtschaftenden oder beamteten Mittelstand die unteren bis mittleren Stufen des zeitgenössischen Bildungsbürgertums.

Die Statistik zur geographischen Verteilung der Autoren ergibt, daß auch nach der Ausbreitung über das deutsche Sprachgebiet der norddeutsche Raum, wo die Heimatkunst ihren Anfang genommen hatte, an der Spitze bleibt.

Die Statistik zur kommunal-horizontalen Mobilität der Heimatkunst, das heißt Dorf/Kleinstadt- – Stadt/Großstadt-Mobilität, erlaubt wegen der Materiallage nur grobe Aufschlüsse. In Dorf/Kleinstadt wurden fast 77 Prozent der Autoren geboren, in Städten zirka 22 Prozent, in Großstädten 4,3 Prozent. Viele Autoren aus der Spitzengruppe lebten für längere Zeit in Städten und Großstädten. Über die Rückkehr in kleine Kommunen konnten nur mangelhafte Werte erarbeitet werden.

Die Herkunftssoziologie der Heimatkunst-Autoren führt nicht in die traditionellen Gebildetenschichten, sondern in erster Linie ins provinzielle wirtschaftende Kleinbürgertum, von dem aus der Sprung in den Lehrerstand als Aufstieg zu werten ist. In ihm finden sich (zum Teil heute nicht mehr) bekannte Namen der Heimatkunst: Paul Keller, Karl Söhle, Heinrich Sohnrey, J. Chr. Heer, Wilhelm Holzamer, Paula Grogger, Josef Friedrich Perkonig, Karl Heinrich Waggerl. Zusammen mit den nicht zahlreichen, aber wichtigen Lehrersöhnen Langbehn, Lienhard, Löns ist fast die gesamte Prominenz der Heimatkunst in oder an dieser Schicht faßbar. Sie sind Aufsteiger, müssen aber entdekken, daß es nunmehr außer dem Bildungsweg neue Leitern vertikaler Sozialmobilität gibt. Ökonomisch werden sie von neuen Berufstypen überholt, besonders aus der Zirkulationssphäre des auf das Land expandierenden Kapitalismus wie Agent, Parzellenmakler, Düngemittelhändler. Den Weg in die Bourgeoisie sehen sie sich ohnehin versperrt, da sie von deren Eintrittskarten „Besitz und Bildung" nur letztere vorweisen können. Sie folgen durchaus einem Verhalten, das der empirisch-soziologischen Theorie bekannt ist: Aufsteiger tendieren dazu, sich an konservativen Werten zu orientieren. Auslösend sind dabei Entfremdungserlebnisse in der Großstadt, die in Selbstbekenntnissen und Autobiographien immer wieder auftauchen: Sie geben in letzter Instanz den Ausschlag, daß sich die Autoren an den Werten ihrer Herkunftsschicht orientieren. Sie machen sich zum Sprachrohr für den wirtschaftenden Mittelstand, neigen aber weiters dazu, die normative Kraft des Faktischen dort aufzusuchen, wo es ihnen vor Wandel geschützt erscheint: in der Natur und an der Gestalt des Bauern. Dort, so vermuten sie, sei die tatsächliche oder propagierte Existenzbedrohung des Mittelstandes noch am wenigsten fortgeschritten. So wird die Literatur der Heimatkunst zur Literatur über bürgerlich gesehene Bauern. Diese aus einer Privation geborene Verschiebung des Selbstverständnisses auf einen anderen sozialen Stand benützt als Leitlinie einen Satz Langbehns: „Eine wahre Heimath hat der Mensch erst, wenn er Grundbesitz und insbesondere Landbesitz hat."[27]

Das Publikum der Heimatkunst etwas differenzierter zu fassen und es nicht bloß irgendwo im Mittelstand anzusiedeln, ist nicht ganz einfach. Das gesamte historisch-empirische Material wie Verkaufszahlen, Rezeptionsevidenzen und Entlehnscheine zu berücksichtigen, wäre durch traditionelle Arbeitsweisen kaum zu leisten. Die Inhaltsanalyse, zum Beispiel mit dem Blick auf jene Personen, die innerhalb der Romane die toposhaften Laudationes auf Heimat und Landleben formulieren, kann gewisse Aufschlüsse ergeben. In Wilhelm Holzamers ‚Der arme Lukas' wird das Heimatlob von einem dörflichen Kleinbürger ausgesprochen, der im Bildungsweg gescheitert ist. Gesichertere Resultate ergeben sich aus der Möglichkeit, die Autorensoziologie auf die Publikumsuntersuchung zu extrapolieren. Dieses Verfahren empfiehlt sich im Falle der Heimatkunst besonders deshalb, weil a) die Autorensoziologie überdurchschnittlich große Homogenität erbracht hat und b) das Verhältnis von Wahlakten der Autoren und Kompetenz des Publikums in der Rezeption des Heimatromans unproblematisch war und es geblieben ist. Vom sprachlich-technischen und motivisch-thematischen Erwartungshorizont der Leserschaft her schrieben die Heimatromanciers für ihresgleichen und für ihre Herkunftsschicht. Es gibt im Rezeptionsmaterial keinerlei Hinweise auf Verständnisschwierigkeiten. Demnach sind die Leser der Heimatliteratur identisch mit den Lesern von Zeitschriften wie ‚Heimgarten' im Süden, die primär eine Zeitschrift für die gebildeten „opinion leaders" der Provinzorte war. Es fallen darunter Lehrer, Priester, Freiberufliche, aber auch „Ackerbürger" – ein Ausdruck aus dem dörflichen und kleinstädtischen Rechtswesen –, die die Gewerbestruktur von Märkten mit stark agrarischem Um- und Hinterland bestimmen. Es wundert nicht, daß Heimatliteratur in die liberalen Blätter der Städte nicht Eingang findet, wohl aber, daß sozialdemokratische Blätter von Großstädten die Generation der Landflüchtigen von Zeit zu Zeit mit Heimatgeschichten versorgten: Der Absicht nach war nämlich städtisches Proletariat aus der Heimatkunst ausgeschlossen. Hingegen muß der städtische Mittelstand ins Lesepublikum einbezogen werden. Das gilt auch für den schon in zeitgenössischen Darstellungen so benannten „neuen" Mittelstand: Die Schicht der Angestellten als Schicht aufstiegsorientierter Neuankömmlinge stand konservativen Werten nahe. Das trifft zum Beispiel voll auf den Deutschnationalen Handlungsgehilfenverband zu, der sich zur Zeit der Heimatkunst zu formieren begann. Nach dem Ersten Weltkrieg wurde er zur größten Angestelltengewerkschaft und erwarb die Aktienmehrheit der Hanseatischen Verlagsanstalt und des Verlags Langen-Müller; in diesen Verlagen veröffentlichten unter anderem mit Wilhelm Schäfer, Hans Grimm und Hans Friedrich Blunck Autoren, die Übergänge von der Heimatkunst zur Blut- und Boden-Literatur markieren.

3.3.

Der Roman der Heimatkunst existierte unter den Vorzeichen von „E"-Literatur. Er wurde von den Programmatikern als ernste Literatur in der Nachfolge der Realisten gefordert und durchlief die Instanzen der institutionalisierten Vermittlungen von Literatur: Verlagswerbung, Buchhandelswerbung, Rezensionen in Literaturrevuen, Aufnahme in zeitgenössische Literaturgeschichten. Von 1900–1906 (und weiterhin) ist er immer mit mehreren Vertretern in der Liste der meistgelesenen Romane zu finden.[28] Um die gefeierten Vertreter wie Frenssen entwickelten sich publizistische Formen des Starkults, die ohne Einschränkung als Varianten der Kulturindustrie späterer Prägung verstanden werden können. Was die Programmatiker der Heimtkunst als Sensationalismus der Großstadt journalistisch brandmarkten, schickte sich ohne zu zögern an, die Romane der Heimatkunst in sich einzubeziehen.

Die wichtigsten Verlage für die Heimatkunst waren Fontane in Berlin, der zunächst eine Übergangsstelle vom Naturalismus zur Heimatkunst markierte (Clara Viebig, Wilhelm von Polenz), ferner Warneck, Grote und der Heimatverlag Meyer, in dem die Zeitschrift ‚Heimat' erschien. Mit diesen vier Verlagen stellte Berlin also das Zentrum für die Los-von-Berlin-Literatur dar. Als Leipziger Verlage sind Seemann und Staackmann hervorzuheben, ferner die Deutsche Verlagsanstalt in Stuttgart. Die Übersiedlung seines Verlags von Leipzig nach Jena bezeichnete einer der wichtigsten Verleger für Heimatkunst und sogenannte Neuromantik, Eugen Diederichs, ausdrücklich als Großstadtflucht. Von agrarischen Vorfahren abstammend, war Diederichs zuerst Agrarlehrling auf einem Gut, später Buchhändler, vereint also in sich jenen Übergang von Bauerntum zum gewerblichen Mittelstand, der bei den Heimatprogrammatikern zwei Generationen benötigt. In fast völliger Übereinstimmung mit persönlichen Überzeugungen wie Schollengläubigkeit und Blutdeterminiertheit des Menschen entwirft er ein Verlagsprogramm, das der völkischen Neuorientierung Deutschlands und seiner Reformierung zu einem Gemeinschaftsstaat von Volksgenossen dienen sollte. Diesem Ziel dienen seine Verlagsreihen, zum Beispiel die „Monographien zur deutschen Kulturgeschichte", die alle vorindustriellen Berufe umfassen sollten und in der Adolf Bartels einen geschichtlichen Aufriß des deutschen Bauern verfaßte.[29] Aber mindestens so wichtig wie diese inhaltliche Ausrichtung sind Diederichs' Innovationen auf dem Gebiet der Buchherstellung, die man heute als bewußte Überlegungen zu den Wirkungen der Warenästhetik bezeichnen muß. Im Einklang mit der Heimatkunst, deren Vertreter Helene Voigt (seine erste Frau), Lulu von Strauß und Torney (seine zweite Frau), Wilhelm Holzamer und Hermann Löns Autoren seines Verlags waren, will auch Diederichs seinen Beitrag zur Bekämpfung des Liberalismus leisten. Er tut das unter anderem mit einem Abrücken vom Goldschnittband, den er als zu industriell, zu sehr den Protzbibliotheken industrieller und finanzkapitalistischer Neureicher zugehörig empfand. Er sorgt für rauhes, handgeschöpft wirkendes Papier, verwendet die inkunabelhaft wirkende Eckmanntype, geht vom Jugendstildekor ab, stattet seine Bücher mit Illustrationen im Stil Holbeins aus und ersetzt Stahlklammerung durch Fadenheftung. Dem Leser solle mit dem „geistigen Genuß des Inhaltlichen . . . zugleich ein sinnlich ästhetischer" erwachsen.[30] Dies alles, das ist der Punkt, wird erzielt durch höchste technische Verfeinerung und Ausnutzung moderner industrieller Kapazität. Das mit solcher Raffinesse erzeugte Äußere täuscht Vortechnisches vor, fingiert altnürnberghafte vorindustrielle Seinsweise des Gegenstandes Buch; Warenästhetik erhält hier die Aufgabe, den Warencharakter zu verhüllen. Hier liegt auf dem Gebiet der Buchproduktion zutage, womit Thomas Mann später die geschichtliche und gesellschaftliche Lage Deutschlands umschreiben sollte, nämlich „hochtechnisierter Romantizismus".[31]

4.

Der nächste methodische Schritt: Die Umprojektion des sozialen Selbstverständnisses führte in ein Ausweichen vor dem gesellschaftlichen und wirtschaftlichen Wandel in den Wunsch nach Statik, wie ihn Natur, Landschaft und die Kräfte des Stamms gewähren sollten. Die auf diese Weise erzielte umwegige Aufwertung der sozialen Selbsteinschätzung fordert – zumindest im Modus der Fiktion – von der Heimatliteratur eine womöglich dauerhafte Gleichgewichtsregelung für das Kleinbürgertum. Darüber hinaus ist jedoch in einem nächsten Schritt zu fragen, was, im Verein mit der subjektiven Erwartung dieser Schicht, die Heimatkunstbewegung an anderen, von der Gesamtgesellschaft her objektiven Funktionen erfüllte oder erfüllen sollte. Genauer: Wenn zum Beispiel Autoren wie Timm Kröger und Peter Rosegger Geschichten erzählen, die stark kindheits- und jugendfixiert sind, damit hinter die Industrialisierungsschwelle zurückgehen, ländliches Milieu und patriarchalische Lebensform verklären, so mögen sie meist nicht über die subjektive Komponente hinaus „wissen", daß sie in Interessenallianzen mit Agrarierverbänden und ihrer zunehmend einflußreichen Politik geraten. Der Zusammenhang funktioniert aber auch umgekehrt: Was von der Heimatkunst universell gemeint ist, ist oft bloß das Resultat schichtenbedingt verengter Sehweise. Wenn zum Beispiel Gustav Frenssen in ‚Jörn Uhl' (1901), dem Bestseller der frühen Heimatkunst, den Wortinhalt von „Arbeit" eindeutig auf „Mühe/molestia" verschiebt und damit jenen Inhalt aufgibt, mit dem die poetischen Realisten das Wort aufgefüllt hatten, nämlich „Leistung/opus", [32] so treten eben Arbeit und Leistung nur für das Kleinbürgertum, nicht für alle, in ein nicht mehr ausgewogenes Verhältnis. Mag das später wiederum anders werden, zum Beispiel in K. H. Waggerls ‚Brot', so gilt doch für die Gestalten Frenssens und anderer aus der frühen Heimatkunst, daß „Arbeit" eher „molestia" bei nicht mehr zu erzielender „Leistung" bedeutet: Jörn Uhl muß den Erbhof aufgeben. Die Sterbeformeln für den Mittelstand sind eben weitaus hörbarer geworden als noch zur Zeit Gotthelfs, Freytags, Storms. Mit Arbeit als Mühe wird die Existenzbedrohung des wirtschaftenden Mittelstands in eine Art Leitmotiv gebracht, das vorgeblich für alle Gültigkeit hat.

Wenn zum Beispiel die Heimatliteratur den autarken Bauernhof innerhalb und auch außerhalb eines Dorfes zur standardisierten Szene des Geschehens macht, so liefert sie im literarischen Kleinmodell das, was im außerliterarischen Großmodell einmal das „ganze Haus" hieß, das autarke vorkapitalistische Wirtschafts- und Sozialformen mit Einschluß der einfachen Marktwirtschaft umfaßte und das gerade zur Zeit der Heimatkunstbewegung in adelig-konservativen Kreisen noch immer Wunschvorstellung war. Die generelle Einstellung der adeligen Großagrarier nach dem Ende der Gründerjahre formulierte von Knebel-Döberitz so: „Wir werden zu dem sogenannten Patrimonial- und Patriarchalstaat zurückkehren müssen."[33]

Seit der Volkskunde W. H. Riehls, der „Mächte der Beharrung" (Adel, Bauern) und „Mächte der Bewegung" (Bourgeoisie, Proletariat) unterscheidet, gibt es die Tendenz, Adel und Bauerntum in enge Verwandtschaft zu bringen. Langbehn stellt beide wegen ihrer „Erdgeborenheit" in ein Nahverhältnis. Teils in diesem, teils in einem ethisierenden Sinne („Adel des Geistes") schreibt die Heimatliteratur ihrer Projektionsfigur Bauer gerne erhabene, aristokratische Züge zu. Aber so wie sie auch ihren Begriff von „Hochland des Geistes" bei Bedarf materialisiert – literarische Szenerie Gebirge –, so wird die Neigung zur Aristokratie auch handfest-real. Lienhard ruft die Fürsten als „natürliche Vertreter der Landschaften" auf, die Rolle als Mäzene einer deutschen Stammeskunst zu übernehmen.[34] Im Schauspiel, so fordert die Heimatkunst ferner, sollte sich deutsches Leben ständisch gegliedert spiegeln; das konnte damals nur bedeuten: ständestaatlich und aristokratisch geführt. Das Stammes- und Volkstumsbewußtsein der Heimatkunst ist gewiß ein von der Romantik an weitergegebenes Erbe, spätestens seit 1848 tritt es jedoch in übersetzbare Entsprechung zu den sozialen und ökonomischen Ängsten des Kleinbürgertums und in Entsprechung zu einer partikulären Interessenlage des Adels. Der Stammesgedanke ist Ausdruck eines Denkens in Kleinräumigkeit, der das Kleinbürgertum frühere Blütezeiten verdankt und die ihm die Entwicklung des Kapitalismus mit seinen erweiterten nationalen, ja internationalen Wirtschaftsräumen geraubt hatte. Der grundbesitzende Adel wiederum vertritt Kleinräumigkeit, weil ihm das

Gesetz über die sogenannte Freizügigkeit die Landarbeitskräfte raubt und in die westlichen Industriegebiete abzieht. Die Heimatkunstbewegung frischt ein mittelbares Nahverhältnis zwischen Adel und Kleinbürgertum auf, das Friedrich Engels schon 1847 analysiert hat.[35] Um die Jahrhundertwende wird dieses Nahverhältnis besonders deutlich, wenn man die Inhalte und Schlagworte der Heimatkunst und ihre Gestaltung im Roman mit dem politischen Programm des 1893 gegründeten ‚Bundes der Landwirte', der mächtigsten (Groß-)Agrarierorganisation des Kaiserreichs vergleicht.[36]

5.

Geht man nun an die Untersuchung der Romane der Heimatkunst,[37] so zeigt sich der Nutzen der sozialgeschichtlichen und soziologischen Vorarbeit. Ohne daß man einem Systemzwang zu verfallen braucht, lassen sich fast alle auffallenden Merkmale dieser Romane sowohl einem oder mehreren Faktoren des Programms als auch den dargestellten Grundzügen des historisch-politischen, gesellschaftlichen und ökonomischen Kontextes zuordnen. Die Skala der dabei entstehenden Möglichkeiten reicht über großthematische Ähnlichkeiten und inhaltlich übersetzbare Entsprechungen bis zu strukturellen Homologien.

5.1.

Die Thematik von Landnahme zum Beispiel wird in der Entwicklung des Genres immer wichtiger. Wenn Hermann Löns ‚Wehrwolf' mit den Worten beginnt: „Im Anfange war es wüst und leer in der Haide" und dieses Bibelwort vom Anfang der Zeiten fast unmittelbar überleitet zu den einwandernden Stämmen und ihrer Expansion in der Lüneburger Heide, so stellt sich das Gesetz der Landnahme als ein Ur-Argument pro Kolonisation dar. Die Kultivierung von Wildnis durch den Starken, durch Knut Hamsuns Popularität in Deutschland unterstützt, gehört zu den bevorzugten Motiven des Heimatromans. Die ganz nahe Verwandtschaft von ‚Segen der Erde' und Karl Heinrich Waggerls ‚Brot' ist dafür nur ein Beispiel. Im Programm der Heimatkunst ist dieser Zug als Recht a) der einzelnen Persönlichkeit und b) eines Volkes auf ungehinderte Entfaltung verankert. Wenn persönliche und nationale Wachstumsringe gegebene Grenzen sprengen, dann ist eben koloniale Landnahme politisches Gebot. Die Politik des deutschen Imperialismus, der Flottenbau, die Einbindung der sogenannten Schutzgebiete kumulierten bei Lienhard im Ratschlag an junge Dichter, die Welt zu der ihren zu machen, sie – zunächst jedenfalls – literarisch-stofflich zu erobern, als organisch erweiterte Heimat zu sehen, auf die man Anspruch hat.

5.2.

Was sich bei den Texten an Titeln und Untertiteln zeigt (‚Schleswig-Holsteiner Landleute', ‚Roman aus der Eifel', ‚Roman aus dem schweizerischen Hochgebirge' und andere), was eine wohlmeinende Kritik häufig den gelungenen Versuch nennt, einen bestimmten Menschenschlag, eine Landschaft unverwechselbar in die deutsche Literatur einzubringen, hat seine Entsprechungen in der Programmforderung nach einer je spezifischen deutschen Stammes- und Landschaftskunst. Verschiedene Landschaften und Stämme müßten, da sie ein je verschiedenes Blut hervorbringen, an je verschiedenen unverwechselbaren Charakteren in den Romanen faßbar werden. Aus diesen Sondereigenarten solle sich ein integrales deutsches Literaturkonzert ergeben. Ein Blick auf die Romane zeigt, daß nichts von dieser Forderung glaubhaft verwirklicht worden ist. Was sich in den Romanen als übergeordneter Zug eines Menschenschlages zeigt, ist in den meisten Fällen austauschbar. Die häufig angezielte Wortkargheit als angebliches Stammesmerkmal für Gestalten norddeutscher Romane ist ein übertragbares Klischee. Für die Gestalten in der Tiroler Heimatliteratur ist exakt dasselbe festgestellt worden, für die Gestalten von Romanen aus der Eifel ebenso. Die Hinweise auf tiefe Schweigsamkeit als Stammesmerkmal usw. gehören in den Bereich der bekannten Opposition von „geredet" und „gestaltet". Der Wunsch nach einer solchen Stammes- und Landschaftskunst geht, auch wenn die literarische Praxis ihn nicht erfüllt hat, auf jenes Denken in Kleinräumigkeit zurück, das als eine sozialgeschichtliche Eigenart des Kleinbürgertums hier schon behandelt worden ist.

5.3.

Wenn man die Großstrukturen der Romane und Geschichten untersucht, so stößt man mit wenigen Ausnahmen auf einen erheblichen Reichtum an Handlung. Es passiert in der Regel sehr viel auf der Szene des Heimatromans, der andererseits wiederum die Tendenz verfolgt, statische Verhältnisse zu schaffen, in denen sich nichts mehr wandeln soll. Untersucht man nun die Schaltstellen der Fabel, jene Punkte, von denen die weiterführenden Handlungsimpulse ausgehen, so finden sich zwei Typen: Handlung kann in Gang gesetzt bzw. weitergetrieben werden durch Schicksalsschläge, die von der Natur des Menschen ausgehen. Leidenschaftliche Liebe, Wildheit eines Nebenbuhlers, Trunksucht eines prospektiven Hoferben, erbgierige Verwandte können für Aufregung sorgen. Sie sind aber als Züge innerhalb des biologisierten Menschenbildes der Heimatkunst nichts, was mit ihrem System unvereinbar wäre. Menschen haben Eigenschaften, so wie der eine Baum krumm, der andere gerade ist. Gustav Frenssen zum Beispiel sieht den Verfall der Marschbauern als Folge ihrer liederlichen Natur, ihrer (angeborenen) Trägheit. Diese Biologisierung hindert ihn aber, unter die Oberfläche der Bauern- und Mittelstandskrise zu gehen. Wo die wahren Gefahren für die vorindustrielle (in ‚Jörn Uhl': die handwerkliche und bäuerliche) Sozialform liegen, kann er nicht erkennen, obwohl er andererseits schildert, wie Bankleute und Agenten plötzlich im Dorf auftauchen. – Der zweite Typ von Handlungsimpuls ist die außer- und übermenschliche Natur in der Form, daß sie als Schicksalsschläge austeilende in die Romane eingreift. Von ihr her ergibt sich Bewegung, Wandel. Jörn Uhls Ringen mit Wetter und Wind auf seinem Acker, das Unglück des Mäusefraßes auf dem Weizenfeld und zu guter Letzt der Blitzschlag, der ihm den Erbhof niederbrennt, sind die Faktoren, durch die in einer als möglichst statisch ersehnten und entworfenen Welt der unausbleibliche Wandel sich doch noch durchsetzt. Nur ist es eben das Physikalische, Naturgesetzhafte, dem der Mensch ausgeliefert ist, und nicht der unüberschaubare und für den Mittelstand in einer Fallkurve erlebte soziale Wandel. In einer Zeit, die für alle die rapideste Veränderung in der Geschichte bringt, ist das Kleinbürgertum bloß Objekt dieser Veränderung. Es wächst die Neigung, diese Veränderung literarisch zu stoppen und Wandel nur als Agieren der als Schicksalsmacht hingenommenen Natur oder als biologisch-jahreszeitlichen Wandel anzuerkennen, zum Beispiel in Waggerls ‚Jahr des Herrn'. In einem allgemeinen Sinne könnte man von einer „widerwilligen Widerspiegelung" sprechen.

5.4.

Auch in der Makrostruktur, Personenkonstellation und Heldentypisierung ist der methodische Dreierschritt vollziehbar. Der zunehmend biologisierte Held ist in den Anfängen der Heimatkunst dann und wann auch noch eine schwächliche Figur, ein empfindsames Dorforiginal, das sich in der Resignation häuslich eingerichtet hat. Der „Arme Lukas" bei Wilhelm Holzamer ist ein solcher Negativheld, der nach gescheiterter Entfaltung von sich selber sagt, er sei ein Samenkorn, das nicht in die rechte Furche gefallen sei, das der Sämann Leben selbst unter seinem Schuh zerquetscht habe. Die weitere Tradition des Heimatromans bringt aber die radikale Positivsetzung der großen, starken, tatkräftigen Helden, die entweder als mild-harte Patriarchen wie Ernst Zahns Lukas Hochstraßer oder als lachende Landschaftsgewächse wie Löns' Wulfbauer zu Leitfiguren werden. Biologisierung statt psychologischer Darstellung, die Vergleiche mit Pflanzen und die um jeden Preis aufrechterhaltene Fiktion des „ganzen" Menschen sind die Attribute. Der Typ und die Gestaltungsmittel entsprechen auf der Programmseite dem Kult der Persönlichkeit, ihrer Einbettung in die Kräfte des Bodens und des Volkstums, dem Abbau des liberalen Persönlichkeitsideals durch Forderung nach einem neuen, dem das Recht auf Sich-Ausleben zuerkannt wird, ohne daß sein Komplementärfaktor Volkskörper ihm konkrete Grenzen setzt. So werden die Gestalten des frühen Heimatromans bereits zu Verkörperungen dessen, was Adolf Bartels als den „Vollmenschen" von „Nation oder Rasse" gefordert hat.[38] Sozialgeschichtliche Entsprechung des Abbaus der liberalistischen Persönlichkeit ist der Abbau des „freien Spiels der Kräfte", das, wenn überhaupt, im Deutschland des „großen Spurts" und kurze Jahre danach (zirka 1850–1857 und ff.) verwirklicht war,[39] ein Kräftespiel, das mit 1878, als nach dem Kaiserattentat die Partei der Liberalen sich spaltete, das Sozialistengesetz erlassen und die Wirtschaft unter stärkeren Staatsprotektionismus gestellt wurde, ohnehin zu Ende war. An einem solchen Ideal der Parität im gesellschaftlichen und wirtschaftlichen Leben konnte das Kleinbürgertum nicht mehr partizipieren, nachdem die ersten Konzernbildungen schon abgeschlossen waren. Die Lähmung seiner gesellschaftlichen Kräfte, die Engels schon 1847 konstatiert hatte, ließ das Kleinbürgertum eher zum Objekt staatlicher Fürsorge- und Stützungspolitik werden. Zur Zeit der Heimatkunst war besonders der schon erwähnte ‚Bund der Landwirte' in Sachen Mittelstandsagitation und Unterstützungspropaganda besonders aktiv. Die Heimatliteratur spiegelt diesen Prozeß reziprok. Je weniger das liberale Persönlichkeitsideal Leitbild sein kann, desto stärker werden die Ausprägungen biologisierter Romanhelden als Einzelkämpfer oder Führer.

Der methodische Dreierbezug soll an einem kleinstrukturellen Textmerkmal des Heimatromans etwas ausführlicher dargestellt werden. Es zeigt sich an einer Eigenheit, die im allgemeinen in der Prosa selten ist, nämlich an einer besonderen graphisch-visuellen Anordnung der Sätze. Die Textprobe entstammt Gustav Frenssens ‚Jörn Uhl':

> Er starrte in das Wasser [. . .] Als sie oben auf der Höhe angekommen waren, sagte er: „Nun geh' nach Hause. Ich will jetzt allein weitergehen."
>
> Da ging Jörn ohne Händedruck und ohne Abschiedswort über die Heide.
>
> Fiete Krey aber blieb oben in der dürren Heide stehen. Als Jörn sich umsah, stand er wie ein schwarzer Pfahl am Horizont.
>
> Langsam kehrte Fiete Krey sich um und ging wieder in die Mulde hinunter [. . .]

Es ist eine besondere Appellstruktur, die aus der Art der Anordnung von Sätzen und Absätzen die Schwere und Tiefe dieser Szene verdeutlichen soll – es handelt sich um den Abschied zweier Freunde, und zwar, wie sie glauben, für immer. Dieser Art, schicksalhafte Wendepunkte für Personen und Handlungen in die Form von Markansätzen zu bringen, ist der Heimatroman in seiner ganzen Entwicklung treu geblieben. (An diesem

Merkmal sind die Parodierungen des Heimatromans unter anderem festgemacht worden.) Jeder einzelne dieser Sätze wirkt, als ob er ein Schlußsatz wäre, was hinausläuft auf Annehmen, Anerkennen, Nicht-mehr-Ändern. Dazu tritt als Aufgabe der Leerräume die Andeutung, daß noch weit mehr gemeint sei, als gesagt werde, aber für solche, die gleichen Sinnes sind, nicht gesagt zu werden brauche. Solche Abschnitte – sie gehören zu den Standard-Rekurrenzen der Romane – feiern mit Vorliebe das zum Herzen Gehende mit dem Pathos der Wortkargheit. Manchmal erinnern sie an Sentenzen, immer aber haben sie den Hinweischarakter auf ungesagte Inhalte, auf unsichtbare sieben Achtel eines Eisbergs. Sie übermitteln den Anspruch, daß der knapp gehaltene Satz mehr sei als der umfänglich gestaltete, auf jeden Fall aber mehr als die Reflexion und das Räsonnement – in diesem Fall über Gefühle des Alleinseins und über den Trennungsschmerz, sei es in auktorialer Form, sei es als Räsonnement der Gestalten selbst. Was gefühlt wird, wird durch Gefühle erwidert, aber es auszusprechen hieße, es zu intellektualisieren. Die Leerräume um die Markanzsätze herum wirken als Aufforderung, das knapp Gesagte zu bewegen im Herzen. Manchmal soll dabei der Gestus eines langsamen Kopfnickens oder eines schweren Schreitens spürbar werden. Die Wortkargheit und der daraus abgeleitete Tiefsinn der Figuren haben hier ihre Ursache, nicht etwa in stämmischen Charakterbesonderheiten.

Diesem Textmerkmal ist im Programm der Heimatkunst als Antiintellektualismus vorgearbeitet worden. Was die Programmatiker dem Räsonnement entgegenzusetzen haben, ist zum Beispiel Selbststilissierung als Einsamer, Drüberstehender, sich nicht ins Tagesgeschwätz Verlierender (besonders bei Lienhard). Vom Kriterium des „innigsten Anschmiegens“ und der „Hingabe“ her, unter dem für die Programmatiker jede Annäherung an Landschaft und Volk vor sich zu gehen habe, ist Reflexion über diese Realitäten gar nicht nötig, es sei denn, die Reflexion hat die Urtatsachen Geburt, Tod, Schicksal zum Gegenstand. Robert Musil kommentierte diesen Sachverhalt in einer Besprechung von Paula Groggers ‚Grimmingtor‘: „Was der Vollmensch tut, ist gut. Intellekt ist Mangel an Natur. Einfachheit ist zum Zeichen des ästhetischen Wohlverhaltens geworden.“[40] Was Musil kritisch „Vollmensch“ nennt, heißt bei Lienhard, allerdings ohne Distanz, „der ganze lebendige Mensch“; er wird faßbar nur „jenseits der Sprache“ – so der Titel eines Aufsatzes von Lienhard.[41] „Man muß nicht glauben, daß die Sprache jemals der wirklichen Mitteilung zwischen den Wesen diene.“ Die wahre Verständigung komme im Schweigen nach dem Sprechen, also im Leerraum zum nächsten Absatz-Satz, zustande. „Es ist die während des äußeren Schweigens erst recht spürbare *innere Schwingung,* die sich mit ihrer nachleuchtenden, nachhallenden, nachwirkenden Kraft nun in uns bemerkbar macht.“ Lienhard stünde mit diesem Mißtrauen gegenüber der Sprache nicht allein, würde er nicht andererseits völlig selbstverständlich die aus dem 19. Jahrhundert überkommene Dichtersprache gutheißen und in seinem literarischen Werk selbst verwenden. Was dem Schein nach dem zwei Jahre zuvor entstandenen Chandos-Brief Hofmannsthals, einem Dokument weitreichender Sprachskepsis, nahesteht, ist ein Kraftakt, der jede Sprachreflexion von vornherein für unnötig erklärt, da Sprache selbst nur vordergründig sei und die wahre Verständigung ohnehin erst in den Schweigepausen vor sich gehe. Dieses Nachdenken über Sprache landet bei sprachlichem Irrationalismus. Neben dem Anti-Intellektualismus steht im Hintergrund auch noch die aus der Epoche des Realismus stammende Forderung nach epischer Objektivität (zum Beispiel beim Adalbert Stifter der Witiko-Zeit, bei Friedrich Spielhagen). In der Heimatkunst aktualisiert sich, was Werner Hahl über die „epische Objektivität [. . .] im idealistischen Umkreis“ des programmatischen Realismus sagt, nämlich, „daß der Dichter aus innerer

Einigkeit mit der Welt jeder reflektierenden Vergewisserung ihrer Wirklichkeit enthoben ist".[42]

Die Sprachgestik der Ein-Satz-Absätze läßt Räume leer bzw. überläßt sie der Füllung durch den Leser. Diese Räume waren in der Geschichte des Romans nicht immer ungefüllt. Genau in diesen Lücken stand zum Beispiel im Briefroman des 18. Jahrhunderts und im psychologischen Roman das Räsonnement über neue Gefühlserfahrungen oder über den Gebrauch der Vernunft als Trösterin. Es war die monologische oder dialogische Form des Sich-Aussprechens, in der sich die Literaturbeflissenen der Bildung ihrer Subjektivität vergewisserten. Jürgen Habermas hat gezeigt, daß ein solches literarisch-psychologisches Räsonnement nur die andere Seite eines politisch-gesellschaftlichen Räsonnements darstellte, mit dessen Hilfe das Bürgertum seine Emanzipation von älteren Sozialformen betrieb.[43] Das Räsonnement in beiden Formen war wesentlich an der Schaffung einer bürgerlichen Öffentlichkeit beteiligt. Das Literarische förderte das Selbstbewußtsein von der Autonomie des Individuums und kam der Idee von Bildung als Wert für sich entgegen. Seine Aufgabe erfüllt es in einem dialogischen Prozeß, dessen Inhalte die Verständigung über die Frage darstellen, ob es dem anderen so gehe wie einem selbst. Im Brief- und Freundschaftskult entdecken Gesprächspartner einander ihre gerade selbst entdeckte Subjektivität. In den Wochenschriften und im Briefroman erhält ein solches Räsonieren seinen öffentlichen Ort. Der Autonomie des Selbst durch Bildung entspricht in der gesellschaftlich-politischen Sphäre die Idee von freien autonomen Individuen, die das öffentliche Räsonnement zur Regelung ihrer ökonomischen Interessen benützen. Die Schaffung einer öffentlichen Meinung soll die bürgerliche Sphäre von Eingriffen der feudalen Staatsgewalt abschirmen. Der Ort dieses politischen Räsonnements ist die Presse, das Kaffeehaus, sind die Säle der Lesegesellschaften. Beide Formen des Räsonnements und der Kategorie der Öffentlichkeit erhalten in der Familie die Stelle, die sie an das Individuum vermittelt. Die Familie fungiert als Bereich, der den Freiraum für Bildung darstellt, die ihrerseits wieder jene Autonomie verleiht, die zur Teilnahme an der Öffentlichkeit befähigt. Das bedeutet auf der einen Seite den gebildeten Menschen als Vertreter zweckfreier Humanität, auf der anderen Seite Kontinuitätssicherung des Eigentums und der Sozialform des „ganzen Hauses" im kleinen. In einer „Öffentlichkeit räsonierender Privatleute" ist der Liberalismus sowohl als geistige wie auch als soziale und ökonomische Leitidee verankert.

Ist also das Räsonnement im Roman von seinen Entwicklungsbedingungen her keine lediglich literarische Angelegenheit, so ist es sein Verschwinden aus dem Roman ebensowenig. Wo es überlebt, charakterisiert es – mit Einschränkungen – Literatur, die die Zerstörung der Vernunft nicht mitmacht (Musil und Th. Mann als Beispiele). Wo es schwindet, geschieht dies in einem Vorgang, den Habermas als Übergang von einer räsonierenden zu einer konsumierenden Öffentlichkeit beschrieben hat. „Der bürgerliche Idealtypus sah vor, daß sich aus der wohlbegründeten Intimsphäre der publikumsbezogenen Subjektivität eine literarische Öffentlichkeit herausbildete. Diese wird statt dessen heute zu einem Einfallstor für die über die konsumkulturelle Öffentlichkeit der Massenmedien in den kleinfamilialen Binnenraum eingeschleusten sozialen Kräfte."[44] Dieser Vorgang beginnt noch im 19. Jahrhundert, die Heimatkunstbewegung ist ihm jedenfalls unterworfen und bildet bereits eine markante Station. Der Heimatroman nimmt die Aufforderung Lienhards, das Räsonieren sein zu lassen, die Literatur auf Themen anzusetzen, die Räsonieren überflüssig machen (Natur, Landschaft, Volks- und Bauerntum), wörtlich. In fast jedem Programmartikel steht die Aufforderung, sich nicht einzumischen in das Beratschlagen über die Probleme des „Werktages". Dies verbrämt jedoch lediglich eine Haltung von Leuten, die ohnehin nicht mehr mitzuberatschlagen haben. An die Stelle des Räsonnements tritt der Konsum von Literatur, wobei die Heimatkunst noch einen Schritt weiter geht als zum Beispiel die ‚Gartenlaube': Diese wandte sich noch an die Familie, und ein familiäres Drüber-Sprechen liegt noch durchaus in ihrer Absicht. Der Heimatroman hingegen ist Literatur für den Einsamen, so wie ihn Lienhard als Träger einer „Höhenkunst" sieht und wie ihn unter anderem die Textgestik der Markanzsätze „schafft". Er läßt ihn allein mit nach innen verlagertem „Reichtum", mit Seelentiefe und dem „Recht der Persönlichkeit" auf Entfaltung ihrer Innerlichkeit. Das ist ein Merkmal der Wirkung, die die Leser geöffnet hat für eine notorische politische Inanspruchnahme.

6.

Die österreichische Variante der Heimatkunst-Literatur, unter den Vorzeichen von „Provinzkunst" entstanden, würde eine umfangreiche Darstellung für sich erfordern. Sie soll, im Hinblick auf eine gründlichere Untersuchung, nur als aufrißhafte Skizze zur Diskussion gestellt werden.

6.1.

Die deutsche Heimatkunstbewegung mit ihrem geographischen Ausgangspunkt Norddeutschland erhält ihren scharf programmatischen Charakter von ihrer Aggressivität gegen den Naturalismus her. Es ist eine affektive Frontstellung gegen eine besonders den Berliner Raum und die Großstädte beherrschende Richtung in Kunst und Literatur, die den Heimatkünstlern eine umfassende Programmatik geboten erscheinen läßt. Die Heimatkunst im Süden, besonders aber die österreichische, sieht schon in den Anfängen und auch in der Folge etwas anders aus. Sie tritt zunächst einmal nicht mit jenem formierenden Anspruch auf wie die deutsche, hatte auch ein derart pointiert verkündetes Programm auch nicht nötig. Die össterreichische Literaturtradition kennt nämlich den Naturalismus kaum und keinesfalls in seiner Berliner Intensität, es hatte kein spezifisch österreichischer Naturalismus ältere vorbereitende Traditionen unterbrochen. Es wiederholt sich hier, zumindest im Erscheinungsbild, ein Vorgang, der schon einmal für einen Unterschied zwischen „österreichischer" und „deutscher" Literatur gesorgt hatte: Da es in Österreich keinen Sturm und Drang gegeben hatte, fiel auch die österreichische Spielart der Klassik anders aus als die herkömmlich gemeinte. Das Ausbleiben einer programmatischen Bewegung erlaubte die Kontinuität barocker Traditionen. Ähnlich verhält es sich mit der Heimatkunst. In Österreich gab es eine kaum verblaßte Tradition der Dorfgeschichte, der Darstellung des ländlichen Raumes seit Stifter, Ebner-Eschenbach, Rosegger, deren Werke von Claudio Magris nicht ganz unzutreffend als „habsburgische Heimatliteratur" bezeichnet worden sind, wenn auch in einem allgemeineren Sinne. Das ist auch der Grund, warum der Deutsche Ernst Wachler es bedauert, daß Anzengruber und Rosegger zu wenig programmatisch vorgehen: „Haben wir etwa bei ihnen ... das Empfinden, daß sie als Neuerer mit bewußter Kraft vordringen?"[45] (Andererseits wird Rosegger wieder selbstverständlich der Heimatkunstbewegung zugeschlagen, zum Beispiel von der Zeitschrift ‚Heimat'.[46]) Allerdings hat auch die Provinzkunst" als Spielart der Heimatkunst ihre Angriffsziele in der „Moderne" gesucht. Im besonderen waren es die „Nervenkünstler" Schnitzler und Hofmannsthal, die ein Ottokar Stauf von der March, Herausgeber der ‚Neuen Bahnen' (Wien, 1901 ff.), als „Ganglien-Korybanten" bezeichnete und ihnen einen massiv völkischen Standpunkt entgegenhielt. Die Kreise um die Zeitschriften ‚Der Kyffhäuser' in Linz und ‚Scherer' in Innsbruck sind von der deutschen Heimatkunst nicht weit entfernt, hatten aber keineswegs deren Echo. Möglicherweise liegen einige der Unterschiede eher im Ausmaß der kulturindustriellen Ausfaltung der beiden Strömungen. Darauf deutet ein Seufzer aus österreichisch-völkischen Kreisen hin: „Gott bewahre uns, falls es noch nicht zu spät ist, vor einer österreichischen Wiederholung der im Reiche Mode gewordenen ‚Heimatkunst'. Ich kenne das Ding aus der Nähe, liebe Landsleute; ich sehe, wie die Horden der Schwachen, gleich den mörderischen Kaninchenscharen in Holland, die Starken und Persönlichen aus ihren Positionen treiben."[47]

Folgende Faktoren werden bei einer eingehenderen Darstellung der österreichischen Heimat- und Provinzkunst zu berücksichtigen sein:

6.1.1.

Die Unterschiede des jeweiligen ökonomischen und gesellschaftlichen Rahmens in Hohenzollern- und Habsburgerstaat, die Unterschiede, die sich im Mehrvölkerstaat zum Beispiel für den Deutschnationalismus ergaben.

6.1.2.

Die oppositionelle Stellung der Provinzkunst gegen den Klerikalismus auf dem Lande, die von der Anzengruber-Tradition her im Namen des Liberalismus eingenommen wird, während die deutsche Heimatkunst einen fast durchgängigen Antiliberalismus verbreitet, dem protestantischen Klerikalismus auf dem Lande hingegen niemals opponiert, vielmehr ihn für die Heimtkunst zu gewinnen sucht.

6.1.3.

Es wird, von dieser Position ausgehend, zu untersuchen sein, wie lange dieser Traditionsstrang im Vordergrund steht – zum Beispiel noch bei Rudolf Greinz (Das Haus Michael Senn, 1909) – und ab wann sich Mischungen von barockem Katholizismus und völkischen Ideen zu Konstituenten des Heimatromans entwickeln. Die Zeitschrift ‚Hochland' ist in diesem Prozeß für den süddeutsch-österreichischen Raum ein wichtiger Faktor; der Gründer Carl Muth vertrat schon Anfang der neunziger Jahre Vorstellungen, die von denen der Heimatkunstbewegung kaum zu unterscheiden sind. Das Vorwort der Gründungsnummer trägt zudem die Handschrift Friedrich Lienhards, der jedoch als protestantischer Mitarbeiter eher im Hintergrund gehalten wurde. (Seine Mitarbeit war schließlich auch ein Streitpunkt im sogenannten katholischen Literaturstreit zwischen dem ‚Hochland' und Richard von Kraliks ‚Gral'.) Besonders in der Zeit zwischen den Weltkriegen gestaltet die österreichische Heimatliteratur eine Gemeinsamkeit von barockem Katholizismus und paganistischen Blut-und-Boden-Vorstellungen, die auch bei Paula Grogger, Richard Billinger und Karl Heinrich Waggerl, mehr oder weniger, zu spüren sind. Mit Guido Zernatto, Staatssekretär in der Regierung Schuschnigg, wird Literatur der ländlichen Szene dann in ein politisches Programm gespannt und soll dazu beitragen, die Großstadt Wien von den Alpenländern her „geistig aufzuforsten".

Anmerkungen

1 Diesen Beziehungen widmet sich zur Zeit Uwe Baur, Graz.
2 *Ina-Maria Greverus,* Der territoriale Mensch. Ein literatur-anthropologischer Versuch zum Heimatphänomen, Frankfurt/M., Athenäum 1972, S. 51–55, bes. S. 53.
3 Aus diesem Grunde wird auch auf das Zitieren extensiven Belegmaterials verzichtet. – Innerhalb des Themas kommt der österreichischen Heimatkunst eine gewisse Sonderstellung zu, die auch eine gesonderte Behandlung nötig machen wird. Vgl. Punkt 6.
4 *Ernst Wachler,* Mangel und Notwendigkeit einer Nationalpoesie, in: Die Läuterung deutscher Dichtkunst im Volksgeiste. Eine Streitschrift, Berlin-Charlottenburg, Heinrich 1897, S. 18–20.
5 Ebenda, S. 27f.
6 *Friedrich Lienhard,* Heimatkunst?, in: Neue Ideale, Gesammelte Aufsätze, Berlin, Leipzig, Meyer Heimatverlag 1901, S. 191.
7 *Julius Langbehn,* Rembrandt als Erzieher. Von einem Deutschen, Leipzig, Hirschfeld 1890, S. 3.
8 *Ernst Schur,* Die steinerne Stadt, Berlin 1905. Zit. bei *Jörg Ehni,* Heimat im Schullesebuch (= Volksleben 16), Tübingen 1967, S. 179.
9 *Timm Kröger,* Plattdeutsch oder Hochdeutsch, wie lasse ich meine Bauern reden?, in: Eine stille Welt (= Novellen, Gesamtausgabe 1), Hamburg, Braunschweig, Berlin, Westermann 1914, S. 19.
10 *Adolf Bartels,* Zur Heimatkunst, in: Deutsche Heimat 6/1 (1902/03), S. 194.
11 *J. Langbehn,* Rembrandt (zit. Anm. 7), S. 227.
12 Ebenda, S. 324.
13 *F. Lienhard,* Persönlichkeit und Volkstum, in: Neue Ideale (zit. Anm. 6).
14 *Peter Rosegger,* Das Recht der Persönlichkeit, in: Der Türmer 1/2, H. 7, S. 6–12.
15 *Adolf Bartels,* Zur Heimatkunst, in: Deutsche Heimat 6/1 (1902/03), S. 194.
16 *Adolf Bartels,* Die deutsche Literatur von Hebbel bis zur Gegenwart. 2. Teil: Die Jüngeren, 10.–12. Aufl., Leipzig, Haessel 1922, S. 171.
17 *J. Langbehn,* Rembrandt (zit. Anm. 7), S. 4.
18 *Friedrich Lienhard,* Wasgaufahrten. Ein Zeitbuch, Straßburg, Schlesier und Schweikhardt 1895, S. 14.
19 *J. Langbehn,* Rembrandt (zit. Anm. 7), S. 293.
20 *F. Lienhard,* Kipling, in: Neue Ideale (zit. Anm. 6), S. 202f.
21 Ebenda, S. 201.
22 *Hans Schwerte,* Deutsche Literatur im Wilhelminischen Zeitalter, in: Wirkendes Wort 14 (1964), S. 267.
23 *Adolf Bartels,* Konservativ, nicht reaktionär, in: Heimat 2 (1900), S. 71.
24 *Eduard Engel,* Geschichte der Deutschen Literatur von den Anfängen bis zur Gegenwart, 2. Bd., 8. Aufl., Leipzig, Tempsky-Freytag 1910, S. 384.
25 *Arnold Hauser,* Kunst und Gesellschaft (= Becksche Schwarze Reihe 100), München 1973, S. 37.
26 Vor allem: *A. Bartels,* Deutsche Literatur (zit. Anm. 16), S. 168–226: Die Heimatkunst. – *Heinrich Spiero,* Geschichte des deutschen Romans, Posthum Berlin, de Gruyter 1950, S. 447–490.
27 *J. Langbehn,* Rembrandt (zit. Anm. 7), S. 136.
28 Eine solche Zusammenstellung z. B. in: *Friedrich Kummer,* Deutsche Literaturgeschichte, dargestellt nach Generationen, Dresden, Reißner 1909, S. 693f.
29 *Adolf Bartels,* Der Bauer in der deutschen Vergangenheit (= Monographien zur deutschen Kulturgeschichte 6), Leipzig, Diederichs 1900.
30 Zu Diederichs vgl. die Autobiographie ‚Aus meinem Leben', Leipzig, Meiner 1927; ferner Eugen Diederichs, Leben und Werk. Ausgewählte Briefe und Aufzeichnungen, hrsg. von *Lulu von Strauss* und *Torney-Diederichs*, Jena, Diederichs 1936. Hieraus Zitat, S. 56.
31 1926 in der ‚Pariser Rechenschaft', in: *Thomas Mann,* Gesammelte Werke, Bd. 11, S. Fischer

Verlag 1960, S. 21, 47–51 und wörtlich im Essay ‚Deutschland und die Deutschen' (1945), in: GW 12, S. 571f.

32 *Marie-Luise Gansberg*, Der Prosa-Wortschatz des deutschen Realismus, unter besonderer Berücksichtigung des vorausgehenden Sprachwandels 1835–1855, Bonn, Bouvier 1966, S. 231ff., bes. S. 233.

33 Zit. bei *Helmut Böhme*, Prolegomena zu einer Sozial- und Wirtschaftsgeschichte Deutschlands im 19. und 20. Jahrhundert (= edition suhrkamp 253), Frankfurt/M. 1968, S. 78.

34 *F. Lienhard*, Sommerfestspiele, in: Neue Ideale (zit. Anm. 6), S. 223.

35 *Friedrich Engels*, Der Status quo in Deutschland (1847), in: Marx-Engels-Studienausgabe IV: Geschichte und Politik 2 (= Fischer Bücherei 76), Frankfurt/M. 1966, S. 17–33.

36 Über den ‚Bund der Landwirte' informiert umfassend *Hans-Jürgen Puhle*, Agrarische Interessenpolitik und preußischer Konservatismus (= Schriftenreihe des Forschungsinstitutes der Friedrich-Ebert-Stiftung), Hannover, Verlag für Literatur und Zeitgeschehen 1966. Zur schnelleren Information die Broschüre *Puhles*, Von der Agrarkrise zum Präfaschismus. Thesen zum Stellenwert der agrarischen Interessenverbände in der deutschen Politik am Ende des 19. Jahrhunderts, Wiesbaden, Steiner 1972.

37 Folgende Texte aus der Zeit zwischen 1894 und 1910 werden herangezogen: *Wilhelm von Polenz*, Der Büttnerbauer, Der Grabenhäger; *Timm Kröger*, Der Schulmeister von Handewitt; *Paul Keller*, Die Heimat; *Heinrich Sohnrey*, Der Bruderhof; *Helene Voigt-Diederichs*, Schleswig-Holsteiner Landleute; *Lulu von Strauss* und *Torney*, Der Hof am Brink; *Wilhelm Holzamer*, Peter Nockler, die Geschichte eines Schneiders, Der arme Lukas; *Clara Viebig*, Das Weiberdorf, Das Kreuz im Venn, *Gustav Frenssen*, Jörn Uhl; *Ernst Zahn*, Lukas Hochstraßers Haus; *Hermann Löns*, Der Wehrwolf. An den Hauptpunkten der Analyse sind diese Romane unterschiedlich beteiligt. Auch hier wird auf extensives Zitieren verzichtet.

38 *A. Bartels*, Die deutsche Literatur (zit. Anm. 16), 3. Teil, S. 2. Selbstzitat aus der Auflage 1908.

39 *H. Böhme*, Prolegomena (zit. Anm. 33), S. 51.

40 In: R. M., Prosa, Dramen, späte Briefe. Hrsg. von *Adolf Frisé*, Hamburg, Rowohlt 1957, S. 613.

41 *Friedrich Lienhard*, Jenseits der Sprache, in: Der Türmer VII/1, H. 1, S. 111–113.

42 *Werner Hahl*, Reflexion und Erzählung. Ein Problem der Romantheorie von der Spätaufklärung bis zum programmatischen Realismus, Stuttgart, Berlin, Köln, Mainz, Kohlhammer 1971, S. 108.

43 *Jürgen Habermas*, Strukturwandel der Öffentlichkeit. Untersuchungen zu einer Kategorie der bürgerlichen Gesellschaft, 1962 (= Sammlung Luchterhand 25), Neuwied/Rhein und Berlin 1971, Habermas' Darstellung ist verschiedentlich kritisiert worden, vor allem mit dem Vorwurf, sie stelle idealtypische Kategorien von Öffentlichkeit auf. Trotzdem ist die Studie geeignet, die Fallhöhe von räsonierender Öffentlichkeit zu konsumierender Öffentlichkeit, wie sie die Rezeptionssphäre des Heimatromans charakterisiert, deutlich zu machen.

44 Ebenda, S. 172–216, bes. § 18, hier S. 195.

45 *E. Wachler*, Läuterung (zit. Anm. 4), S. 7.

46 Heimat 2 (1900), S. 180.

47 *Bodo Wildberg*, in: Neue Bahnen (1901), zit. in: Deutsche Heimat 4/2 (1901), S. 187.

JOST HERMAND

Gralsmotive um die Jahrhundertwende

Nach Jahrzehnten einer weitgehenden religiösen Indifferenz vollzieht sich in der deutschen Literatur der späten neunziger Jahre plötzlich eine ‚metaphysische' Wende, die man häufig mit dem Protest der Romantik gegen die Aufklärung verglichen hat.[1] Überall melden sich Stimmen, die den positivistischen Determinismus und seinen zweckgebundenen Fortschrittsglauben als eine zunehmende Verengung der menschlichen ‚Substanz' empfinden. Um diese Verfremdung, ja Verkrustung der seelischen Antriebskräfte wieder rückgängig zu machen, entsinnt man sich wie in den Tagen Schleiermachers auf jenes mythisch-irrationale Bild des ‚Homo religiosus', das im Zeitalter der saturierten Bürgerlichkeit und seiner rein diesseitigen Weltanschauung ins literarische Unterbewußtsein abgesunken war. Während die Impressionisten fast ausschließlich das flüchtige Sinnenglück umbuhlt hatten, wodurch sie einem relativistischen Solipsismus verfallen waren, bemüht man sich jetzt um eine geheimnisvolle Übereinstimmung mit allen sogenannten ‚Schicksalsmächten', um so der Welt des hastenden Tuns und der tausendfältigen Zerstreuungen etwas Würdiges, Bedeutungsvolles, Göttliches entgegenzusetzen. Das Zustandekommen dieser romantisch-utopischen Welle hängt von vielen recht unterschiedlichen Einflüssen ab, die sich jedoch alle, wie der ‚lebensphilosophische' Aspekt Nietzsches, nicht mit den eigentlichen Ursachen, das heißt der technischen und sozialen Seite dieser ‚Entfremdung' auseinandersetzen, sondern das alleinige Heil der Zukunft in einer Wiederbelebung des Irrationalen erblicken. Der Kampf gegen die konformistischen Tendenzen der modernen Industriegesellschaft, wie er schon einmal in der naturalistisch-sozialistischen Revolte der späten achtziger und frühen neunziger Jahre aufgeflackert war, verlagert sich dadurch mehr und mehr ins Gefühlsmäßige und Übergesellschaftliche, was sich meist in einer blasierten ‚Verlorenheit' oder mystischen ‚Verinnerlichung' äußert. Anstatt wie zur Zeit der ‚Sozialistengesetze' einem politisch gefärbten Zolaismus zu huldigen, ziehen sich die Intellektuellen jetzt in einen Bereich zurück, der jenseits aller sozialen Gegensätze zu liegen scheint. Die antikapitalistischen Tendenzen dieser geistigen Auflehnung verschieben sich dadurch aus dem Sozial-Konkreten immer stärker ins Utopisch-Religiöse und tauchen schließlich im bewußt Antirationalen unter.

Die erste Phase dieser ‚metaphysischen Wende' trägt noch ausgesprochen impressionistisch-dekadente Züge und bemüht sich lediglich, aus den Stimmungsreizen müder und absterbender Religionen ein letztes an Süße und Trost zu ziehen. Das Ergebnis dieser Haltung ist in den meisten Fällen eine mimosenhafte Innerlichkeit, die auf nichtssagenden Abstrakta wie ‚Weltseele' oder ‚Weltgeheimnis' beruht oder ein mystisches Vertrautsein mit den ‚Dingen' vorzutäuschen versucht. Dem entspricht eine auffällige Vorliebe für Romane wie „Là-bas" (1891) von Joris-Karl Huysmans, „Bruges-la-morte" (1892) von George Rodenbach oder „Müde Seelen" (1892) von Arne Garborg, deren seltsam erregendes Ineinander von Lyrismus und Satanismus von vielen als ein Stimulans zu einer spezifisch modernen ‚Neurose-Religion' empfunden wurde. Vor allem die Rilkeaner ließen sich durch das Hektisch-Impotente dieser raffinierten Fin-de-siècle-Konvertiten zu überschwenglichen Ergüssen über das ewig Werdende des göttlichen Seins hinreißen. Etwa gleichzeitig macht sich in Deutschland die erste theosophische

Welle bemerkbar, die sowohl indisch-angelsächsische als auch spiritistisch-okkultistische Elemente enthält, was zu einem höchst fragwürdigen Interesse an parapsychischen Vorgängen, heilkräftigen Medien und spiritistischen Séancen führte. Auf dieser Weise entstand ein Weltanschauungskomplex, aus dem sich später die Steinersche Anthroposophie entwickelte. Auf literarischem Sektor geistert das Magische und Okkulte vor allem durch die Romane und ‚seltsamen Geschichten' von Meyrink, Kubin, Strobl und Ewers, wo neben rein kriminalistischen Partien auch pseudo-romantische Spukerscheinungen und kabbalistischer Unsinn als Spannungselemente verwendet werden. Die dritte Gruppe innerhalb dieser ersten Phase bilden die ‚Monisten', angeführt von den Haeckel-Schülern Wille und Bölsche, die sich um die Jahrhundertwende von den Kraft-und-Stoff-Theorien des konsequenten Materialismus zu einer stimmungsvoll-spätimpressionistischen Lyrisierung aller naturwissenschaftlichen Erkenntnisse bekehrten. Wohl die besten Beispiele dafür sind Willes „Offenbarungen des Wacholderbaums" (1901) und Bölsches „Liebesleben der Natur" (1898–1902), denen man manche Werke von Schlaf und Bonsels zur Seite stellen könnte. Die meisten Autoren dieser Gruppe beriefen sich dabei auf Naturphilosophen wie Giordano Bruno oder Gustav Fechner und verwandelten so die impressionistische Lichtbegeisterung in einen schwärmerischen Sonnenkult, der im Zuge einer ‚sentimentalischen' Naturanbetung zu Nacktkultur, Pansfesten und Monistentempeln führte.

Alle diese Strömungen, die in Wirklichkeit oft ineinander übergehen und hier nur aus Gründen der Übersicht modellartig herauspräpariert sind, enthalten als Produkte einer machistisch-monistischen Übergangsphase noch soviel subjektive und stimmungshafte Elemente, daß die ‚religiösen' Bestandteile immer wieder einen neuro-mantischen oder pseudo-mystischen Beigeschmack bekommen, wodurch sich die angestrebte ‚Innerlichkeit' in einen lyrischen Stimmungsreiz verwandelt und damit ins Wesenlose verflüchtigt. Eine ‚Vertiefung' dieser Ansätze läßt sich erst um die Jahrhundertwende beobachten, als diese neureligiöse Strömung in den Sog einer allgemeinen ‚Wertbewegung' gerät, die sowohl dem Sakralen als auch dem Reaktionären eine ganz andere Intensität verleiht. Nach Jahren einer eindeutigen Spaltung in Imperialismus und Innerlichkeit, deren Ergebnis eine weitgehende Gleichgültigkeit allen politischen Fragen gegenüber war, empfand man plötzlich ein steigendes Unbehagen am herrschenden Wilhelminismus, an der Geistlosigkeit der militärisch-preußischen Oberschicht, die schon Nietzsche scharf gegeißelt hatte, und entsann sich an die Mahnrufe eines Fichte, Treitschke, Langbehn oder Lagarde, Deutschland nicht nur eine politische Fassade, sondern auch eine genuin deutsche Kultur zu geben, die auf einer national-religiösen Grundlage beruht. Aus diesem Grunde tauchen fast gleichzeitig wieder Namen wie Meister Eckhart, Tauler, der ‚Frankfurter', Luther, Böhme und Novalis auf, um nur einige Kronzeugen dieser utopischen Hoffnungen aufzuzählen. Anstatt die gegenwärtige Situation da anzupacken, wo sich die vorwärtstreibenden Kräfte melden, kehrt man zu den ‚Quellen des Lebens' zurück, wie es in lebensphilosophischer Verallgemeinerung heißt, und begründet so eine ‚fortschrittliche Reaktion', die sich im Namen der religiösen ‚Urphänomene' gegen alle Formen des ‚Modernismus' stemmt. Während weite Kreise des Bürgertums bis in die neunziger Jahre hinein das Endziel der gesellschaftlichen Entwicklung in Liberalismus, Parlamentarismus, Großstadt und Industrialisierung gesehen hatten, ist jetzt wieder viel von den ‚Urformen des Daseins' die Rede, in denen sich das menschliche Leben noch in religiöser oder mythischer Gebundenheit vollzog. Das Ergebnis dieser Entwicklung war, sich mit rousseauistischem Eifer gegen alle Ausprägungen des Mechanischen und Positivistischen zu wenden und auf die ‚romantische' Organismusidee eines Edmund

Burke oder Adam Müller zurückzugreifen, die auf einer reaktionären Bewahrung des Anfänglichen und Urhaften beruht.

Und so ist das eigentliche Ziel dieser geistigen Neuorientierung, die sich eine durchgreifende Befreiung des deutschen Wesens aus der Überfremdung der ‚westlichen' Zivilisation zur Aufgabe setzt, eine national-religiöse Kultur, deren staatliches Ordnungsgefüge eine geradezu kultische Verbindlichkeit hat. Die historisch-liberale Theologie eines Harnack oder das erstarrte Staatschristentum Stöckers, die mit der überholten Formel ‚Thron und Altar' auszukommen versuchten, war diesen Kreisen nicht radikal genug. Anstatt sich mit der allgemeinen Kirchenträgheit abzufinden, hoffte man hier auf eine religiöse Umgestaltung, die keinerlei konventionelle oder traditionalistische Elemente enthält. Man begegnet daher in den kulturpolitischen Zeitschriften dieser Jahre einer Unzahl von Autoren, die wie Gottfried Arnold in seiner „Unparteiischen Kirchen- und Ketzergeschichte" (1699) nur die ‚Häretiker' als die wahrhaft religiösen Menschen bezeichnen. Aus demselben Grunde kam es allenthalben zu Protesten freireligiöser Pfarrer oder Sektenprediger wie dem sensationellen Auftreten von Jatho und Traub, die wegen ihrer nonkonformistischen Ansichten von der orthodox-protestantischen Kirche ihres Amtes entsetzt wurden, oder zu manifestartigen Aufrufen einzelner Literaten, deren religiöse Bedürfnisse im Rahmen des offiziellen Christentums unbefriedigt blieben. Das kirchlich-religiöse Leben, das bis dahin eine relative Homogenität bewahrt hatte, begann sich dadurch in eine Vielzahl anspruchsvoller Sekten und freireligiöser Gemeinschaften aufzulösen, deren Lebensdauer sich jedoch als sehr begrenzt erwies.

In seinen Anfängen hat dieser Vorgang noch rein liberalistisch-reformistische Tendenzen, das heißt geht von bereits vorgegebenen Religionsformen aus oder bewegt sich im Rahmen des von der Mystik Erforschten. So versuchten viele, sich auf dem Wege des impressionistischen Angemutetseins eine ‚Privatreligion' zu schaffen, indem sie sich aus den verschiedensten Religionen das ihnen Gemäße herauspickten. Doch diese Art der religiösen ‚Erneuerung' wurde bald durch ein wesentlich intensiveres Suchen nach neuen Kultformen abgelöst, das sich gegen jede dogmatische Verengung wendet und das Schwergewicht ausschließlich auf den schöpferischen Akt verlegt, um dem Religiösen wieder den Charakter des mystisch-erleuchteten Ergriffenseins zu geben, wie der damals vielgelesene Arthur Bonus schrieb. Zu dieser Richtung gehören vor allem die Autoren des Eugen Diederichs Verlages und der Kreis um die Zeitschrift „Die Tat" (ab 1909), also Männer wie Kalthoff, Steudel, Maurenbrecher, Schrempf, Drews, Bonus, Buber, Benz und die Brüder Horneffer, bei denen der Subjektivismus und Atomismus der spätliberalistischen Ära durch ein Streben nach neuen gemeinschaftlichen Kultformen und überindividuellen Zusammenschlüssen abgelöst wird. Wie leid man das Prinzip des großbürgerlichen ‚Laissez aller' und der impressionistischen Vereinzelung war, beweisen religiös fundierte Bünde wie der Sera-Kreis um Eugen Diederichs, die ‚Neue Gemeinschaft' der Gebrüder Hart, der St. Georgs-Bund um Fidus und Gertrud Prellwitz, die Münchener ‚Komiker' um Wolfskehl, Klages und Schuler, die Friedrichshagener, die Anthroposophen um Steiner, die Monistenbünde, der Kreis um Johannes Müller, das Münchener Kartell um Ernst Horneffer, der Giordano-Bruno-Bund, die Thule-Gesellschaft, die Mittgart-Leute oder der Werdandi-Bund, um nur einige dieser sektenhaften Zusammenschlüsse aufzuzählen.

Auch im Bereich des Literarischen kommt es um 1900 zu solchen halbreligiösen Kreisbildungen, die sich jeweils um eine beherrschende Stifterfigur gruppieren. Man denke an das Maximin-Erlebnis des George-Kreises oder den ‚Charontischen Mythos' von Otto zur Linde, mit dem er Pannwitz, Paulsen und Röttger in seinen Bann zu ziehen versuchte. Dasselbe gilt für eine Unzahl von prophetischen Einzelgängern wie Mombert mit seinen Aeon-Dramen (1907–11), Däubler mit seinem „Nordlicht“ (1910) oder Franz Evers mit seinen „Hohen Liedern“ (1896), in denen sich eine vorexpressionistische Aeonalienpoesie manifestiert. Durch diese Wendung ins Irrationale verläßt eine Reihe von Dichtern jenen Bereich, den sie im Rahmen der ‚bürgerlichen‘ Literatur von Keller bis Fontane innegehabt hatte, und berauscht sich wie in der Romantik an der Rolle eines mythenschaffenden Propheten oder Religionsstifters, dessen literarische Phantasien eine neue ‚Tempelkunst‘ umkreisen. Die weltanschauliche Ausprägung dieser Religionsgründungen und Stiftungsversuche changiert dabei in allen nur erdenklichen Varianten: von theosophisch-anthroposophisch, philosophisch-idealistisch und neuchristlich-mystisch bis zu romantisch-mittelalterlich und germanisch-völkisch, obwohl sich fast alle diese Spielarten zum lebensphilosophisch ‚Strömenden‘ bekannten und meist schon nach wenigen Jahren in den Brackwässern des Sektiererischen verebbten.

Um das vielfach verästelte Dickicht dieser neureligiösen Vorstellungswelt wenigstens an einer Stelle etwas aufzuhellen, hält man sich am besten an eine bestimmte Leitfigur. Als solche bietet sich nach einigen Überlegungen die Gestalt des Gralssuchers an, durch die das romantisch-utopische Motto ‚In philistros‘, das bisher den Sinn des ‚épater la bourgeoisie‘ hatte, eine spezifisch religiöse Note bekommt. Denn in der geistig-literarischen Welt, wo bisher der naturalistische Bohemien, der impressionistische Dandy und der neuromantische Seelenvagabund dominiert hatten, tauchen um 1900 mit einem Male eine Reihe von Suchernaturen auf, die sich mit anspruchsvoller Pose als Parzival-Gestalten bezeichnen.[2] In dieser Figur scheinen alle Tendenzen der Zeit zusammenzulaufen: sie ist undogmatisch, synkretistisch-verschwommen, literarisch dehnbar, mit der Patina des Alten und Ehrwürdigen behaftet, weltlich-religiös, Erbteil der deutschen Kulturtradition und ließ sich daher gut als ein religiöses Substrat verwenden, ohne daß man der Gefahr erlag, sich auf eine bestimmte Richtung festzulegen. Der Parzival der Jahrhundertwende ist stets ein großer Einzelner, der sich auf der Suche nach einem noch unbestimmten Gott befindet und am Ende seines Ringens damit begnadet wird, ein ‚neues Reich‘ zu gründen, was sowohl dem Selbstbewußtsein des aufstrebenden Bürgertums als auch dem Verlangen nach einer kulturellen Neubegründung entgegenkam. Bei einer solchen Gestalt läßt sich die geistige und persönliche Entwicklung des Einzelnen nicht mehr liberalistisch als ständig Selbstvervollkommnung interpretieren, sondern weitet sich allmählich zu einem ‚Dienst‘, einer religiösen Verpflichtung aus. An die Stelle des eudämonistischen Nützlichkeitsprinzips tritt im Rahmen dieser Vorstellungswelt ein ‚organisches‘ Gemeinschaftsdenken, dem wie bei Lagarde eine religiös-kultische Verbindlichkeit zugrunde liegt. Man denke an die zahllosen Manifeste dieser Jahre, die sich gegen den liberalistisch-ästhetischen Kunstbetrieb und das wesenlose Chaos der Einzelmeinungen wenden und sich statt dessen am Leitbild einer von einem charismatisch erwählten ‚Führer‘ beherrschten Gemeinschaft auf religiöser Grundlage orientieren, um so das deutsche Wesen vor dem Untergang im Sumpf des modernen ‚Völkerchaos‘ und der ‚demokratischen Nivellierung‘ zu bewahren.

Die Gestalt des Parzival steht daher stets vor einem vielschichtigen Spektrum von irrational-durchtränkten Leitbildern und Traditionskomplexen, die weitgehend zum Gedankenkreis der ‚fortschrittlichen Reaktion‘ gehören. Seinen Namen auszusprechen, bedeutet für diese Zeit nicht nur eine Anspielung auf Wagners „Parsifal“, sondern zugleich auf Dürers „Ritter“, der sich gegen Tod und Teufel behauptet, oder auf die Gestalt Martin Luthers, der keine Mühe scheute, das ‚arische‘ Religionsempfinden der nordischen Völker wieder von Juda und Rom zu befreien, wie es in der Terminologie der

‚völkischen‘ Kreise dieser Jahre heißt. Parzival, der Gottesstreiter, wird so zum Leitbild des heroischen Menschen schlechthin, zum Arioheroiker, zum großen Unzeitgemäßen, der mit der Gesinnung eines ‚reinen Toren‘ gegen die moderne Wirtschaftswelt und die ‚westliche‘ Zivilisation zu Felde zieht. Man sieht in ihm den Urdeutschen, den ewigen Deutschen, den Rembrandtdeutschen, den Zarathustradeutschen, den streitbaren Idealisten, der die Welt aus den ‚materialistischen‘ Niederungen des 19. Jahrhunderts wieder auf die Höhen des reinen Geistes und einer neuerfaßten Religion zu führen versucht. Wie in der Romantik glaubt man der fortschreitenden Technisierung und Eigengesetzlichkeit der kapitalistischen Wirtschaftswelt nur dann entgegentreten zu können, wenn man das Nationale zugleich mit einer religiösen Neuorientierung verbindet. Durch diesen ideologischen Kurzschluß bildet sich in weiten Kreisen die Überzeugung aus, daß sich eine echte Kultur nur auf einer ‚idealistischen‘ Basis errichten lasse, weshalb man den Prozeß der allmählichen Industrialisierung als etwas spezifisch Undeutsches empfand, der notwendig zu einer steigenden Entfremdung von den religiösen Ursprüngen der deutschen Volksseele und ihrer ‚germanischen Lichtnatur‘ führen müsse. Parzival, der Urdeutsche, wird daher zu einem Leitbild, das zugleich alle Bereiche des deutschen Idealismus in sich einschließt, ja geradezu auf der simplen Formel: deutsch gleich idealistisch und religiös beruht. In seinem Namen will man wieder eine ‚Mitte‘ finden, sich sammeln, auf Gott konzentrieren, volksbewußt werden, um so Deutschland aus den Klauen der grauen Internationale und ihrer gleichmacherischen Kulturfeindlichkeit zu retten. Um dieses Ziel zu erreichen, das heißt das wilhelminische Reich in eine religiös-kulturelle Gemeinschaft umzuwandeln, die sich vom ‚kapitalistischen‘ Ungeist der westeuropäischen Staaten und ihrer materialistischen Gewinngier schärfstens distanziert, gerät man im Laufe der Jahre in eine geradezu beängstigende Erwähltheitspsychose. Gute Beispiele dafür finden sich in den Schriften von Eucken, Kühnemann, Rohrbach, Natorp und ähnlich orientierter Autoren, in denen von einem ‚Weltreich deutscher Kultur‘, ‚Deutschlands europäischer Sendung‘ oder dem ‚deutschen Weltberuf‘ die Rede ist und man sich häufig zu Parolen steigert, die sich nur noch mit Mühe als kosmopolitisch-humanistisch auslegen lassen. Von der wilhelminischen Führungsschicht wurde dieser national-religiöse Elan des mittleren und niederen Bürgertums, der weitgehend mit der politisch-ökonomischen Verspätung Deutschlands zusammenhängt, natürlich bedenkenlos zu einer chauvinistischen Propaganda ausgenutzt. Und so konnte es kommen, daß man auf Grund dieser Gralsgesinnung schließlich einem Kriegsidealismus verfiel, der wesentlich zur nationalistischen Hochstimmung der ersten Augusttage des Jahres 1914 beigetragen hat. Weite Kreise empfanden diesen Krieg als ein ‚metaphysisches‘ Ereignis, ein klärendes Gewitter, einen Missionskrieg, den Deutschland in höherem Auftrage gegen die ‚westlichen‘ Zivilisationen auszufechten habe, um der Welt wieder eine echte Kultur zurückzugeben, ohne zu merken, daß sie in ihrem Idealismus skrupellos korrumpiert wurden oder ihrer eigenen Kurzsichtigkeit zum Opfer fielen. Dafür sprechen Bücher wie „Der Genius des Krieges“ (1915) von Max Scheler oder „Händler und Helden“ (1915) von Werner Sombart, die auf der Illusion beruhen, daß Deutschland dazu berufen sei, die gesamte Welt vom Gespenst des Mammons zu erlösen und somit aus ihrer ‚zivilisatorischen‘ Verfremdung zu befreien, was sich nur im Rahmen eines ‚neuen Reiches‘ verwirklichen lasse.

Wie sich dieser programmatische Aufruf zu einer antimaterialistischen Gralsgesinnung, die selbstverständlich nur eine Spielart der allgemeinen ‚Wertbewegung‘ um 1900 darstellt, im einzelnen ausgewirkt und verästelt hat, soll wiederum an Hand bestimmter Modelle veranschaulicht werden, in denen die religiöse Ideenwelt dieser Jahre ausschließlich in der Perspektive des Gralssuchers erscheint, was notwendig zu einigen methodischen Verkürzungen führt, die jedoch bei einer solchen Motivuntersuchung kaum zu umgehen sind.

Das erste Modell dieser typologischen Reihe läßt sich am besten mit dem Attribut ‚provinzialistisch-heimatkünstlerisch' charakterisieren, da es im Gegensatz zur großbürgerlich-aristokratischen Struktur der impressionistischen Literatenkreise ein spezifisch lokalpatriotisch-kleinstädtisches Gepräge verrät. Die geistigen Trägerfiguren dieser halb literarischen, halb religiösen Fronde gegen die ästhetische Geschmackskultur der späten neunziger Jahre waren meist Lehrer-, Pastoren- oder Beamtensöhne aus kleineren oder größeren Provinzstädten, die einen ausgesprochenen Mittelstandsidealismus vertraten. Schon Elternhaus und Schule hatten in ihnen ein Ressentiment gegen das ‚freizügige' Leben in Berlin und Wien geweckt, das in diesen Kreisen weitgehend mit Skeptizismus, snobistischer Dekadenz und moralischem Libertinismus gleichgesetzt wurde. Der daraus resultierende Mittelstandsdünkel wandte sich sowohl gegen die ‚oberen Zehntausend' als auch gegen die Arbeiterklasse, da man in beiden bloße ‚Mammonsjünger' sah, die sich einer rein materialistischen Weltanschauung verschworen haben. Um sich aus diesem Druck von oben und unten zu befreien, faßte man in kleinbürgerlicher Beschränktheit eine ‚mittlere' und darum ‚echtere' Kultur ins Auge, indem man den Begriff ‚Mittellage' von vornherein als ein Äquivalent für einen ‚gesunden' Idealismus verwandte, was ideologisch zu einem romantisch-utopischen Antikapitalismus und einem ebenso verschwommenen Antisozialismus führte. Aufgewachsen in einer Welt der gymnasialen Klassikerlektüre repräsentiert diese Schicht das etwas strapazierte Bedürfnis nach deutscher Innerlichkeit und poetisch-religiösen Gemütsreservaten, die noch nicht der ‚zivilisatorischen Ausgehöhltheit' und ‚fremdvölkischen Großstadtkultur' anheimgefallen sind. Man ist stolz, die ‚geistige Provinz' zu vertreten, und zwar in jeder Hinsicht, weltanschaulich und religiös, was sich oft zu einem fanatischen Bekehrungswillen steigert, hinter dem in vielen Fällen eine moralische Frustrierung steht, die mit geistiger Überheblichkeit kompensiert werden muß. Und so entwickelt sich schließlich eine literarische Schicht, die im stillen Kämmerlein ihren kleinbürgerlichen Gralsberg besteigt und von dort aus befriedigt Umschau hält über die Höhen ihrer geistigen Bildung. Aus diesem Grunde tragen fast alle Vertreter dieser Gruppe deutliche Merkmale der ‚Verpreußung'. Sie sind seelisch verkrustet, anspruchslos bis zur Selbsterniedrigung, jedoch national glühend und religiös erregt. Viele gehören zu einer Generation in Vatermördern, aber in Reckenpose, die um den ‚Lichtkern' der Menschenseele kreist und dabei hochmütig auf die ‚Vielzuvielen' herabblickt, die im Schlamm des Materialismus waten, anstatt sich zu einer gralshaften ‚Erwähltheit' aufzuschwingen.

Auf literarischem Gebiet äußert sich diese kleinbürgerlich-idealistische Welle in einer allmählichen Abwendung vom Impressionismus, der von den neuen Gralssuchern als etwas Zielloses, Ungeistiges, Großstädtisches, Internationales oder Jüdisches hingestellt wurde, da er weltanschaulich auf einer positivistischen oder besser ‚machistischen' Grundlage beruhe, das heißt in allen künstlerischen Äußerungen von der „Kategorie der Gegebenheit" ausgehe, wie es Rickert einmal formulierte.[3] Als einer der lautesten Rufer im Streit erwies sich dabei Friedrich Lienhard, der mit seinem Büchlein „Neue Ideale" (1901) der bereits vorhandenen Bewegung eine peinliche Deutlichkeit verlieh. Lienhard, der Elsässer, war es, der nach einer Zeit der Vorherrschaft des S. Fischer Verlages das Motto ‚Los von Berlin' verkündete und jene Gleichung deutsch gleich idealistisch, religiös und traditionsbewußt aufstellte, die in den folgenden Jahren fast für alle literarischen ‚Suchernaturen' vorbildlich wurde. Und zwar entwickelte er dabei einen idealistischen Schwung, der selbst für damalige Verhältnisse etwas Beängstigendes hatte. Erst wollte er mit pausbäckig-optimistischem Gartenlauben-Idealismus die Großstadtkunst in eine Heimatkunst verwandeln, dann von der Heimatkunst zur Hochlandskunst voranschreiten. Sein literarisches Ideal war daher ein Parzival-Typ, der sich weder naturalistisch engagieren läßt, noch sich impressionistisch an die äußeren Eindrücke verzettelt, sondern ‚auszieht', in sich selbst einen neuen Gralstempel zu finden. Wieviel Elitismus dabei zum Durchbruch kommt, zeigt sich in folgenden Zeilen aus dem „Meister der Menschheit" (1919–21): „Zum heiligen Gral, diesem auserlesenen Kleinod, wandeln weder Masse noch Mehrheit; der Gral ist dem Tagesgeschwätz entrückt; über seine Ritterschaft und über sein Königtum wird nicht abgestimmt. Sondern eine Auslese der Menschheit ringt sich aus Gassen und Märkten der Mehrheit los, schüttelt das Gemeine oder Oberflächliche auch in uns selber ab und kämpft sich unter Mühen und Entsagung zur stillen Tempelburg empor, wo das göttliche Kleinod glüht. Diese suchenden Ritter sind kein gesellschaftlicher Stand, sondern ein seelischer Zustand."

Um dieses Ziel zu erreichen, begibt sich Lienhard auf die von Nietzsche proklamierten ‚Schleichwege der Seele', die ihn zwangsläufig in ein neuromantisches Gefühlschaos führen. Immer wieder spricht er davon, ein Lichtjünger zu werden, den Weg nach innen zu finden, Parzival und zugleich Zarathustra zu sein, um so zum Bewußtsein seiner geistigen Führerfunktion und seelischen Erwähltheit zu gelangen. Er zieht deshalb mit der ganzen Kraft seiner Überzeugung gegen jene „ziellosen Impressionisten" zu Felde, die „nicht leben, sondern gelebt werden", wie es in seinen „Neuen Idealen" heißt.[5] Anstatt sich lediglich auf „Reizjagden" zu begeben, fordert er auch in der Kunst demütige „Pilgerfahrten", die ständig um das Absolute, den Gralsberg des Lebens, kreisen.[6] Der wahre Mensch und damit der wahre Deutsche ist für ihn nicht der Ästhet, der aus Lust am Sinnlichen in Klingsors Gärten hängen bleibt, sondern der Pilger, der Wallfahrer, der Ringende, dessen einziges Sehnen auf den Gral gerichtet ist. Und zwar läßt sich dabei in seinen Schriften eine deutliche Vermischung humanistisch-idealistischer, national-religiöser und lebensphilosophisch-theosophischer Gedankengänge beobachten, was schon in Titelgebungen wie „Parsifal und Zarathustra" (1914) zum Ausdruck kommt. Mit Thomascher Innigkeit und zugleich Fidushafter Geschmacksverirrung faßt er hier und im „Meister der Menschheit" als das Fernziel einer genuindeutschen Kultur eine Reihe neuer Gralsburgen ins Auge, wobei er sich ständig zu idealistischen Aufmunterungsrufen hinreißen läßt: „Komm zu uns, heiliger Geist der Liebe! Zerschmilz das Eis des Materialismus, adle das Unedle und hilf uns schöpferisch eindeutschen, was unter uns noch undeutsch ist!"[7] Wie bei so vielen Suchernaturen dieser Ära führt diese lebensphilosophische Allgemeinheit immer wieder zu einer wahllosen Inflation aller vorgeschlagenen Ideologiekomplexe. So spricht Lienhard einerseits von seinem Bemühen, „Kreuz und Rose, Golgatha und Akropolis in neuen Formen zu vereinigen", während er andererseits neben der Akropolis und Golgatha auch den Sinai, die sieben Hügel Roms, die Gralsburg, den Kyffhäuser und die Wartburg zu den entscheidenden Wertbergen der Menschheit rechnet.[8] In späteren Jahren hat er sich mehr auf die Trias „Wartburg, Weimar, Wittenberg" beschränkt. Doch ein Synkretist ist er immer geblieben. Das beweist sein nach dem ersten Weltkrieg erschienener „Meister der Menschheit", wo er in Anlehnung an Goethe einer unklaren Rosenkreuzsymbolik huldigt, das Kreuz Christi mit dem Hakenkreuz, Christus selbst mit Baldur und Apollo gleichsetzt und das Ganze obendrein mit Fidus-Bildern umrahmt, deren theosophisch-germanischer Charakter von einer penetranten Peinlichkeit ist.[9]

Daß er mit solchen Anschauungen nicht allein stand, beweisen die „Dionysischen

Tragödien" (1913) von Pannwitz, die verschwommene Simultaneität in den Werken des Charon-Kreises oder Bilder wie „Christus im Olymp" (1897) von Max Klinger, die nicht weniger synkretistisch wirken. Auch Däublers „Nordlicht" (1910), in dem sich Gestalten wie Perseus, St. Georg, Roland und Parsifal zu einem unklaren Sonnenpilgertum vereinigen, gehört in diesen Zusammenhang. Überall will man zu einer kosmisch-befeuerten Hochlandkunst vordringen, die das seelisch Momentane mit dem monumental Kultischen verschmilzt. Selbst das Einfachste und Naheliegendste soll plötzlich ‚festspielartig' wirken, den Eindruck der ‚Ur-Frühe' erwecken oder auf den ‚werdenden Gott' der Zukunft hinweisen. So schreibt Lienhard in geschwollenen Jambentiraden einen mehrteiligen Wartburg-Zyklus und ebenso anspruchsvolle Stücke für das Harzer Bergtheater, verfällt jedoch sprachlich einem religiös aufgebauschten Literateneklektizismus, der keinerlei kultische Verbindlichkeit hat und daher zwangsläufig ins Leere stößt.[10] Statt der erstrebten ‚Hochlandkunst', der ‚Gralskunst', wie sie Lienhard im „Türmer" (ab 1898) immer wieder forderte, verbreitet sich deshalb bei seinen Anhängern eine deutschtümelnde Heimatkunst mit idealistisch-religiösen Einsprengseln, die etwas ausgesprochen Unterwertiges hat, jedoch verhängnisvolle Konsequenzen nach sich zog, da sie die Patenschaft aller ‚völkischen' Tendenzen übernahm und somit zu einem wichtigen Wegbereiter der faschistischen Gedankenwelt wurde.

Eine ähnliche Bewegung läßt sich im österreichischen Literaturbereich beobachten, obwohl hier weniger das Völkische als das Katholische im Vordergrund steht. Das beweisen Zeitschriften wie „Hochland" (ab 1903) oder „Der Gral" (ab 1905), die sich wie eine literarische Fronde gegen den großstädtischen Impressionismus eines Bahr, Schnitzler, Hofmannsthal, Beer-Hofmann oder Altenberg lesen und dadurch eine allgemeine Los-von-Wien-Bewegung hervorriefen. Wie im „Türmer" tritt man auch in diesen Zeitschriften für eine religiös-sittliche Ideendichtung ein, ja gründet sogar einen ‚Gralsbund' gegen die Gefahren des modernen Ästhetizismus und der literarischen Beziehungslosigkeit. Man will mit seinem Dichtertum wieder auf ‚geweihtem' Boden stehen und produziert daher mit handwerklichem Eifer religiöse Balladen, Versepen oder Mysterienspiele, die sich wie die Sagenchronik „Der Graltempel" (1907) von Richard von Kralik mit dem Anspruch des Zeitlosen drapieren. Im Gegensatz zu den norddeutsch-protestantischen Idealisten handelt es sich bei den Autoren dieser Bewegung nicht um Grals-Sucher, sondern um Grals-Ritter, die sich auf ihre katholische Glaubensgewißheit stützen. Ihr Programm ‚Gralfahrt-Höhenfahrt' ist daher nicht idealistisch-schwärmerisch gemeint, sondern hat einen recht selbstsicheren und dogmatischen Charakter. Doch auch hier landet das Ganze trotz aller monumentalen und religiösen Ansprüche immer wieder im Bereich der Heimatkunst. Man denke an einen Roman wie die „Zwölf aus der Steiermark" (1908) von Rudolf Hans Bartsch, der Geschichte von zwölf Idealisten, die eine literarische Vereinigung gründen und einen Vegetariertempel bauen, der als die „erste Burg des neuen geheiligten Menschentums in deutschen Landen" ein Vorbild für weitere „Gralsburgen des einzigen Heils" werden soll,[11] wobei sich das Theosophisch-Zeitgemäße mit einem abgestandenen Gartenlauben-Idealismus vermischt.

Das zweite Modell dieser typologischen Reihe trägt spezifisch ‚lebensphilosophische' Züge. Hier erscheint der Gral nicht als sakrales Kleinod, das einen mythischen Raum um sich bildet, sondern als die ‚Krone des Lebens' oder ein ‚Kelch der Freude', ohne daß damit ein kultstiftender Anspruch verbunden wäre. Für die literarischen Exponenten dieser Gruppe, für Dehmel und den frühen Mombert, ist das Bild des Grals lediglich ein Symbol des vitalistischen Berauschtseins, das nicht selten in ein überschwengliches

Genießertum umschlägt und damit seine spätimpressionistische Herkunft verrät. Wo später das Sakrale dominiert, herrscht hier noch wie bei den Monisten das Subjektive und Stimmungshafte. Die poetischen Bilder und Emblemata gleiten vorüber wie eine stimulierende Metaphernflut, besonders bei Mombert, dessen Gedichte sich trotz ihrer mythischen Überhöhung stets auf die eigene Lebenssteigerung und Lebensvertiefung beziehen. Das Trinken aus den ‚Quellen des Lebens' steigert sich daher selten zu einer religiösen Handlung, die einen sorgfältig drapierten Faltenwurf verlangt und mit einem Gefolge von Gralsrittern und Gralsjungfrauen umstellt werden muß, sondern erschöpft sich meist im Gefühl des Überantwortens an das ‚Strömende', dessen geistige Ahnherren bis zu Heraklit und Thales zurückreichen. So bezeichnet Mombert in einem Brief an Dehmel vom 10. Januar 1895 sein Leben als eine mystisch-gnostische „Entschleierung des heiligen Grals, der in mir ruht." Was hier noch eine subjektivistische Note hat, wird mit den Jahren immer kosmischer, allheitlicher, so daß sich das gesamte Universum schließlich in eine Folie des dichterisch evozierenden Traum-Ichs verwandelt. Man denke an Momberts Gestalt des ‚himmlischen Zechers', in dem diese pseudoreligiöse Berauschtheit, diese kosmische Trunkenheit, diese Vergottung des Lebens am deutlichsten zum Ausdruck kommt, was konsequenterweise in eine ‚Religion des Lebens' mündet, die aus dem rein Metaphorischen immer stärker ins Mythologische vorstößt und wie bei den anderen Aeonalien-Dichtern dieser Ära zwischen 1910 und 1915 allmählich in den Expressionismus übergeht.[12] Vor allem Mombert versteht unter dem Gral lediglich die Quintessenz des Lebendigen, während er das Suchen und Ringen als ein Ausfindigmachen der ‚Quellen des Lebens' umschreibt. Das höchste religiöse Ziel innerhalb dieser Gruppe ist daher die Fähigkeit, sich zu einer Sei-Du-Gesinnung zu steigern, die wohl vitalistisch-monistische, aber keine spezifisch sakralen Züge enthält, wodurch ihre Inhalte etwas merkwürdig Austauschbares bekommen.

Die dritte Gruppe dieser Gralssucherwerke läßt sich am besten mit Adjektiven wie ‚stilkünstlerisch-monumental' oder ‚jugendstilhaft-dekorativ' charakterisieren. Das Streben nach der großen Form verbindet sich hier mit einer literarischen Akkuratesse, bei der man sich fast an Kunstgewerbliches erinnert fühlt. Obwohl man sich mit romantischer Pose bemüht, ausgefallene Legenden, Sagen oder Symbole zu einem festspielartigen Reigen zu verbinden, verliert man sich im Zuge des historisch-religiösen Nachempfindens ständig in formale Äußerlichkeiten, die lediglich die Funktion des Dekorativen oder Prunkvollen haben. Auf dieser Weise wirkt die dargestellte Glaubenswelt manchmal bloß wie ein literarischer Anreiz zu ästhetischer Feierlichkeit und artifizieller Esoterik, was dem Ganzen trotz aller mythischen Hintergründe etwas rein Metaphorisches gibt. Selbst die Gralsmotive dienen hier nicht einer religiösen Erhebung, sondern eher einer künstlerischen Erwähltheit, die sogar das Kokettieren mit dem Weihrauch nicht verschmäht. Kein Wunder also, daß die sakrale Draperie häufig zu preziösen Schnörkeln oder rafinierten Arabesken erstarrt.

Den literarischen Auftakt innerhalb dieser Gruppe bildet die Gedichtfolge „Parcival" (1897–1900) von Karl Vollmöller, die in den Bereich der Hofmannsthal-Nachfolge gehört. Das Gralssuchermotiv wird hier lediglich als ein Vorwand für eine Versstickerei in kunstvollen Terzinen und anderen ebenso erlesenen Metren verwendet, die den Eindruck einer geschmacksvollen Gobelinarbeit erwecken sollen. Die Fabelwelt des mittelalterlichen Epos verwandelt sich dadurch in ein dekorativ-präraffaelitisches ‚paradis artificiel', das an die stilisierten Parkstimmungen dieser Jahre erinnert. So streift Vollmöllers Parcival durch Gärten mit heißen und lüsternen Orchideen, trifft auf Seen, die wie blankgeschliffener Stahl glänzen, entdeckt dämmerige Wiesen mit Waldfrauen,

Irrlichtern und giftigen Schwämmen, begegnet fremden Frauen, die mit einer peinlichen Pieta-Gebärde einen Toten im Schoß halten und sieht schließlich eine goldene Sonnenburg am Horizont aufsteigen. Zu diesen schwülstigen Bildern gesellt sich eine Welt geheimnisvoller Symbolik, die sich im einzelnen gar nicht ausdeuten läßt. Fast auf jeder Seite liest man von heiligen Feuern, von Pilgerstab und Mantel, von Kreuz und Rose, von blutenden Wunden, und doch wirkt diese synkretistische Durchwucherung nicht religiös, sondern wie eine Fülle aufgestickter Emblemata, die an den „Tod des Tizian" (1892) oder Georges „Algabal" (1892) gemahnen. Besonders die wabernden Nebelschwaden, die verwunschenen Brunnen und geheimnisvollen Töchter der Luft sind so miteinander ‚verschlungen', daß wie in der Ballade des „Chevalier errant" der jungen Agnes Miegel immer wieder ein dekorativer Reigen entsteht. Überall bilden sich Ornamente oder lineare Binnenbewegungen, die oft jeden Beziehungspunkt vermissen lassen. Selbst die menschlichen Gefühle werden in diesen Bilderreigen eingespannt und zu Jugendstilsehnsüchten umstilisiert. Neben schleichenden Schicksalsmächten stößt man daher ständig auf flackernde Mädchenseufzer und tödlich brennende Augen, wodurch das Gralsmotiv wie in einem manieristischen Vexierspiegel immer stärker in den Hintergrund tritt.

Ins Monumentale ausgeweitet wird dieses reigenhafte Metapherngewoge in Eduard Stuckens dramatischem Epos in acht Teilen „Der Gral" (ab 1901). Was bei Vollmöller noch durch die Kleinform zusammengehalten wird, löst sich hier völlig ins Symbolistisch-Unerklärliche auf und wird obendrein so synkretistisch angereichert, daß man den Faden der Handlung immer wieder aus den Händen verliert. Denn zu den eigentlichen Gralsmotiven, obwohl auch diese eine ungeahnte Erweiterung erfahren, gesellen sich in diesem Werk noch die Merlin-Sage, der Sagenkreis der Artus-Runde und die Luzifer-Legende. Obendrein ist das Ganze in einen großen heilsgeschichtlichen Zyklus eingespannt und sollte ursprünglich mit der Wandlung Luzifers in Amfortas enden. Wiederum steht das Kunstgewerbliche und Stilisierte im Vordergrund, wodurch ein unüberschaubares Mosaik an Sagenmotiven entsteht, bei dem selbst die auftretenden Personen nur eine dekorative Bedeutung haben. Auch sie sind in den allgemeinen Reigen verwoben, ordnen sich zu floralen Gruppen oder geben sich linearen Sehnsüchten hin, die den Eindruck raffiniert verschnörkelter Arabesken erwecken. Selbst das Verlangen nach dem Gral trägt nicht zu einer inneren Ausrichtung bei, sondern dient lediglich als eine sakrale Verkleidung eines ‚gesteigerten Lebens' im alten Epenstil. Manches erinnert dabei deutlich an die Gralsmotive auf den Gobelins für Stanmore Hall von Burne-Jones, die 1900 die Hauptattraktion der englischen Abteilung auf der Pariser Weltausstellung waren. Überhaupt wirken die abenteuernden Ritter dieser schier unendlichen Dramenkette wie kunstvoll gestickte oder applizierte Heilige, die sich aus ihren erotisch-religiösen Konflikten lösen, als sei das Ganze nur ein Spiel mit verbuhlten Schwanenjungfrauen oder lüsternen Orchideen gewesen. Lediglich der „Gawân" (1901), der als Ritter ohne Furcht und Tadel durch eine Welt der Versuchungen schreitet, sich nach kleinen Fehltritten läutert und schließlich aus dem Gralskelch trinken darf, hat eine etwas sakralere Note. Wie bei Melchior Lechter wird dabei das Präraffaelitische deutlich mit nazarenisch-neogotischen Elementen vermischt, was vor allem in der Schlußszene zum Ausdruck kommt, wo sich das Bild der Maria über den knieenden Gawân neigt und ihn mit folgenden Worten in den Stand der Begnadeten erhebt:

> Du hast das Leben besiegt und den Tod überwunden;
> Dein seliger Glaube schmiegt sich an Christi Wunden.
> Wer durch Sünde und Todesgrauen hindruchgegangen,
> Ist wert, den Gral zu schauen und den Kelch zu empfangen.

Ebenso ‚zeremoniell' wirkt die dazu gehörige Bühnenanweisung: „Aus dem Hintergrund der Kapelle nähert sich ein in Weiß gekleideter Mädchen-Engel, der mit beiden Händen den verhüllten Gralskelch trägt. Der Engel kniet vor der Mutter Gottes nieder. Diese nimmt das hüllende Seidentuch vom Gral. Der Gral erstrahlt. Dann reicht das Madonnenbild dem noch immer knieenden Gawân den Gral. Gawân küßt den Kelch und trinkt vom Gral. Leise Musik. Engelsang aus der Höhe. Der Vorhang fällt".[13]

Sowohl der feierliche Ton als auch die kultische Gebärde dieser Szene gehören in die unmittelbare Nähe Stefan Georges, der bei seinen Ordensgedanken notwendig auf das Gralsmotiv stoßen mußte. Und so finden sich im „Stern des Bundes" (1914), wo das ursprünglich rein persönliche Maximin-Erlebnis ins Gemeinschaftliche ausgeweitet wird, jene unübersehbaren Zeilen, welche ganz eng in den hier besprochenen Umkreis gehören:[14]

Aus dem liebesring dem nichts entfalle
Holt kraft sich jeder neue Tempeleis
Und seine eigene – größere – schießt in alle
Und flutet wieder rückwärts in den kreis.

Eine Strophe wie diese bezieht sich eindeutig auf die gralshafte Erwähltheit einer bestimmten Elite, die sich auf das ritterlich-feudalistische Prinzip von Führer und Gefolge stützt und zugleich eine priesterliche Unfehlbarkeit für sich beansprucht. Welche manierierte Pose hinter diesem kultischen Bestreben steht, beweist ein Bild wie „Die Weihe am mystischen Quell" (1903) von Melchior Lechter, auf dem George in der Haltung des Stuckenschen Gawân vor einem ätherischen Madonnenbilde kniet, das ihn durch einen Trunk aus dem ‚Born des Lebens' zum Dichter des Heiligen weiht.

Denselben literarischen Anspruch vertritt der Kreis um Paul Ernst. Man denke an das Drama „Der Gral" (abgeschlossen 1915, erschienen 1925) von Emanuel von Bodman, wo die Gralsmotivik in den Rahmen einer fünfaktigen, regelstrengen Jambentragödie eingespannt ist. Der tragische Konflikt entwickelt sich hier aus der bilderbuchhaft stilisierten Konfrontation von Gralsburg (Ort der Reinheit) und Schloß Salvaterre (Ort des Lasters), wodurch sich wie in allen Dramen dieses Kreises ein geradlinig-mathematisches Handlungsschema ergibt. Walwan, einer der hervorragendsten Gralsritter, versucht Ivonne von Salvaterre auf dem Montsalvatsch zu einer geläuterten Gralsehe zu erziehen, obwohl er sieht, daß es sie mit allen Fasern ihres Wesens zurück zu den Stätten des Frohsinns und der erotischen Leichtfertigkeit zieht. Als sein Erziehungswerk scheitert, glaubt er, ihre Reinheit nur dadurch wahren zu können, indem er sie ersticht, um nicht unter die Verrufenen zu fallen. Doch auch hier hat das Ganze keine religiöse Verbindlichkeit, sondern bewegt sich im Rahmen einer inhaltslosen ‚Religion des Lebens', die dem „Lebendigen in unserem Leben" gewidmet ist.[15] Um wenigstens ein Beispiel dieser pseudoreligiösen Berauschtheit zu geben, lese man folgende ‚hochgestimmte' Zeilen:[16]

So wie heute
hab ich den Gral schon lange nicht empfunden.
Die Kerzen strahlten rings im weißen Glanz,
tief durften wir das Weltgeheimnis ahnen.
Und als der König dann den Gral enthüllte
und jedem seinen Kelch anfüllte,
da gaben unsre Stimmen einen Klang,

> der mächtig von der Kuppel widerhallte:
> es tönte wie ein Jauchzen oder Weinen,
> wir durften im Alleinen uns vereinen.

Ebenfalls ein später Ausläufer dieser stilkünstlerischen Einkleidung der Gralsmotivik ist der „Parzival" (1922) von Albrecht Schaeffer, wo das Religiös-Sakrale völlig hinter der äußeren Kunstfertigkeit zurücktritt. Hier ist zwar manches recht geschmackvoll gesagt oder preziös nachempfunden, wirkt jedoch inhaltlich so unverbindlich, daß sich wie bei Stucken und Vollmöller der Eindruck des Ornamentalen einstellt.

Die vierte Gruppe dieser Bewegung steht mehr im Zeichen ‚philosophisch-idealistischer' Aspekte, die mal an volkhaft-heimatkünstlerischen, mal an national-historischen Themen exemplifiziert werden. Die literarische Trägerfigur ist hier der anspurchsvolle Einzelgänger, der mystisch-vergrübelte Hinterwäldler oder geistig Auserwählte, der sich nur widerstrebend ins Menschliche verstrickt, da er stets ‚auf dem Wege' ist, stets ‚ringt', stets nach der höchsten Erkenntnis oder ekstatischen Verzückung trachtet. Gattungsmäßig gehört diese Gruppe in den Bereich des Romans, da das Ringen um eine bestimmte Weltanschauung zwangsläufig eine gewisse Breite und Geschehnisfülle verlangt, während die lebensphilosophisch orientierte Gruppe mehr zu einem lyrischen Angemutetsein oder punktuellen Aufleuchten im ‚Strom des Daseins' neigte. Auf historischer Basis bevorzugte man dabei entweder die Zeit des Übergangs vom Spätmittelalter zur Renaissance, in der ein dem Parzival verwandtes Faust-Klima herrscht, oder die Ära des dreißigjährigen Krieges, wo man die einsam ringende Gestalt des Gottsuchers vor einen kriegerisch-materialistischen Hintergrund setzen konnte. Man denke an den Roman „Tycho Brahes Weg zu Gott" (1916) von Max Brod, in dem ein Astronom, der nicht nur forschen, sondern auch erkennen will, mit religiöser Inbrunst um die ‚Harmonia mundi' ringt und in klaren Sternennächten Gott von Angesicht zu Angesicht zu sehen glaubt, während sein Gegenspieler Kepler als moderner Skeptiker geschildert wird, der sich mit der äußeren Konstatierbarkeit der wahrgenommenen Fakten begnügt. Derselbe antimaterialistische Grundzug herrscht in Bruno Willes Roman „Die Abendburg" (1909), der „Chronik eines Goldsuchers in 12 Abenteuern", die inhaltlich wie ein barocker Umkehrroman angelegt ist. Der Goldsucher Johannes Trielsch entsagt hier nach vielen weltlichen Enttäuschungen dem Streben nach Reichtum und Liebesglück und wird zu einem gottsucherischen Klausner, der sich am Fuße der Abendburg einnistet, um zu einem Wächter des Heiligen zu werden, dessen Gralsgesinnung mehr und mehr in einen ‚faustischen Monismus' übergeht. In die gleiche Kategorie gehört der „Meister Johannes Pausewang" (1910) von Kolbenheyer, in dem wie bei Wille das Phänomen des ‚Schlesischen' im Vordergrund steht, worin weite Kreise das religiösmystische Gewissen Deutschlands erblickten. Auch hier handelt es sich um einen Gottsucher, der erst nach langen Wirren auf den rechten Pfad gelangt, bis er wie Parzival mit dem verheißungsvollen Blick auf das religiöse Fernziel begnadet wird. Dasselbe gilt für Kolbenheyers „Amor dei" (1908), in dem der ‚Gottsucher' Spinnoza gegen den liberalen Rationalismus eines Descartes zu Felde zieht, was sich später in gesteigerter Form in seiner dem ‚ingenium teutonicum' gewidmeten „Paracelsus-Trilogie" (1917–25) wiederholt.

Ein ähnlicher Geist herrscht in einer Reihe von Gegenwartsromanen, die sich mit dem Anspruch einer ‚versuchten Gründung' um einen idealistischen Neuanfang innerhalb der materialistisch-verkommenen Welt bemühen. Vielleicht genügen hier drei prototypische Beispiele. Erstens: Kolbenheyers „Montsalvatsch" (1912), in dem die Auseinandersetzung eines idealistisch-gesonnenen Studenten, eines ‚urdeutschen' Einzelgängers, mit der Welt der gesellschaftlichen Konventionen und geistigen Mechanismen dargestellt wird, was vor allem in den eingestreuten Gedichten zum Ausdruck kommt, deren Gralsmotivik dem Konflikt des ‚reinen Toren' mit der Welt der Canaille einen bedeutungssteigernden Hintergrund geben soll. Zweitens: Hermann Burtes „Wiltfeber" (1912), der als Gralssucher und urdeutscher ‚Fürsichmann', wie es in Anlehnung an Nietzsches Zarathustra heißt, in utopischer Verblendung ein ‚neues Reich' ins Auge faßt, jedoch an der Macht der Umstände scheitert, da seine national-religiösen Forderungen so hochgespannt sind, daß sie die gegebene Situation einfach übergreifen. Drittens: Friedrich Lienhards „Der Spielmann" (1913), der als impressionistischer Globetrotter beginnt, sich an der Riviera mit kleinen Abenteuern zerstreut, dann jedoch zur Einsicht reift, den Montserrat besteigt, nach Deutschland zurückkehrt und sich dort als Reformer im Sinne der Lienhardschen Reichsbeseelung aufspielt, die auf einer seltsamen Mischung aus klassisch-humanistischen und hybrid-chauvinistischen Ideen beruht. Auch er hat kein konkretes Ziel, sondern schwärmt für eine religiöse Wende im allgemeinen. Anstatt weiterhin dem Mammon zu dienen, versucht er in Anlehnung an die ‚ehrwürdigen' Gralsmythen wieder ein Pilger des Lebens zu werden und sich allmählich in einen leuchtenden Lichtkern zu verwandeln. Sogar hier, wo das romanhafte Milieu in der Gegenwart angesiedelt ist, gerät Lienhard ständig in synkretistische Schwelgereien: Christus ist für ihn der Mittelpunkt des Sonnensystems, das Kreuz nicht nur ein Symbol des ‚Lebens', sondern zugleich eine religiöse Chiffre für die Weltesche Yggdrasil, während die Wundmale Christi mit Rosen verglichen werden, die in der Seele des Menschen aufblühen müssen, um sein Innerstes mit dem Blut des Grals zu durchstrahlen. Ingo von Stein, der Held dieses Romans, zieht sich daher am Schluß auf die Wartburg zurück, um sich auch in der Welt der Moderne als ein legitimer Gralsritter zu fühlen, bleibt jedoch in lächerlicher Vereinzelung ein Utopist, dessen Scheitern eher einer Farce als einer Tragödie gleicht.

Daß diese ‚geistidealistische' Strömung nicht nur auf die Literatur beschränkt blieb, sondern auch auf die Realität übergegriffen hat, beweisen die vielen halbreligiösen Stifungsversuche der Jahrhundertwende, die sich im Zeichen eines überspannten Aristokratismus um eine neue Elitebildung bemühten. Als besonders einflußreich erwies sich dabei das unüberhörbare Schlagwort vom ‚Adel des Geistes', mit dem man sich in aller Schärfe von dem parvenühaft-protzenden oder ahnenstolzen Gebaren der wilhelminischen Führungskreise abzuheben versuchte. Man denke an Gestalten wie die Gebrüder Horneffer, Hans Blüher oder Gustav Wyneken, deren Denken und Wirken weit über dem Niveau eines Kolbenheyer oder Lienhard liegt. Wohl das beste Beispiel für diesen Geist bietet die ‚Freie Schulgemeinde' in Wickersdorf, eine Schöpfung Wynekens, die von Anfang an im Zeichen des Ordenshaften stand und von jedem Schüler eine ungewöhnliche Charakterstärke verlangte. Hans Blüher bezeichnete daher das Ganze in seinem Erinnerungsbuch „Werke und Tage" (1920) als eine „Gralsburg" des „objektiven Geistes",[17] wo man sich in bewußter Ablehnung der allgemeinen ‚Verheutigung' der überlieferten Traditionen um eine ‚regeneratio' aus den Mächten der Urverbundenheit und der charismatischen Erwähltheit bemüht habe, was auf den Gedankenkreis jener ‚fortschrittlichen Reaktion' oder ‚konservativen Revolution' verweist, der fast allen diesen Strömungen zugrunde liegt.

In der fünften und letzten Gruppe dieser vielgestaltigen Gralsbewegung, die selbstverständlich nur einen begrenzten Einblick in die geistige und religiöse Reaktion dieser Ära bietet, kann man alle jene Werke zusammenfassen, in denen die national-religiöse

Erregtheit einen deutlich ‚politisch-völkischen' Akzent erhält.[18] Im Rahmen dieser Richtung erscheint Parzival meist als der germanisch-nordische, das heißt ‚blutsbewußte' Mensch, der sich mit religiösem Eifer und rassischen Zuchtgedanken aus der allgemeinen ‚Bastardisierung' zu retten versucht, die man in Anlehnung an Chamberlain oder Woltmann häufig mit dem Schlagwort ‚Völkerchaos' versah. Das religiöse Suchen verbindet sich hier am innigsten mit dem rassisch-nordischen Aspekt und führt so zu jener Utopie einer ‚Germanisierung der Religion', wie sie schon einmal bei Wagner und Lagarde in der nationalen Hochstimmung der siebziger Jahre aufgeflackert war. So existierte bereits in den Jahren 1872 bis 1882 in München eine literarische Gesellschaft von Wagner-Anhängern, die sich „Der heilige Gral" nannte, und zwar unter dem Vorsitz von Hans von Wolzogen, dem Herausgeber der „Bayreuther Blätter", den Siegfried Wagner in der Widmung seines „Kobold" in ehrfürchtiger Hochachtung als einen „modernen Gralsritter" bezeichnete. Von seinen vielen Publikationen seien hier nur „Die Germanisierung der Religion" (1911) und „Parzival der Gralssucher" (1922) erwähnt, deren Titel für sich selber sprechen. Auch die Schriften von Houston Stewart Chamberlain wurzeln ganz im geistigen Boden Bayreuths und werden zugleich von den spezifisch ‚völkischen' Tendenzen der Gründerzeit gespeist. Wie Lagarde sah er das wichtigste nationale Anliegen in einer konsequenten Eindeutschung des Christentums, da man nur auf einem solchen Wege wieder zu einer echt germanischen Kultur zurückgelangen könne. Die Vorliebe für die national-religiösen Gralsmotive, wie sie in seinen „Parsifalmärchen" (1892–94) zum Ausdruck kommt, geht daher in seinen späteren Schriften immer stärker in eine allgemeine Germanenbegeisterung über. Dasselbe gilt für die „Germanischen Weihespiele" von Wolzogen, die „Germanenbibel" (1904) von Wilhelm Schwaner, die Schriften über die ‚Armanenschaft' des arischen Menschen von Guido von List oder den Mittgart-Bund zur Züchtung blutsbewußter Arier von Willibald Hentschel. Trotz der ‚völkischen' Verbrämung liegt fast allen diesen Bestrebungen, zu denen auch die Alldeutschen, der Dürer-Bund und Teile der Wandervogel-Bewegung gehörten, ein forcierter Elitegedanke zugrunde, der sich gegen die ‚Tschandalas' (Nietzsche), das ‚geziefer' (George) oder die ‚sekundäre Rasse' (Blüher) richtet und damit zu einer gralshaften Erwähltheit überleitet, die Will Vesper in seinem „Parzival" (1911) in dem lapidaren Satz zusammenfaßte: „Den Unberufenen ist Montsalvatsch heute und immer fremd und unsichtbar".[19]

Der monistisch-theosophische Gral wurde daher in diesen Kreisen, die vor allem in ihrer trivialen Ausprägung etwas beängstigend Präfaschistisches haben, trotz seiner synkretistischen Herkunft immer stärker als ein deutscher Nationalmythos aufgefaßt, den man mit magisch beschwörender Geste der modernen Wirtschaftswelt entgegenzuhalten versuchte. So dringt man schon um 1900 in seinem Namen auf eine ‚Reinigung des deutschen Wesens' von allen fremdrassigen Elementen und verlangt eine Nationalisierung der deutschen Kultur und Religion auf ‚arischer' Grundlage, wobei es zu scharfen antisemitischen Affektentladungen kommt. Hentschel zum Beispiel entblödete sich nicht, in seiner „Varuna" (1901) den modernen Industriestaat als ein Produkt der allgemeinen ‚Verjudung' hinzustellen, die sich nur durch die planmäßige Zucht einer neuen Gralsritterschaft, der sogenannten nordischen ‚Heldlinge', wieder ausmerzen lasse. Zur Unterstützung solcher Thesen wird das Christentum von den Vertretern dieser Richtung so stark eingedeutscht, daß es wie bei Chamberlain einen rein arisch-nordischen Charakter erhält. Allenthalben schwärmt man für einen deutschen Christus oder nordischen ‚Krist', ja bezeichnet sogar den historischen Jesus als einen blutsbewußten Arier, der sich nach germanischer Urvätersitte in einem arischen Hünengrab bestatten ließ. Man denke an die schier unendliche Reihe von national-religiösen Büchern, die sich von der „Germanisierung des Christentums" (1911) von Arthur Bonus bis zu Gustav Frenssens „Der Glaube der Nordmark" (1936) zieht und das Christlich-Gralshafte mit dem Germanischen zu identifizieren versucht. Kein Wunder also, daß Heinrich Driesmans schon 1913 Christus als einen germanischen „Eugeneten" bezeichnete und ihn in eine Reihe mit „Siegfried dem Sonnenhelden" und „Parzival dem Gralssucher" stellte,[20] während Guido von List einen Aufsatz über den ‚deutsch-mythologischen Ursprung der Gralssage' veröffentlichte, der eine spezifisch ‚ariosophische' Note hat. Ähnliches findet sich bei den Hammer-Leuten unter der Leitung von Theodor Fritsch, dem Kreis um die „Prana" oder dem Schaffer-Bund, wo es zu einer völligen Gleichsetzung der Gralsmotivik mit nationalen Symbolen kommt. Entweder verbindet man die Idee der religiösen Wertberge mit Ordensgedanken oder neuen Ritterschaften, schmückt sie mit Hakenkreuzen oder verquickt sie mit einer von Chamberlain abgeleiteten arischen Christologie, was zu Wortungetümen wie Frauja-Christus oder Christus-Asing führt.

Aus dem Gral, der anfänglich eine rein dekorative oder lebensintensivierende Bedeutung hatte, wird so im Laufe der Jahre ein geradezu chauvinistisches Symbol, mit dem man die ‚Erwähltheit' des deutschen Volkes zu legitimieren versucht. Immer wieder liest man, daß zu seinen Hütern allein die nordischen Menschen berufen seien, und zwar aus dem ideologisch ‚zwingenden' Grunde, weil sie als die einzigen in einer Welt der kapitalistischen Korruption den ‚Idealismus' auf ihre Fahnen geschrieben hätten. Auf diese Weise entsteht eine Gralsmystik, die alles bisher Gesagte in den Schatten stellt. Denn den Inhalt des Grals bildet hier nicht mehr das Blut Christi, sondern das arische Blut, was man mit der simplen Formel ‚Gralsritter' gleich ‚nordische Menschen' zu beweisen versucht. Von einer solchen Prämisse aus ist es nur noch ein kleiner Schritt bis zu der ‚schicksalsträchtigen' Folgerung, daß der Gral erst dann aufs neue zu leuchten beginne, wenn die Reinheit des germanischen Blutes wieder hergestellt sei, was meist mit dem Anbruch einer neuen deutschen Kultur und zugleich politischen Weltmachtstellung des deutschen Reiches gleichgesetzt wird.

Um nur ein Beispiel aus dem vielverästelten Dschungel dieser kryptofaschistischen Gralsmotive herauszugreifen, sei auf Jörg Lanz von Liebenfels verwiesen, der als Herausgeber der „Ostara", einer trivialarischen „Bücherei der Blonden und Mannesrechtler", bei den völkischen Kreisen zwischen 1900 und 1914 ein gewisses Ansehen genoß und von Guido von List als der ‚armanische Ulfila der Zukunft' gefeiert wurde.[21] Interessanterweise war er ursprünglich Ordensbruder, trat jedoch aus dem Kloster aus, weil ihm der ‚jüdische Jesuitismus' zuwider war, und gründete einen ariosophischen ‚Templeisen-Orden', den er als den ‚Orden des neuen Tempels' (ONT) bezeichnete.[22] Wie stark er dabei christliche und nordische Religionsvorstellungen vermischte, beweist sein 1915 erschienenes „Templeisen-Brevier", das sich im Untertitel ein „Andachtsbuch für wissende und innere Ariochristen" nennt. Als politisches Ziel schwebte ihm bei dieser Gründung eine Vereinigung aller christlichen Arioheroiker vor, deren Hauptaufgabe die ‚Reinigung' Deutschlands von allen rassisch Minderwertigen sein sollte. Aus diesem Grunde wandte er sich an alle ‚Heldlinge' innerhalb der nordischen Rasse, sich zu einem aggressiven Gralsbund zusammenzuschließen, um an die Stelle der fortschreitenden ‚Rassenverköterung' eine idealistisch-nordische Ordenskultur zu setzen, die ihr geistiges Gepräge lediglich vom ‚asischen' Menschen empfängt. Sein christlicher Templeisen-Orden verwandelte sich daher immer stärker in ein ariosophisches Institut für sakralheroische Rassenzucht, wo man sich im Zeichen des Grals um eine „arisch-christliche Rassenkultreligion" bemühte, wie es 1913 im 69. Ostara-Heft heißt. Um dem

Ganzen ein sichtbares Zentrum zu geben, erwarb Lanz 1908 die Burg Werffenstein und hißte dort im Bewußtsein seiner Sendung die erste Hakenkreuzfahne, was in seinen Augen ein Bekenntnis zum Gott des ‚aufsteigenden Lebens' darstellen sollte. Überhaupt fühlte er sich wie ein zweiter weltgeschichtlicher Reformator, ein zweiter Christus, der mit seinen Neutemplerorden, Templeisenhainen und Gralsburgen Heilstätten der arischen Rasse gründen wollte, in denen sich die letzten Arioheroiker zum Endkampf um die Weltherrschaft versammeln.

Wohl seine fanatischste Ausprägung erlebte dieser gralshaft-imperialistische Germanenkult vor dem ersten Weltkrieg in Wien, der ‚rassisch-bedrohten' Metropole eines Vielvölkerstaates, wie es im Jargon der ‚Völkischen' heißt, wo neben Lanz von Liebenfels auch Guido von List und Georg von Schönerer wirkten. Es nimmt daher nicht wunder, daß der junge Adolf Hitler, der sich in diesen Jahren fast ausschließlich in Wien aufgehalten hat, einen wesentlichen Teil seiner Anschauungen von diesen Autoren übernahm, was im Fall der „Ostara" klar nachgewiesen ist.[23] Obendrein gibt Hitler in seinem Bekenntnisbuch „Mein Kampf" (1925) im zweiten Kapitel unter dem Titel ‚Wiener Lehr- und Leidensjahre' ganz offen zu, daß er sich in jenen Jahren ein „Weltbild" erworben habe, das später zum „granitenen Fundament" seines politischen Handelns geworden sei.[24] Auch Hermann Rauschning schreibt in seinen „Gesprächen mit Hitler" (1940), daß Hitler einmal von einem „Orden", einer „Brüderschaft der Templeisen um den Gral des reinen Blutes" gesprochen habe.[25] Wenn man solche Äußerungen mit den Gedichten eines Dietrich Eckart, Schumann, Baumann und anderer nationalsozialistischer Lyriker vergleicht, in denen Hitler als der neue Christus, der neue Gralskönig, hingestellt wird, dem sich das deutsche Volk wie eine von religiösen Schauern ergriffene Gemeinschaft ‚österlich Auferstehender' anvertraut, gerät man zwangsläufig in den Bereich der faschistischen ‚Ordensburgen' und ihrer überspannten Blutmystik, die ganz im Zeichen des ariosophischen Elitegedankens standen. Hier hört man jene Schritte dröhnen, in denen das Blutgericht hallt, während in der Seele der Reinen, der völkisch-pfingstlich Geweihten, wieder der Gral zu leuchten beginnt, jene magische „Glutleuchte", die schon Alfred Schuler in seinen nachgelassenen „Fragmenten und Vorträgen" (1940) mit dem Zeitalter des „erscheinenden Grals" gleichgesetzt hatte.[26] Damit wird ein Weltanschauungskomplex heraufbeschworen, zu dem die christ-germanischen Gralsmotive der Jahrhundertwende nur eine, wenn auch ideologisch bedeutsame Triebfeder waren.

Anmerkungen

1 Vgl. hierzu auch das Kapitel ‚Religio statt Liberatio' in Richard Hamann/Jost Hermand, Stilkunst um 1900 (Berlin 1967, Deutsche Kunst und Kultur von der Gründerzeit bis zum Expressionismus 4), S. 131–67.

2 Vgl. Wolfgang Golther, Parzival und der Gral in der Dichtung des Mittelalters und der Neuzeit (Stuttgart 1925), der jedoch die neuere Gralsdichtung nur anhangsweise behandelt und obendrein am Maßstab Wolframs mißt. Sein Lob gilt in nationalistischer Überspitzung nur Lienhard, Chamberlain und Wolzogen, deren Werke mit Adjektiven wie „sinnig" oder „gedankentief" ausgezeichnet werden (S. 306ff.). Rein motivgeschichtlich orientiert ist die Arbeit von Margarete Pertold, Die Parzivalgestalt in der neuen Dichtung (Diss. Wien 1935), die sich um eine möglichst lückenlose Erfassung der Gralsmotivik bemüht, während sie die weltanschaulich-religiösen Hintergründe dieser Werke recht oberflächlich behandelt.

3 Heinrich Rickert, Der Gegenstand der Erkenntnis, 2. Aufl. (Tübingen 1904), S. 166.
4 Friedrich Lienhard, Der Meister der Menschheit (Stuttgart 1919–21), Bd. III, S. 33.
5 Neue Ideale, 2. Aufl. (Leipzig 1913), S. 24.
6 Der Meister der Menschheit, Bd. I, S. 55.
7 Ebd., Bd. II, S. 3.
8 Neue Ideale, S. 127.
9 Der Meister der Menschheit, Bd. II, S. 185.
10 Eine der ersten kritischen Auseinandersetzungen mit Lienhard findet sich bei Ernst Stadler (Dichtungen, hrsg. von K. L. Schneider, Hamburg 1954, Bd. II, S. 61 ff.), dessen Gedicht ‚Parzival vor der Gralsburg' (Bd. I, S. 147) eine entschiedene Absage an jeden idealistischen Optimismus darstellt.
11 Rudolf Hans Bartsch, Zwölf aus der Steiermark (Leipzig 1908), S. 271.
12 Vgl. Jost Hermand, Die Ur-Frühe. Zum Prozeß des mythischen ‚Bilderns' bei Mombert. In: Monatshefte 53 (1961), S. 105–14.
13 Eduard Stucken, Gesammelte Werke (Berlin 1924), Bd. I, S. 403.
14 Stefan George, Der Stern des Bundes (Berlin 1914), S. 101.
15 Emanuel von Bodman, Die gesamten Werke (Stuttgart 1957), Bd. V, S. 266.
16 Ebd., Bd. V, S. 265.
17 Hans Blüher, Werke und Tage, 2. Aufl. (München 1953), S. 245.
18 Vgl. zum Folgenden auch George L. Mosse, The Crisis of German Ideology. Intellectual Origins of the Third Reich (New York 1964), S. 31 ff., 204 ff.
19 Will Vesper, Parzival (München 1911), S. 256.
20 Heinrich Driesmans, Von der Eugenik deutschen Wesens. In: Werdandi-Jahrbuch (1913), S. 100.
21 Vgl. auch Peter Horwath, Der Weg vom liberalen zum nationalen Pathos. Die Literatur Tirols. In: Literatur und Kritik 8 (Nov. 1966), S. 25 f.
22 Auf breiter Basis dargestellt bei Wilfried Daim, Der Mann, der Hitler die Ideen gab (München 1958), einer psychoanalytisch orientierten Untersuchung, die trotz aller monokausalen Verzerrungen einen beachtlichen Dokumentarwert besitzt.
23 Ebd. S. 22 ff.
24 Adolf Hitler, Mein Kampf, 4. Aufl. (München 1925), S. 21.
25 Hermann Rauschning, Gespräche mit Hitler (New York 1940), S. 216.
26 Alfred Schuler, Fragmente und Vorträge, hrsg. von L. Klages (Leipzig 1940), S. 174.

DRITTER TEIL

STILKATEGORIEN

FRIEDBERT ASPETSBERGER

Wiener Dichtung der Jahrhundertwende Beobachtungen zu Schnitzlers und Hofmannsthals Kunstformen

I

Hermann Broch meint in seinem Essay *Hofmannsthal und seine Zeit*, die Wesensart einer Epoche ließe sich an ihrer architektonischen Fassade ablesen; sie sei „für die zweite Hälfte des 19. Jahrhunderts, also für die Periode, in die Hofmannsthals Geburt fällt, wohl eine der erbärmlichsten der Weltgeschichte; es war die Periode des Eklektizismus, die des falschen Barocks, der falschen Renaissance, der falschen Gotik [. . .]“.[1] Er entwirft hier mit diesem Bild einer leeren und beliebigen Stilvielfalt auch die Wiener Ringstraße mit, einen bevorzugten Flanierplatz mancher Gestalten Schnitzlers. Auch Reinhard Urbach sieht sie in seinem 1968 erschienenen Schnitzlerbüchlein ähnlich als „eine steingewordene Lüge“.[2]

Entgegen dieser Auffassung wird vor allem im letzten Jahrzehnt besonders von der Kunstgeschichte immer deutlicher herausgearbeitet, daß der Historismus zu den großen schöpferischen Leistungen des Abendlandes zu zählen ist; Schwierigkeiten für seine gerechte Erfassung ergäben sich auch aus dem Wissenschaftsbewußtsein der Gegenwart und den terminologischen Schemata.[3] Er kann über die einzelnen von ihm repetierten Stile hinaus als ein einheitlicher Stil erfaßt werden;[4] es wird vor allem betont, daß bestimmte Bauaufgaben aus dem Geschichtsverständnis der Zeit den ihnen adäquaten Formen zugeordnet wurden, daß aber über die im Verständnis der Zeit aufgabengerechte Zuordnung hinaus mit neuen Bauaufgaben neue schöpferische Lösungen erzielt wurden (besonders Bahnhöfe, Museen u. a.).[5] Wichtig ist dabei die Erkenntnis, daß die repetierten Stile keineswegs in künstlerisch stummer Montage übernommen, sondern einer Veränderung und Funktionalisierung unterworfen wurden, vergleichbar der der antiken Mythologie in das christliche Tugendsystem im Barock. Nicht in der verwendeten Form, sondern in ihrer Verwendung im Wie, lasse sich die Leistung des Historismus ablesen.[6] Daneben wird die Großartigkeit der Konzepte – die Wiener Ringstraße als eine der großen späten städtebaulichen Leistungen des späten 19. Jahrhunderts gehört dazu – hervorgehoben, und zwar auch von der künstlerischen, nicht nur, wie bisher häufiger, von der staatspolitisch-repräsentativen Seite.[7] Das im Erscheinen befindliche große Ringstraßenwerk scheint schon von dem geplanten Umfang weitere Erkenntnisse im Rahmen dieser Umwertung zu bringen.[8]

So stehen den eher ins Negative weisenden soziologischen Auffassungen neuere Erkenntnisse neutral oder mit positiver Wertung gegenüber.

Ähnlich steht es mit der politischen Einschätzung der Zeit, wenn man an die mit vielen überzeugenden Argumenten vorgetragene Auffassung von C. Magris denkt, der mit Broch eine Staatsidee zu dieser Zeit gleichsam als inexistent sieht und ihr Überleben und Ersatzleben in verschiedenen Sublimierungen, wie etwa ihrer Mythisierung in der österreichischen Literatur, verfolgt.[9] Dagegen steht wieder die positive Einschätzung der Reformbestrebungen besonders des Kronprinzen Rudolf, dann Franz Ferdinands, der Ideen der ‚Vereinigten Staaten von Österreich' von Popovici oder im Geschichtsverständnis etwa das Urteil Winston Churchills über die Habsburgermonarchie.[10]

So ergibt sich trotz des bereits großen Abstands von dieser Zeit eine merkwürdige Ambivalenz in der Einschätzung der Epoche.

Ich greife aus ihr für mein Thema ein Ereignis heraus, in dem sich Gesellschaftlich-Politisches und Künstlerisch-Repräsentatives zu vereinigen scheinen. Die Ringstraße ist die Straße des größten Triumphes von Hans Makart, der dieser Zeit in Wien den Namen gab, und zwar nicht so sehr des Malers als des Arrangeurs Makart. Der Huldigungsfestzug zur silbernen Hochzeit des Kaiserpaares am 28. April 1879, den er ausstattete, vereinigte zur Repräsentation des Staatsgefüges der Monarchie alle Stände vom Hohen Adel bis zum Handwerker „Trödler, Milchmeier, Matratzen- und Kotzenmacher"[11] ebenso wie die Errungenschaften der Zeit, etwa die Eisenbahnen, im allegorisierenden Kostüm, sie defilierten – knappe sechs Jahre nach dem Börsenkrach und der Weltausstellung in Wien – als die Pfeiler des Reiches am Kaiserpaar vorbei; Makart am Schluß des Zuges wurde begeistert gefeiert. „Makart Hoch! Hoch! Hoch unser Meister" soll die „jubilierende Menge" dem „feierlich ernst" von seinem Pferde Dankenden zugerufen haben. „Der Künstler und das kunstsinnige Volk wurden eins", schreibt Pirchan in seiner – soweit ich sehe – bis heute umfassendsten Makartmonographie.[12] Sein Atelier in der Gußhausstraße, vom Hofkammeramt eigens für ihn adaptiert,[13] ein Museum mehr oder weniger erlesener Gegenstände, mit künstlich gefärbten Palmwedeln ausgestattet, das wegen des großen Interesses öffentliche Besuchstunden hatte[14] und das selbst Kaiserin Elisabeth aufsuchte,[15] war in diesem Festzug gleichssam lebendig geworden. – Das sogenannte Makartbouquet aus getrockneten Palmwedeln und einer Pfauenfeder ging in Papierimitation in Großserie: „Der Künstler und das kunstsinnige Volk wurden eins." Natürlich kennzeichnen diese Erscheinungen nur eine Seite des Schaffens und der Wirkung dieses kleinen, klardenkenden Mannes, des „Miniaturdogen", wie ihn Hermann Bahr nannte,[16] aber auf diese gesellschaftliche Wirkung kommt es hier an. In von ihm entworfenen, an vergangenen Epochen orientierten Kleidern kostümierten sich bestimmte Kreise, nach seinen Bildern oder Entwürfen wurden im entsprechenden Kostüm Feste arrangiert. Eine Zahl von Photographien Makarts in verschiedenen Kostümen sind überliefert, manche seiner Porträts zeigen die gleiche Neigung zur Kostümierung, zur Rolle.[17] Solche Kostümierung beschränkte sich nicht auf Feste. Das ganze Leben wurde in dieser Zeit der scheinbaren Kongenialität mit der Kunstleistung aller anderen Epochen nach solchen Kunstwirklichkeiten kostümiert. Ein Speisezimmer etwa soll „Das Licht in der Mitte" haben: „Die Gesichter alle von vorn beleuchtet, der dunkle Hintergrund, von dem sie sich malerisch abheben, das schafft den ganzen Raum [...] zu einem Bilde [...] im Stile eines Rembrandt."[18] Die Tapetenproduktion verzehnfachte sich wohl gemäß solchen Empfehlungen zur Raumgestaltung während dieser Zeit des Wirkens Makarts.[19] Schmuck, Dekoration, Leben nach Kunstwirklichkeiten, Rollenspiel in ihr, waren, bis in breiteste Kreise, Kennzeichen der Lebensführung. Daß die Repräsentations- und Kommunikationsteile in der Architektur hypertroph entwickelt wurden,[20] weist in die gleiche Richtung. Diese Neigungen, Kongenialität im Kostüm zu zeigen, die durchaus im Zusammenhang des Historismus zu sehen zu sein scheinen, sind das eine Indiz, das wir als leitend für die weiteren Ausführungen besonders im Zusammenhang mit Hugo v. Hofmannsthal herausheben wollen.

Ein anderes aber sind die Vorwürfe, die Makart von einem Teil der Kritik besonders zu seinen großen Historienbildern gemacht wurden: das seien keine historischen Figuren, das seien Wiener,[21] was auf einen bestimmten Teil seiner Wirkung weist: Was tausende, ja zehntausende vor seine Bilder lockte und was ihn zum Gesprächsstoff der Habsburgermetropole machte, war die Möglichkeit, diese oder jene Person der führenden Gesellschaftsschicht auf diesen Bildern identifizieren zu können, besonders natürlich, wenn, wie etwa beim ‚Einzug Kaiser Karls des V. in Antwerpen', eine erotisch anziehende Darstellung gegeben war. Am 29. 3. 1878 schreibt Daniel Spitzer von diesem Bild: „Daß die Antwerpenerinnen dem Künstler so gelangen, verdankt er den Wienerinnen, denn unter den Frauen und Mädchen findet man fast ausschließlich Porträts früherer und gegenwärtiger Stadtschönheiten [. . .] Wir begegnen da den schönen, edlen Zügen der Frau H . . ., die himmlische Rosen ins irdische Leben eines unserer Volkswirte webt, auf dem Bilde aber vor dem einherreitenden Kaiser Blumen streut; Frau von T . . . mit leuchtenden Augen, rosenlachendem Mund und so reicher Schönheit, daß der Maler sie ein holländisches Kopftuch tragen läßt, um wenigstens ihr üppiges goldblondes Haar zu verbergen; unserer größten Tragödin, deren prächtig geschnittener Kopf sich auf den Leib einer guillotinierten Juno niedergelassen hat; endlich dem wundervollen Fräulein – doch bleiben wir bei den bekleideten Figuren des Bildes."[22] Es ist nun aber sehr bezeichnend, daß das Interesse für die ‚Jagd der Diana' früher erlosch, weil die Gestalten nicht zu identifizieren waren.[23] Die Einheit von „kunstsinnigem Volk" und Künstler, die Pirchan am Festzug heraushebt, war also im wesentlichen in den vom Künstler zur Verfügung gestellten Möglichkeiten des Tratsches gegeben. So schreibt Julius Lang, die Bilder seien eine Frucht der zehnten Muse, der Sensation.[24] Die Rolle, die jemand spielt oder nach gemeiner Meinung zu spielen hat, gerade bei bekannten Persönlichkeiten auch die mögliche oder wirkliche Diskrepanz zwischen offizieller Rolle und vermuteter Lebensführung, vielleicht angedeutet in der Darstellung Makarts, gab Anlaß zum Reden. Mit diesem Tratsch hat man den Betroffenen gleichsam in der Hand. Das wird bei Schnitzler aufzugreifen sein.

Dieses Rollenspiel ist noch ganz kurz aus einem anderen, bevölkerungspolitischen Gesichtspunkt zu verfolgen.

In dieser Zeit des wirtschaftlichen Aufstiegs und der bald zunehmenden Labilität der wirtschaftlichen und gesellschaftlichen Verhältnisse[25] dringt das Rollenspiel auch von den wirtschaftlichen Bedingungen in die Lebenshaltung breitester Kreise; es wird ein Kennzeichen der sogenannten Neu-Wiener Gesellschaft.[26] Hofmannsthals Familie hatte in dieser Gesellschaft trotz der wirtschaftlichen Rückschläge einen festen Platz. A. Schnitzler aber machte selbst, wie seine Autobiographie zeigt, in seiner weitverzweigten Familie mit dem Rollenwechsel Bekanntschaft. Auch die Übersiedlung seiner Eltern vom 2. Bezirk an den Burg-Ring ist ein Zeugnis dafür. Schnitzler gehörte der aufsteigenden Linie der sich gesellschaftlich emanzipierenden Juden an, und ich will dieses Beispiel der Juden für die gesellschaftlichen Bewegungen dieser Jahre herausgreifen, weil darüber das beste statistische Material vorliegt. Nach Tietze[27] stieg die Zahl der registrierten Juden in Wien von 6200 im Jahre 1860 auf 175000 im Jahre 1910 in etwa gleichen Abständen pro Jahrzehnt. Der Anteil an der Gesamtbevölkerung blieb dabei verhältnismäßig konstant, ungefähr zwischen 6 und 10%. Diese geringe Prozentzahl ist aber irreführend für die gesellschaftliche Bedeutung. Im Handel, Bankwesen wie in allen wirtschaftlichen Bereichen, aber besonders in der Bühnenkunst und vor allem in der Wissenschaft spielten die Juden eine ihren prozentuellen Anteil weit übersteigende Rolle. Sie stiegen also verhältnismäßig rasch auf, wenn man bedenkt, daß sie 61% der aus Galizien und 44% der aus Ungarn Zuwandernden stellten, also gerade aus den wirtschaftlich und sozial schwächeren Gebieten, während etwa um 1890 61% der Inskribierten der medizinischen Fakultät und 43% der Promovierten jüdischer Herkunft waren.

Bei so starken Verschiebungen in der Gesellschafts- und Wirtschaftsstruktur ist es einsichtig, daß unter den Bedingungen des Liberalismus Aufstieg und Fall, Gewinn und Verlust an der Tagesordnung waren, und die gesellschaftliche Bedeutung bzw. die gesellschaftliche Rolle eng an die ökonomischen Bedingungen geknüpft waren. W. H. Rey spricht anläßlich der Verhältnisse, wie sie Schnitzler in *Fräulein Else* zeichnet, vom „Marktgesetz" der Gesellschaft und in Hinblick auf das Geld als wichtigsten Maßstab von „Prostitution als Gesellschaftsgesetz".[28] Die Bevölkerungsexplosion der Stadt und die wirtschaftlichen Umschichtungen gefährdeten den bisher gültigen Kanon; die ethische Fundierung der herrschenden Kreise befand sich in Auflösung. F. v. Saar hat das immer wieder – besonders in *Vae Victis, Schloß Kostenitz, Seligmann Hirsch* und als Nebenmotiv in vielen anderen Novellen – dargestellt und wollte seine Novellen in dieser Hinsicht auch als Zeugen des geschichtlichen Wandels verstanden wissen.[29] Die gesellschaftliche Struktur, in die hinein die Zuwandernden und Aufsteigenden aus völlig anderen Traditionen und mit anderen Zielen sich emanzipierten, besaß kaum mehr Kraft und Aufnahmefähigkeit, so daß die Emanzipation ethisch ins Leere, mit Broch zu sprechen, in eine Art Vakuum traf, in dem das Rollenspiel, ursprünglich gesellschaftlich sinnvoll fundiert, durch die Orientierung am Geld dem Beliebigen verfiel. Daß das Kasernendreieck Arsenal – Franz-Josefs-Kaserne – Rossauerkaserne, Großbauten des Historismus, weniger zum Schutz der Stadt gegen einen äußeren Feind, sondern zur Beherrschung der Stadt konzipiert erscheinen, weist von anderer Seite auf die gleichen Probleme.[30] Die statische Gliederung, die die Gruppen des Huldigungszuges als Repräsentanten der Reichsidee vorstellten, existierte als echte Gliederung längst nicht mehr. Natürlich ist dieser Wandel und die Wandlungsfähigkeit in der sozialen Struktur der Bevölkerung nur *ein* Ausdruck der Zeit und nur *eine* Wurzel der Erscheinungen, die sich in der Menschenzeichnung der zeitgenössischen Literatur beobachten lassen. Wie fast immer in der Literatur eines verhältnismäßig geschlossenen Lebensraumes, wie ihn die Hauptstadt des Habsburgerreiches darstellte, sind auch die literarische und die Bildungstradition von großem Einfluß. Auf die Bedeutung des Theaters, sowohl der verschiedenen Formen des Musiktheaters als auch der Sprechbühnen, besonders des Burgtheaters, hat neben anderen Broch, neuerdings besonders Urbach hingewiesen.[31] Zur genaueren Bestimmung in dieser Zeit wären die großen Erfolge eines Dramatikers wie Samuel H. Mosenthal zu analysieren, der der Zeit als Grillparzer-Nachfolger erscheint und mit *Deborah* einen kaum vergleichbaren weltweiten Erfolg hatte,[32] auch Makarts Verbindungen zum Theater, dem Inszenierungsstil, der Dingelstedt den Spitznamen ‚Tapezierregisseur' eintrug,[33] und anderes mehr. Auf die starke Theatertradition, ihre ständige Entwicklung und ihre Vielformigkeit seit dem Barock weisen alle einschlägigen Literaturgeschichten und viele Spezialabhandlungen. Für Hofmannsthal wurde sie immer betont, nun meint nach G. Baumann W. H. Rey manche barocke Züge, z. B. des Welttheaters und des Märtyrerdramas, auch an Schnitzler beobachten zu können.[34] Mit Recht scheint mir dagegen Prof. Chiarini die unmittelbare Zeitlage anzuführen, die „‚teatro' come sublimazione dell'esistenza quotidiana" und gegenüber dem Barock die Verengung aufs Persönliche sieht.[35] Für das Thema dieser Tagung erscheint es angebracht, vor allem den zeitgeschichtlichen Hintergrund in Zusammenhang und als auslösendes Moment mancher Kunstformen im Gegensatz zur Traditionsgebundenheit zu betonen.

II

1892/93 schrieb A. Schnitzler seine 1895 veröffentlichte *Kleine Komödie*, eine Geschichte eines reichen Jünglings Alfred und einer arrivierten Maitresse Josefine. Unabhängig voneinander sind sie ihrer Rollen in der gesellschaftlichen Konvention überdrüssig geworden und suchen nach einem echten oder zumindest neuen Erlebnis. Er schlüpft in die Kleider eines armen Künstlers, sie in die einer armen Kunststickerin (die sie vielleicht sogar einmal war), beide begeben sich vor die „Linie", also vor die Vororte Wiens, um am Sonntagsleben des kleinen Mannes teilzuhaben, etwas zu „erleben", d. h. sich eine ungewohnte Genußmöglichkeit zu eröffnen. Sie lernen sich kennen, belügen sich gemäß der gewählten Rolle und finden ein gewisses Glück und Erfüllung. Freilich gelten Einschränkungen zeitlicher und räumlicher Art: bei der „Linie", also vor der Rückkehr in das Milieu der Vorstädte als die Arbeitswelt, die ihren Rollen zukäme, müssen sie sich, um ihre Lüge nicht aufkommen zu lassen, trennen, und getrennt kehren sie in ihre behaglichen Heime der inneren Stadt zurück, um das „Erlebnis" zu genießen und – daraus entsteht Schnitzlers Brieferzählung – ihren Freunden mitzuteilen. Schnitzler gestaltet so schon im Raumaufbau der Erzählung in der Einteilung nach den Sozialwelten der angestammten und der gespielten Rolle die eigentliche Problematik dieses Rollenspiels, dem jedes Fundament fehlt.

Das Spiel schlägt ihnen zunächst glücklich an. Da begeben sie sich auf einen mehrtägigen Landausflug, der den Rahmen der notwendigen Raumordnung sprengt und damit das Ende dieses Spiels vorbereitet. Alfred, der in seiner Rolle als armer Künstler vor dem vermeintlichen Zimmer der vermeintlichen Stickerin, das heißt vor einem der 76 Fenster einer Mietskaserne[36] Promenaden machte, scheitert schon an der Ausstattung des Landgasthauses, in dem sie logieren: er beschreibt seinem Freund das Unangenehme nichttapezierter Wände (die Tapetenproduktion hatte sich, wie erwähnt, in diesen Jahren verzehnfacht). So bricht der Landaufenthalt mit der Rückfahrt in der ersten Klasse des Zuges ihr Spiel das erste Mal innerlich auf. Beide legen diese Rolle ab. Sie entschließen sich unabhängig voneinander, sich in der Rolle auch als Personen geliebt wähnend, sich als die zu geben, die sie sind. Damit aber zerbricht auch das Verhältnis. Ihr ursprünglicher gesellschaftlicher Stand, in dem Krawatten-, Zigarren- und Kleiderpreise bestimmend für den Menschen sind,[37] wird wiederhergestellt, wenn Alfred seine Geliebte sofort nach ihrem Kleider- und Hutpreis taxiert. Das Verhältnis ist wieder in seine wahren Gleise gelenkt: „Ich fahre mit ihr nach Dieppe und zahle ihre Rechnungen. Ich halte sie aus und übermorgen wird sie mich betrügen [. . .] die kleine Komödie ist aus, wie du siehst, aber aus dem Trauerspiel, das sich entwickeln könnte, werde ich mich rechtzeitig zu flüchten wissen. Nach Schluß des ersten Aktes [Dieppe] werde ich lächelnd hinter den Kulissen verschwinden. Dein Alfred."[38] Alle möglichen Verwicklungen weiterer Akte werden ausgespart.[39] Damit bricht die Brieffolge ab, und hat in diesem geplanten Kulissenabgang Alfreds einen scheinbaren *Weg ins Freie* entlarvt: „In aller Dekoration, auch in der harmlosesten, schlummert Zynismus."[40] Alfred und Josefine sind prototypische Beispiele dafür.

Zweierlei scheint also bemerkenswert, eines in stofflicher, eines in formaler Hinsicht.

Zunächst der auf erfülltes Leben gerichtete Ausbruchsversuch beider aus ihrer in der Gesellschaft erworbenen Rolle, die einer eigentlichen Arbeitswelt zur Selbstverwirklichung und „Menschwerdung" ermangelt. Beide sind aber nach eigener Aussage bei der „kleinen Komödie wirklich auf ihre Kosten gekommen".[41] Der Ausdruck „Kosten" aus dem Briefe erscheint bezeichnend, da sowohl die Rollen des Liebesverhältnisses und der damit verbundene geringe Aufwand als auch die Schlußbegegnung und die Zukunft genau kalkuliert wurden. Das Verhältnis erscheint immer, ob man in der Armenrolle oder der Rolle des Dandy und der Geliebten, kommerzialisiert, wobei der höhere Preis und die größere Bequemlichkeit schließlich doch den Ausschlag geben, damit das „glückliche Ende" der Geschichte ausmachen und die soziale Komponente im Rollenspiel entwerten; der Schein der sozial anderen – geringeren – Welt hat gesiegt, ihr Problem aber wurde gar nicht angegangen; das von beiden zu Beginn so betonte soziale Mitfühlen ist nicht auf ihre Wirklichkeit übertragbar, sondern bleibt ein Kostüm gesellschaftlicher Konvention. Der Rollenwechsel war pikante Zutat. Leben und Erleben ist auf ein risikoloses Spiel reduziert. Alfred spielt dabei die innerhalb dieser Gesellschaft auch festgelegte Rolle des armen Künstlers,[42] Josefine die Rolle, die ihr als ehemals armem Mädchen,[43] das über das Theater – eine Rollenwelt – in die „Gesellschaft" einstieg, eigentlich zukäme, ohne aber auch nur im geringsten von Gedanken daran berührt zu werden; sie steht in diesem Sinne ihrer eigenen Vergangenheit bindungslos gegenüber und begreift sie nicht. Nur als unbegriffene Welt, als normierte Rolle ohne Wirklichkeit bzw. ohne Risiko, wird beiden ihre „Liebe" möglich.

Das ist die eine gehaltliche Tendenz, die durch die andere, die formale, wie erwähnt z. B. schon in der Raumgestaltung, herausgearbeitet wird. Sie wird auch durch die Art deutlich, wie Schnitzler dieses Rollenspiel erfaßt. Er stellt die Geschichte in Briefen der Protagonisten an jeweils einen Freund bzw. eine Freundin dar, denen ebenfalls eine bestimmte Rolle zukommt. Sie schreibt an eine Maitresse in Paris, er an einen Künstler in Neapel: auch das typische Schauplätze und typische Rollen.[44]

So wird eine ganz geschlossene Perspektive entwickelt, die die Beliebigkeit und Verantwortungslosigkeit des Rollenspiels heraushebt und sie als die in der Erzählung vermittelte und angezielte Wirklichkeit, als Thema, bezeichnet und eben in dieser Einseitigkeit gleichsam eine These errichtet, deren Antithese deutlich ist, aber nie ausgesprochen wird. Durch die Brieffiktion ist die direkte Stellungnahme des Erzählers ausgeschlossen und nur eine Selbstcharakterisierung Alfreds und Josefinens gegeben. Zwar sieht Alfred sein Spiel als „Maske",[45] aber dann muß die Frage gestellt werden, was hier maskiert wird. Sein Leben bleibt in den Krawattenpreisen befangen. Es bleibt in diesem Sinne immer eine leere Maske, sowohl in seinem Leben wie in seinem Spiel; denn spielte er seine Rolle wirklich zumindest für die Zeit seiner Kostümierung, so könnte ihn nicht der Regentag vom Land, die nichttapezierte Mauer aus dem Gasthaus vertreiben. Es wird immer nur das seiner gesellschaftlichen Gewohnheit noch Verträgliche akzeptiert.

Ein Beispiel für seine Fähigkeiten in dieser Hinsicht ist sein Versuch, einen Brief an Theodor als „Novelle" zu schreiben, der scheitert, während er bei einzelnen, ehemals dichterischen und nun konventionalisierten Floskeln poetisch zu werden glaubt: „Wir stehen in aller Gottesfrühe auf (hier kann man ‚gottesfrühe' sagen!) [. . .]"; „Mit einem Wort: Es ist eine sehr glückliche Zeit, die wir hier verleben, und mein süßes Lieb (hier kann man sagen ‚mein süßes Lieb') ist zärtlich und schön".[46] Vom Regen des letzten Tages ist ihm anscheinend kein Klischee überliefert, er reist ab. Ähnliches ließe sich bei Josefine verfolgen.[47] Von der Gestaltung in Briefen her entlarvt sich dieses Leben gleichsam selbst. Prof. Farese spricht in ähnlichem Sinne von Schnitzlers Darstellungsart als einer „unità tematico-stilistica".[48] Denkt man an die 1885 erschienene *Comtesse Muschi* der Ebner-Eschenbach,[49] die eine ähnliche Erzähltechnik anwendet, so wird ein Unterschied deutlich: Muschi trifft auf eine andere Wirklichkeit, die sie nicht versteht und an deren Einschätzung sie sich dem Leser in ihrer Beschränktheit enthüllt. In

Schnitzlers *Kleiner Komödie* fehlt innerhalb der dargestellten Wirklichkeit dieser Kontrast; alles löst sich scheinbar in Harmonie, schon allein dadurch, daß beide Protagonisten gleichgeartete Briefe schreiben, deren Anschauungen sich so sehr decken, daß beide anstatt eines polaren Gegenspiels ihrer „Liebe“ durch die Befangenheit in ihren Rollen aneinander vorbeispielen. Dafür ist es bezeichnend, daß beide das gleiche Konzept ihrer Absichten ihren Freunden mitteilen und damit gleichsam zur öffentlichen Spielregel machen, was von ihnen als Liebe individuell maskiert wird. Die Rollen- und Spieldimension wird zum rational akzeptierten Weltbild, die Rolle ist nicht ausweglos und oktroyiert (wie etwa bei Kafka), sondern eröffnet scheinbare Wege in jeden Lebensbereich. Die Totalität solcher Beliebigkeit aber wird durch die Art der Darstellung scharf konturiert und bestimmt.

Alles bleibt also bei Schnitzler in der Form und wird aus der Form erkennbar. Gerade darin scheint uns seine Kunst in dem besprochenen und manch anderem seiner Werke zu bestehen. Es wohnt ihr eine dialektische Anlage inne: *Die Form schlägt in den Gehalt in der Weise um, daß dieser innerhalb der dargestellten Welt gleichsam ausgespart werden kann.* Dieses dialektische Verhältnis soll als Aussparungstechnik bezeichnet werden. Rollenspiel und Aussparungstechnik scheinen sich zu bedingen, da Schnitzler das Umschlagen des gegebenen inhaltlichen Minimums meist in der Darstellung gesellschaftlicher Erstarrungen ansetzen läßt. [50] In diesem Sinne versteht auch W. H. Rey die Form des inneren Monologs in Schnitzlers *Leutnant Gustl* als „indirekte Darstellung“: „Gewiß, der Leutnant hat allein das Wort; aber was er sagt und denkt, widerlegt ihn meistens selbst. So gewinnt das Ungesagte in dieser Erzählung eine hohe Bedeutung: in ihm zeichnen sich die unausgeführten Umrisse eines positiven Gegenbildes zu dem negativen Porträt des Protagonisten ab.“[51] In der Form erfaßt Schnitzler, was ein Problem der Epoche ist: den Zerfall der Wirklichkeit in konventionalisierte Formen, das Aufgehen in ihnen und die Suche nach wahrem Dasein. Alles Negative, meint Rey, habe den komplementären positiven Aspekt, der mindestens ebensowichtig sei.[52] Das gilt wohl auch für die Frühzeit; doch ist für sie zu betonen, daß das Komplementäre meist nur dialektisch da ist, so daß man in diesem Sinne und für diese Zeit vielleicht besser von einer Aussparungstechnik spricht.[52] Sie ist freilich nur eine von Schnitzlers Formen, aber ein bezeichnender Ansatz auch für jene Werke, in denen das Umschlagen in die positive Formulierung einbezogen wird.

Wir haben an der *Kleinen Komödie* zu zeigen versucht, wie bestimmte Lebensformen der Zeit in der Kunstform in ihrem unverbindlichen Spielcharakter entlarvt werden. Broch betont eben dieses Moment und hebt neben der „Dekoration“ noch ein anderes Moment heraus, das von Bedeutung ist, gerade für die Realitätsnähe Schnitzlers: die Rationalität als eine vorherrschende Form der genußsüchtigen Wirklichkeitsbegegnung. In diesem Sinne soll nach dem Hinweis auf die Gesamtform noch ein Detail der Technik herausgehoben werden.

Ein bezeichnendes Merkmal sind in diesem Zusammenhang die Kriterien der Begegnung mit Kunst, wie sie bei der Wertschätzung mancher Bilder Makarts zu beobachten war: man pilgerte hin, auch um zu sehen, wen er zum Modell genommen habe und in welchem Zusammenhang, also wegen des Tratsches und des scheinbaren Verfügens über diese Person. Der Wertanspruch, den Kunst stellt und besonders in dieser Zeit stellte, erscheint völlig aufgelöst.[54] Er wird reduziert auf eine pragmatische Funktion menschlicher Insuffizienz, den Tratsch. Diese Einstellung begegnet auch im Hinblick auf andere Wirklichkeitsbereiche und wird bei Schnitzler funktionell innerhalb seiner künstlerischen Darstellung.

Schon der erste Einakter des *Anatol* bezeichnet eine tatsächliche Konfrontierung mit der Wirklichkeit, die über das Rollenspiel hinausginge, als eine *Frage an das Schicksal.* Anatol versucht, bewußt-unbewußt, mit allen Mitteln die Antwort der hypnotisierten Cora zu vermeiden und damit auf alle Fälle auszuklammern, was der Rolle, in der er sich ihr gegenüber fühlt und fühlen will, gefährlich würde. „Du bist eigentümlich mild", stellt sein Freund Max ironisch fest. Er hilft Anatol mit vielerlei Modifizierungen der Frage, aber immer trifft auch seine Formulierung eine Bewußtseinslage bzw. eine Rolle, in der sich Cora fühlen könnte. Diese vorgestellten Rollen lösen ihm ihre immerhin mögliche Liebe zu ihm als Wirklichkeit auf, ja bringen ihn zur Verleugnung der Wirklichkeit: die Frage an das Schicksal unterbleibt, seine Illusion ist ihm „tausendmal lieber als die Wahrheit".[55] Im Widerspruch zu diesem von Anatol versuchten Aufbau einer genau funktionierenden, wenn auch leeren Wirklichkeit, steht die Konsequenz, mit der er aus seiner Rolle mitunter Ansprüche stellt. Selbst einen Blick der Geliebten für einen anderen würde er als Untreue werten und nur in ihrem völligen Besitz, der Verfügbarkeit, glaubt er Wirklichkeit zu haben und sich aus den Rollenklischees zu lösen. *Episode* gibt einen weiteren Hinweis: Bianca erkennt Anatol aus den vielen Rollen, die sie bei vielen gespielt hat, nicht mehr, und Anatol verläßt empört die Szene, ohne sich scheinbar bewußt zu sein, daß auch er Bianca auf bestimmte Requisiten und Dekor reduziert. Der Dialog über die „Stimmung" und die rotgrüne Ampel, das Klavier u. a. durchzieht die ganze Szene. Diese Stimmung ist die gewünschte Wirklichkeit, die die Verfügbarkeit und damit Besitz des Partners bringt (Bianca lag ihm zu Füßen). Als sie sich bei ihrer Rückkehr durch ihr schlechtes Gedächtnis dieser Verfügbarkeit entzieht, ist Anatol zutiefst getroffen. – Ähnlich in den *Denksteinen*, wo er versucht, in bestimmten Requisiten die ganze Vergangenheit seiner Geliebten zu löschen, wobei seine bohrenden Fragen immer auf die Bewältigung der Vergangenheit in der Identifizierung nach Namen zielen, die diese Vergangenheit anscheinend verfügbar machen („Von wem war dies Medaillon [. . .] von wem du es hattest –!").[56] – Eine ähnliche sinnlose Sucht, Namen festzustellen, d. h. Wirklichkeit im Raisonnement und Ressentiment verfügbar zu machen, zeigt das *Abschiedsouper*,[57] dann aber vor allem *Der Reigen*, besonders die Szene zwischen Ehemann und süßem Mädel. Er fragt nach anderen Liebhabern, bohrend, möglichst exakt, um das Mädchen eben als „süßes Mädel" identifizieren zu können und sich damit der Verantwortung für sein Tun zu entziehen. Die Rolle führt hier unmittelbar zum Mittel für den Wirklichkeitsgenuß ohne Wirklichkeitsbewältigung. Gelingt dem Gatten die Einschätzung des süßen Mädels als süßes Mädel, so verfügt er über sie, so ist sie frei für sein Rollenspiel. Sowohl das Rollenspiel wie diese Tendenz einer Identifizierung der Wirklichkeit im Namen bedeuten ein Desengagement. Identifizierung der „Rolle" und Verfügbarkeit decken sich. In diesem Sinne bedeutet das Spiel in den menschlichen Beziehungen bei Schnitzler keine Freiheit, sondern ein Abstreifen der Wirklichkeit, um Raum für typisches Funktionieren zu schaffen; denn Höhepunkt dieser Gestaltungen eines Lebens, das die Wirklichkeit ausspart, ist die Szene *Schauspielerin und Dichter*, wo sich diese lähmende, bohrende Realitätssucht umkehrt; die Schauspielerin löst den Dichter in seiner Identität in einem freien Spiel mit Kosenamen und Namen auf. Sie bewältigt freilich die dadurch entstandene gleitende Situation durch ihre Vitalität und ihr souveränes, wirklich durchgehaltenes Spiel.[58] Jedes Wort aber hat seine Verpflichtung verloren, die Wirklichkeit ist in das Belieben des einsamen Herrschers über die Namen übergegangen. Zielt also die Identifizierung dem Namen nach auf eine bestimmte Festlegung, gleichsam auf eine Vergegenständlichung hin, wie sie der Ehemann mit dem süßen Mädel anstrebt, so zeigt sich auch in dem freien Gebrauch des Namens etwa der

Schauspielerin ein ähnlicher Umweltsverlust; in beiden Dialogen wird nichts, was auf ein Verstehen des andern als Mensch deutete, dargestellt, wobei gerade das durch Schnitzlers Dialoggestaltung deutlich wird. Auch hier ist das Bild des Partners bis in alle Einzelheiten als Verlust dieses Partners durchgestaltet. Es ist bezeichnend, daß Schnitzler diesen Wirklichkeits- oder Sprachverlust zur kritischen Darstellung der Wirklichkeit benützt; er arbeitet, besonders in der Frühzeit, mit dem vorgegebenen Material der „Alltagssprache" „bis zum Bodensatz verschliffenster Klischees", um hier ein Wort Ionescos zur *Kahlen Sängerin* zu zitieren[59] (Ionescos Sprachkrise scheint auf der gleichen Linie mit Schnitzlers Sprachverwendung zu liegen und weist damit auf die dieser Verwendung immanente Sprachskepsis. Sie wird bei Schnitzler freilich nicht als Krise akut): Solche Dialogstellen sind es, die das Funktionieren der Aussparungstechnik ermöglichen. Sie sind die Angelpunkte, sind gleichsam ein technisches Detail, in dem Schnitzler die Begegnung der Gestalten mit der Wirklichkeit definiert, und lassen die Großform der Erzählungen oder Stücke im Sinne der Aussparungstechnik verständlich werden.

Freilich könnte die Tendenz zur Identifizierung auch zur Begegnung mit der Wirklichkeit führen, wie dies notwendig der Fall wäre, wenn Fritz Lobheimer in *Liebelei* auf die Fragen Christines nach seiner Geliebten einginge.[60]

Es zeigt sich immer wieder, daß bestimmte, gleichsam dichtungstechnische Eigenheiten von Schnitzlers Weltvermittlung durchaus mehrwertig sein können, je nach der Situation, in die sie eingebaut sind, daß sie eine Form der Erfassung sind, die mehrfach dichterisch fruchtbar werden kann.[61] Schnitzler löst in diesem Sinne die bei Ebner-Eschenbach und Saar noch eindeutige Wertung der Wirklichkeit auch von seinen Kunstmitteln her auf.

Man hat Hugo Hofmannsthal als einen der „geschicktesten Kunsthandwerker" bezeichnet.[62] Schnitzler ist das mit seinen unmittelbar der Zeit abgehorchten Formen zumindest in gleichem Ausmaß, und nicht zu unrecht sieht ihn Rey in anderem Zusammenhang als einen „Macher von Kunstdingen".[63] Auch in dieser Hinsicht ist seine literaturgeschichtliche Stellung und Leistung zu sehen.

Saars Dichtung wurde als Spiegel der Wirklichkeit mehrfach untersucht und seine Auffassung und Darstellungsweise als typisierend nachgewiesen.[64] Sie gibt ein Bild der gesellschaftlichen Verhältnisse, zeichnet ihre Oberfläche in einer bestimmten Außensicht. Offiziers- und Beamtentypen, Erotomanen, typische Vertreter bestimmter Bevölkerungsschichten werden im Rahmen größerer gesellschaftlicher Zusammenhänge beschrieben und zwar je älter Saar wurde, desto realistisch reduzierter. Eine gewisse Mittelstellung in seiner Darstellungsweise nimmt die Novelle *Schloß Kostenitz* ein. *Kostenitz* ist nach Saars Worten eine „historische" Novelle in dem Sinne, daß die Seelenlage der Hauptgestalten im Vormärz angesiedelt sei;[65] sie zerbrechen am Geist der Moderne. Saar zeigt das, indem er ganz bestimmte Formen der Wiederholung verwendet, um das Außenbild und die Oberfläche der problematischen Gestalt abzutasten oder abzuklopfen, solange, bis die innere Figur des Erlebens deutlich wird. Aufs Optische übertragen, ließe sich diese Gestaltungsweise so charakterisieren: Saar macht die Oberfläche gleichsam durchsichtig auf das hin, was sie enthält, ohne daß aber über dieses Durchsichtigmachen hinausgegangen würde. Erzählperspektive und Rahmentechnik lösen eine Haut der Oberfläche nach der anderen ab, wobei sich Saar meist eines längeren Zeitkontinuums bedient und die Problematik des Lebens gerade in diesem Ausdauern einfängt. Schnitzler bricht nun durch diese durchsichtig gewordene Oberfläche durch, zerbricht die letzte dünne Haut, steht plötzlich ganz im Innern und rekonstruiert gleichsam aus dem Blickwinkel der Person die Oberfläche. Die Objektivierung durch die erkennbare Rolle des Erzählers bei Saar ist aufgegeben. *Leutnant Gustl,* der in typischem Verhalten aufgeht und für den nur typische Situationen existieren, ist das beste Beispiel für die Leistung der formalen Neuerung gegenüber Saar, die Schnitzler literaturgeschichtlich mit dem inneren Monolog bringt. Sie macht in einzigartiger Geschlossenheit die gleichbleibend ausweglose Situation, in der sein Erleben befangen ist, deutlich. Was sich bei Saar in der Verknappung auf typische Situationen als Statisches im Zeitkontinuum zeigte, als eine im Äußeren verfolgte innere Notwendigkeit, wird hier scheinbar der Notwendigkeit entbunden und scheinbar zum freien Spiel: Gerade in ihm aber zeigt sich auch in der Form des Erzählens die Determiniertheit, zeigt sich das Spiel als Schein, als Tod des Lebens.

Daß Schnitzler in dieser Novelle seine Zeit nicht verfehlte, scheint nicht nur durch die Einberufung eines Militärgerichtes, sondern auch durch den immer als patriotischen Österreicher angesehenen und als Zeuge seiner Zeit unverdächtigen Saar bestätigt, der mit seiner Zeichnung des Grafen Poiga-Reuhoff, den Dragoneroffizieren u. ä. als unbedenklich gilt, auch weil er die Heroik anderer Typen dieses Zeitalters zeigte,[66] – Schon zeitgemäß wurde die „schmale Persönlichkeit" Gustls deutlich gesehen.[67] Auf dieser schmalen Grundlage gelang es Schnitzler mit der Hypostasierung der inneren Situation zum Kunstprinzip des inneren Monologs ein weites Panorama zu geben; nicht in der Gestalt Gustls, sondern indem er mit der neuen künstlerischen Form den Horizont angibt. Gerade auch hier in dieser Kreisform der Novelle zeigt sich das Aussparungsprinzip, das Schnitzler in seinen künstlerischen Formen zur Meisterschaft entwickelte.

Auch im Drama vermag er ähnliche aussagekräftige Formen zu schaffen, etwa in der berühmten und vielbeschriebenen Gestalt des *Reigens.* Auch im *Reigen* ist die eigentliche Problematik in diesem Sinne ausgespart. Worum sich die mehr oder weniger zielgerichteten Gespräche, die mit größter Prägnanz zu einem Spiegel des jeweiligen Milieus ausgearbeitet sind, drehen, das sexuelle Funktionieren, bleibt eine – nicht nur von den Gesprächen, sondern auch vom Ganzen des Stücks her – unmotivierte Wirklichkeit und ist damit zum Zeichen eines Umweltverlustes geworden. Zudem ist in der scheinbar sinnlosen Bewegung des Kreisens eine Ausnahme gemacht. Der Aufbau der „zehn Vorher- und Nachherszenen"[68] ist in der letzten Szene das erste Mal durchbrochen, das Handelnsschema wird von der Dirne und dem Grafen nicht mitgemacht.[69] Wenn das auch zufällig und milieugerecht – gleichsam „reigenimmanent" – durch den Rauschzustand des Grafen motiviert wird, so zeigt doch die Gesprächsführung Ansätze zu einem Wirklichkeitsgewinn,[70] so daß hier in der letzten Szene das durch die Gestaltungsform des *Reigens* Ausgesparte in aller Aktualität heraustritt.

Schnitzler arbeitet im Sinne des Gestaltungsprinzips der Aussparung immer mit feinsten Nuancen, die eine genaue Beobachtung verdienen. So ist auch die Anordnung der *Anatol*-Szenen, auf die in ihrem sinnvollen Ablauf R. Urbach aufmerksam gemacht hat,[71] genau überlegt. Das läßt sich am Beispiel der möglichen Variation der Schlußszene entweder mit *Anatols Hochzeitsmorgen* oder mit *Anatols Größenwahn* zeigen. Schnitzler setzte *Anatols Hochzeitsmorgen* als letzte Szene und schloß den *Größenwahn*, der den gealterten Anatol viele Jahre später zeigt, aus. Urbach sieht zwei Möglichkeiten: „1. Wir spielen weiter (Hochzeitsmorgen), als Zukunftsaussicht, 2. Wir haben weitergespielt (Größenwahn), als Rückblick."[72] Das muß in seinen Konsequenzen verfolgt werden. *Anatols Größenwahn* gibt mit der Gestalt Anettens den Reflexionen Anatols und seiner Haltung in der Jugend gerade durch die Distanz der Jahre recht. Mit dem *Größenwahn* als Abschluß wäre eine Aussage des Stücks geschaffen, die über die kurze Gegenwart der einzelnen Szenen und ihr Umschlagen in das Urteil des Betrachters hinausgeht und diese dargestellten Lebensmomente für bestimmend auch in der Dauer des Lebens erklärte. Die Dauer aber erhöbe einen anderen Anspruch auf Wirklichkeitsgestaltung und zeigte das Vakuum der Erlebnisse nicht so deutlich, wie der *Hochzeits-Morgen*; der Spielcharakter der Szene würde repräsentativ für die Wirklichkeit, indem das, was Anatol als Jüngling lebt, vom Alter bestätigt wird. *Anatols Größenwahn* beantwortete die Frage, die Anatol an Cora zu stellen sich weigerte, im Sinne eines geschlossenen Reigens, obwohl selbst im *Reigen* ein Ausweg gezeigt wird. Schnitzler hat das später in ganz anderer Weise aufgegriffen, etwa in der Novelle *Casanovas Heimkehr*, in der die Problematik des alternden Casanova, des Herrschers im Moment, in seiner Leistung in der Dauer geprüft wird. Im *Hochzeitsmorgen* als letzte Szene aber wird Anatol selbst in das Netz seiner Aussagen verstrickt und fängt sich in einer der gesellschaftlichen Normen, mit denen er jongliert, er tritt – in Umkehrung seines Verhältnisses zu verheirateten Frauen – mit seiner Ehe, die gleich zufällig wie seine Verhältnisse entstanden ist, vollkommen in den Kreis der Fragen, die für ihn seit langem erledigt schienen.

Ich möchte von dieser Aussparungs- und Umschlagtechnik noch ganz kurz auf den Roman *Der Weg ins Freie* eingehen. Prof. Farese, der über Schnitzlers erzählendes Werk sprechen wird, hat gegen die Vorwürfe zur Komposition des Romans Stellung genommen und geklärt, was eigentlich das Thema ist, das diese Komposition bedingt.[73] Er erkennt die enge Verknüpfung der sozialen und individuell-psychischen Probleme, die das Verhältnis Georg von Wergenthins und Anna Rosners in seiner moralischen Figur konstituieren. Prof. Farese bringt eindringliche Belege aus der Genesis des Werkes als einer genau verfolgbaren Themenentfaltung, und wir stimmen ihm völlig zu. Diese von ihm betonten Zeitprobleme spielen eine große Rolle und sind thematisch. Es ist noch einmal durchzugehen, wie diese Zeitprobleme im *Weg ins Freie* bewältigt werden.

Ausschlaggebend im Roman ist die völlig von Konventionen beherrschte Lebenshaltung aller Personen. Diese Konventionen werden nur auf der Reise durchbrochen, bei der gleichsam ein Eheleben Georgs und Annas gespielt wird; aber auch diese ihrer Neigung angemessene Ehe wird von der gesellschaftlichen Konvention erzwungen: sie müssen reisen, um dem gezeugten Leben ohne gesellschaftliches Risiko in die Welt zu helfen. Auf Ähnliches weist, daß sie auf dieser Reise die Sozialrevolutionärin Therese Golowski als Maitresse eines Offiziers und Gutsbesitzers treffen und anscheinend in bester Verfassung: ihre soziale Rolle als Revolutionärin wie als Geliebte ist so wahr wie unwahr. Die schon beobachtete Technik tritt hier wieder in der Raumgestaltung (Wien–Italien) heraus. Es ist besonders bezeichnend, daß Georg seine eigenste Wirklichkeit, sein Verhältnis zu Anna, das er geheim und außerhalb des Tratsches glaubt, anderen schon immer vor ihm bekannt sehen muß, sowohl den Beginn als auch sein Ende. So scheint ihm dieses Verhältnis zu Anna, das nur ihn betrifft, gleichsam von außen vorgeschrieben, konventionell und konventionalisiert, so daß er sich gar nicht lösen kann, vor allem aber, daß die sich ihm daraus ergebenden gesellschaftlichen Probleme als solche ungelöst bleiben. Auch Georg scheint verurteilt: Der verbürgerlichte Kapellmeister in Detmold schwebt als Schatten der Stagnation und Provinzialisierung über ihm, und selbst wenn ihm seine Pläne gelingen sollten, zielt er mit seinem Engagement an das Theater nur wieder eine Kunstwelt an, die sogenannte Musterbühne; er kann also nichts anderes erreichen als das, was er in Wien flieht. Freilich zeigen sich immer wieder zaghafte Ansätze, z. B. in Else, die das Kind übernehmen und aufziehen will, in Leo Golowskis Konsequenz, in Dr. Stauber. Was sich aber besonders abhebt, ist Anna selbst. Sie kehrt nach der „Geschichte“ mit Georg in ihr Elternhaus zurück, in triste, vom Tod des Vaters gezeichnete Verhältnisse. Sie bleibt, wer sie ist. Ebenso hat sie es immer abgelehnt, zur Bühne zu gehen, sich in dieser Welt des Rollenspiels zu engagieren. Sie hat im Gegensatz zu anderen Geliebten ihr Kind ausgetragen und sie ist es, die mit der Rückkehr in die gesellschaftlichen Konventionen diese zerbricht. Sie gibt sich nicht dem Kreisel der Gesellschaft hin, sondern steht am Ende auf einem höheren Niveau, so daß sich ihr Weg eher als Spirale zeigt. Sie geht, indem sie sich über alles Typische hinwegsetzt, jede Konvention aufgibt, den Weg ins Freie, wobei ihr freilich nur die privateste Sphäre überbleibt; der Weg ins Freie führt in keine Welt, sondern ins Innere. Soziale und politische Motive erhalten von der Spiralbewegung ihres Lebensweges ihren Stellenwert. – So ist die ganze Anlage der Probleme des Romans auch von den Hauptfiguren her bestimmt. Im Spiegel ihres Weges gewinnt der weite Horizont der anderen Motive seine Bedeutung. Es scheint uns fast, und hier knüpfen wir mit einer Frage an das früher Gesagte an, als ob die Gestaltungen, die im Gegensatz zum *Weg ins Freie* die Probleme auch zeitgeschichtlicher Art kaum in extenso zur Sprache bringen, sondern eher zu kaschieren scheinen und also dauernd Fragen implizieren, mit der von dieser scheinbar glatteren Oberfläche ermöglichten, knappen, meist novellistischen Form zu den schärferen, einprägsameren und bedrängenderen Gebilden kritischer Art gehören, und zwar durch die Fähigkeit des Umschlagens aus der knappen Form in einen umfassenden Horizont, und daß sie damit auch künstlerisch vollendeter gestaltet sind, ja in der aussparenden Kunstform auch die Probleme sozialer und politischer Natur deutlicher herausheben als dieser Roman. Ich möchte das, wie gesagt, nur als Frage aufwerfen.

Schnitzler erscheint uns dort als der Künstler und „Realist", gerade im Sinne der Aussparungstechnik, wo er milieuimmanent eine Gesellschaftsschicht in der Sprache rekonstruiert, wo er ungesprochen im wörtlichen Sinne läßt, was sein Problem kennzeichnet. In diesen Zügen übernimmt er auch das Erbe Saars und führt es zu neuen Höhen, und hierin scheint uns auch ein Fingerzeig auf den weiteren Weg österreichischer Prosakunst zu Kafka hin gegeben.

In Hofmannsthals *Der Tor und der Tod* wird dem Toren Claudio sein verspieltes Leben an den Gestalten seiner Mutter, des Mädchens und seines Freundes vorgeführt. Die Szene mit dem Mädchen ist, auch wenn sie sich in Details anders aufbaut, in ihrer Anlage als menschliches Verhältnis dem Verhältnis zwischen Fritz Lobheimer und Christine Weiring vergleichbar. Bei Hofmannsthal ist dieses Verhältnis eine Illustration der grundsätzlichen Problemstellung des verfehlten Lebens, ein Beispiel, eingebettet in die Form dieses Gerichtsspiels, das man dem Formenrepertoire des Historismus zuordnen könnte, und gewinnt damit nicht die realistische Intensität wie bei Schnitzler. Es steht von vorneherein und bewußt ausgesprochen unter diesem thematisch bestimmten Gesichtspunkt, die reale Situation, die in der Klischierung in einen bestimmten Gesellschaftszustand bei Schnitzler drei Akte dicht erfüllt, fehlt. Das Exemplarische und Beispielhafte für den Gerichtstag des Todes steht im Vordergrund. Schnitzler – wir gehen sehr vergröbernd vor – arbeitet in feinsten Beobachtungen und vollendeter Dialoggestaltung im Ablauf des Stücks die gesellschaftliche Bedingtheit heraus und erstellt drei den Akten entsprechende Kurzfilme, aber nicht optischer Art, sondern Sprachfilme. Das bringt einen bedeutenden Unterschied zur Statik des Gerichtes bei Hofmannsthal. Schnitzler zielt auf milieuimmanente Darstellungen, Hofmannsthal auf die milieutranszendierenden Auffassungformen, die die Erscheinungen der Welt zu integrieren suchen. Für Hofmannsthal ist in diesem – nicht wertenden – Sinne Ausgangspunkt, was bei Schnitzler Höhepunkt ist. Auch Schnitzler geht in seiner Entwicklung zur Ausformulierung solcher Auffassungsformen, aber er findet sie in der zeitgenössischen gesellschaftlichen Wirklichkeit, die auch noch seine Typologie *Der Geist im Wort und der Geist in der Tat* prägt. Er bringt keine Integration, sondern versucht die Reduktion auf kleinste bewirkende Einheiten und Kräfte, die gerade in der urteilslosen Ausgewogenheit der positiven und negativen Typen eine ähnlich reporterhafte (in diesem Sinne des Sprachfilms) Einstellung zeigt. Es ist bezeichnend, wie sich bei ihm umfassendere Zusammenhänge im Unterschied zu Hofmannsthal, dem die „verschiedenen inneren Welten und ihr Zusammenhang [. . .] als Leben" gelten,[74] realitätsnah – etwa in der Brechung über suspekte naturwissenschaftliche Zusammenhänge – nur andeuten, so z. B. im Verhältnis des Muttermörders zu seiner Mutter im *Sohn*, ähnlich in *Therese.* Gerade aus solcher äußersten Reduktion und der ihr entsprechenden formalen Strenge erwächst die gehaltliche Fülle. Ein anderer Weg ist das Ausweichen in mystische oder okkulte Bereiche, was in manchen seiner Arbeiten, besonders der kürzeren Prosa, zu strengen novellistischen Gestaltungen führt, wie im *Tagebuch der Redegonda* oder in der *Weissagung.* Gerade auch darin scheint sich Schnitzlers realistisch-einschichtige Begabung und seine Fähigkeit, ein „Macher von Kunstdingen" zu sein, zu verquicken. Seine hohen Formziele – „Sie wissen ja meine große Sehnsucht", schreibt er an Hofmannsthal, „die sehr einfache Geschichte, die in sich selbst ganz fertig ist"[75] – durchstoßen die glatte, an die gesellschaftliche Oberfläche gebundene Darstellung und schaffen sich mit dem Ausweichen in gegensätzliche Bereiche alle Freiheit der Erfindung. Gerade bei der *Redegonda* scheint es, als ob die Möglichkeit und der Erfindungsprozeß einer „idealen" Novelle ebenso wie ihre stoffliche Darstellung in eines gewachsen seien. Der Bereich des Okkulten ist dabei Mittel dieser Formstrenge, ist aber zugleich auch die Andeutung einer die gesellschaftlichen Bedingtheiten transzendierenden Welteinheit. Das müßte im einzelnen ausgeführt werden; bezeichnend erscheint, daß diese Einheit nicht grundsätzlich, sondern in ihrer gesellschaftlichen (medizinischen, strafgesetzlichen u. a.) Irrelevanz und damit nur indirekt, meist „unhaltbar" gezeigt wird, weiters daß sie zugleich eine dichterisch-technische Funktion hat.

Wir hoffen, Schnitzlers künstlerische Leistung mit den Hinweisen auf die kritische und kritisierende Wirklichkeitsvermittlung in der Aussparungstechnik, den Kreis- und Spiralformen seiner Dichtungen, für unseren Zusammenhang im groben umschrieben zu haben, wobei uns die Bindung an die Zeit leitete. Formen des gesellschaftlichen Lebens werden in der Nachbildung in der Sprache zu einer Sinngestalt, die ihrem Ausgangsmaterial widerspricht. Damit greift Schnitzler, völlig in der Zeit stehend, über sie hinaus. Es muß allerdings betont werden, daß hier nur ein Typus seiner Formen herausgehoben wurde, der durchaus nicht alle Gestaltung erfaßt, wenn man an den *Einsamen Weg, Prof. Bernhardi* oder die späten Erzählungen denkt.

III

Hofmannsthals Entwicklung ist von Broch im großen Umriß vor ihrem zeitgeschichtlichen Hintergrund entwickelt worden, so daß ich hier nicht näher darauf eingehe und nur die Kunstauffassung in der frühen Prosa wieder an Makart anknüpfe. Die „große Manier" der Bilder Makarts in dieser Zeit kennzeichnet auch die Kunstatmosphäre des frühen Schaffens Hofmannsthal, nun aber nicht mehr in Richtung auf die zeitgenössische Gesellschaft wie bei Schnitzler, sondern von ihr weg. Das, was über die Zeit hinausgeht, was sie an große andere Epochen knüpft und was ihr als Rechtfertigung dient, was aus ihr zu destillieren ist und sie an überlieferte Kunstwirklichkeiten schließt, steht im Vordergrund: Es ist das „Leitbild der Kongenialität“,[76] das sich in diesem Sinne zugleich auch gegen die Zeit richtet. Dazu kann, um Hofmannsthal und Schnitzlers distanziert kritisches Bewußtsein, jeweils aus einer anderen Perspektive, zu zeigen, ein einprägsames Beispiel angeführt werden.

Es ist ein großer Unterschied zwischen den Szenen des *Anatol* und Hofmannsthals *Prolog zu dem Buch Anatol.* Indem Hofmannsthal in diesem Prolog die Figuren in ein historisches Kostüm steckt, beurteilt er die seelische Lage Anatols im Anschließen an eine historische Kunstwirklichkeit, und ordnet sie scharf wertend einem verpflichtungslosen Rollenspiel zu: Die Gartendarstellung und auch das Figurenrepertoire decken sich in vielem mit der Gesellschaft, die in *Der Tor und der Tod* Claudio den Tod zeigt; so wird, überspitzt gesagt, der Lebenshaltung der Anatolgestalten wie Claudio der Tod angekündigt. Innere Teilnahme und Verständnis und Distanz und Kritik vereinigen sich. Das Verhältnis des Prologs Hofmannsthals zu den Szenen Schnitzlers interpretiert sie eben in diesem doppelt wertenden Sinne. Daß Schnitzler den Prolog mitabdrucken ließ, zeigt, daß auch er in der Gegensätzlichkeit von Prolog und Stück sein Thema erfaßt sah. Es wird deutlich, wie distanziert, wenn auch keineswegs unbefangen, die beiden Dichter ihren Werken schon in dieser Zeit gegenüberstehen. Für Schnitzler steht im Gegensatz zu Hofmannsthal die scharfe Gesellschaftsanalyse im Vordergrund.

Anatol stellt eine Lebensmöglichkeit dar, der Hofmannsthal eine andere, die des Rokoko, als wesensverwandt an die Seite stellt. Die Welt steht gleichsam geschichtslos offen, wenn man ein Dichter ist. „Es ist, sonderbar zu sagen“, schreibt Hofmannsthal, „der innerste Kern des Dichterwesens nichts anderes als sein Wissen, daß er ein Dichter ist“.[77] Kunst wird hier zu Leben, Leben zu Kunst stilisiert. „Und ich glaube“, heißt es an anderer Stelle, „daß fast aller jungen Dichter Geschöpfe dasselbe sind wie dieses gemalte Bild einer Bronzestatuette: Abbilder von Geschöpfen der Kunst, der Ahnung, des Traumes, eines Spiegelbildes Spiegelbilder“.[78] Dieses ‚Dichter-Sein‘ im Sinne der Kongenialität zur Tradition und zu ihren Lebensformen erscheint bezeichnend. ‚Dichter-Sein‘ ist also nicht im engeren Sinne zu verstehen, sondern bedeutet eine Lebensform des Verstehens und Erfassens. In einer ganz anderen Art gesellschaftlicher Verwirklichung hat sie Altenberg gelebt, wieder in anderer Weise zeigt sie sich in der Lebensauffassung des jungen Andrian.[79]

Dieses ‚Dichter-Sein‘ als Existenzform des Kongenialen und die ihm zukommende Esoterik bei Hugo v. Hofmannsthal ist zugleich eine Stellungnahme gegen den journalistischen Schriftsteller, das heißt auch gegen den einen oder anderen des Kreises ‚Jung Wien‘, wenn man an Salten oder Dörrmann denkt. Auch Schnitzlers Salten-Rezension und seine lebenslange Beschäftigung mit der Gestalt des Kritikers, noch deutlicher dann seine Typologie *Der Geist im Wort und der Geist in der Tat* legen ein Zeugnis dafür ab.[80] Die Form des ‚Dichter-Seins‘ bei Hofmannsthal zielt auf eine existenzielle Überwindung aller gesellschaftlichen Bedingtheiten und des Aufgehens in ihnen. Es entspringt auch der Absetzung von der zitierten Einheit von „kunstsinnigem Volk und Künstler“, einer Einheit, die ebenso in der Oberfläche der konsumierbaren Dekoration die Grenzen von Kunst und Leben verwischte und die Unterscheidung der Ansprüche beider in der Trivialisierung aufhob. Das Einheitsprivileg der Dekorationskunst, die mit der Gesellschaft übereinzustimmen schien und in diesem Sinne auch lebensbestimmend war, wird nun im Sinne der Kongenialität verlassen und bildet einen eigenen Bereich einer Kunstwirklichkeit, aus der kein direkter Weg ins Leben führt.[81] Die Welt bleibt in diesem Sinne in der Kunst befangen, eine Welt des traumhaften Bewußtseins, des Materiellen entkleidet. Die beiden Richtungen Hofmannsthal und Schnitzler, Hofmannsthals Figuren, die die Welt im Bewußtsein aufheben, und die Schnitzlers, die das Bewußtsein an eine genormte Welt verlieren, stehen sich hier deutlich gegenüber. Die hofmannsthalische Richtung der Stellungnahme gegen die Zeit – Kunstwirklichkeit und Kongenialität im Sinne des Historismus – siedelt das ‚Dichter-Sein' als Existenz in einer Sekundärwirklichkeit an, die aus Vorgeformten besteht.

Hofmannsthals frühe Prosa zeigt, wie er, aus einem geprägten Bildungsmilieu kommend, die Wirklichkeit künstlerisch vorgeformt erfaßt. Eine Reise vermittelt ihm den Eindruck, daß „die Bilder des Lebens [. . .] ohne inneren Zusammenhang aufeinander-[folgen] und [. . .] gänzlich der effektvollen Komposition" ermangeln. Wirklichkeit unterliegt dem Kunstgesetz wie die Geschichte den Gesetzen der Historienmalerei. In ähnlicher Weise wird das Meer z. B. folgend erfaßt: „Es hat wirklich nicht das goldatmende glänzende Blau des Claude Lorrain und auch nicht das düstere Schwarzblau des Poussin, sondern ein ganz helles Blau des Puvis de Chavannes."[82] Wirklichkeitserfassung erfolgt nur unter den Alternativmöglichkeiten vorgeformter Bilder. Hofmannsthal spielt hier eine Rolle, die er in der Literatur fand, wenn man etwa an seinen Aufsatz über Swinburne denkt, in dem er vom „souveränen Stilgefühl" spricht und vom Reiz einer Technik, die „unaufhörlich die Erinnerung an Kunstwerke weckt und daß ihr rohes Material schon stilisierte, kunstverklärte Schönheit ist".[83] Man muß sich dabei immer bewußt bleiben, daß Hofmannsthal hier Kunstmittel verwendet, ohne ihnen ausgeliefert zu sein. Er schreibt: „Wenn die Menschen schwach geworden sind und die Worte sehr stark, so siegt der gespenstische Zusammenhang der Worte über die naive Redekraft der Menschen. Sie reden dann fortwährend wie in ‚Rollen', in Scheingefühlen, scheinhaften Meinungen, scheinhaften Gesinnungen. Sie bringen es geradezu dahin, bei ihren eigenen Erlebnissen fortwährend abwesend zu sein [. . .] Denn für gewöhnlich stehen nicht die Worte in der Gewalt der Menschen, sondern die Menschen in der Gewalt der Worte."[84] Jeder einzelne Satz dieses Zitates ließe sich auf die Darstellung der Gesellschaftskritik durch Schnitzler übertragen, auf die *Kleine Komödie* gerade von der Definition des Erlebens her, aber auch auf *Anatol* oder den *Reigen*, der allein aus den Sprachklischees verschiedener Gesellschaftsschichten lauter leere Worte aneinanderreiht und in dieser Negativform Wirklichkeit gestaltet. Nicht weniger gilt es für die Jünglinge im *Tod des Tizian* und für den Toren Claudio. Dennoch sind die künstlerischen Realisierungen von Hofmannsthal und Schnitzler ganz verschieden.

Dieses frühe ‚Dichter-Sein' ist also eine, wie der Vortrag *Poesie und Leben* sagt, in gesellschaftlichen Bahnen nicht greifbare Existenz, sondern ein in sich selbst aufgehobenes, zum schweigenden Kunstbezirk sakralisiertes Leben, das sich, obwohl selbst eine Rolle, vom gesellschaftlich genormten Rollenspiel distanziert, um die Welt zu spielen, die Welt in Kunstformen als Seinseinheit zu erleben, und die Disparatheit in der Gesellschaft zu überwinden. „Kongenialität" in diesem Sinne ist Hybris der Zeit und Flucht aus der Zeit in einem.

Es ist bezeichnend, daß sich das ‚Dichter-Sein' in der Wirklichkeit als gesellschaftlicher Manierismus manifestiert, wie die satirische Beleuchtung dieses Vortrags Hofmannsthals in Schaukals *Andreas von Balthesser* zeigt.[85]

Die Scheu vor dem Alltäglichen als die Scheu vor dem Göttlichen, wie Hofmannsthal in der Rezension eines Buchs Altenbergs schreibt, bewirkt bei ihm die eigenartig verschwebende Atmosphäre, die das Leben als ganzes zu fassen scheint, den Dingen Namen und den Worten wieder Inhalt gäbe, aus der Liebe, also dem Durchbrechen der Rollenhaftigkeit. Freilich sieht Hofmannsthal ganz klar auch die Stilisierung der Haltung Altenbergs zu einer neuen Rolle, wenn er feststellt, daß Altenberg „allzuverliebt" sei, daß seine Dichtung das Leben zu einem Lustgarten der Poesie machte, kokett sei, und führt sie so auf ihre Voraussetzungen und Wurzeln zurück: „Kultur [. . .] genauer: [. . .] künstlerische Kultur."[86] Er betont also und erkennt an dieser scheinbar dem Leben zu geöffneten Kunst die ntowendige Rollenhaftigkeit, das Nachbildende.

Nicht seiner dichterischen Qualität wegen, sondern weil es für seinen Entwicklungsgang besonders typisch erscheint, greife ich das Gedicht *Für mich* heraus,[86] ein Ghasel von höchster formaler Vollendung in der Architektur des Aufbaus bis in die kleinsten Verstrebungen der Breite immer um die Achse Ich-Mich, die eine solche Verschmelzung der „Scheu vor dem Alltäglichen als vor dem Göttlichen" zu einer Existenz zu verdichten sucht, was aber, in der Ausfüllung dieses Aufbaugerüstes mit teilweise leeren Klischees,[88] nur zu wert-losem ‚Dichter-Sein' führt, ohne die in der Vertauschung von Traum und Wirklichkeit angestrebte Welteinheit zu erreichen. Es bleibt ein in sich kreisendes Wortgewebe, das in der Sprache kaum Wirklichkeit zu konturieren vermag und künstlerisch nicht geglückt erscheint.

Hier setzt nun, wenn man so sprunghaft vorgehen kann, wieder die Leistung der offiziellen Kunst für Hofmannsthal, wie sie Broch bescheibt, ein. Broch betont den Einfluß des Burgtheaters als einer Stilbühne, als „Theater-Ritual":[89] die in sich kreisende Innerlichkeit, der die Welt sich auflöst oder gestaltlos wird – der einzige Halt ist die starre Kunstform des Ghasels – diese Innerlichkeit stülpt Hofmannsthal gleichsam aus sich heraus auf die Bühne. Das Erlebte gewinnt Lebensraum, die Dialogform objektiviert die ungestalte Innerlichkeit und gibt ihr Wirklichkeit und Gestalt. H. D. Cohn hat die Entwicklung von der monologischen zur dialogischen Struktur gezeigt.[90]

Damit kann zugleich eine gewisse Thesenhaftigkeit verbunden sein, wie sie etwa *Gestern* bestimmt. Ich gehe darauf nicht ein, sondern wende mich dem formal differenzierteren und so in diesem Zusammenhang der Zeit des Historismus interessanteren *Tod des Tizian* zu. Wie weit freilich dieser Formenreichtum etwa der Architektur des Historismus unmittelbar zu vergleichen wäre, muß ich offen lassen, da, soweit ich sehe, in der Literatur solche Tendenzen noch nicht zusammengestellt wurden.[91]

Der *Tod des Tizian* setzt mit einem Prolog über das Stück ein, der es als eine hochstilisierte Kunstform in bewußtester Gestaltung kennzeichnet und thematisch ausrichtet. Der Dichter hat das Stück dem Pagen, dem „Schauspieler seiner selbst geschaffenen Träume" und „Zwillingsbruder" des Dichters, geschenkt. Dichtung und gegenwartsferne Art des „kongenialen" Daseins, wie es der Prologpage in seinem Posieren vor dem Bilde des Infanten darstellt, treffen sich, wobei Verdichtung und Verschränkung noch dadurch erreicht wird, daß der Page im Stück des Dichters auch auftritt. Das Rollenspiel als Überwindung des Unterschieds von Lebens- und Traumwirklichkeit ist so schon zu Beginn als thematisch dargestellt und damit die Frage aufgeworfen, wie dieses Rollenspiel in der Objektivierung während des Stückes gewertet werden wird. Es zeigt sich gerade in der Herauskehrung der Dichtungsform als einem zu hoher Bewußtheit – auch für den Zuschauer – gesteigerten Gestaltungsprinzip ein scharfer Unterschied zu Schnitzler, der in seiner Darstellungsperspektive den Hörer oder Leser ganz dem Rollenspiel ausliefert und ihm kein „Programm" verdeutlicht.

In Tizians Villa, die von einem Garten umgeben ist, von dem aus man auf Venedig hinuntersieht, wohnen seine Jünger in der Nacht seinem Tode bei. Es ist ein einheitlich atmosphärisch dichter Raum entworfen, in dem alles an Empfindung, Genießen und Erleben zusammenfließt in „*eine* überstarke, schwere Pracht, die Sinne stumm und Worte sinnlos macht".[92] Diese Stimmung ist lähmend, „von Inspiration imprägniert".[93] Tizian malt in diesen letzten Lebensstunden im Furor, läßt sich alte Bilder *(Venus mit*

Blumen und *Bacchanal)* bringen und kann sie gegenüber seinem momentanen Schöpfungsdrang nur als „erbärmlich" und „bleich" bezeichnen. Er entzieht zugleich diese Bilder den Jünglingen im Gartensaal und nimmt sie gleichsam in seinen gesteigerten Lebensmoment zurück. Die Begegnung mit dem Tod bringt ihm höchste Schaffenskraft, er malt das Leben schlechterdings („Es lebt der große Pan");[94] der Kunstschaffende erfährt eine sakrale Steigerung und Heiligung; der Heiligenschein des Malers Tizian („Jetzt ist er wieder ruhig, und es strahlt / Aus seiner Blässe, und er malt und malt")[95] bedeutet eine Verklärung der als lebenschaffend[96] aufgefaßten Kunst und die Installierung des Künstlers als Heiligen, ja nach der üblichen Orthographie der Bibel durch die Großschreibung des Personalpronomens[97] als Gott. Die Jünglinge, deren Dasein gleichsam aus seiner Lebenssubstanz gespeist wird, so wie die Pose des Prologknaben von der Vorstellung des Infanten Leben erhält, stehen durch seinen Tod vor dem nichts – oder vor ihrem eigenen Leben („Das tote, taube, dürre Weitersein [. . .] Und wird doch morgen sein").[98] Diese Bemerkungen zeigen, daß die ganze sichtbare Szene auf etwas ausgerichtet ist, was auf ihr nicht gezeigt wird, auf Leben, dessen Altar, Tizian, ebenso zugangslos bleibt wie das durch die Gitter getrennte Venedig. Die eigentlichen Erfüllungsräume sind abgetrennt.[99] Auch hier ist, ähnlich wie in der Thesenhaftigkeit von *Gestern*, eine Technik des Aussparens angewendet, Schnitzler schildert die erstarrten gesellschaftlichen Formen und benützt sie, bis sie in ihr Gegenteil umschlagen; Hofmannsthal bedient sich eines bestimmten Kunstformenrepertoires (wie sich das auch in Innenraumgestaltung und Architektur zeigt), um diese Erstarrungen bewußt zu machen und zu richten. Von unserem vereinfachenden Schema der Aussparung her scheint es uns bezeichnend und vielleicht auch geglückter, daß Hofmannsthal das Werk als Bruchstück gab und die geplante Fortsetzung in Venedig nie ausführte.[100]

Aber selbst das würde im Rahmen dieser Technik nur eine inhaltliche Verschiebung sein, die keine wesentliche Veränderung brächte, da der Ausbruch nach Venedig von der Gesamtform – dem einleitenden Prolog und dem im Stück mitspielenden Prologpagen – sich nur innerhalb der bestimmten Grenzen dieses Spiels verwirklichte; spielte der Page den Ausbruch mit, so bliebe das zunächst innerhalb des Spiels, aber weiter immer noch innerhalb seiner Infantenposen, die ihm das Stück eingebracht haben. So kann eine angedeutete Lösung nicht im Inhaltlichen zum Tragen kommen. Ich unterlasse es im vorliegenden Zusammenhang daher auch, die nähere Charakterisierung der Lebenssituation der Jünglinge zu verfolgen. Die „Lösung" liegt vielmehr schon in dem differenzierten Formaufbau selbst, in den der Prologknabe eingeschlossen bleibt. So übernimmt auch hier, wenn auch anders als bei Schnitzler, die Form in ausgeprägter Weise die inhaltliche Bestimmung. Ganz deutlich ist das – ich habe auf den möglichen Vergleich zwischen *Liebelei* und der Szene Claudio-Mädchen hingewiesen – in *Tor und der Tod.* Von ganz anderer Seite, von der Sprache her, hat H. D. Cohn auf eine so differenzierte Formung aufmerksam gemacht und gezeigt, wie Claudio in der Sekundärwirklichkeit seines Aesthetentums verhaftet bleibt: „Das Material seiner Sprache stammt aus einer anderen Schicht als der Anlaß seines Sprechens; da, wo er gescheitert ist, ist er stumm, und weil er stumm ist, ist er gescheitert."[101] „Wie den Fisch das Netz", um mit Claudio selbst zu sprechen, hält ihn die Bildungssprache, das Schön- und Klugsprechen, gefangen, bleibt er in seinem Bildungsleben aufgehoben. In der Großform dieses Totengerichts erst, einer aus der Tradition übernommenen Form, bietet sich Hofmannsthal die Möglichkeit, das Problem Claudios zu fassen und darzustellen. Es zeigt sich anders auch in Claudios Verhältnis zu seiner (Makarts Atelier ähnlichen) „Rumpelkammer". Auch dort findet sich Wertschätzung und Ablehnung des künstlerisch Geprägten. Die Kunstgegenstände waren ihm Mittel, sich „jenem Leben, das ich so ersehnte", zu nähern; anderseits scheint ihm nun dieses Leben nicht mehr in ihnen: „Ihr ward doch all einmal gefühlt / Gezeugt von zuckenden, lebendgen Launen, / Vom großen Meer emporgespült, / Und wie den Fisch das Netz, hat euch die Form gefangen!"

Immer wieder sind es Probleme, die aus künstlerisch vorgeformter Wirklichkeit und ihrem Verhältnis zum Leben entspringen, die wiederum in traditionellen Formen zu einprägsamer und bestimmender Darstellung gelangen. Es bleibt natürlich die Frage, ob solche traditionellen Kunstformen, wie später dann deutlicher *Jedermann* oder das *Salzburger große Welttheater*, nicht auch wie jene Kunstgegenstände in der Gefahr sind, ein „hohles Bild von einem vollern Sein" zu werden,[102] zumindest in der literaturgeschichtlichen Perspektive. Man kann hier den Anschluß an W. Naumanns Beobachtungen zur Form des Dramas bei Grillparzer und Hofmannsthal suchen,[103] da die Umwertung der Form zwischen beiden auch von unserer Fragestellung her bezeichnend erscheint. Bei Grillparzer handle es sich um Benützung und Fortführung der Tradition, die auch dem Beschauer als bekannt vorausgesetzt werden kann, um mit ihr einen höhern Sinn zu erfassen. Hofmannsthal hingegen gehe es „um eine Wiederherstellung der Tradition. Die Forderung, die der Dichter an den Zuschauer stellt, kommt zum Ausdruck im Aufzeigen der traditionellen Form selbst."[104] Das zeigte sich schon deutlich in *Der Tor und der Tod*, wo die Form alle inhaltlichen Variationen, wie sie bei Schnitzler für sich im Vordergrund stehen, z. B. die Begegnung mit Mutter, Mädchen und Freund, in sich integriert. So kann, ausgehend von dem Formüberwiegen im *Tod des Tizian*, wo wie für Schnitzler von ‚Aussparung" gesprochen wurde, zugleich ein weiterer Unterschied festgehalten werden: ihre hohe Bedeutung gewinnt die Form bei Hofmannsthal über das Aussparungsschema hinaus und zugleich sich seiner bedienend aus ihrer integrierenden Leistung. Sie ist nicht nur eine Form adäquater und kritischer Darstellung, sondern darüber hinaus von einem hohen Ethos getragen. Sie ist – mit Broch – „sittliches Ritual".[105] – Mit *Jedermann* („ohne jede historische Exaktheit")[106] schreibt Hofmannsthal ein Stück gegen die Geldherrschaft, erweitert seine Vorlagen auch um entsprechende Szenen[107] und zeigt die Situation des Menschen an *einem* großen Gegensatz.[108] Er wendet sich in diesem Sinne höchst bewußt der Schaubühne eines großen Publikums zu. Coghlan sieht im Aufbau zwei Abschnitte, einen ersten aufs Diesseits gerichteten und in ihm aufgehenden, und den mit der Mammonszene beginnenden, am Übernatürlichen, Ewigen orientierten.[109] In der Verbindung und im Zusammenhang dieser zwei Teile scheint uns die Schwierigkeit zu liegen. Die für das Stück entworfene und gegenüber den Vorbildern verbreiterte soziale Basis – sozial nicht im Sinne von Hofmannsthals Begriff des Sozialen als Fülle zwischenmenschlicher innerer Beziehung – ist im zweiten Teil fast in keinem Moment als Problem aufgenommen. Das Stück ist zwar Hofmannsthals Absicht nach antikapitalistisch und ist das von dieser sozialen Basis aus, aber es ist in keiner Weise sozial. Die göttliche Gnade für Jedermann, seine Erschütterung und Läuterung, überhaupt das ganze Diesseits-Jenseits-Schema, kann die Frage, die durch den Schuldknecht und sein Weib und Jedermanns Reaktion aufgeworfen werden, nicht mehr integrieren, wie anderseits solche Gestalten wie der Schuldknecht auch nicht als Allegorie für Jedermanns Egoismus angelegt sind noch als solche genommen werden können. Die Teile bleiben disparat, und die Form doch ein „hohles Bild von einem vollern Sein", das thematisch angezielt wird. (Diese Schwierigkeit vermag wohl auch der Aufführungsstil nicht zu überwinden).[110] Freilich verengen wir in diesen Urteilen den Fragenkreis; doch geht es hier dem Tagungsthema gemäß um das Leistungsverhältnis Kunstform und Wirklichkeit. Hofmannsthal versucht, mit einem auf die Totalität der

Welt gerichteten Anspruch der Beliebigkeit des kommerzialisierten und ideologisierten Rollenspiels, wie sie in manchen Erscheinungen der zeitgenösisschen Gesellschaft verfolgt wurde, eine sinnvolle Ordnung zu geben. Das tradierte ethische System des *Jedermann*, das auf ganz anderen Voraussetzungen ruht als die Probleme, die Hofmannsthal im ersten Teil einführt, kann der völlig verschiedenen gesellschaftlichen Situation nicht Rechnung tragen. Ähnlich scheint es uns noch mit dem *Salzburger großen Welttheater* bestellt zu sein. Wenn Hofmannsthal im Festspielalmanach 1925 schreibt, daß er der Welttheaterform einen neuen Gehalt geben wolle, worin Zeitgemäßes zum Ausdruck kommt,[111] trifft er sich in seinen Ansichten zur traditionellen Form mit dem epigonalen Dramatiker Saar.[111] Auch hier ließen sich Widersprüche zwischen den Ansprüchen der einzelen Rollen – gerade weil Hofmannsthal ja nicht historisieren, sondern für seine Zeit schreiben will – und der Gesamtform andeuten; Bauaufgabe und Bauform stimmem, wie manchmal im Historismus, nicht überein. In einem anderen Rahmen hätte sich sein Anliegen, die innere Verwandlung, vielleicht überzeugender zeigen lassen, wenn man etwa an die Entwicklung der Lustspiele denkt. Anderseits aber zeigt sich, welch hohes Vertrauen Hofmannsthal in die Kunst setzt; er wollte mit dem bewußten Einsatz des tradierten Formenrepertoires, um wieder an Naumann anzuschließen, eine Veränderung seiner zeitgenössischen Wirklichkeit erzielen. Auch in dieser Hinsicht unterscheidet er sich deutlich von dem so viel realitätsnäheren Schnitzler. Während Schnitzler gesellschafts- und milieuimmanent beschreibt und jedes Detail ausformt, versucht Hofmannsthal mit seinen Formen das Detail aufzuheben, um vom Ganzen her zum Geschichts- und Gegenwartsgewinn zu schreiten. „Die Form selbst, die Bewußtseinslage, die sie spiegelt, ist die Forderung, die an den Zuschauer gestellt wird." In der Form sucht er, über das erklärende Wort hinaus, die *Tat* sichtbar zu machen, unmittelbar zu wirken.[113] Hofmannsthal sah die Formen dabei, aus dem Historismus kommend, vielleicht zu zeitlos und urbildhaft.

In diesem Sinne seiner Einstellung zur Form, der Aufhebung ihrer historischen Bedingtheit, dem Zuweisen einer bestimmten Aufgabe – ähnlich wie das Parlament griechisch, die Museen im Renaissancestil sein sollten –, scheint ein Teil seines Werks stark dem Historismus zuzuordnen zu sein und damit die immer betonte Barocktradition, die auch in der Architektur des Historismus eine Späterscheinung ist, relativiert.[114]

Die erwähnten Werke sind so vielleicht nicht primär als „die barocke Tradition" der österreichischen Dichtung zu sehen, sondern unmittelbar von der Zeit beeinflußt. Sie gehören mit ihrem „Weltauffassungsschema", das aus einem auf Kunst verengten Geschichtsbewußtsein entspringt und sich in diesem Sinne auf eine Totalität richtet, zunächst dem Formenrepertoire des Historismus an; Hofmannsthal versuchte aber mit ihnen, gleichsam zeitimmanent, aus dem spätzeitlichen Dichter-Sein und seinem Totalitätsanspruch an Welterfahrung, den auch diese Formen bieten, herauszuführen. *Dichter-Sein* und historistische Barockform scheinen uns hier enger verbunden als Hofmannsthal und das Barock direkt. Hofmannsthal führt mit ihr die große Dimension des Geschichtlichen über den Zerfall der politischen Großformen seiner Zeit bis nach dem ersten Weltkrieg herauf. Ihre geschichtliche Einordnung in dieser Hinsicht wird sich erst nach einer genauen Durchdringung des Spätwerks, wie auch mancher Parallelentwicklung, z. B. L. v. Andrian–Werburgs Weg zur politisch-theologischen Restauration, der Wendung R. Beer–Hofmanns zur jüdischen Mystik, aber auch der Grundlagen und Entwicklung des Festspielgedankens bei Keller und Wagner u. a. genauer fassen lassen. Auffassung und Bedeutung der Kunst, Kulturpolitik und geschichtliche Lage müssen berücksichtigt werden, um den Festspielgedanken vom Huldigungszug Makarts und dem

Kunstkommerz unserer Tage, in den er reibungslos überging, abzuheben. Der Historismus wurde als eine wie bis dahin nie weltweite „ungeheure Kraftentfaltung" des Abendlandes gesehen.[115] Als sich dessen Untergang abzuzeichnen und im politischen Geschehen zu verwirklichen schien, verdichtet Hofmannsthal seine Welt in die österreichische Idee, in die Idee Europa, auch in die Festspiele. Was von diesem Konzept verwirklicht wurde und was davon blieb, müßte in diesem Rahmen noch genauer geprüft werden.

Die Werke, die in unserer Betrachtung im Vordergrund standen, stellen eher den unbedeutenderen Teil von Hofmannsthals Schaffen dar. Seine Lösung aus dem Zeitbedingten, die engere „Verknüpfung mit der Wirklichkeit",[116] vollzog sich, wie auch die Forschung betont, vor allem in den Lustspielen und der Prosa.[117] M. Stern hat in eindringlicher Weise sichtbar gemacht, wie Hofmannsthal – ohne historisches Formenrepertoire – seinen Weg zu seinen vollendet gestalteten Werken findet.[118] Hofmannsthal verwirft die erstarrte Alltagssprache, die Schnitzler vor allem in der Frühzeit zur Darstellung ausnützt und so das Gemeinte, es wörtlich aussparend, dialektisch erreicht. Hofmannsthals hohes Bewußtsein von dem die menschliche Wirklichkeit so leicht verfehlenden und gefährdenden Bedeutungsgefüge der Sprache verdichtet sich zur Sprachgestaltung des „verbergenden Enthüllens". Viele Interpreten haben diese Leistung etwa am *Schwierigen* gezeigt.[119] Diese Technik der „Andeutung" und des „Indirekten" wurde für unseren Zusammenhang ganz vernachlässigt.[120]

Zum *Schwierigen* greife ich nur eine Beobachtung K. K. Polheims auf.[121] Die Anlage der Szenen bringt ein Überwiegen der Dialoge der Nebenfiguren über die der Protagonisten. So ist Antoinette Hechingen als Gegenspiel zu Helene über weite Strecken dominierend; Antoinette stellt gleichsam die zeitgemäße Fassade dar, die stürzt und hinter der das richtige Dasein, der wiedergeborene Hans Karl und Helene, sichtbar werden.

Einen Versuch, eine solche Entfaltung des Menschen unter den gefährdetsten Bedingungen zu geben, den engsten Anschluß an die Zeitprobleme sowie auch wieder den Anschluß an die literarische Tradition stellt der *Turm* dar. Im *Turm*, dessen Konzept Hofmannsthal, wie nun B. Peschken eindringlich verfolgte,[122] seit der Jahrhundertwende begleitete, stellt er sich, gleichsam voll armiert aus allen Möglichkeiten seiner Zeit, der neuen Zeit. Im Zentrum steht die manieristische Gestalt des Jünglings Sigismund, dem jeder Spiegel seines Menschentums fehlt; Sigismund wird aus dem Turm geholt und soll in das herrschende System eingeordnet werden. Ohne jegliche Hilfe müßte es ihm gelingen, mit Schiller zu sprechen, das Rad im Laufe auszuwechseln. Dieser Ansatz ist 1925 und 1927 im wesentlichen gleich. In der ersten Fassung wird ein großer Reichtum an Menschlichem und Geschichtskräften mit größter Theatralik entfaltet. Sie stellt ab dem dritten Akt, dem Übertritt Sigismunds in die Welt, ein äußerst bewegtes Chaos dar, in dem aber Sigismund bald als Feldherr herrscht, jedes Risiko auf sich nehmend. Sigismunds geplantes Staatsgefüge wird in der Verbindung mit dem Großkan der Tartaren zum utopischen Wirklichkeitsentwurf. Dieses Visionär-Utopische formt das Chaos schließlich im Auftreten des Kinderkönigs, der unter Berufung auf die reine Menschheit seines Volks die Herrschaft übernimmt. In dieser Fassung wird Geschichte gemacht. Die zweite, die Bühnenfassung, verengt den geschichtlichen Horizont. Sigismund kommt nicht mehr zum gestaltenden Eingreifen in die Zeit, sondern seine Leistung wird auf das Überbleiben im Geiste reduziert. Sein Wort „Gebet Zeugnis, ich war da" kann kaum fruchtbar werden. Das in der Fassung von 1925 voll ausgebreitete Chaos der Welt erscheint in der von 1927 vom dritten Akt an auf eine Staatsintrige in einem von mehr oder weniger Menschen erfüllten Palast verengt und zur Staatsaktion gewandelt; freilich begründet, nicht nur innerhalb des Dramas, sondern auch vom Laufe der Geschichte, wie sie Hofmannsthals ahnend in Olivier, einem Bilde auch Hitlers, erkannte.

So muß mit W. H. Rey auch die Leistung dieser zweiten Fassung gesehen werden. Hofmannsthal hatte die Kraft, der ästhetischen Utopie der ersten Fassung zu entsagen.[123] Daneben spielen andere Gründe eine Rolle. Hofmannsthals Generation, seinem Stand und seiner geistigen Prägung schien mit dem Zerfall der Monarchie und der Auflösung in Sezessionsstaaten eine Auflösung jedes motivierten politischen Denkens verbunden. In diesem Sinne betont Coghlan, daß Hofmannsthals *Turm* „sub specie aeternitatis" zu sehen sei; er bezeichnet den *Turm* mit seinem umfassenden Weltentwurf und Geschichtshorizont als „kulturgesättigt".[124] Aus dem Wandel der geschichtlichen Lage ist Hofmannsthal in diesem Sinne aus ganz anderen Voraussetzungen vielleicht in die Bahnen seiner „kulturgesättigten" Frühzeit zurückgekehrt, die wir mit einem Wort von Würtenberger als „von Inspiration imprägniert" bezeichnet wagten. Aussage und Welterfasssung ist vollkommen verschieden, doch scheint in der Dichtung eine Einheit, die dem Historismus zuordenbar ist, gewahrt. Gerade von den Möglichkeiten und geschichtlichen Bedingungen dieser Epoche her wird auch die Leistung Hofmannsthals gewertet werden müssen.

Das Gleiche gilt für Schnitzler: „Am Ende einer bürgerlichen Epoche stehend, erzielt Schnitzler noch einmal eine schöpferische Verbindung ihrer Stilmöglichkeiten. Das Barocke, Klassische, Romantische, Realistische bilden eine Einheit, die nicht klassifiziert werden kann, weil sie an keine Periode mehr gebunden ist und daher über zeitliche Geltung hat", schreibt Rey zu Schnitzlers Alterswerk.[125] Gerade diese Einheit – die man bei Schnitzler vielleicht gar nicht in eine solche Vielfalt auseinanderlegen kann – scheint uns von dieser Periode her klassifizierbar und an sie gebunden, gewinnt eben von ihr her an Geltung. Es ist wohl bei manchen Werken – auch Hofmannsthals – sogar angebracht, diese Bindung zu betonen, wie es Coghlan gleichsam experimentell tut und sich darauf einzulassen, manches von dem von der Zeit intendierten Ewigen aus, also „sub specie aeternitatis" des Historismus, zu sehen.

Was ich mit diesen Bemerkungen verdeutlichen wollte, ist die Verbundenheit dieser Dichtung mit der geschichtlichen Situation, die Fruchtbarkeit, die das scheinbare Vakuum des Historismus bedeutet. Von einer genaueren Erfassung Beer-Hofmanns und Andrians für Hofmannsthal, die beide vergleichbare Entwicklungen machen, F. Saltens, dessen Weg aus dem unmittelbaren, oft banalen Zeitbezug seiner frühen Novellen und Dramen zu den Tiergeschichten wie *Bambi*, die ganz in den gesellschaftlichen Klischees der Wiener Jahrhundertwende verhaftet bleiben und die ihn so nach Hollywood führten, weiters Dörrmans, Auernheimers u. a. und ihrer – wie mir scheint – tatsächlich den Konventionen der damaligen Zeit ausgelieferten Schriften für Schnitzler müßte die Leistung der Werke Hofmannsthals und Schnitzlers noch deutlicher als eine Weltbewältigung in der Sprache, eben als Dichtung heraustreten.

Anmerkungen

Vortrag, gehalten am 28. 1. 1970 bei der Tagung ‚Der Kreis Jung-Wien'. Mythos und Wirklichkeit der Wiener Literatur um die Jahrhundertwende. Villa Sciarra Wurts, Rom.

1 H. Broch, Hofmannsthal und seine Zeit, in H. B., Gesammelte Werke, Bd. VI. Zürich 1955, S. 43–182, S. 43.

2 R. Urbach, Arthur Schnitzler, Velber bei Hannover 1968, S. 19 (Friedrichs Dramatiker des Welttheaters Bd. 56).

3 So wird etwa die Konstruktion eines „reinen" Stils einer Epoche (die aus dem Historismus stammt) als unhaltbar angegriffen. Vgl. H. G. Evers, Historismus, in: Historismus und bildende Kunst). Vorträge und Diskussionen im Oktober 1963 in München und Schloß Anif, München 1965 (Studien zur Kunst des 19. Jhds. Bd. 5).

4 D. Heinz, Zum Problem des Historismus in Österreich, in: 100 Jahre Österreichisches Museum für angewandte Kunst, Wien 1964, XXVII, – XXXIII. – R. Zeitler, Die Kunst des 19. Jhdts., Berlin 1966, (Propyläen Kunstgeschichte) – R. Wagner–Rieger, Der Historismus in der Wiener Architektur des 19. Jahrhunderts, in: „alte und moderne Kunst", 13 (1968), H. 100 (Sept., Okt.), S. 2–15; vgl. weiters: Biographie zur Kunstgeschichte des 19. Jahrhunderts. Publikationen der Jahre 1940–66 zusammengestellt von H. Leitzmann, München 1968 (Studien zur Kunst des 19. Jahrhunderts, Bd. 4).

5 D. Heinz, a.a.O., S. XXXII. Vgl. dazu die Stilentwicklung des Historismus bei Wagner–Rieger, a.a.O.

6 R. Wagner–Rieger, a.a.O., S. 4.

7 Vgl. die Bedeutung etwa der Semper-Bauten in ihrer künstlerisch gestalteten Großförmigkeit mit Betonung der übergeordneten Einheiten und Riesenordnungen bei R. Wagner–Rieger, a.a.O., S. 9. Vgl. dazu A. Kiesinger, Die Steinbauten der Wiener Ringstraße, in: „alte und moderne Kunst", 11 (1966) H. 85 (März – April), S. 2–11: „Nicht nur, daß eine Zeit eines ungeheuren wirtschaftlichen Aufschwunges sich selbst darstellen wollte, es war auch ein staatspolitisches Bedürfnis, den Charakter der ‚Reichshaupt- und Residenzstadt' der riesigen Monarchie in allem Glanze herauszustellen –. Kaiser Franz Joseph, für sich selbst von spartanischer Einfachheit, erklärte, daß nur ein alle Provinzstädte überstrahlendes Groß-Wien zum Mittelpunkt und sinnfälligen Ausdruck der neuen zentralistischen Staatsidee geeignet sei" (S. 5); Wagner–Rieger sieht in den Tendenzen des Späthistorismus zu „klassizistischer Megalomanie" eine Vorwegnahme der riesigen Anlagen der autoritären Staaten der dreißiger Jahre (a.a.O. S. 15).

8 Die Wiener Ringstraße. Bild einer Epoche, hrsg. v. R. Wagner–Rieger, Graz – Wien – Köln Bd. 1, 1969 (11 Bde. geplant).

9 C. Magris, Il mito absburgico nella letteratura austriaca moderna, Torino 1963 (dt.: Der habsburgische Mythos in der österreichischen Literatur, Salzburg 1968).

10 Vgl. L. Jedlicka, in: *Gestalter der Geschicke Österrerreichs*, hg. von H. Hantsch, Innsbruck – Wien – München 1962, S. 527–538; zu Popovici St. Verosta, in: Geschichte der Republik Österreich, hrsg. v. H. Benedikt, Wien 1954, S. 582 ff.; Churchill zitiert in: H. Hantsch: Die Geschichte Österreichs, Graz – Wien – Köln 2. Bd. 3. Aufl. 1962, S. 543 f.

11 E. Pirchan, Hans Makart. Leben, Werk und Zeit, Wien 1954. 2. Aufl; ich zitiere nach der 1. Aufl. Wien – Leipzig 1942, S. 71.

12 E. Pirchan, a.a.O. S. 77.

13 Für den Hinweis auf die entsprechenden Dokumente und die Einsicht in sie habe ich Frl. stud. phil. R. Mikula, die eine Makart-Monographie vorbereitet, zu danken.

14 Schnitzler besuchte es als Knabe mit seinem Onkel; vgl. A. S., Jugend in Wien, 2. Aufl. Wien 1968, S. 57 f. Beschreibung des Ateliers bei Pirchan, a.a.O., S. 36–42.

15 E. Pirchan, a.a.O., S. 32.

16 Zitiert nach Pirchan, a.a.O., S. 80.

17 Ich folge Pirchan und den Abbildungen bei ihm.

18 Jakob v. Falke, Die Kunst im Hause, Wien 1871 zitiert nach: F. Windisch–Graetz, Mobiliar und Interieur um 1870. Grundsätze für die künstlerische Gestaltung von Möbeln und Wohnung, zusammengestellt aus zeitgenössischen Veröffentlichungen, in: 100 Jahre Österreichisches Museum für angewandte Kunst, Wien 1964, S. XXIII–XXVI, S. XXV.
19 E. Pirchan, a.a.O., S. 81.
20 R. Wagner–Rieger, a.a.O., S. 8.
21 Vgl. dazu die bei Pirchan, a.a.O., bei den einzelnen großen Bildern angeführten kritischen Stimmen. Vgl. weiter: Gegen den Strom. Flugschriften einer literarisch-künstlerischen Gesellschaft, Heft VIII: Unsere Künstler und die Gesellschaft, Wien 1886, S. 44.
22 D. Spitzer, Hereinspaziert ins alte Wien. Heiter-Satirisches aus der Donaumonarchie, hrsg. v. Hermann Hakel, München 1970 (dtv. 645), S. 109; vgl. auch Pirchan, a.a.O., S. 64.
23 E. Pirchan, a.a.O., S. 88; Spitzer, a.a.O., S. 136f.
24 Zitiert bei Pirchan, aa.O., S. 34.
25 Statistisches Material zu den einzelnen Gewerbe- und Handelszweigen, zu Exekutionen und Branchenveränderungen in: 100 Jahre im Dienste der Wirtschaft. Eine Festschrift. Hrsg. v. Bundesministerium für Handel und Wiederaufbau, Wien 1961, 2 Bde. Vgl. aus der Tagespresse etwa D. Spitzer, Die Korruption in Österreich, a.a.O., S. 55f.
26 Vgl. das Referat von Dr. W. Zettl, Die Kunst als Spiegel und Kulisse der Neu-Wiener Gesellschaft; vgl. zur Zeitlage auch F. Derré, L'Oeuvre d'Arthur Schnitzler. Imagerie viennoise et problèmes humains, Paris 1966, S. 7–83.
27 H. Tietze, Die Juden Wiens, Wien 1933, S. 203. Auch die folgenden Daten nach ihm.
28 W. H. Rey, Arthur Schnitzler. Die späte Prosa als Gipfel seines Schaffens, Berlin 1968, S. 65 und 83.
29 Er fühlte sich verstanden, als seine Novellen „Blutzeugen der österreichischen Verhältnisse" genannt wurden: „mit diesem Bewußtsein, in diesem Sinne hatte ich sie geschrieben" (Handschrift in der Wiener Stadtbibliothek Nr. 30 216, 30 215, 50 023).
30 Vgl. R. Wagner–Rieger, a.a.O., S. 6.
31 H. Broch, a.a.O., bes. 48–51, 127–131; R. Urbach, a.a.O., S. 19ff. Er betont die zeitgeschichtlich-gesellschaftlichen Züge: „Der Menschentyp, der dazu bestimmt war, diese Gesellschaft von Spielenden zu repräsentieren, war der Schauspieler. Am Hofburgtheater hatte der Mime große Affekte vorgemacht (der Wolterschrei!), hatte vorgeführt, wie man den Frack trägt, wie man sich im Umgang mit Menschen zu benehmen hat. Der Wandel der Auffassung vom Schauspieler ist identisch mit der Veränderung, die in der Gesellschaft vorging, als die Ringstraßenjugend zur Gesellschaft der Jahrhundertwende herangewachsen war. Der Schauspieler war vom Kothurn herabgestiegen und spielte mitten unter seinem Publikum, das zum großen Partner wurde. Er lehrt die Gesellschaft, wie man so spielt, daß es echt scheint. Er lehrt die Täuschung. Jeder weiß, daß der Schauspieler spielt – wenn er auf der Bühne steht. Wenn er mit gleichen Mitteln im Leben spielt, spielt er nicht mehr, sondern täuscht." (S. 20) Zur Bedeutung des Rollenspiels in der Gesellschaft vgl. auch G. Baumann, a.a.O.; zur Operette *Magris*, a.a.O., S. 185–192.
32 Vgl. K. Schug, Salomon Hermann Mosenthal. Leben und Werk in der Zeit. Ein Beitrag zur Problematik der literarischen Geschmacksbildung, Diss, Wien 1967. Zu Deborah besonders S. 66–82.
33 E. Pirchan, a.a.O., S. 85.
34 G. Baumann, A. Schnitzler. Die Welt von gestern eines Dichters von morgen, Frankfurt/Main – Bonn 1965, S. 15; W. H. Rey, a.a.O., bes. S. 22, 68, 99, 124.
35 A. Schnitzler, Anatol. Introduzione, testo e versione a cura di P. Chiarini, Rom 1967, bes. S. VIII–XVI.
36 Arthur Schnitzler, Gesammelte Werke. Die Erzählenden Schriften, Bd. 1, Frankfurt/Main 1961, S. 196. Die Erzählenden Schriften werden hinfort als E. S., die Dramatischen Werke als D. W. abgekürzt zitiert.
37 E. S. I, 183, 193 u. ä.
38 E. S. I, 206.

39 Bezeichnend auch für die Art der Problemerfassung im Drama bzw. für Schnitzlers Einakter. Vgl. G. Baumann a.a.O., E. Offermanns im Nachwort zu: A. Schnitzler: Anatol, Berlin 1964 (Komedia 6); R. Urbach: a.a.O.; Verf.: „Drei Akte in einem." Zum Formtyp von Schnitzlers Drama, in „Zeitschrift für deutsche Philologie", 85 (1966), S. 283–308.
40 Broch, a.a.O., S. 44.
41 E. S. I, 206.
42 Vgl. Josefinens Charakteristik, E. S. I, 187; ein Künstler solle nicht so ausschauen wie die anderen Menschen: „. . . ich denk' mir einen *wirklichen*, ohne Kopfweh, ungeheuer lebendig, meinetwegen mit sehr langen Haaren und ohne Geld, kurzum ein Künstler, wie in den früheren Romanen [. . .]".
43 Vgl. das Klischee dieses Typs E. S. I, 185.
44 Zwar könnte man nach der Schweigsamkeit des Dichters über sein neapolitanisches Liebesverhältnis annehmen, daß er nicht in einem solchen Typus aufgeht; die Erinnerungen Alfreds an gemeinsame Erlebnisse widersprechen dem aber (E. S., I 177). Jedenfalls legt es hier Schnitzler nicht auf eine Unterscheidung an, worauf ja schon der einseitige Briefwechsel hinweist.
45 E. S., I, 197.
46 E. S., I, 200, 201.
47 Vgl.: „Geliebt werden und lieben, das ist das wahre Glück [. . .] da hält man's auch in der Wüste aus; davon bin ich fest überzeugt. Nur regnen dürft's nicht, das muß ich schon sagen" (E. S., I, 202).
48 A. Schnitzler, Novelle, Introduzione, testo e versione a cura di Giuseppe Farese, Rom 1970, bes. S. 51.
49 Marie v. Ebner–Eschenbach, Zwei Komtessen, Wien 1885.
50 Vgl. zu den Stoff- u. Themenkreisen F. Derré, a.a.O.
51 W. H. Rey, a.a.O., S. 72, 71; so berühren sich Reys „Entlarvungstechnik" im inhaltlichen Fortschreiten der Novelle und die dialektische Leistung der Aussparungstechnik; vgl. auch Reys Bemerkungen zu der dem „inneren Dialog" angenäherten Fräulein Else, z. B. zur scharfen Konturierung der Figuren, etwa Dorsdays als des „diabolischen Apostels des Mammons"; auch hier liegt in diesem Sinne eine Aussparungsform vor (a.a.O., 138, 73, 63).
52 A.a.O., 192.
53 Die Anreicherung der Charaktere zu einem komplexeren, positive und negative Seiten einschließendem Bild ist dann, wie Rey gezeigt hat, eine Errungenschaft des späten Schnitzlers. Rey verwendet für die späte Prosa mehrfach die Begriffe „klassisch" und „romantisierend" zur kennzeichnenden Unterscheidung der Gesinnung des Autors und der dargestellten Welt (a.a.O., 176, 149). Was er mit diesen Begriffen faßt, wohnt unabhängig dieser geistesgeschichtlich zu verstehenden Terminologie der dialektischen Struktur der Aussparungstechnik inne.
54 Das lag durchaus im Bewußtsein der Zeit. Vgl. Gegen den Strom. Flugschriften einer literarisch künstlerischen Gesellschaft, Heft VIII, a.a.O., Heft III: Unsere Kunstpflege, Wien 1885.
55 D. W., I, 39.
56 D. W., I, 64f.
57 D. W., I, 74, 75,
58 Vgl. R. Urbach, a.a.O., S. 22.
59 E. Ionesco, Die Nashörner, Erzählungen, Erinnerungen, Gedanken, über das Theater, Frankfurt/Main 1964, S. 144, zitiert bei B. Müller, Der Verlust der Sprache. Zur linguistischen Krise in der Literatur, in: „Germanisch-Romanische Monatsschrift", N. F., 16 (1966), S. 225–243, S. 236.
60 Der tote Gabriel zeigt in den Figuren Wilhelmine (vgl. die Schauspielerin des Reigens) und Irene (vgl. Christine in Liebelei) Gleiches. Daß in dieser Erzählung der Ansatz zu Das Wort gegeben ist, weist auf die hier angedeutete Problematik hin.
61 W. H. Rey, a.a.O., S. 188, betont Schnitzlers Neigung, „das gleiche Thema unter positiven und negativen Vorzeichen zu behandeln", . . . „so, daß sich Erfüllung und Scheitern als zwei gleichwertige Aspekte gegenüberstehen". Das gleiche gilt für Formelemente und Formfunktionen.

62 E. Schwarz, Hofmannsthals Kampf um die Wirklichkeit, in: „Literatur und Kritik", 1969 (H. 34), S. 223–241, S. 223.
63 W. H. Rey, a.a.O., S. 12.
64 R. Müller, Die Charaktertypen in den ‚Novellen aus Österreich' von F. v. Saar, Diss., Innsbruck 1952; G. Steiner, Die Gestalt des Menschen in Saars Novellendichtung, Diss., Wien 1953; Verf.: Die Typisierung im Erzählen F. v. Saars, in „Zeitschrift für dt. Philologie" 87, (1968) S. 246–272.
65 Brief an Müller-Guttenbrunn vom 5. 5. 1892 (Handschrift in der Wiener Stadtbibliothek Nr. 34243).
66 W. H. Rey weist auf die objektivere Einstellung Schnitzlers zur k. u. k. Armee nach dem ersten Weltkrieg (a.a.O., 127, 133 f.).
67 R. M. Rilke – A. Schnitzler, Ihr Briefwechsel, hg. v. H. Schnitzler, in: „Wort und Wahrheit" XIII, Jg. 1958, S. 283–298, S. 287.
68 Ludwig Marcuse, Der Reigen-Prozeß. Sex, Politik und Kunst 1920 in Berlin, in: „Der Monat" 14 (1962), Hft. 168, S. 48–55, S. 57.
69 M. Schindlbeck in einer Proseminararbeit WS 1968.
70 W. H. Rey, a.a.O., S. 24, gibt einen Hinweis, daß bei Dirne, Graf und Stubenmädchen „echte Töne", „Botschaften an den Zuseher" aufklängen.
71 A.a.O., S. 33–35.
72 A.a.O., S. 35.
73 G. Farese, Individuo e società nel romanzo ‚Der Weg ins Freie' di Arthur Schnitzler, Rom 1970.
74 H. Arntzen, K. Kraus und H. v. Hofmannsthal, in: „Sprache im technischen Zeitalter" 26 (1968), April – Juni, S. 147–163.
75 Hugo v. Hofmannsthal – A. Schnitzler, Briefwechsel. Hrsg. von Th. Nickl und H. Schnitzler, Frankfurt/Main 1964, S. 42.
76 K. Demus in: Die Österreichische Galerie im Belvedere in Wien, Wien 1962, S. 68.
77 Hugo v. Hofmannsthal, Gesammelte Werke in Einzelausgaben, hrsg. von H. Steiner, Stockholm, Frankfurt/Main 1954 ff. Prosa I, 283 (die einzelnen Bände werden weiterhin nur mit der Bandbezeichnung zitiert).
78 Prosa I, 173.
79 Vgl. die frühen Briefe des Briefwechsels mit Hofmannsthal (hrsg. von H. Perl, Frankfurt/Main 1968).
80 Vgl. A. Schnitzler, Ges. Werke. Aphorismen und Betrachtungen, hrsg. von R. O. Weiss, Frankfurt/Main 1967.
81 Prosa I, 263.
82 Prosa I, 77, 81 f.
83 Prosa I, 103.
84 Prosa I, 229. Vgl. auch seine Worte zu W. Pater über den Aestheten, Prosa I, 204: „... die Art Menschen, die mit dem eigenen Leben schon das selber tun, was ein darstellender Künstler mit dem Leben der ‚Menschen im Leben' tut [...]".
85 R. v. Schaukal, Werke in Einzelausgaben, hrsg. von L. v. Schaukal und J. Schondorff, Bd. 2, Um die Jahrhundertwende, München – Wien 1965, S. 231–236. Balthessers Vortrag geht auf eine ältere Satire zurück, die wohl mit seiner Beschäftigung mit Hugo v. Hofmannsthal zusammenhängt (vgl. Bd. 2, S. 21–24); zudem erwähnt Schaukal einen Vortrag Hofmannsthals vor der ‚Akademischen Vereinigung' (Bd. 5, Über Dichter, München – Wien 1966, S. 113) in vergleichbarer Weise.
86 Prosa I, 272, 276, 270, 273.
87 Gedichte und lyrische Dramen, Frankfurt/Main 1963, S. 471 (weiter abgekürzt GLD zitiert).
88 Vgl.: „Es singt der Sturm sein grollend Lied für mich, / Für mich erglüht die Rose, rauscht die Eiche. / Die Sonne spielt auf goldnem Frauenhaar / Für mich – und Mondlicht auf dem stillen Teiche [...]". Weiters ließen sich einige Schwierigkeiten mit den Reimworten anführen.

89 Broch, a.a.O., S. 128.
90 Vgl.: Mehr als schlanke Leier. Zur Entwicklung dramatischer Formen in Hugo v. Hofmannsthals Dichtung, in: „Jahrbuch der deutschen Schillergesellschaft" VIII (1964), S. 280–308, S. 282.
91 M. Stern weist darauf hin, daß fast alle Stücke Hofmannsthals Bearbeitungen von Werken der verschiedensten Epochen sind (Hofmannsthals verbergendes Enthüllen. Seine Schaffensweise in den vier Fassungen der Florindo / Cristina-Komödie, in: „Deutsche Vierteljahrsschrift für Literaturwissenschaft und Geistesgeschichte 33, 1959, S. 38–62, S. 39); ebenso B. Coghlan, Hofmannsthal's Festival Dramas, Cambridge – Melbourne 1964, S. 10f., der diese Rückwendungen als Hofmannsthals bezeichnendste künstlerische Eigenheit sieht (S. 152).
92 GLD 189.
93 F. S. Würtenberger, Das Maleratelier als Kultraum im 19. Jahrhundert, in: Römische Forschungen der Bibliotheca Hertziana Bd. XVI (Miscellanea Bibliothecae Hertzianae zu Ehren von L. Bruhns, F. G. W. Metternich, L. Schudt) München 1961, S. 502–513, S. 512.
94 GLD 186.
95 GLD 186.
96 GLD 184.
97 Paris: „Und wo wir Schönheit sehen, wird Er sein" (GLD 198).
98 GLD 187.
99 Vgl. Cohn, a.a.O., S. 286, die die Terrasse als topographische Entsprechung des Vorhofdaseins der Jünglinge bezeichnet.
100 Vgl. W. Volke, Hugo v. Hofmannsthal in Selbstzeugnissen und Bilddokumenten, Reinbek bei Hamburg 1967, S. 38 (rowohlts monographien).
101 Cohn, a.a.O., S. 288.
102 Nach der Reihenfolge der zitierten Stellen GLD 202, 203, 204.
103 W. Naumann, Die Form des Dramas bei Grillparzer und Hofmannsthal, in: „Deutsche Vierteljahrsschrift für Literaturwissenschaft und Geistesgeschichte" 33 (1959), S. 20–38.
104 W. Naumann, a.a.O., S. 24, 22.
105 Broch, a.a.O., S. 127.
106 Prosa, III, 62.
107 Prosa, III, 115, 124. Vgl. Gertrude Kahofer, Hugo v. Hofmannsthals Beziehungen zu den Vorlagen seiner Dramen: Jedermann, Das Salzburger große Welttheater, Der Turm, Diss. Wien 1950, S. 30, 9f.
108 Prosa, III, 63.
109 B. Coghlan, a.a.O., S. 58.
110 B. Coghlan sieht ähnlich – vorsichtig als vielleicht eine „specifically Anglo-Saxon view" umschreibend – die Teufelsszene überflüssig (S. 75). Sie lenkt eigentlich nur von den im ersten Teil aufgeworfenen Fragen ab.
111 Hofmannsthal zitiert bei B. Coghlan a.a.O., S. 52.
112 Fürstin Marie zu Hohenlohe – Ferdinand v. Saar. Ein Briefwechsel, hrsg. von A. Bettelheim, Wien 1910, S. 106.
113 W. Naumann, a.a.O., S. 24, 27.
114 Vgl. R. Wagner-Rieger, a.a.O., S. 13f. Weiters K. Holey, Das Haus des Grafen Lanckorónski, in: Ausgewählte Kunstwerke der Sammlung Lanckorónski, Wien 1918, S. 121–125; Holey betont für das 1894 erbaute neubarocke Schloß, daß bisher die „Werke der größten heimischen Künstler des XVII. und XVIII. Jahrhunderts [. . .] geradezu geächtet" worden seien (S. 124).
115 H. G. Evers, a.a.O., S. 31f.
116 H. Cohn, a.a.O., S. 299.
117 Vgl. F. Martini, Das Wagnis der Sprache, Stuttgart 1954, S. 228–257.
118 Stern betont das „Zurücktreten hinter vorgeprägte Formen", sieht es aber nicht durch Zeitumstände, sondern in Hofmannsthals Persönlichkeit begründet (a.a.O., S. 39f.).
119 Vgl. E. Staiger und W. Emrich jetzt in: Hugo v. Hofmannsthal, hrsg. von S. Bauer, Darmstadt 1968, S. 402–433; S. 434–447 (Wege der Forschung CLXXXIII).

120 Vgl. M. Stern, a.a.O., S. 40.
121 K. K. Polheim, Bauformen in Hofmannsthal Dramen, in „Sprachkunst“, I (1970), S. 90–121, S. 113 ff.
122 B. Peschken, Zur Entwicklungsgeschichte von Hofmannsthals ‚Turm‘, mit ideologiekritischer Absicht, in „Germanisch-Romanische Monatsschrift“ NF 19 (1969), S. 152–178. Peschken analysiert die Veränderungen im Konzept der „Innerlichkeit“, auf die hier im vergröbernden Umriß unseres Zusammenhangs nicht eingegangen werden kann.
123 W. H. Rey, Tragik und Verklärung des Geistes in Hofmannsthals ‚Der Turm‘, in: Hugo v. Hofmannsthal, hrsg. von S. Bauer, a.a.O., S. 448–464.
124 B. Coghlan, a.a.O., S. 306.
125 W. H. Rey, A. Schnitzler, a.a.O., S. 125.

HANS-PETER BAYERDÖRFER

Eindringlinge, Marionetten, Automaten

Symbolistische Dramatik und die Anfänge des modernen Theaters

I

Wie die theatralischen Sendungen zur Literaturgeschichte gehören, so gehört zu ihnen dann und wann auch das Puppentheater. Goethe hat bekanntlich nicht nur in *Dichtung und Wahrheit* über das „von der Großmutter hinterlassene Puppenspiel" berichtet, sondern auch in seinen *Meister*-Romanen: „Kinder müssen Komödien haben und Puppen."[1] Gemäß dieser Goetheschen Maxime bekommt auch der kleine Hanno Buddenbrook zu Weihnachten ein Kindertheater geschenkt. Der Prospekt der kleinen Bühne ist am Weihnachtsabend offen, man sieht den Schlußakt von Hannos Lieblingsstück, Beethovens *Fidelio:* „Don Pizarro, mit gewaltig gepufften Ärmeln, verharrte irgendwo in fürchterlicher Attitüde". Hannos kindliche Begeisterung schildert der Erzähler mit den Worten: „Es war wie im Stadttheater und beinahe noch schöner".[2]

Eineinhalb Jahrhunderte Kulturgeschichte des deutschen Bürgertums spiegeln sich in den genannten Szenen, die man sich real im Frankfurter Hirschgraben-Haus und in der Lübecker Beckergrube vorstellen mag. Die Unterschiede sprechen für sich. In der Mitte des 18. Jahrhunderts ist das Puppenspiel nicht nur als Kindertheater, sondern auch noch als Erwachsenentheater vorausgesetzt; es verfügt über eine eigene Technik, einen eigenen Stil und ein eigenes Repertoire. Schließlich: was *Wilhelm Meisters theatralische Sendung* betrifft, so bildet die Puppenbühne eine Anfangsstufe der Theatererfahrung, die von zahlreichen weiteren Theatererlebnissen überlagert wird, bis die Erfahrung mit der Bühne endlich im eigenen Auftritt in Shakespeares *Hamlet* den Höhepunkt erreicht. Ganz anders die Verhältnisse in der großbürgerlichen Familie zu Beginn des letzten Drittels des 19. Jahrhunderts. Schon das zehnjährige Kind findet eine der ganz großen Szenen des Repertoire-Theaters vor, sein Kindertheater ist nichts anderes als die Nachbildung des Stadttheaters, sein Lieblingsstück zugleich ein Lieblingskind zeitgenössischer bürgerlicher Theaterkultur, die große Oper.[3]

Es ist jener Punkt in der Entwicklung des bürgerlichen Theaterverhältnisses erreicht, wo das Illusions- und Ausstattungsprinzip des poetischen Realismus auch auf der Kinderbühne die letzten Reste einer eigenständigen Theatralik zu verdrängen und den alten Holz- und Drahtfiguren das Lebensrecht streitig zu machen sucht. Daß zur selben Zeit eine Figur wie der Hanswurst immerhin noch auf dem Wurstelprater ihre Legende aus der Frühzeit des Wiener Volkstheaters überlebt, daß es in München die Marionettenbühne von Papa Schmidt gibt, die mit Original-Kasperliaden für Erwachsene aus der Feder des Grafen Pocci aufwartet, daß auch in Berlin, in Brüssel und in Paris Marionettenbühnen bestehen,[4] – all dies sind nur Randerscheinungen, die am Gesamtbild des Theaters der zweiten Hälfte des 19. Jahrhunderts keine ernsthafte Retusche bedeuten.

Um so erstaunlicher ist es, daß wenige Jahre nach dem Erscheinen von Thomas Manns Roman der Berliner Kritiker Paul Legband in einer Rezension des *Literarischen Echo* von einer „Renaissance der Marionette" ausgeht[5] und eine Abrechnung anstellt, die ein nicht geringes Ressentiment gegen die Holzpuppen erkennen läßt. Er zeigt sich beunruhigt von der Zunahme von Marionetten-Aufführungen und von marionettenhafter Bühnenregie; weiterhin macht er sich Gedanken über die sich häufenden theater- und kulturgeschichtlichen Darstellungen, die sich mit den Marionetten, den Puppen, den Schattenspielen und mit zahlreichen anderen Theaterformen aus europäischer und außereuropäischer Tradition beschäftigen.[6] Legband betont in seiner Polemik die grundsätzliche Überlegenheit des Menschlichen und Natürlichen auf der Bühne, er fordert die Eingrenzung der Marionette auf den Bereich des Grotesk-Komischen und ist überhaupt der Meinung, daß die Dramaturgie der Puppen lediglich naive Gemüter ansprechen könne, denen die einfache Komik und die Burleske noch leicht zugänglich seien.

Ein Blick in die deutsche Literaturgeschichte – wobei man direkt an Kleist oder Büchner denken mag oder an die wachsende Bedeutung, die den Metaphern vom Marionettendraht und von der Welt als Bühne im 18. und 19. Jahrhundert zukommt, wann immer der Gedanke an die Determination menschlichen Handelns und an die Machtlosigkeit des Willens auftaucht –, ein Blick auf solche Zusammenhänge hätte den Kritiker davon abhalten können, das Marionettenspiel inhaltlich auf den Bereich elementarer Komik einzuschränken und seiner Ästhetik Subtilität und Raffinement abzusprechen. Insofern hätte auch Anlaß bestanden, weitere Überlegungen im Hinblick auf eine mögliche Neuorientierung des Theaters anzustellen. Daß dies indessen nicht geschieht, ist zwar erstaunlich bei einem Kritiker, der immerhin zeitweise an Max Reinhardts Theaterschule unterrichtet hat, entspricht aber insofern zeitgenössischen Vorstellungen, als – gemessen am traditionellen Verständnis des realistischen Illusionstheaters und seines Bildungsanspruchs – die Figuren der theatralischen Halbwelt, die Marionetten, die Harlekine und Kolumbinen, Eindringlinge darstellen, Störenfriede im wahren Sinne des Wortes, die das sorgsam in sich abgeschlossene System spätwilhelminischer Theaterkultur in Unordnung bringen.

Die Entrüstung über Eindringlinge dieser Art – um ein weiteres Symptom wenigstens zu nennen – bringt noch einige Jahre später einen handfesten Skandal hervor, als sich Gerhart Hauptmann zum Jahrhundertjubiläum der Leipziger Völkerschlacht einfallen läßt, sein *Festspiel in deutschen Reimen* als großangelegte historische Kasperliade aufzuziehen. Am Schluß dieses Stückes erscheint ein mit aller Machtvollkommenheit ausgestatteter Spielleiter – „Ich bin der Erste, ich bin der Letzte, bin der Anfängliche und der Abschließende" –, der den säbelrasselnden Blücher in die Figuren-Kiste verbannt, um dem das ganze Stück hindurch auftretenden Trommler „Mors" das Handwerk zu legen und den Frieden zu erhalten. Dieser Schluß – man schreibt Herbst 1913 – ist inhaltlich ebenso skandalös wie formaldarstellerisch, denn anstatt der heldischen Gloriolen werden die Drähte und die Mechanik von Holzfiguren sichtbar.

Für den Literarhistoriker erhebt sich die Frage, wie es in dem verhältnismäßig kurzen Zeitraum weniger Jahrzehnte dazu kommen konnte, daß die dramatischen Kunstfiguren, die so sorgfältig aus allen Spielarten des Theaters, vom Hoftheater bis zum Boulevard und zur Vorstadtbühne, verbannt waren, sich auf anscheinend beunruhigende Weise Terrain zurückerobern konnten. Die Frage verschärft sich, wenn man sich klarmacht, daß zwischen dem Weihnachtsabend der Buddenbrooks in den 70er Jahren und dem Jahre 1906 die naturalistische Umwälzung über die Bühnen geht, die alles andere, nur nicht die Auferstehung der Marionette oder des Harlekin und eine analoge Bühnenstilisierung betreibt; der Naturalismus hat vielmehr bei aller inhaltlichen, d. h. soziologisch und psychologisch begründeten Relativierung der Person dennoch formaldarstellerisch an der Integrität der menschlichen Gestalt festgehalten, ja deren sichtbare Erscheinung auf der Bühne durch nuancierte psychologische Darstellung besonders akzentuiert. Der Schlüssel zum Verständnis des Revirement der Marionette liegt nun keineswegs an der zunächst zu vermutenden Stelle, nicht bei den spärlich vorhandenen Marionettenbühnen der Metropolen. Daß die Kunstfiguren mit ihrer spezifischen Bewegungsform, ihren Ausdrucksmöglichkeiten, ihrer Mechanik, sich in die Welt der großen Menschendarstellung einzuschleichen wagen, erklärt sich aus einem ganz anderen Ursprung. Er liegt im Bereich jenes Versuchs zur Erneuerung der Tragödie, der mit dem Begriff des „Symbolismus" zu kennzeichnen ist.[7] Der erste Eindringling, der die Personenwelt des bürgerlichen Theaters in Verwirrung bringt und der einem Stück – *L'Intruse* – den Titel gegeben hat, stammt von Maurice Maeterlinck, und gemeint ist mit diesem Eindringling nicht Hanswurst oder Harlekin, sondern der Tod. Diese historische Herleitung bedarf freilich der Rechtfertigung und der genaueren Darlegung. Wesentliche historische Voraussetzungen müssen in abgekürzter Form vorweggenannt werden.

1) Die theatralische Sendung des Symbolismus gewinnt – trotz einiger vorhergehender Versuche[8] – erst Theaterboden mit der Lancierung Maeterlincks durch Gustave Mirbeau, indirekt durch Mallarmé, und dies zu einem Zeitpunkt, der nur wenige Jahre nach den Anfängen der naturalistischen Bühnenrevolution, eingeleitet durch Antoine, liegt. Diese Sendung verdankt sich nur zum kleineren Teil der ausdrücklichen Wendung gegen den Naturalismus. Ihre weitere Intention richtet sich auf eine universale Erneuerung des abendländischen Theaters überhaupt. Sie erhebt für das Theater einen mataphysischen Anspruch: die Rettung des Menschen, der sich in seinem Wesen als ‚capax infiniti' erweist. Dieser Anspruch bildet die Grundlage, auf der sich – in scheinbar paradoxer Weise – die Freisetzung der theatralischen Kunstfigur vollzieht. Die Entwicklung erfolgt, gemessen an den Hauptströmungen auch der modernisierenden Dramatik, im Abseits vereinzelter dramatischer Neukonzeptionen.

2) Das symbolische Theater ist undenkbar ohne die ‚Sezession' innerhalb des Theaterbereichs, die mit der Gründung der sogenannten Experimentiertheater ab 1887 einsetzt. Sie basiert zunächst auf der bürgerlichen Institution des Vereinstheaters, löst sich aber sehr rasch davon und gewinnt – sieht man von weiteren Folgen wie etwa der Volksbühne ab – den elitären Status von Werkstattbühnen, die im wesentlichen von Intellektuellen und von Theaterfachleuten selbst getragen werden. Insofern ist die avantgardistische Experimentierbühne der Jahrhundertwende Ausdruck einer innerbürgerlichen Opposition, die dem offiziellen, vom Bürgertum in seiner Gesamtheit mit Beschlag belegten Theaterbetrieb *ästhetisch* gegenübertritt. Diese Sezession hat, soweit sie symbolistischen Intentionen Raum gibt, ihre markanteste Entwicklungslinie im engeren Bereich des Theatralischen selbst in der Weise, daß Schritt für Schritt eine Entfernung des Theaters von der Dramatik einsetzt. Genauer gesagt, die Geburtsstunde dieser *neuen* experimentellen Theatralik steht im Zeichen einer Selbstbegründung des Theaters gegenüber dem Drama als sprachlichem Text. Letztlich geht es um die Lösung von der Gesamtform des bürgerlichen Theaters, dem realistischen Illusionstheater, seiner Dialogbasis und seiner herkömmlichen Bühnenform.

3) Beide Bewegungen, der Auszug des Symbolismus aus dem Felde der zeitgenössischen Dramatik und der Auszug der Experimentierbühne aus dem Kontext der offiziellen Theaterwelt, stellen internationale Ereignisse dar, die sich von vornherein nicht innerhalb eines wie auch immer nationalliterarisch zu bestimmenden Rahmens fixieren lassen. Es versteht sich von selbst, daß im folgenden nur die Ausstrahlungen, die von *einem* bestimmten Punkt ausgehen, dargestellt werden können, ohne daß sich die weiteren Keimzellen des Umbruchs wie auch die vielfältigen Abhängigkeiten und Überlagerungen nur andeutungsweise umreißen lassen.[9]

II

Wenn Maurice Maeterlinck seinem Erstling *La Princesse Maleine* (1890) die Anweisung mitgibt „pour un théâtre de fantoches“[10] oder wenn er später (1892) Stücke mit dem Untertitel „trois petits drames pour marionnettes“ versieht, so mag man darin zunächst lediglich den Hinweis des Autors vermuten, daß er sich seine Dramen überhaupt nicht auf einer normalen Bühne seiner Zeit aufgeführt vorstellen kann. Zugleich aber ist, zumindest 1892, ein neues Theater anvisiert, Lugné-Poes Pariser Experimentierbühne, d. h. es zeichnet sich die Interdependenz von Dramatik und Theater ab, die für die Geschichte des symbolistischen Dramas bezeichnend ist.

Reduziert auf ihre wesentlichsten Theoreme, stellt sich Maeterlincks Dramentheorie als Versuch dar, die Tragödie dadurch zu erneuern, daß ein metaphysischer Gesamthorizont des Daseins wiederum ausdrücklich aufgezeigt wird. Diese Absicht richtet sich sowohl gegen das herkömmliche Unterhaltungstheater der pièce bien faite und gegen herkömmliches Klassikerverständnis, wie auch gegen das naturalistische Drama und seine aus Milieu und Vererbung abgeleiteten tragischen Komplikationen. Die Maeterlincksche Tragik entsteht daraus, daß das menschliche Dasein ständig – und darin liegt die Bedeutung seines Begriffs „le tragique quotidien“ – von dem unbegreifbaren Geheimnis des Kosmos überlagert ist. Die primäre Einbruchstelle dieses Kosmos bildet für das menschliche Bewußtsein das Eingreifen des Todes, der die Gegenmacht par excellence darstellt.[11] Unter dieser Prämisse, die Maeterlinck mit Hilfe einer den Traditionen der abendländischen Mystik verpflichteten Seelenlehre abzusichern versucht, erhebt seine Dramatik von vornherein den Anspruch eines Welttheaters, das die „situation de l'homme dans l'univers“ wiedergibt. Bezogen auf dieses Universum geht es um den Menschen als Menschen, nicht um die subjektive Psyche in ihrer aus Umwelt und Vorwelt ableitbaren Eigenart. Psychologische Ausgestaltung und soziale Differenzierung der dramatis personae entfällt daher nicht weniger als eine Gestaltung der Handlung im Sinne von personalem Konflikt und individueller Entwicklung oder der Ausweis von Geschehen im Sinne einer realistischen Mimese.

Als „drame statique“ ist Maeterlincks frühes Drama – um von der Theorie zur dramatischen Realisierung überzugehen – ein Stück der Todeserwartung,[12] dessen einziges Geschehen die Ankunft des Todes bildet. Die Situation des Wartens wird dem Zuschauer symbolisch und emotional nahegebracht, in der Weise, daß eine ständig sich verdüsternde Atmosphäre zusammen mit einer zunehmenden inneren Erregung der Bühnenfiguren – mystische ‚correspondances‘ von Unbewußtem und Kosmischem – auf den Eintritt des Unfaßbaren vorbereitet. Die technischen Mittel liegen einmal in der Gestaltung des Dialogs, der sich – als „dialogue du second degré“, als chorische Litanei und als Monolog an der Grenze des Bewußtseins – von jeder Form eines real motivierten Zwiegesprächs entfernt und letztlich eine aus Andeutungen, doppelsinnigen Verweisen und Pausen sich zusammensetzende Vorahnung zu vermitteln versucht. Hinzu kommen in hohem Maße szenische Mittel außersprachlicher Art: gegenständliche Symbolik, das Bühnenbild insgesamt in der durch Licht und Schatten herbeigeführten Veränderung, schließlich akustische Elemente, rätselhafte Geräusche und undeutbare Hör-Eindrücke. Die Gestaltung von Ort und Zeit wie auch die der Personen ist von vornherein auf transzendierende Aussage, auf Ablösung von Aktion und Geschehen, insgesamt auf Abstraktion angelegt. Der Raum ist ein symbolisch präsentiertes Überall, der Zeithorizont verliert jede konkrete Datierbarkeit und läßt ein übergeschichtliches Jederzeit durchscheinen. Spannung im formalen Sinne entsteht einzig und allein im Hinblick auf das ‚Ende von Zeit', d. h. den Moment des Todes, von dem der Zuschauer lange vor den Dramengestalten weiß. Nicht weniger abstrakt muten die Personen an, denen alles Unmittelbar-Reale, Mimetisch-Direkte abgeht. Sie sind unbeweglich kauernde, uniform gekleidete Schemen, wie die Blinden und Blindgeborenen in *Les Aveugles,* oder sprachlose Akteure eines Schattenspiels, das sich in einem – von außen einsehbaren – Haus im Hintergrund abspielt und das durch den epischen Bericht von zwei Vordergrundfiguren illustriert wird wie in *L'Intérieur.* Die Blinden befinden sich auf einer isolierten Insel, die als solche die Verlorenheit des Menschen im Kosmos symbolisiert, die Familie von *L'Intérieur* lebt in einem Haus, das nichts anderes als menschliche Behausung in der Weite des Universums generell darstellt. In den späteren Stücken Maeterlincks kommen – wie bereits in *La Princesse Maleine* – märchenhaft oder alptraumhaft stilisierte Schattenriß-Figuren hinzu. Bezogen auf die Gestaltungsweise der Personen enthüllt der Begriff „Marionette" eine bestimmte Bedeutung: die aller Individualität entkleideten menschlichen Schemen agieren unselbständig, ausschließlich reaktiv im Schatten ihres Schicksals, dessen Gang sie auf keine Weise beeinflussen, dessen Herannahen sie allenfalls ahnen können. Eine positive Sinndeutung unterbleibt, sofern diese nicht durch die Regie in die szenische Symbolik selbst eingebracht wird oder sofern man sie nicht abstrakt in der Sensibilisierung der Personen für das Universell-Umgreifende erkennt. Unter beiden Aspekten nehmen die Figuren in der Tat Marionettencharakter an. Die Zeit, die vom Tod beherrscht wird, und der Raum, der aus dem Nichts ausgespart ist, läßt sie zu Drahtpuppen werden, Chiffren einer Entpersonalisierung, einer restlosen Determination. Es ist nur folgerichtig, daß reale Aufführungen mit Marionetten versucht wurden: Ranson, Sérusier und Denis, alle drei dem Théâtre de L'Œuvre nahestehend, inszenierten in Paris den Einakter *Les Sept Princesses,*[13] in München kam *La Mort de Tintagiles* auf die Bühne des alten Marionettentheaters.[14] Mit dieser inhaltlichen Festlegung des Marionettencharakters auf einen entpersonalisierenden Determinismus entgleiten aber die Figuren den ursprünglichen Intentionen ihres Autors. Der Versuch, eine das Menschliche und Menschenwürdige kontemplativ veranschaulichende Tragik zu gestalten, führt aufgrund der eingeschlagenen konkreten Wege der dramatischen Gestaltung zum Aufweis der Unmöglichkeit von Tragik. Sie scheitert am Fatalismus, der das im Begriff von Tragik notwendig gesetzte Moment menschlicher Freiheit negiert. Zur Anschauung gelangt das Gegenteil, eine äußerste Entfremdung zwischen Mensch und Schicksal, eine Entfremdung, die uns heute die angebliche Tragödie des Mystikers als Vorboten der nihilistischen oder absurden Dramatik erscheinen läßt, – und in der Tat hat es nicht an Versuchen gefehlt, das Warten der Blinden mit der sinnlosen Erwartung im Drama eines Beckett zu vergleichen: *En Attendant Godot* im Jahre 1890.[15] Dieser Vergleich hinkt aber mindestens an einem Punkt: wo bei Beckett die Leerstelle des Rätsels bleibt, tritt bei Maeterlinck der Eindringling auf, angekündigt, wie in *L'Intruse,* durch die das ganze Stück über durchgehaltene dubiose Verwendung des weiblichen Personalpronomens „elle". Das Auftreten von „La Mort" hat die Qualität eines erhabenen Vorgangs, dem eine gewisse erschütternde Wirkung nicht abgesprochen werden kann, wiewohl dieser Tod die Personen des Stückes entpersonalisiert und keine tragische Katharsis, sondern das Gefühl der totalen Ohnmacht hervorruft.

Maeterlincks Welttheater des Todes wirkt heute in seinen gehaltlichen Dimensionen in vieler Hinsicht antiquiert. Erst recht haben die Maeterlinck-Epigonen, mit ihren Märchenstücken und ihren in der Nachfolge von *Monna Vanna* entworfenen historischen Kostümdramen, in denen der dramatische Symbolismus zu ‚Neuromantik' vereinfacht und nachhaltig entstellt wird, den Eindruck des eigentlich schon zu seiner eigenen Zeit

Veralteten erweckt – und dies gilt besonders für das deutsche Theater, wo sich kaum einer der Autoren der kurzlebigen Versuchung zu einem Symbolismus aus zweiter Hand entziehen konnte. Trotzdem: alles Zeitbedingte und Modisch-Überzogene kann nicht verdecken, daß die ursprüngliche Konzeption des „drame statique" eine Vielfalt formaler Konsequenzen mit sich bringt, die über den ursprünglichen geschichtlichen Horizont hinausführen. Im folgenden soll es nicht um allgemeine Vergleiche etwa mit dem surrealistischen oder dem absurden Theater[16] gehen, sondern um spezifische Auswirkungen auf Theater und Drama zwischen Jahrhundertwende und erstem Weltkrieg. Dabei ist zunächst auf direkte theatergeschichtliche Folgen hinzuweisen, ehe speziell dramengeschichtliche Wirkungen dargestellt werden können.

III

Den ersten Anhaltspunkt bietet die Aufwertung von Szenerie und Bühnenraum gegenüber dem dramatischen Text, der seine dialogische Konsistenz verliert. Gerade das Gewaltsame von Maeterlincks Vorgehen verlangt regietechnische Mittel und eine Bühnenausstattung, wie sie das Theater der Zeit nicht aufzuweisen hat. Gefordert ist ein hohes Maß an kreativer Selbständigkeit seitens der Regie, die nicht mehr dem Text zu dienen, sondern einen eigenständigen Spiel- und Bedeutungsraum zu schaffen hat; auf diesen ist das Stück angewiesen, wenn es überhaupt eine Sinnaussage vermitteln soll. Diese Tendenz läuft der naturalistischen Dramatik, welche die weitestgehende Funktionalisierung der Bühne auf den Text verlangt, diametral entgegen. Der theatergeschichtliche Einschnitt ist in der Maeterlinck-Forschung verschiedentlich hervorgehoben worden: „Maeterlinck sans metteur en scènce, c'est une idée si vague qu'elle se dilue. Maeterlinck propose, le metteur en scéne dispose."[17]

Es folgt zweitens aus der prinzipiellen Aufwertung der Szene, daß die Rolle des Zuschauers im Sinne einer Aktivierung gesehen werden muß. Die symbolischen Zusammenhänge und Bedeutungen, welche die Bühnengestaltung zur Sinnaussage des Stückes beiträgt, hat der Zuschauer zum größeren Teil durch eigene geistige Aktivität zu realisieren. Dieses Postulat hebt tendenziell das passive Betrachterverhältnis zwischen Zuschauer und Guckkastenbühne auf und verlangt andere Formen der Bühne und der Bühnenverwendung. Experimente zur Modifikation oder Aufhebung des illusionistischen Guckkastens und dementsprechend zur Überwindung jeder Art von mimetisch-realistischer Personenregie begleiten daher die Inszenierungsgeschichte Maeterlincks über ein Jahrzehnt hinweg – wiederum im Gegensatz zur Inszenierungsgeschichte des Naturalismus, die in dieser Hinsicht auf dem alten Stand stehenbleibt.

Die theatralische Sendung des Symbolismus verleiht – um eine dritte Konsequenz zu nennen – dem Begriff „Experiment" die moderne theatergeschichtliche Bedeutung, die für das neue Jahrhundert bestimmend geworden ist. „Experiment" ist nicht mehr als quasi naturwissenschaftliche Kategorie, wie bei Zola und seinen Anhängern, zu verstehen, sondern als dezidiert „technische" Kategorie im Sinne der „technē", das heißt der Erprobung von Möglichkeiten der Bühnen- und Regietechnik, der Darstellungs- und Sprachtechnik. Das Ethos des neuen Experimentiertheaters besteht darin, dem Publikum theatralische Innovation im status nascendi vorzuführen und damit neue Selbsterfahrung mit dem Medium der Bühne im status experimentalis auszulösen. Es gehört zur Dialektik dieser prinzipiellen Innovation, daß sie zugleich eine neue Zuwendung zur Bühnengeschichte mit sich bringt. Die Befreiung der Regie von der auxiliaren Bindung an den Text führt zu einer Selbstbesinnung des Theaters im Hinblick auf seine eigene Geschichte, wobei diese Selbstbesinnung nicht nur die zurückliegenden Jahrzehnte umfaßt, sondern grundsätzlich hinter die Periode des bürgerlichen Illusionstheaters zurückgreift. Gerade in dieser Hinsicht ist die symbolistische Wende für die Entwicklung der modernen Bühne weitaus folgenreicher als der Naturalismus. Dessen bühnen- und regiegeschichtliche Bedeutung erschöpft sich bei Antoine und Brahm bereits in einer – durch den Psychologismus und die Milieutheorie bedingten – konsequenten Radikalisierung der realistischen Ansätze, die in nuce vielfach schon bei den Meinigern vorliegen. Die Folge ist, daß die naturalistische Theater-Revolution um 1900 im wesentlichen als abgeschlossen und bereits historisch betrachtet werden kann. Die weiterverlaufenden Linien der Bühnenerneuerung knüpfen daher weit mehr an den Symbolismus an. Es ist ein Zeichen für die anhaltende Aktualität des symbolistischen Aufbruchs, daß in den Jahren nach 1900, nachdem die inhaltliche Faszination Maeterlincks bereits erlischt, die wichtigsten europäischen Versuchsbühnen mit dem Maeterlinckschen Frühwerk gleichsam formal weiterexperimentieren. Nach der Schrittmacherphase des Théâtre de l'Œuvre in den 90er Jahren folgen in Deutschland Carl Heine in Leipzig sowie verschiedene Initiativen in Berlin, an denen Max Reinhardt zunächst als Schauspieler und Mit-Initiator beteiligt ist.[18] Später übernimmt er die Regie, zunächst mit der Inszenierung von *Pelléas et Mélisande* (1903), die von einem Reinhardt-Schauspieler der ersten Stunde als *der* Durchbruch zu Reinhardts Eigenständigkeit als Regisseur bezeichnet wurde.[19] Nach *Aglavaine et Sélysette* (1906) entwirft er im Stadium der ersten Festspiel-Experimente zusammen mit Karl Vollmoeller nach Maeterlincks Legendenstück *Soeur Béatrice* ein pantomimisches ‚Totalstück' *Das Mirakel,* das deutlich zeigt, in welchem Maße der Reinhardtsche Festspielgedanke genuin symbolistische Wurzeln hat.[20] Nicht weniger initiativ wirkt Maeterlinck an der um 1900 wohl renommiertesten avantgardistischen Bühne Europas, dem Moskauer Künstlertheater. Stanislavskij, der Altmeister der realistisch-psychologisierenden Nuance, bringt selbst 1904 eine Maeterlincksche Einakter-Trilogie *(L'Intruse, Les Aveugles, L'Intérieur)* auf die Bühne, wenig später ein Programmstück des russischen Symbolismus, Andreevs *Das Leben des Menschen.* Als er 1905 seinen Eleven Meyerhold, der bereits 1903 mit einem Ensemble *L'Intruse* in Sevastopol aufgeführt hatte, mit der Leitung des neuen Studios des Künstlertheaters in Puškino beauftragt, kommt es zu einem experimentellen Programm mit überwiegend symbolischen Werken, außer von Maeterlinck *(Les Sept Princesses, La Mort De Tintagiles)* von Verhaeren und Przybyszewski. Die am weitesten gediehenen Entwürfe – zu *La Mort De Tintagiles* – sahen ein völlig abstraktes Bühnenbild und eine völlig stilisierte, rhythmisierte Sprechweise vor einer musikalischen Klangkulisse vor.[21] Meyerhold führte das Stück ein Jahr später in Tiflis auf, experimentierte in den folgenden Jahren an der Versuchsbühne der Schauspielerin Vera Komissarževskaja in Petersburg mit *Pelléas et Mélisande,* mit *Soeur Beatrice,* wobei er die Bühne lediglich als Hintergrund benutzte und das Spiel auf eine in den Zuschauerraum konstruierte Halbrundbühne verlegte, und ebenfalls mit Andreevs symbolistischem Jedermann-Stück.

Die genannten Details sind in vieler Hinsicht symptomatisch, nicht nur was die Inszenierungsgeschichte Maeterlincks in engerem Sinne angeht. Entscheidend für die französischen, wie auch für die deutschen und russischen Experimentierbühnen, die sich des symbolistischen Dramas annehmen, ist insgesamt, daß im Umkreis der Maeterlinck-Experimente weitere Versuche mit allen denkbaren Formen aus dem Fundus der Theatergeschichte angestellt werden. Dabei kommt den vor- und außerliterarischen Bühnenformen und ihren Aufführungsmöglichkeiten besonderes Gewicht zu: man orientiert sich an Pantomime, Tanz und Ballett, man experimentiert mit der antiken Arenabühne, der Schaubude der Wandertruppen, mit der Commedia dell' arte, mit dem Schattentheater, mit Puppen- und Marionettenspielen verschiedenster Art und Herkunft. Diese Experimentierbreite demonstriert, welcher theatralische Sprengstoff in der scheinbar so dünnblütig-esoterischen symbolistischen Dramatik steckt. Dies kommt keineswegs von ungefähr. Alle hier genannten Phänomene lassen sich als Widerhall jener Theaterauffassung verstehen, die bereits den Anfängen der symbolistischen Dramatik, auch dem Werk Maeterlincks, zugrundeliegt.[22] Stephane Mallarmé konnte bekanntlich seine umwälzenden Vorstellungen vom Theater nicht nur am Beispiel des *Hamlet* entfalten, sondern auch am Maskenspiel des griechischen Amphitheaters, am Ritual der Messe und – nicht zuletzt – an einem Dressurakt einer Pariser Unterhaltungsrevue, bei dem sich ein abgerichteter Bär und ein tanzender Harlekin im Flittergewand gegenüberstehen.[23]

Diese ursprüngliche Brisanz, die im Ansatz der symbolistischen Theaterreform verborgen liegt, macht sich auch in der weiteren Entwicklung der Theatertheorie geltend.[24] Der einflußreichste Theoretiker dieser Epoche der vehementen Neuerungen, Edward Gordon Craig, gibt seine in ganz Europa verbreitete Zeitschrift unter dem bezeichnenden Titel *The Mask* heraus. Seine Theaterkonzeption läßt genau erkennen, in welchem Sinne die symbolistischen Impulse mit der vielberufenen Retheatralisierung des Theaters zusammenhängen, da diese Konzeption als „restatement in many ways of symbolist ideals"[25] verstanden werden muß. In seiner Symbolismus-Glosse definiert Craig allgemein (nach Websters Dictionary) Symbolismus als „a systematic use of symbols" und Symbol als „a visible sign of an idea"; im folgenden sieht er sich veranlaßt, den Symbolismus gegen das Argument, er sei in einem realistischen Zeitalter fehl am Platze, in Schutz zu nehmen: „For not only is Symbolism in the roots of all art; it is at the roots of all life . . . I think there is no one who should quarrel with Symbolism . . . nor fear it."[26] Der gleichzeitig erschienene Aufsatz *The Ghosts in the Tragedies of Shakespeare* läßt den systematischen Zusammenhang mit Maeterlincks Dramaturgie erkennen. Craig beruft sich auf den „dialogue du second degré", wenn er die Formel „the solemn uninterrupted whisperings of man and his destiny" zitiert, und bezieht sich auf den metaphysischen Grundansatz mit der Maeterlinckschen Wendung „the murmur of Eternity on the horizon". Die Frage schließlich, was den Unterschied zwischen Shakespearschen Tragödien und üblichen Mord- und Totschlag-Geschichten ausmacht, wird ganz in Maeterlincks Weise gestellt und implizit beantwortet:

„Is it not just that supernatural element which dominates the action from first to last; that blending of the material and the mystical, that sense of waiting figures intangible as death; of mysterious featureless faces which, sideways, we seem to catch a glimpse although, on fully turning round, we find nothing there?"[27]

Die Entsprechungen für Bühne und Schauspieler, die sich zu dieser Auffassung von der Essenz großer Dramatik ergeben, hat Craig immer wieder in provokativer Form dargelegt. Die Quintessenz seiner Überlegungen, niedergelegt in seinem berühmtesten Essay *The Actor and the Ueber-Marionette*, besteht in der Forderung nach einer Erneuerung der Schauspielkunst aus symbolistischem Geiste. An die Stelle des alten Schauspielers, der nach der Devise „of impersonation", „of reproducing nature" agiert, hat die neue Gestalt, „the inanimate figure – the über-marionette" zu treten; ihr ist eine neue Form des Spiels eigen, „consisting for the main part of symbolical gesture". Keineswegs darf dabei unter Marionette die Gestalt des Jahrmarkts, das verkleinerte, hölzerne Konterfei des Mimen, verstanden werden. Die Marionetten waren ursprünglich Vergrößerungen, Inbegriff oder Symbol des Menschlichen und seiner metaphysischen Substanz: „they are the descendants of a great and noble family of Images, Images which were made in the likeness of God."[28] Die Wiederkehr dieses Image, dieser Über-Marionette auf das Theater erhofft sich Craig, wie er am Ende seines Essays beteuert, damit auch die Erneuerung eines zeremoniellen Theaters, das Leben und Tod in gleicher Weise rituell feiert.

Daß sich Craig in den folgenden Jahrzehnten unausgesetzt mit allen denkbaren historischen Erscheinungsweisen des nicht-mimetischen Theaters befaßt und die Über-Marionette zum Inbegriff des Theatralischen überhaupt wird, ist die logische Konsequenz des Ansatzes. Der einfache und zugleich universale Titel der Craigschen Zeitschrift, die Reinhardt ebenso beeinflußt hat wie Meyerhold, Hofmannsthal wie Jouvet und später Barrault, die russischen Futuristen ebenso wie das Bauhaus, bringt die Intentionen auf den Nenner: die Maske „macht aus dem Menschen die Über-Marionette und zwingt den Schauspieler zu einem symbolischen Spiel, da er selbst ein Symbol ist."[29]

IV

Nach diesem gerafften theatergeschichtlichen Ausblick ist auf die engere literatur- bzw. dramengeschichtliche These zurückzukommen. Sie besagt, daß das Theater Maeterlincks den in der Theorie erhobenen Anspruch auf eine neue Tragik selbst durch seine Gestaltungsweise widerlegt und gerade dadurch zur Freisetzung der theatralischen Kunstfiguren führt. Anhand der oben genannten dramatischen Kriterien der Raum- und Bühnenkonzeption in Analogie zum theatrum mundi und der Zeit- und Personengestaltung sub specie mortis ist die literaturgeschichtliche Wirkung Maeterlincks, die teils offen, teils sehr versteckt verläuft, weiter zu verfolgen.[30] Die Rezeptionsgeschichte ergibt Anhaltspunkte für zwei Hauptstränge. Zur einen Seite gehören Autoren, denen grundsätzlich daran gelegen ist, den genuinen Horizont des Maeterlinckschen Frühwerks beizubehalten, dementsprechend auch die metaphysische Verweisfunktion der dramatis personae sowie des Eindringlings. Die zweite Gruppe bilden dramatische Experimente, in denen der metaphysische Horizont preisgegeben und die Figuren dramaturgisch neu qualifiziert werden. Es handelt sich dabei entweder um ausgesprochene Maeterlinck-Parodien oder um Entwürfe, in denen mit Errungenschaften des „drame statique" im Sinne der technischen Innovation experimentiert wird. Zur ersten Gruppe gehören Bestrebungen, Maeterlincks Neuansatz mit der Intention einer Restilisierung aufzugreifen. Sieht man von peripheren Werken, etwa Rilkes frühem Einakter *Die weiße Fürstin*, ab, so ist der Kronzeuge in Deutschland[31] Hofmannsthal, dessen Frühwerk eindeutig im Zeichen Maeterlincks steht; Hofmannsthal hat selbst *Les Aveugles* übertragen und für eine Wiener Aufführung als Seitenstück zu *L'Intruse* – unter Anteilnahme Schnitzlers und Mitwirkung Bahrs als Conférencier – vorbereitet (1892). Restilisierung ist dabei ein zwiespältiges Phänomen. Sie weicht der Problematik der Maeterlinckschen Dialogauflösung aus, indem sie das poetische Paradigma wechselt und eine sprachliche Lyrisierung erstrebt, die inhaltlich durch ein modifiziertes, unter dem Eindruck des ‚Dionysischen' stehendes Verständnis von Leben und Tod motiviert ist. Die Problematik dieser Lyrisierung muß in diesem Zusammenhang übergangen werden, hingegen sind die theatergeschichtlichen Aspekte genauer zu untersuchen.[32] In diesem Sinne bedeutet Restilisierung, daß die ursprüngliche Konzeption vom Welttheater des Todes mit literarischen Vorbildern aus der frühneuzeitlichen Phase des europäischen Theaters vermittelt wird.

In dem frühen Einakter *Der Tor und der Tod* und später im *Jedermann* wird das Maeterlincksche Grundgerüst in die Form des ‚danse macabre' und der alten ‚morality plays' überführt. Der Eindringling tritt nun figürlich auf und nimmt die alte literarische Gestalt des Sensenmannes mit der Geige an; in seinem Gefolge erscheinen auch die alten allegorischen Gestalten des 16. und 17. Jahrhunderts. Die bei Maeterlinck ebenfalls nur szenisch-symbolisch angedeutete Dimension des theatrum mundi wird in historisierender Weise zum Spielort, eine Entwicklung, deren Konsequenz die Wiederbelebung des barocken Welttheaters von Calderon ist.[33] Relevant in unserem Zusammenhang ist dabei, daß gerade die Historisierung den modernen Impuls der Maeterlinckschen Dramatik, der die illusionistische Guckkastenbühne in Frage stellt, erhält und theatralisch umsetzt. Hofmannsthals Welttheater drängt, unterstützt von Max Reinhardt,[34] aus dem Theater hinaus auf den Domplatz als Simultan-Spielort.

Es ist keineswegs verwunderlich, daß auch Bertolt Brecht mit seinem Spürsinn für alles Artistische und genuin Theatralische nach dem zweiten Weltkrieg versucht, am Salzburger Domplatz heimisch zu werden und den *Jedermann* durch ein neues Festspiel zu ersetzen, das Lieblingsmotive und Lieblingsszenen des Symbolismus aufgreifen und den Titel *Salzburger Totentanz* tragen sollte.[35]

Wesentlich radikalere Entwicklungssprünge als Hofmannsthal-Calderons *Welttheater* weist das symbolistische Jedermann-Stück des Russen Leonid Andreev *Das Leben des Menschen* auf,[36] das den metaphysischen Theodizee-Rahmen der alten ‚Moralität' durch das Schema eines Lebenslaufes ersetzt. Geburt, Liebe und Armut, Glück und Reichtum, Unglück, Alter und Tod – dies sind die fünf Stationen im Leben des Jedermann. Über der Bildfolge steht eine Rätselfigur, die bereits den Epilog spricht „ein Jemand in Grau, genannt Er", sie „spricht über das Leben des Menschen". Diese Figur ist inhaltlich als Inbegriff von Schicksal und Tod, ausgestattet mit universalem Vorauswissen, qualifiziert. Zugleich zeichnet sich eine formale Konsequenz, das latent epische Moment der Jedermann-Parabel ab: „Er" hat die Funktion des Berichterstatters, der die einzelnen Lebensbilder zur Einheit verknüpft und die Rolle des Kommentators wahrnimmt. In der Gestaltung der einzelnen Phasen treten weitere Verschiebungen auf, welche die Entwicklungsfähigkeit des symbolistischen Ansatzes belegen. Die Maeterlincksche Atmosphäre des Geheimnisses und der metaphysischen Weihe bestimmt zwar nach wie vor die Akte, vor allem soweit sie Geburt und Tod zum Inhalt haben. Ein Gegengewicht entsteht aber durch Gestaltungszüge, die ins Makabre und Groteske hineinreichen. Im Mittelakt kommt es zu einem mit marionettenhafter Starre arrangierten Tanz um das goldene Kalb, der bereits hier lemurenhaft wirkt. Der Schlußakt mündet – in formaler Entsprechung – in eine furiose „danse macabre", ausgeführt von weiblichen Gestalten, die bereits bei der Geburt des Menschen in der Rolle von Parzen aufgetreten sind und nun als Leichenfrauen einen wahren Hexensabbat um die Leiche Jedermanns aufführen.

Die lineare Struktur der Jedermann-Parabel wird im Zeichen des Determinismus aufgelöst, Geburt und Tod bilden einen Kreislauf, dessen dramatisches Symbol der Tanz der Larven und Lemuren darstellt. Das symbolistische Lebens- und Todesdrama, zur Synthese gebracht mit dem Formmuster der ‚morality plays', enthüllt Konsequenzen, die nicht nur ein episches Darstellungsprinzip offen antizipieren, sondern auch bereits das Groteske als spezifische Erscheinungsweise moderner Dramatik vorwegnehmen.[37]

Im Gegensatz zu Hofmannsthals und Andreevs Verfahren ist keinerlei historische Absicherung oder literarische Restilisierung in der Art und Weise, wie August Strindberg Maeterlincksche Anregungen – unter Wahrung der metaphysischen Grundfrage –

aufgreift und weiterführt, zu erkennen. Bekannt ist allgemein die Bedeutung Strindbergs für die gesamte europäische Dramatik etwa nach 1905, zumal für den deutschen Expressionismus. Weniger geläufig ist hingegen das hohe Maß an symbolistischen Elementen, das in Strindbergs dramatischem Spätwerk strukturbestimmend geworden ist.[38] Nach seiner anfänglichen Ablehnung Maeterlincks wandelt sich Strindbergs Urteil bekanntlich mit der Inferno-Krise. Unmittelbaren Tribut zollt er dem Flamen mit dem Stück *Schwanenweiß*, nahezu einer Kontrafaktur der düsteren Maeterlinckschen Märchenstücke. Wirkungsgeschichtlich wesentlich weiter führt die Verarbeitung symbolistischer Impulse im sogenannten Stationendrama und im Kammerspiel. Das dramatische Grundgesetz des Stationendramas, die liaison des scènes nach Maßgabe des Traumes, d. h. mit fließenden Übergängen und ohne handlungsmäßige Abstützung, ist nichts anderes als die radikalisierte Form der Szenengestaltung der Maeterlinckschen Mehrakter, am weitesten vorgebildet in einigen Szenensequenzen von *Pelléas und Mélisande.* Hinzu kommt jedoch, was im Falle von Strindbergs Dramen oft unterschlagen wird, eine konsequente symbolische Qualifizierung der Szenen, sei es durch räumlich-szenische, gegenständliche oder situative Sinnbildlichkeit, die jeweils über die Szene hinausweist, ohne jedoch ihren Bezugspunkt in einer linear fortschreitenden Handlung oder Entwicklung zu haben. Diese Gestaltungsweise läßt unmittelbar das symbolistische Erbe erkennen. Die Radikalisierung beider Prinzipien ist möglich aufgrund der zentralen Gestalt des Unbekannten, der ersten rein synthetischen Figur der modernen Dramatik, was besagt, daß sie in keiner Weise mehr mit psychologischen und mimetisch-realistischen Kategorien erfaßbar ist, so sehr eine subjektive Wandlung in der „Damaskus"-Trilogie suggeriert wird. Das Gewicht dieser synthetischen Figur ist so groß, daß sie die Kontinuität der diskontinuierlichen Vorgänge garantiert und im übrigen alle Nebenfiguren zu Schatten, gespensterhaften Schemen – besonders deutlich.in der Bankettszene und in der Irrenhausszene – degradiert. In jedem Falle ist der Abstand der Figuren zum Menschlich-Unmittelbaren so unüberbrückbar – dem außermenschlichen Format der Zentralgestalt entspricht komplementär das der Randfiguren –, daß schon die Zeitgenossen nach der Lektüre der *Damaskus*-Trilogie eine Aufführung mit Marionetten für angemessen hielten.[39] Das Gesagte gilt mutatis mutandis auch für das *Traumspiel* und seine Zentralgestalt, die Tochter Indra. Es ist durchaus mehr als eine einfache Reminiszenz, wenn in diesem Stück auch eine direkte inhaltliche Korrespondenz zu *Pelléas* auftaucht. Die resignative Schlußwendung des Königs Arkel im Dialog mit Goland: „Si j'étais Dieu, j'aurais pitié du coeur des hommes . . ." (IV, 2) wird bei Strindberg zum Leitmotiv im Munde der Tochter, die ja eine Inkarnation des Göttlichen darstellt: „Es ist schade um die Menschen." Dieser Satz stellt die inhaltliche Essenz des *Traumspiels* dar und verweist als solche auf die Gesamtanlage, die sich als Modifikation eines Welttheater-Musters zu erkennen gibt. Der metaphysische Impuls des symbolistischen Theaters ist voll erhalten, allerdings erweitert gegenüber Maeterlinck um das Problem von Schuld und Entsühnung – eine Wendung, die in direkter Linie zur Dramatik des Expressionismus führt.

Nicht weniger gravierend ist der symbolistische Grundansatz in Strindbergs Kammerspiel, besonders deutlich in den Stücken *Wetterleuchten, Brandstätte* und *Gespenstersonate*. Sie stellen durchweg eine spezifische Weiterentwicklung des Maeterlinckschen *L'Intérieur*-Entwurfs dar. In allen drei Stücken ist dieselbe Kulisse aufgeschlagen, das von außen einsehbare Haus, welches die menschliche Behausung als solche repräsentiert.[40] Dieses Interieur hat aber durchsichtige, bis auf die Grundmauern durchsichtige Wände, so daß das scheinbar beziehungslos-zufällige Nebeneinander als unentwirrbares und schuldhaft verstricktes Gefüge der menschlichen Beziehungen vor Augen liegt. Wiederum nehmen die Hauptakteure, der Fremdling in *Brandstätte*, der bösartige Halbgott Hummel und die entmenschlichte, automatenhaft agierende Mumie in *Gespenstersonate* über- oder außermenschliche Gestalt an. Überdies steht das ganze Gebäude, d. h. das Weltgebäude, im Schatten des Maeterlinckschen Eindringlings, der im Mittelakt, dem Gespenstersoupé, durch den sogenannten Totenschirm repräsentiert wird und am Ende, in der Projektion des unter dem Titel *Toteninsel* bekannt und populär gewordenen Gemäldes von Böcklin, die letzte szenische Realität ausmacht. Gerade die Gattung des Strindbergschen Kammerspiels[41] – wobei Strindberg übrigens theater- und regiegeschichtlich an seinem Stockholmer Intimen Theater mit den Theaterexperimenten seiner Zeit genauestens Schritt hält[42] – ist in entscheidendem Maße Sachwalter des symbolistischen Erbes und vermittelt dieses nicht nur an die Generation der Expressionisten, sondern auch an das prä-surrealistische Theater der Polen (Witkiewicz)[43] und später an den französischen Surrealismus und das théâtre de la cruauté.[44] Ganz abgesehen davon, was der dramatische und theatralische Expressionismus in Deutschland an Eigenständigkeit erreicht und worin er seinerseits über den Symbolismus hinausgeht, ist somit festzustellen, daß das avantgardistische Ferment des Symbolismus vom expressionistischen Jahrzehnt weder aufgesogen noch erschöpft wird, vielmehr an ihm vorbei weiterwirkt und in späteren Phasen der europäischen Theaterentwicklung erneut Folgen zeitigt.

V

Mit dem zweiten Strang der Maeterlinck-Rezeption ist jener Punkt erreicht, an dem das Thema „Eindringlinge, Marionetten, Automaten“ in vollem Umfang sinnfällig wird und der Begriff „Marionette“ seine handfeste Bedeutung gewinnt. Den im folgenden zu nennenden Werken ist gemeinsam, daß sie zwar den trans-empirischen Rahmen des Maeterlinckschen „drame statique“ beibehalten, aber die metaphysischen Voraussetzungen streichen, weil die vermeintliche Tragik als Fatalismus durchschaut und nicht mehr hingenommen wird. Was gemeint ist, möge zunächst ein Randphänomen der deutschen Theaterentwicklung illustrieren, das literarische Kabarett, die „Überbrettl“ und „Bunten Theater“, die in den Jahren nach 1900 „überall aus dem Boden schossen“.[45] Max Reinhardts Berliner Kabarett „Schall und Rauch“ wartet gleich mit zwei Maeterlinck-Parodien auf und ironisiert zusätzlich die „Conférence“, wie sie bei Studioaufführungen von Maeterlincks Dramen üblich geworden war.[46] Die Parodie der Conférence vollzieht sich im Stile einer „pompes funèbres“-Feier, der Autor „Ysidore Mysterlinck“ wird lächerlich gemacht, vor allem wegen seiner Beteuerung, er wolle nicht für die Bühne schreiben, was ihn aber nicht davon abhält, um Tantiemen zu feilschen. Die mehrteilige Stilparodie *Don Carlos an der Jahrhundertwende* enthält einen Teil *Carleas und Elisande*, die Schwundstufe eines „drame statique“, in dem Tiefsinn in Unsinn umschlägt. Besonders subtil ist die *L'Intérieur*-Parodie, da sie nicht nur die Szenerie und den Personenbestand, sondern auch lange Textpassagen des Originals beibehält, obwohl das Interieur von Anfang an den Kassenraum eines neugegründeten, von der Pleite bedrohten „Intimen Theaters“ darstellt, in dem das ganze Personal vergeblich auf den ersten zahlenden Zuschauer wartet.

Nicht weniger schonungslos gehen die „elf Scharfrichter“ mit Maeterlinck um. Wedekind hat, nach Ausweis eines Programmzettels von 1902, selbst eine Szene *Die*

Symbolisten vorgetragen; desgleichen ist der Titel *Monna Nirvana oder Das verschleierte Bild zu Pisa* nachweisbar. Unter den erhaltenen Texten findet sich ein „Mystodrama“ mit dem Titel *Der Veterinärarzt* von Hans von Gumppenberg, in dem der Tod in Gestalt eines „Herrn in Grau“ auftritt, die resignative Erwartung Maeterlinckscher Figuren verulkt und einmal mehr der Dialog zweiten Grades zum Kauderwelsch verballhornt wird. Ebenfalls von Gumppenberg stammt das „Monodrama in einem Satz“ *Der Nachbar,* welches der einzigen redenden Figur, dem „ungebetenen Gast“, einer weiteren Variante des Eindringlings, die Gruppe der „schweigenden Menschen“ nach Art der Personen von *L'Intérieur* gegenüberstellt.[47]

Für das dritte literarische Kabarett von größerem Renommee, Ernst von Wolzogens „Überbrettl“, ist ein Stück von Arthur Schnitzler geschrieben, die im Untertitel als „Groteske“ bezeichnete Parodie *Zum großen Wurstl,* die später als Schlußstück einer Einaktertrilogie mit dem Titel *Marionetten* eingefügt wird.[48] Das Stück parodiert das herkömmliche Konversationsdrama und das ihm zugeordnete Unterhaltungstheater; beides wird auf den Wiener Wurstlprater verlegt, der als Marionettenbühne auf der Bühne in Szene gesetzt wird. Damit wird aber zugleich ein Welttheater-Szenar konstitutiv, denn zum Personal der Wurstlbühne gehört – und hier zeigt sich der Maeterlincksche Schatten – der Tod, der sich als ultima ratio des Geschehens ausgibt und im übrigen natürlich mit allen Attributen ausgestattet ist, die dem Tod auf dem Kasperltheater zukommen. Im entscheidenden Moment der Verwicklung tritt dieser Tod in traditioneller Rolle auf, macht aber, ohne seine genuine Funktion ausgeübt zu haben, eine überraschende Wandlung durch: er wirft Maske und Mantel ab und steht plötzlich als Hans Wurst vor den Zuschauern. Gemäß dieser Verwandlung endet das Stück: die Handlung wird abgebrochen, die Theaterfiguren proben den Aufstand gegen Dichter und Spielleiter, die nicht weniger am Draht zu hängen scheinen als sie selbst; in einem gewaltigen Tohuwabohu gehen Stück und Bühne unter. Das Problem des Determinismus bleibt ungelöst; die jenseits von Dichter, Theaterleiter, Figuren, Tod, Hans Wurst und Publikum stehende Figur des Unbekannten, die in der Lage ist, alle Marionettendrähte zu lösen und neu zu knüpfen, gibt ihre Identität nicht preis. Das theatralische Spiel mündet am Schluß wieder in den Anfang, in den Kreislauf. Die Absicht ist deutlich: das Welttheater, welches nicht weniger als das herkömmliche Salonstück im Zeichen des Determinismus sinnlos geworden ist, geht in die Brüche; seine letzte metaphysische Instanz, der Tod, wird desavouiert. An seine Stelle tritt die Theaterwelt als solche, kein Drahtzieher ist mehr vorhanden außer dem, der das Theater als Theater arrangiert.

Eine bezeichnende, insgesamt bedeutendere Parallele zu den Stücken des „Überbrettls“ findet sich auf der avantgardistischen Bühne Meyerholds. Zusammen mit Aleksandr Blok entwirft er in den Jahren 1905/6 das Stück *Die Schaubude,*[49] dessen Titel bereits einen Affront gegen das Theater der Zeit bildet. Dennoch ist die Jahrmarktsbude alles andere als das, was man erwartet, denn das Stück setzt als anspielungsreiche Maeterlinck-Parodie ein. Gezeigt wird eine Gruppe von Mystikern – von vornherein als Schießbudenfiguren drapiert –, die in weihevoller Sitzung die Stunde der Offenbarung, den weiblichen Eindringling, erwartet. Madame La Mort tritt tatsächlich auch auf, enthüllt sich aber – nach einem frappanten Beleuchtungswechsel – als handfeste Columbina, die zum Entsetzen der Mystiker gleichzeitig mit einem Harlekin und einem Pierrot anbandelt. Die Botschaft ist auch hier deutlich: die metaphysische Qualität des Todes wird durch das Banale negiert, an seine Stelle tritt die Masken- und Spielwelt der Commedia dell'arte, die allen realistischen Illusionsanspruch aufgibt, dafür aber uneingeschränkte Spielkompetenz verlangt. Die neue Transzendenz ist das neue Theater selbst: Harlekin fällt gegen ein Fenster, die Pappe reißt, er landet nicht in einem suggerierten Nichts oder Jenseits, sondern neben der Kulisse auf der Bühne. Auch der Literat, der Dramatiker, verfällt dem Theater. Der angebliche Autor des Stückes, der sich vor dem Publikum entschuldigt, weil ihm das Stück aus der Hand geglitten ist, wird von einer überdimensionalen Hand am Kragen gepackt und hinter den Vorhang gezerrt, worauf das burleske Spiel der Kunstfiguren auf der Bühne weitergeht. Aus der Negation des tragischen Anspruchs, der als Fatalismus durchschaut wird, und des literarischen Anspruchs, der vor der Bühne nicht standhält, geht das entfesselte Theater hervor.

Mit der *Schaubude* vollzieht sich im weiteren Bannkreis der Maeterlinckschen Dramatik derselbe Umschlag zur Groteske, der sich im Bereich des ersten symbolistischen Experimentiertheaters, das Théâtre de l'Œuvre, fast ein Jahrzehnt vorher ergeben hat. Auch hier bietet der Symbolismus aufgrund seiner radikalen Neuerungen von Szene und Regie die Basis. Gemeint ist die Uraufführung von Alfred Jarrys *Ubu Roi* durch Lugné-Poe im Dezember 1896, die bekanntlich von Mallarmé als epochales Ereignis eingeschätzt wurde. Nun ist es zwar für den heutigen Betrachter erstaunlich, daß es dasselbe Theater gewesen ist, in dem die verhauchenden Monologe einer Mélisande in gedecktem Halblicht zum ersten Male gesprochen wurden und in dem wenig später die unflätigen Ergüsse eines Ubu von einer kahlen, grell ausgeleuchteten Bühne ins Publikum geschleudert wurden. Dennoch bestehen unabweisbare Gemeinsamkeiten, die um so stärker sichtbar werden, je mehr man den normalen zeitgenössischen Theaterbetrieb als Gegenbild vor Augen hat. Auch in *Ubu Roi* ist nichts, was dargestellt wird, in irgendeinem Sinne real und direkt zu beziehen, das Land Polen ist das Land „Nulle part", d. h. das Land „Überall",[50] der gesamte Bühnenraum ist von realistischen Ingredienzien befreit, die Bühne ist nicht mehr auf das Illusionsprinzip des Guckkastens festgelegt. Hier wie dort handelt es sich um „un théâtre abstrait", eine Wendung, die Jarry ausdrücklich auf Maeterlincks Drama und dessen Tragik bezieht. Daß dieses abstrakte Theater bereits die Bühne zu revolutionieren beginnt, gibt Jarry die Sicherheit, „d'assister à une naissance du théâtre", und zwar in dem Sinne, daß er zu der neuen Tragödie nun die neue „comédie" entwirft.[51] Auch die besondere Ausstattung, die Jarry für die Uraufführung von Lugné verlangte, die Maske, die marionettenhafte Bewegung, den einfarbigen Hintergrund, die Zwischentexte, die Reduktion der Komparserie[52] – alle diese Momente verdanken sich der theatralischen Sendung des Symbolismus. Eine Äußerung Jarrys, in der *Revue Blanche* von 1897, mit der sich der Verfasser gegen das Mißverständnis der Aufführung als einfacher Farce zur Wehr setzt, stellt die Verbindung her: „Vraiment, il n'y a pas de quoi attendre une pièce drôle, et les masques expliquent que le comique doit en être tout au plus le comique macabre d'un clown anglais ou d'une danse des morts."[53] Der Hinweis auf das Modell des Totentanzes zeigt erneut, in welchem Maße sich der Autor des Zusammenhangs der Marionettengroteske mit dem symbolistischen Theater bewußt ist. Tatsächlich ist in der Kasperliade der Tod durchweg präsent, aber alle Weihe ist ihm genommen. Übrigbleibt auf der Kulissenwand der Uraufführung eine Karikatur des Knochenmannes,[54] im Stück selbst die Hinrichtungsmaschinerie und eine Hauptfigur, welche die Funktionen des Clowns und des Todes vereint und aus gigantischer, aber unausgewiesener Machtvollkommenheit Leben und Sterben verhängt, freilich nach Maßgabe des Banalen, des Bösartigen, des Sadistischen. Die bizarre Umwertung spiegelt sich im mechanischen Spiel der Über-Marionette Ubu,[55] wobei Jarry bei der Uraufführung bedauerte, daß es nicht gelungen sei, die Darsteller an Drähten aufzuhängen.[56] Das Prinzip der Deformation wird dennoch realisiert und im Bühnenbild, in der Kostümierung, in der Bewegungs- und Sprechregie zur Geltung gebracht. Jarry hat das Prinzip selbst angedeutet; die Bühne sollte nach dem Hochziehen des Vorhangs so vor Augen liegen, „comme ce miroir des contes de Mme. Leprince de Beaumont, où le vicieux se voit avec cornes de taureau et un corps de dragon, selon l'exagération des ses vices."[57] Die symbolisierende Gestaltung der Szene schlägt im Falle der neuen comédie um in die symbolische Deformation nach dem Prinzip des Zerrspiegels, was eine dialektische Entwicklung, keineswegs die Auslöschung der symbolistischen Ansätze bedeutet. Das Grotesk-Theater ist das ungeplante, aber legitime Kind des dramatischen Symbolismus.

Als weiteres Beispiel für den Umschlag von Symbolismus der übermenschlichen Statur zur artistischen Groteske ist das dramatische Werk von Oskar Kokoschka zu nennen, dem die wichtigste Vermittlerrolle – abgesehen von Strindberg – zwischen den Theaterexperimenten der Jahrhundertwende und dem Beginn des Expressionismus zukommt.[58] Verwandtschaft mit dem Symbolismus bekundet nicht erst das spätere *Orpheus*-Drama, in dem die thematische Anknüpfung nicht weniger naheliegt als in Cocteaus *Orphée;* auch die frühen Entwürfe atmen in vielem symbolistischen Geist. Kokoschka entwirft im Jahre 1907 zwei Dramen, die als Schlüsselstücke für das folgende Jahrzehnt zu betrachten sind. Das eine, *Mörder Hoffnung der Frauen,* scheint unter dem Eindruck Strindbergs, vor allem seines *Totentanz,* und Wedekinds entstanden zu sein; es stellt inhaltlich einen extrem komprimierten Geschlechterkampf dar. Formal betrachtet, weist es starke, genuin symbolistische Züge auf; der Eigenwert des Szenischen, vor allem greifbar in der dominanten Lichtregie, aber auch in der Stilisierung von Bewegung, Sprechweise und Maske ist so stark, daß der Text als Basis des Geschehens zurücktritt und ein großes Maß an Diskontinuität aufweist.[59] Dieses nachsymbolistische Symboldrama steht an der Schwelle des expressionistischen Jahrzehnts, denn es fand im Jahrgang 1910/11 des *Sturm* weite Verbreitung, womit zugleich gesagt ist, daß es auch im weiteren Rahmen des internationalen Futurismus Bedeutung erlangt.

Gleichzeitig mit *Mörder Hoffnung der Frauen* entwirft Kokoschka ein Gegenstück, ein „Spiel für Automaten" bzw. ein „Curiosum", unter dem Titel *Sphinx und Strohmann.* Darin ist der Nachhall Maeterlincks und der Umschlag ins Groteske mit Händen zu greifen. Noch einmal tritt der Eindringling persönlich auf, allerdings in der Verkleidung als „lebender normaler Mensch" – die einzige normale Gestalt des Stücks. Alle anderen Figuren sind Automaten, mechanische, im äußeren Erscheinungsbild stark deformierte Marionetten: Anima, die Inkarnation des ‚Ewig-Weiblichen', Firdusi, später Herr Strohmann, eine hohle Strohkopfmaske, Herr Kautschukmann, eine Gummipuppe.[60] In die Welt dieser Figuren wird der Tod ein letztes Mal im Zusammenhang einer Maeterlinck-Parodie eingeführt. Sein Auftreten unter Blitz und Donner ruft den Kommentar „entreprise des pompes funèbres" hervor; als er dann den Strohmann verfolgt, um ihm das Lebenslicht auszublasen, läßt sich dessen Geliebte Anima im Nebenzimmer – auf der halbtransparenten Wand zeigen sich „küssende Schatten" – von Kautschukmann verführen und antwortet auf die telefonische Frage, was sie treibe: „Spiritistische Experimente, Geisterbeschwörung. Ich lasse mich erlösen."[61] Maeterlincks weihevolle Todesstunde ist in Trivialitäten aufgelöst. Von einem Tod, der – trotz seines Vorauswissens – auf menschliches Kleinformat reduziert ist, nimmt niemand Kenntnis; die Stunde des seelischen Erwachens ist die Stunde der Verführung, die mit Maeterlinckschem Spiritismus lediglich kaschiert wird. Im Zeichen dieser ‚Normalität' werden die dramatis personae ‚anormal', d. h. zu grotesken Kunstfiguren. Sie behalten die Oberhand, der Tod wird in die banale Liebhabercharge abgedrängt: „Tod geht mit Anima weg, die er mit gutem Erfolg zu trösten sucht."[62] Auf dem Theater Kokoschkas haben die automatenhaften Marionetten die menschlichen Gestalten definitiv abgelöst.

Ein letztes Paradigma für die Dialektik in der Wirkungsgeschichte des Symbolismus führt unmittelbar in die zwanziger Jahre, obwohl der Anschluß an Maeterlincks Frühwerk in direktem Rückgriff erfolgt. Etuden nach Maeterlinck stehen am Anfang des Schaffens von Michel de Ghelderode. *Les Vieillards* stellt die in ein reales Altersheim verlegte Metamorphose von *Les Aveugles* dar; auch die *L'Intruse*-Variation *Le Cavalier bizarre* spielt in einem Alten-Hospital, das mit zahlreichen realistischen Details dargestellt wird. Doch wird von Anfang an in eine andere Stillage hinübergespielt, von den Greisen wird im Personenverzeichnis gesagt: „cette humanité qui se disloque mais reste forte de couleur et riche d'odeur, eut tenté le pinceau du Breughel des mendiants ou le burin de Jacques Callot."[63] Dementsprechend gestaltet sich die Ankunft des Todes. In einer visionären Teichoskopie wird er als apokalyptischer Reiter geschildert; sein Nahen verraten Geräusche nach Art von *L'Intruse,* die jedoch durch ein süßlich-banales Akkordeon – Ersatz der alten Geige – ergänzt werden. Die Greise verstehen diese Töne als Zeichen, daß der Eindringling das Haus betreten hat, sie erstarren aber nicht in feierlicher Erschütterung, sondern verstecken sich geräuschvoll in ihren Betten. Als der cavalier bizarre sich dann wieder entfernt, ein neugeborenes Kind im Arm – einmal mehr steht der kleine Tintagiles Pate –, feiern die Alten das Überleben. Die letzte Regieanweisung lautet: „Mais l'accordéon résonne. Le vacarme éclate. Cris. Danse spasmodique des vieillards, la bouche ouverte, les poings fermés comme de raides marionnetts."[64] Auch bei Ghelderode bringt die vorausgesetzte Maeterlincksche Grenzsituation, deren metaphysischer Horizont entfällt, eine neue theatralische Dimension hervor. Mit der Symbolik der Apokalypse, der Malerei Höllen-Breughels oder Callots, die als Stiltypus der Deformation für die menschlichen Marionetten dient, ist die neue Stillage genau bezeichnet. Das groteske Theater Ghelderodes gewinnt seine Modernität aus dem bewußten Rückgriff auf die stilgeschichtliche Tradition des Grotesken, des Manierismus. Ihrer Grundstruktur nach sind Ghelderodes Dramen Totentänze für Marionetten, stets im Zwielicht von makabrer Komik und bizarrem Entsetzen, zwischen Farce und Horrorszene angesiedelt, letztlich lauter Balladen „vom großen Makabren". Der groteske Marionettenreigen setzt die Tradition des symbolistischen Welttheaterspiels fort. Nach wie vor spielen die Stücke ‚überall', mit Ghelderodes Worten: „dans la principauté de Breughellande", und ‚jederzeit': „l'an tantième de la création du monde".[65] Der alte universale Anspruch hat sich im ‚theatralisierten' Theater des Grotesken voll durchgesetzt.

VI

Nach der Skizze der Schlüsselwerke, die den Umbruch vom Symbolismus der metaphysischen Überhöhung zum Symbolismus der grotesken Deformation illustrieren, bleibt anzudeuten, in welchem Sinne diese Umbrüche Schule gemacht haben. Dabei können in diesem Zusammenhang die Schnitzlerschen Parerga außer acht gelassen werden, obwohl Schnitzler einschlägige Stücke in der Art des Puppentheaters und der Commedia dell'arte verfaßt hat, etwa die Pantomime *Der Schleier der Pierrette,* die Meyerhold für sein Petersburger Studio umarbeitete.[66] Im Falle von Meyerhold selbst reichen die Konsequenzen wesentlich weiter. Die Marionettenversuche des Jahres 1906 werden später an Meyerholds Studio in Form einer systematischen Theaterschulung weitergeführt, in der Kurse über die Commedia dell'arte und über asiatische Theaterformen zu den Pflichtveranstaltungen gehören.[67] Die theoretischen Erträge dieser Zeit legt Meyerhold in einem großen Aufsatz über das Puppentheater[68] und in laufenden theatergeschichtlichen Erörterungen in der Studiozeitschrift mit dem auf Gozzis Theater anspielenden Titel *Die Liebe zu den drei Orangen* nieder.[69] Die weitere Entwicklung führt zur bruchlosen Integration futuristischer Theatertheorie.[70] Marionettenregie erweitert sich zur abstrakten Bewegungssprache der „Biomechanik".[71] Als dann Meyerhold zusammen mit Majakovskij 1918 im Auftrag von Lunačarskij zum Jahrestag der Oktoberrevolution ein Stück auf die Bretter bringt, ist es alles andere als die realistische Rekapitulation der Ereignisse des Vorjahres. Auf einer abstrakten Aktionsbühne spielt sich noch einmal ein nachsymbolistisches Welttheaterstück ab, das Himmel, Hölle und Erde zum Schauplatz hat und dessen Titel *Mysterium Buffo* auf die beiden Hauptstränge des symbolistischen Theaters zurückweist.[72] Bei Meyerhold stellt die Synthese von Symbolismus und Futurismus[73] bis zum Jahre 1917 ein ganzes Arsenal radikal neuer Spielformen bereit; es gestattet nach der historischen Wende fast augenblicklich die Errichtung eines Theaters, das in jeder Hinsicht umwälzend ist, so provokativ umwälzend, daß es später dem Kulturdiktat der Stalin-Ära zum Opfer fällt.

Was die Wirkungsgeschichte von Jarrys *Ubu* betrifft, so sind die Zusammenhänge mit dem Surrealismus und Artauds théâtre de la cruauté bekannt.[74] Im übrigen beginnt die breitere Bühnengeschichte in europäischem Maßstab, sowohl was *Ubu* als auch was die Dramatik Ghelderodes betrifft, erst nach dem zweiten Weltkrieg. Darüber hinaus zeigt die Notwendigkeit wie auch die provokative Wirkung der verschiedenen *Ubu*-Renaissancen dieses Jahrhunderts,[75] daß der avantgardistische Impuls von 1896 weder von einem *Arturo Ui* (1941), noch von einem Dürrenmattschen *König Johann* oder einem Ionescoschen *Macbett* eingeholt werden konnte. In den Schwellenjahren des symbolistischen Theaters entsteht bereits der typus praeformans, der der ganzen Entfaltung des modernen grotesken Theaters Richtung und Norm gibt.[76]

Diese ‚vorzeitige' Prägung des stilbestimmenden Typus ist – um in diesem Zusammenhang noch auf eine zweite Erscheinungsform wenigstens hinzuweisen – auch in jenem Zweig des modernen grotesken Theaters zu beobachten, welcher das Prinzip der Deformation mit einer historisch-dokumentarischen Grundintention verbindet. Das Paradigma entsteht bezeichnenderweise, als mit dem Ende des ersten Weltkrieges das abstrakte Menschheits-Pathos des expressionistischen Dramas zur Debatte steht. Karl Kraus' groteske Gigantomachie *Die letzten Tage der Menschheit,* die an dokumentarischer Schärfe wie auch an deformatorischer Intensität mit den modernen Versionen dokumentarischen Theaters der 60er Jahre mehr als Schritt halten kann, ist seiner Gesamtanlage nach wiederum ein theatrum mundi, das Welttheater des Nörglers.[76a] Unter seiner Regie spielen dokumentierbare, zitierbare „Operettenfiguren" den Weltuntergang und formieren sich zu einem nachsymbolistischen, apokalyptischen Totentanz, an dessen Ende das ganze alte Europa unter einem überdimensionalen Leichentuch verschwindet. Dieses für ein „Marstheater" gedachte Weltuntergangs-Spektakel galt zu seiner Zeit, auch für das technisch so fortgeschrittene expressionistische Theater, als unspielbar. Die erste und bislang einzige kongeniale Inszenierung von Hans Hollmann in Basel 1975, die das totale Stück mit allen Mitteln und aller Spielkompetenz des totalen Theaters als gigantisches Marionettenspiel in Szene setzt, zeigt eindringlich, in welchem Ausmaß dramatische und theatralische Innovation, die der Sendung des Symbolismus und seiner zur Groteske führenden Spielarten zu verdanken ist, das zeitgenössische Theater antizipiert.

Auch im Falle von Kokoschkas frühen Entwürfen erschöpft sich die avantgardistische Bedeutung nicht in den unmittelbar folgenden Jahren. Eine direkte Linie verläuft über den *Sturm*-Kreis zu August Stramm. Er findet etwa gleichzeitig mit der Rezeption der futuristischen Programmatik bezeichnenderweise über eine Kokoschka-Strindberg-Imitation, *Die Haidebraut*,[77] und über eine Maeterlinck-Etude, *Sancta Susanna*, den Weg zu jener dramatischen Abstraktion, die ihn zum radikalsten Experimentator im Bereich des Expressionismus überhaupt macht. Auch hier ist es die Synthese von Symbolismus und Futurismus, die in das nächste Jahrzehnt vorausdeutet. Die direkte Rezeption von Kokoschkas Automatenkomödie verweist weiterhin auf die Anfänge der Dadaisten, die das Züricher Cabaret Voltaire mit einer skandalisierenden Aufführung dieses Stücks eröffneten. Die Skandalgeschichte der Kokoschkaschen Entwürfe verzeichnet weitere Höhepunkte an der Experimentierbühne des Albert-Theaters in Dresden (1917) und an Max Reinhardts neuem Berliner Experimentiertheater (1918/19), Aufführungen, die unter anderem Ivan Goll zu seiner Komödie *Methusalem* inspirierten. Golls Figuren stellen bereits den Grenzfall automatisierter Marionetten dar, technische Monstren – man vergleiche dazu die Figurinen von George Grosz –,[78] die statt des Kopfes Kurzwellensender, statt der Ohren Telephonhörer haben und die dramaturgisch belegen, was der Autor, zwei Jahre vor seinem und vor Bretons Manifest, im Vorwort programmatisch fordert: „Überrealismus", d. h. „surréalisme", wie er in Anlehnung an Apollinaire – nicht ohne Grund wiederholt sich das Craigsche Verfahren der innovativen Wortprägung –[79] formuliert.

Aber auch mit dieser Entwicklungslinie sind die unmittelbaren Folgen der Dramen von Kokoschka und Stramm noch nicht erschöpft.[80] Zu Beginn der zwanziger Jahre bilden sie die Grundlage für die Theaterexperimente an Lothar Schreyers Berliner *Sturm*-Bühne. Die Maeterlinck-Doublette *Sancta Susanna* kommt als Werk einer totalen Regie auf die Bretter, mit konsequenter Marionetten-Stilisierung der Personen, wobei die optischen und akustischen Konfigurationen insgesamt das Übergewicht haben und primären theatralischen Eigenwert beanspruchen. Schreyer selbst sah diese Inszenierung als Inbegriff und zugleich als Überbietung und Überwindung aller Intentionen des dramatischen und theatralischen Expressionismus.[81] Seine innovativen Ansätze kamen wenig später auf der Bühne des Bauhauses, das ein Theater der reinen Klang-, Farb- und Bewegungskonfigurarionen erstrebt und die theatralische Kunstfigur als Element einer stereometrischen Raumkonzeption begreift, zum Tragen. Der programmatische Essay von Oskar Schlemmer, der selbst 1921 Kokoschkas *Mörder* in der Vertonung Hindemiths inszeniert hat, trägt den Titel *Mensch und Kunstfigur* (1924).[82]

Damit hat die vom Symbolismus inaugurierte Theatralisierung des Theaters, in deren Verlauf die natürliche menschliche Gestalt immer mehr aus dem Zentrum der Bühne hinausgerückt und der zwischenmenschliche Dialog immer radikaler atomisiert wird, bis sich beides auflöst, ihren äußersten Punkt erreicht. Die dramatis persona, sowohl als Gestalt wie als sprechende Stimme, existiert nur noch als *ein* artifizielles Moment unter zahllosen anderen, deren Organisation zum Bühnenkunstwerk im Sinne räumlich-farblicher, bewegungsmäßiger und akustischer Konfigurationen sich das autonom gewordene, vom Drama abgelöste Theater zur Aufgabe macht. Von diesem Punkt aus ist keine lineare Weiterentwicklung, keine Steigerung mehr denkbar.

VII

Überblickt man die skizzierten Entwicklungslinien, so entsteht der Eindruck, daß nahezu alle theater- und dramengeschichtlichen Umwälzungen, auf denen das Theater unseres Jahrhunderts aufbaut, in nuce bereits im ersten Viertel vollzogen sind. Dieser Eindruck besteht zu Recht und muß nur in der Weise ergänzt werden, daß sich die Neuerungen zunächst in einem extrem schmalen Bereich des Theaters, einem durchaus ästhetisch akzentuierten Séparée abspielen, dessen sich aber die führenden Theaterleute durchaus bewußt sind.[83] Aus diesen Arkanräumen springen aber – in den Krisenjahren des Wilhelminismus, in der Vorkriegskrise, nach Kriegsende und Revolution – Zündfunken über, die der zunächst rein experimentellen Innovation Breitenwirkung und nachhaltige Ausstrahlung verschaffen. Der Anteil des Symbolismus an diesen Prozessen wird gemeinhin erheblich unterschätzt. Dabei halten die innovativen Impulse wesentlich länger vor als im Fall des dramatischen Naturalismus und selbst des Expressionismus und kommen immer wieder zur Geltung, nachdem der Symbolismus als Zeit- und Modeerscheinung längst zu Grabe getragen ist. Diese langfristig wirksame kreative Potenz ist den symbolistischen Anfängen mit ihrer Symbolisierung des Spielorts und der Denaturierung der Figuren nicht ohne weiteres anzusehen; auch scheinen die Anstöße bisweilen sich in den Sackgassen eines perfektionistischen Formalismus, einer idée fixe der Innovation zu verlieren. Doch liegt in diesen Anfängen ein Ferment, das in unerwartete Richtungen treibt, so daß sich die vermeintlichen Sackgassen als Umschlag- und Knotenpunkte enthüllen; sie sind jeweils da erreicht, wo der ursprüngliche metaphysische Horizont gesprengt, der Fatalismus überspielt wird und aus diesem Überspielen die Keime neuer theatralischer Möglichkeiten hervorgehen.

Nachdem der extreme Punkt der Retheatralisierung, der Abstraktion auf dem Theater in den zwanziger Jahren erreicht ist, sind – wie gesagt – weiterführende Entwicklungen linear nicht mehr möglich, wohl aber auf dem Wege der Rückvermittlung mit neuen Realitätsprinzipien und Realitätspostulaten. Von diesem Zeitpunkt an verläuft die Geschichte der Nachwirkungen des Symbolismus gleichsam unterirdisch. Unter verschiedenen Vorzeichen – Zusammenhänge im Bereich des grotesken Theaters und des Surrealismus wurden angedeutet – kommen jedoch immer wieder genuin symbolistische Impulse in veränderter Gestalt neu zum Tragen.

Dies gilt, bei aller Komplexität der Entstehung, der Ursprünge und der weiteren Genese, auch für das epische Theater, das keineswegs, wie gelegentlich immer noch angenommen wird, einen Ausgangspunkt der Retheatralisierung darstellt. Es bildet vielmehr einen Endpunkt, da es diese – in der Mehrzahl der technischen Mittel wie in ihrer grundsätzlichen Dimension – voraussetzt und bereits die Rückvermittlung des theatralisierten Theaters mit einem neuen Realitätsprinzip und damit mit einem neuen didaktischen Anspruch unternimmt. Brecht hat ihn bekanntlich, um ein formalistisches Verständnis von „episch“ auszuschließen, als „dialektisch“ bezeichnet. Im Zusammenhang mit der Geschichte der Puppen und Marionetten besagt dies, daß die Gestalten des epischen Theaters theatralisch und ideologisch zu beglaubigende Kunstfiguren sind, die reale, als real denkbare Figuren vorzeigen, wobei der didaktische Gehalt ebenso im Vorgezeigten wie im Modus des Vorzeigens zu suchen ist. Der Parabelcharakter der Stücke läßt sich in entsprechender Weise als konsequente Umsetzung der zugehörigen Konzeption des theatrum mundi, das in sich bereits eine stark epische Komponente aufweist, in durchgehende dramatische Konstruktion der Szenen und Figuren verstehen. Der systematische Zusammenhang tritt nicht nur in Brechts Salzburger Entwürfen oder im epischen Theater der Amerikaner, Wilders *Our Town* oder *Pullman Car Hiawatha,* vor Augen, sondern auch an anderen Stellen: wenn sich das epische Drama auf die Suche nach *dem* guten Menschen begibt, so kommen – wie im Welttheater-Spiel – die Götter in der Funktion von Richtern auf die Bretter, die die Welt bedeuten.

Offener liegen die Fernwirkungen der theatralischen Sendung des Symbolismus allerdings im sogenannten absurden Theater zutage, bedingt durch dessen Realitätsprinzip, das – ohne allen direkten didaktischen Anspruch – durch die Dominanz des Unbewußten gegenüber dem Bewußten und durch das Übergewicht der menschlichen Situation gegenüber ihrer Durchschaubarkeit und Erklärbarkeit bestimmt ist. Formale Analogien in der Anlage und Konstitution des Spielrahmens sind die Konsequenz, die deutlich zu erkennen ist. Entsprechungen zum Symbolismus machen sich aber nicht weniger in der Gestaltung der dramatis personae geltend, wobei alle Möglichkeiten, die das Geschlecht der Marionetten und menschlichen Automaten entfaltet hat, aufgenommen und vermittelt werden. Als Quintessenz der Dramaturgie des Absurden fordert Ionesco bekanntlich ein Spiel, das zwischen der realistischen Person und der Marionette vermittelt, gleichermaßen befremdend wie natürlich-vertraut.[84] Ein Stück wie Becketts *En Attendant Godot* weckt daher in mehr als einem Sinn Erinnerungen an die Anfänge des symbolistischen Theaters. Es ist, wie bereits Maeterlincks Frühwerk, als „théâtre de l'attente"[85] durchaus treffend charakterisiert, läßt aber bei dem clownesken Spiel von Wladimir und Estragon,[86] wie bei dem sadistischen Spiel zwischen Pozzo und Lucky auch an jenen „clown anglais" denken, auf den sich Jarry aus Anlaß seines *Ubu* berufen hat. Das Geschehen zwischen diesen sichtbaren Gestalten liegt im Schatten eines alles entscheidenden Unsichtbaren. Als Eindringling, der das Spiel der theatralischen Figuren stört oder gar zerstört, tritt Herr Godot freilich nicht mehr auf. Die Welt der Wartenden bleibt ebenso intakt, wie sie von Grund auf gestört ist.

Anmerkungen

1 J. W. Goethe, Dichtung und Wahrtung I, 2 / Wilhelm Meisters theatralische Sendung I, 1.

2 Th. Mann, Buddenbrooks. Verfall einer Familie, Teil 8, Kap. 8.

3 Das Verhältnis zwischen Haustheater und Stadt- und Hoftheater, das sich im Modus der vereinfachenden Reproduktion bewegt, findet während des gesamten so theaterfreudigen 19. Jahrhunderts seinen bezeichnenden Ausdruck im Phänomen des überaus verbreiteten „Papiertheaters"; es gestattet mittels massenhaft aufgelegter Ausschneidebogen, das Personal und die Ausstattung ganzer Stücke im häuslichen kleinformatigen Karton-Theater nachzustellen. Das kommerzielle Interesse der Firmen wie auch das öffentliche Interesse am Theater und seinen Modeerscheinungen geben dem häuslichen Hobby jahrzehntelang immer neue Impulse.

4 In Paris nimmt das Marionettentheater von Signoret in der Rue Vivienne um die Jahrhundertwende Einfluß auf die theatergeschichtliche Entwicklung; dasselbe gilt von dem Schattentheater von Séraphin im Palais Royal, dessen Tradition ab 1881 teilweise in das Kabarett Chat Noir eingeht.

5 Das literarische Echo. Halbmonatsschrift für Literaturfreunde, hrsg. v. Josef Ettlinger, Jg. 9, Heft 4, 15. XI. 1906, Sp. 247–257. – Anlaß für Legband bilden Marionettenspiele, die Paul Braun in Nürnberg mit Hilfe einer neu entworfenen Drehbühne unter dem Titel „Hans-Sachs-Theater" aufgeführt hat; dieses Theater soll nun auch in Berlin alte Puppenspiele aufführen, weiterhin Kasperliaden von Pocci „und – Werke von Schnitzler, Hofmannsthal, Maeterlinck". Zu ergänzen wäre, daß um diese Zeit auch in Wien Richard Teschner mit seinen Stab-Puppen Berühmtheit erlangt und daß Alexander von Bernus in München mit der Gründung der „Schwabinger Schattenspiele" Aufsehen erregt.

6 Legband polemisiert vor allem gegen das „Buch der Marionetten" von Siegfried Rehm (Ein Beitrag zur Geschichte des Theaters aller Völker, Berlin o. J.), verweist aber außerdem auf weitere Werke, deren rasch aufeinanderfolgendes Erscheinen das zunehmende Interesse wäh-

rend der vorausgehenden Jahre dokumentiert: Floegels Geschichte des Grotesk-Komischen, bearb., erw. u. bis auf die neueste Zeit fortgef. v. F. W. Ebeling, 5. Aufl. Leipzig 1888; F. W. K. Müller, Năng. Siamesische Schattenspielfiguren im Kgl. Museum für Völkerkunde zu Berlin, in: Internat. Archiv für Ethnographie, Bd. 7 (Suppl.), hrsg. v. K. Bahnson, F. Boas, G. J. Dozy, 1894; L. Serrurier, Bibliothèque japonaise. Catalogue raisonné des livres et des manuscrits japonais enregistrés à la bibliothèque de l'université de Leyde, Leiden 1896; R. Pischel, Die Heimat des Puppenspiels, Halle/S. 1900 (Hallesche Rektoratsreden II); E. Maindron, Marionnettes et guignols. La Poupée dansante et parlante depuis l'antiquité jusqu'à nos jours, Paris 1901; H. Reich, Der Mimus, Bd. I, Teil 1, 2 (mehr nicht erschienen), Berlin 1903; R. Pischel, Das altindische Schattenspiel, Berlin 1906; G. Jacob, Erwähnungen des Schattentheaters in der Welt-Litteratur, 3., verm. Ausg. der Bibliogr. über das Schattentheater, Berlin 1906.

7 Damit ist nicht gesagt, daß sich außerhalb der symbolistischen Bewegung keine Impulse zur Wiederbelebung der Marionette finden. Vereinzelte Spätformen des Unterhaltungstheaters weisen durchaus eine Affinität zu einem Theater wie dem Grand Guignol auf; Courtelines Farce „Les Boulingrin" endet ganz im Stile des Kaspertheaters mit der Zertrümmerung der Bühnenrequisiten (ein Vorgang, der sich 20 Jahre später in Brechts „Kleinbürgerhochzeit" wiederholt), weist aber auch in der Personengestaltung und Handlungsführung Momente des Puppentheaters auf. – Wohl aber wird behauptet, daß die Impulse, die theatergeschichtlich und dramengeschichtlich für das Revirement zu Buche schlagen, von der symbolistischen Dramatik ausgehen.

8 Zu den Einzelheiten vgl. M. Postič, Maeterlinck et le Symbolisme (préface de J.-H. Bornecque), Paris: Nizet 1970, besonders S. 42ff.; J. Robichez, Le Symbolisme au théâtre. Lugné-Poe et les débuts de l'Œuvre, Paris: L'Arche 1957.

9 Ohne Berücksichtigung bleiben im folgenden die zahllosen hier einschlägigen Impulse, die von der Erneuerung des Tanzes und des Balletts, im weiteren Sinne von der Dramaturgie des Musiktheaters (vor allem Wagners) ausgehen. Ebensowenig kann dem theater- und dramengeschichtlich hoch zu veranschlagenden Einfluß Nietzsches und der wissenschaftlichen Psychologie der Jahrhundertwende nachgegangen werden. Auch der vornehmlich im deutschsprachigen Raum zentralen Rolle Wedekinds kann nicht gebührend Rechnung getragen werden, zumal das Verhältnis Wedekinds zum dramatischen Symbolismus noch keineswegs hinreichend geklärt zu sein scheint.

10 Dieselbe Anweisung findet sich bei Charles van Lerberghes Stück „Les Flaireurs" (zuerst erschienen in der Zeitschr. „La Wallonie", 31. I. 1889), das in engem Zusammenhang mit „L'Intruse" zu sehen ist.

11 Vgl. dazu die analoge, wenngleich umfassendere und zugleich stärker präzisierende Formulierung von Mallarmé, der als einziges Thema des Dramas „l'antagonisme de rêve chez l'homme avec les fatalités à son existence départies par le malheur" angibt („Hamlet", in: Œuvres complètes, hrsg. v. H. Mondor u. G. Jean-Aubry, Paris: Gallimard 1945 – Bibliothèque de la Pléiade –, S. 300).

12 Als „théâtre de l'attente" bestimmt G. Michaud (Message poétique du symbolisme, Paris: Nizet 1947, S. 448) das Maeterlincksche Drama.

13 Beleg bei P. A. Touchard, Le Dramaturge, in: Maurice Maeterlinck 1862–1962, hrsg. v. J. Hanse u. R. Vivier, Paris: La Renaissance du Livre 1962, S. 343.

14 Beide Stücke demonstrieren die Verbindung der Maeterlinckschen Dramaturgie des Todes mit einer – dem Thema äußerlich – Märchenszenerie, eine Liaison, die für die „neuromantische" Märchendramatik der Jahrhundertwende, zumal in Deutschland, besonders folgenreich war.

15 M. Esslin (Das Theater des Absurden, Reinbek: Rowohlt 1965, S. 311) greift zu einer nahezu Maeterlinckschen Formulierung, wenn er angibt, das absurde Theater wolle dem Zuschauer „die prekäre, rätselhafte Situation des Menschen im Universum" vor Augen führen.

16 Zur Bedeutung der Maeterlinckschen Dramaturgie in diesem weiten Horizont vgl. M. Kesting, Maeterlincks Revolutionierung der Dramaturgie, in: Akzent 10/1963, S. 527–544 (ebenfalls in: M. K., Die Vermessung des Labyrinths. Studien zur modernen Ästhetik, Frankfurt/M.: Fischer 1965).

17 G. Sion, Maeterlinck et le Théâtre Européen, in: M. Maeterlinck 1862–1962 (s. Anm. 13),

S. 417. – Das Angewiesensein auf die Regie wird ex negativo aus einem Bericht Lugnés deutlich, der sich auf die Vorstellung der Pariser Inszenierung von „L'Intruse" bei einem Gastspiel in Brüssel bezieht; die exakte bühnentechnische Koordination der Licht- und Geräuscheffekte mit dem Dialog mißlang, was einen totalen Mißerfolg der Aufführung hervorrief (Beleg bei P. A. Touchard – s. Anm. 13 –, S. 337f.).

18 Eine Inszenierung von „L'Intérieur" fällt in die Zeit des ersten Sezessionsversuches von der Brahmschen Bühne; Reinhardt war beteiligt, die Leitung hatten Paul Martin und Martin Zickel (Beleg bei: L. M. Fiedler, Max Reinhardt, Reinbek: Rowohlt 1975, S. 29). In der „Pelleas"-Inszenierung des akademisch-literarischen Vereins 1899 spielte Reinhardt die Rolle des Arkel unter der Leitung von Zickel; die Conférence hielt Maximilian Harden (Fiedler, a.a.O., S. 31).

19 Eduard von Winterstein, in: Max Reinhardt, Schriften, hrsg. v. H. Fetting, Berlin: Henschel 1974, S. 367.

20 Bereits in den programmatischen Äußerungen Reinhardts aus der Frühzeit (1901–1903) taucht der Name Maeterlinck stets in einer Reihe mit Strindberg, Wilde und Tolstoj auf (M. Reinhardt, Schriften – s. Anm. 19 –, S. 64–67, 79–81). Auch in den späteren Jahren wird Maeterlinck stets in einem Atemzug mit allen Größen der ausländischen Dramatik genannt, deren Erstaufführung und Durchsetzung Reinhardt sich unter dem Deutschen Theater zugutehalten kann (a.a.O., S. 121–123, 127f., 131–133). – Die Reinhardt-Vollmoellersche „Mirakel"-Pantomime erweitert den Kernbestand der Maeterlinckschen Legende um riesige Volksmassen und – bezeichnenderweise – um die Figur des Todes in Gestalt eines Spielmanns, die ausdrücklich die Dimension des Welttheaters im Rahmen der Konzeption des Festspiels herstellt. Reinhardt hat das monumentale Spektakel (bei der Londoner Aufführung 1911 zählte man 2000 Mitwirkende) bis zum Jahre 1930 immer wieder aufgeführt, um die Idee des großen Festspiels für breiteste Zuschauerkreise zu illustrieren. – Noch in der amerikanischen Emigration kam er auf die symbolistische Keimzelle zurück und brachte „Soeur Beatrice" in einer Workshop-Inszenierung auf die Bühne (a.a.O., S. 228, 232, 234).

21 Ein Bericht über die Szenenprobe stammt aus der Feder des Symbolisten Valerij Brjusov, zitiert in: Meyerhold on Theatre. Translated and edited with a critical commentary by Edward Braun, London: Methuen 1969, S. 45. – Über Meyerholds Tätigkeit in den genannten Jahren ebd., S. 39ff.

22 Wie im Falle der Lyrik, so liegen auch im Bereich der Dramatik die entscheidenden Vorbereitungen der Moderne um Jahrzehnte vor dem offenen Umbruch, wie er sich in den Jahren um 1900 abzeichnet – ein Sachverhalt, der für die Diskussion der Epochenproblematik von entscheidender Bedeutung ist.

23 Œuvres complètes (s. Anm. 11), S. 299ff., 393f. – Zur Problematik vgl. Haskell M(ayer) Block, Mallarmé and the Symbolist Drama, Detroit: Wayne State University Press 1963. D. Steland, Dialektische Gedanken in Stephane Mallarmés 'Divagations', München: Fink 1965, Freiburger Schriften zur romantischen Philologie, Bd. 7), bes. S. 29–51.

24 Eine Schlüsselrolle im theoretischen Feld ist auch Meyerhold zuzuerkennen. Schon der Čechov-Essay von 1906 („The Naturalistic Theatre and the Theatre of the Mood"; „Naturalističeskij teatr i teatr nastroenija." Innerhalb der Sammlung „O teatre", in: V. E. Mejerchol'd – stat'i, pis'ma, reči, besedy. Čast' pervaja 1891 bis 1917, Moskva 1968) stellt eine Interpretation in Maeterlinckschem Geiste dar. Der systematisch weiterführende Aufsatz „The Stylized Theatre" („Uslovnyj teatr", ebd.) diskutiert dann u. a. Maeterlinck, Verhaeren, Ibsen und Wagner und gelangt zu so weitgehenden Betrachtungen wie über die offene Arenabühne, über die Prinzipien einer vollständigen Stilisierung die Einbeziehung von Tanz und Musik, schließlich über die Aktivierung des Zuschauers (Meyerhold on Theatre – s. Anm. 21 –, S. 23–33 u. 58–64). Über weitere Konsequenzen, die sich für Meyerhold aus der symbolistischen Dramatik ergeben, s. a. S. 526f., 532f.

25 H. M. Block, Strindberg and the Symbolist Drama, in: Modern Drama 5/1962 bis 1963, S. 314–322 (Zitat S. 322).

26 „Symbolism", in: The Mask. A Quarterly Illustrated Journal of the Art of Theatre, Vol. III, 1910–11 (New York: Kraus Reprint 1967), S. 130. Zitate ebd.

27 Ebd., S. 61–66, Zitate S. 62 (Vgl. das Kapital „Le Tragique quotidien“ aus: Maeterlinck, Le Trésor des humbles, Paris: Société du Mercure de France 1896. Zitate S. 180: „le dialogue plus solennel et ininterrompu de l'être et de sa destinée“, und S. 181: „l'éternité qui gronde à l'horizon“).

28 The Mask, Vol. I, 1908–09, S. 3 b–15, Zitate S. 9, 11, 5, 13.

29 D. Bablet, Edward Gordon Craig, Köln/Berlin: Kiepenheuer & Witsch 1965, (Collection Theater Werkbücher, Bd. 5; Franz.: Paris: L'Arche 1962), S. 135.

30 Zu den Einzelheiten der Wirkungsgeschichte in Deutschland vgl. H. Riemenschneider, Der Einfluß Maurice Maeterlincks auf die deutsche Literatur bis zum Expressionismus, Diss. Aachen 1969.

31 Die Restilisierung im Sinne einer Lyrisierung stellt ein europäisches Phänomen dar. Frühwerke von Claudel („L'Annonce faite à Marie“) und Yeats („The Land of Heart's Desire“) fallen bereits in die Jahre um 1900, ein später Widerhall findet sich im Frühwerk Lorcas („Amor de Don Perlimplin con Belisa en su jardin“).

32 Zur Problematik generell wie auch zum großen Paradigma, Mallarmés „Hérodiade“-Entwürfen, vgl. P. Szondi, Das lyrische Drama des fin de siècle, Frankfurt a. M.: Suhrkamp 1975.

33 Auch unter dem Aspekt der offenen Wendung zum Welttheaterspiel, das eine Konsequenz der symbolistischen Dramaturgie darstellt, steht die deutsche Entwicklung in europäischem Zusammenhang, wie Claudels Werke (vor allem „Le Soulier de satin“ und „Le Livre de Christophe Colomb“) zeigen.

34 Ausdrücklich bemerkt Arthur Kahane, erster und langjähriger Dramaturg Max Reinhardts, dessen Konzeption vom Theater sei durch „ein Bild der Welttotalität“ gekennzeichnet, ein offensichtlich vom Symbolismus geprägter Grundgedanke, der freilich durch den Zusatz „Totalität ihrer Menschlichkeiten“ und „Totalität der Schauspieler“ in die erweiterte theatralische Dimension überführt wird (in: 25 Jahre Deutsches Theater, hrsg. v. H. Rothe, München 1930, S. 26).

35 Bezeichnend ist die Szene, in der ein rätselhaftes Geräusch, ein Pochen am Tor, die Anwesenheit des Todes signalisiert. Daß es sich dabei um den Pesttod handelt, verweist einmal mehr auf die symbolistischen Ursprünge, wenn man sich Hofmannsthals „Der Tod des Tizian“ und Rilkes „Die weiße Fürstin“ vor Augen führt.

36 Leonid Andreev, Das Leben des Menschen (Žizn' čeloveka). Dt. v. August Scholz, Berlin: Ladyschnikow 1908. – Zu Stanislavskijs aufsehenerregender Inszenierung des Stücks (in der Art eines Schattenspiels auf leerer, schwarz in schwarz ausgeschlagener Bühne) vgl. Stanislavskij, My Life in Art (Moja žizn' v iskusstve). Translated by J. J. Robbins, London 1924, S. 494ff.

37 H.-B. Harder, Die tragische Farce. Zum Grotesken im Drama Bloks und Andrejews, in: R. Grimm u. a., Sinn oder Unsinn? Das Groteske im modernen Drama, Basel/Stuttgart 1962 (Theater unserer Zeit, Bd. 3), S. 147–170.

38 Ansätze zur genaueren Beschreibung, auch in geistesgeschichtlicher Hinsicht, bietet H. M. Block, Strindberg and the Symbolist Drama (s. Anm. 25).

39 Diesen Vorschlag unterbreitet Wilhelm Michel (in: Die Schaubühne, Jg. III, 14. III. 1907, S. 266): „Wenigstens sieht man beim Lesen unausgesetzt die scharfen, unerbittlichen Umrisse energisch charakterisierter Puppenköpfe vor sich. Ein Schauspieler dürfte kaum so viel Tod in sich haben [sic!], um in diesem Stück nicht ständig aus der Rolle zu fallen! . . . Auch das Schicksal hat in diesem Stück etwas Maschinenhaftes, Hölzernes, Automatisches.“

40 Außer den genannten Kammerspielen („Oväder“, „Brända tomten“, „Spöksonaten“) vgl. die ausdrückliche Allegorisierung des Mietshauses auf das Weltgebäude im Prolog des Dramas „Der schwarze Handschuh“ („Svarta handsken“).

41 Max Reinhardt hat die Priorität des Begriffes „Kammerspiel“ gegenüber Strindberg für sich in Anspruch genommen, aber gleichzeitig eingeräumt, daß dem Inhalt nach Strindberg bereits mit seinem Essay zu „Fräulein Julie“ von 1888 der Vorrang gebühre. Er selbst versteht unter „Kammerspielen“ Stücke, „deren Handlung weitgehend in die Psyche der Figuren oder in symbolische Metaphorik verlegt ist“, und verweist auf Autoren wie Strindberg, Maeterlinck, Ibsen, Hofmannsthal, Wilde, d'Annunzio (vgl. L. M. Fiedler – s. Anm. 18 – S. 82).

42 Bezeichnenderweise wird in der Literatur sowohl für Reinhardt als auch für Strindberg, außerdem für Meyerhold der Anspruch erhoben, sie hätten zum ersten Male den Verfolgungsscheinwerfer als bühnentechnische Neuerung für Inszenierungen nutzbar gemacht.
43 In Witkiewicz' Drama „Die Mutter" (Matka) wird ausdrücklich auf Strindbergs „Gespenstersonate" angespielt.
44 Vgl. Artauds Inszenierungsversuche mit der „Gespenstersonate".
45 A. Kahane (s. Anm. 34), S. 21f.
46 Schall und Rauch, Bd. 1, von Max Reinhardt, Berlin/Leipzig 1901.
47 Die elf Scharfrichter. Münchner Künstlerbrettl, Bd. I: Dramatisches, Berlin/Leipzig 1901, Zitat S. 119.
48 Der Schnitzlersche Zyklus läßt deutlich die Bedeutungsverschiebung des Begriffs „Marionette" vom deterministischen Symbol zur theatergeschichtlichen Chiffre erkennen. Im ersten Einakter, „Der Puppenspieler", wird die vermeintliche Souveränität des Spielers als Selbsttäuschung entlarvt, da er, ohne es zu wissen, in einem Spiel agiert, das nicht seines ist. Das zweite Stück, „Der tapfere Cassian", stellt eine in Commedia dell'arte-Manier gehaltene Parodie des Salondramas dar; Figuren und Handlungen tendieren zum mechanischen Duktus des Puppenspiels. Im Schlußstück werden die Marionetten zur Chiffre des freigesetzten theatralischen Spiels selbst. – Zur Analyse vgl. Verf., Vom Konversationsstück zur Wurstkomödie. Zu Arthur Schnitzlers Einaktern, in: Jahrb. d. Dt. Schillergesellsch. XVI, 1972, S. 516 bis 575.
49 Die Schaubude (Balagančik), in: Alexander Block, Gesammelte Dichtungen. Dt. v. Johannes v. Guenther, München 1947. – Zum Inszenierungsstil vgl. Meyerhold on Theatre (s. Anm. 21), S. 70f.
50 Discours d' Alfred Jarry prononcé à la première représentation d'„Ubu Roi", in: A. Jarry, Œuvres complètes. Textes établis, présentés et annotés par Michel Arrivé, Paris: Gallimard 1972 (Bibl. de la Pléiade), S. 401.
51 Réponses à un questionnaire sur l'art dramatique. Thèse 2, a.a.O., S. 410ff. – Orientierung für die neue „comédie" findet Jarry in Grabbes „Scherz, Satire, Ironie und tiefere Bedeutung".
52 Vgl. Brief Jarrys an Lugné vom 8. I. 1896 (a.a.O., S. 1042–1044), aus dem deutlich hervorgeht, daß die karge Bühnenausstattung einem dramaturgischen Konzept entspringt und keineswegs allein auf Jarrys Bestreben, durch bescheidene Vorschläge die Aufführung seines Stückes nicht zu gefährden, zurückzuführen ist.
53 Questions de Théâtre, a.a.O., S. 416.
54 Die Masken und das Bühnenbild, welches das „Überall" und das „Jederzeit" der Handlung optisch versinnbildlichte, entstanden in Zusammenarbeit zwischen Jarry, Bonnard, Toulouse-Lautrec und Vuillard. Eine Beschreibung aus der Feder von Arthur Symons zitiert Martin Esslin, Das Theater des Absurden (s. Anm. 15), S. 277.
55 Manche Wendungen Jarrys lesen sich wie Vorwegnahmen von Craigschen Formulierungen, etwa wenn er den Sinn der Maske in der objektiven Darstellung des „caractère de personnage" sieht oder ein Beispiel für eine universelle, objektive Geste gibt: „la marionette témoigne sa stupeur par un recul avec violence et choc du crâne contre la coulisse" (De l'inutilité du théâtre au théâtre, in: Œuvres complètes – s. Anm. 50 –, S. 407f.).
56 Gegenüber Lugné, der die Rolle des Ubu anfangs selbst „en tragique" spielen wollte (a.a.O., S. 416), beharrt Jarry darauf, er habe „un guignol" gestalten wollen (a.a.O., S. 1043). – Die ersten „Ubu"-Entwürfe hatte Jarry ja selbst mit Marionetten im Haus der Eltern aufgeführt; nach der Uraufführung bei Lugné sind Marionettenaufführungen 1898 am Théâtre des Pantins (mit Puppen von Bonnard) belegt, die Umarbeitung „Ubu sur la butte" fand ihre Uraufführung mit Marionetten 1901 am Théâtre Guignol des Geules de Bois.
57 Questions de Théâtre, a.a.O., S. 416.
58 Vgl. H. Schwerte, Anfang des expressionistischen Dramas: Oskar Kokoschka, in: Zeitschr. f. dt. Philol. 83, 1964, S. 171–191. – Weitere direkte Einflüsse Maeterlincks auf expressionistische Dramatiker – die allerdings weit hinter die Bedeutung Strindbergs zurücktreten – sind für Sorge (die Urfassung des „Bettler") und Kaiser nachweisbar (H. Riemenschneider – s. Anm. 30 –, S. 270ff.), gleichwohl vermittelt durch das Theater: „Nicht die Auseinandersetzung mit Mae-

terlincks Szenentheater und den Angstvisionen seiner Marionetten, sondern die nach 1900 gelungenen Inszenierungen Reinhardts üben eine Wirkung aus" (Riemenschneider, a.a.O., S. 268). – Zu A. Stramm s. u. S. 534f.

59 An Radikalität wird Kokoschka in diesen Jahren allenfalls von Kandinsky übertroffen, der in seinem Szenar „Der gelbe Klang" synästhetische, aus Farbe, Form und Ton zusammengesetzte szenische „Klänge" entwirft und die sprachlichen Einsprengsel auf untergeordnete Momente reduziert. Ein symbolischer Gesamtsinn ist erkennbar, jedoch verselbständigen sich die formalen Mittel im Sinne von Abstraktion und Konfiguration.

60 Sphinx und Strohmann, in: O. Kokoschka, Das schriftliche Werk, hrsg. v. H. Spielmann, Hamburg: Hans Christian 1973, S. 54. – Zur Textgestalt vgl. H. Denkler, Die Druckfassungen der Dramen Oskar Kokoschkas. Ein Beitrag zur philologischen Erschließung der expressionistischen Dramatik, in: Dt. Vierteljahrsschr. f. Literaturwiss. u. Geistesgesch. 40 (1966), S. 90–108.

61 A.a.O., S. 60f.

62 A.a.O., S. 63.

63 M. de Ghelderode, Théâtre, Bd. II, Paris: Gallimard 1952, S. 9

64 A.a.O., S. 25.

65 La Balade du Grand Macabre, a.a.O., S. 30.

66 Meyerhold on Theatre (s. Anm. 21), S. 113ff.

67 A.a.O., S. 149, 153.

68 Der Titel ist von dem Stück „Die Schaubude" übernommen (a.a.O., S. 119 bis 142).

69 „Ljubov k triom apelsinam", von Meyerhold unter dem E. T. A. Hoffmann abgelauschten Pseudonym „Dr. Dapertutto" herausgegeben (Petersburg ab 1914).

70 Marinetti, der Wortführer des internationalen Futurismus, stattete dem Studio 1911 einen Besuch ab (Meyerhold on Theatre, S. 146).

71 Vgl. die einschlägigen Essays in: Vsevolod Meyerhold, Theaterarbeit 1917 bis 1930, hrsg. v. Rosemarie Tietze, München: Hanser 1974.

72 Misterija-buff. 1. Fassung 1918 / 2. Fassung 1921. – Vladimir Majakowski, Mysterium buffo und andere Stücke. Deutsche Nachdichtung v. H. Huppert, Frankfurt a. M: Suhrkamp 1960.

73 Über die Zustimmung der russischen Futuristen zu „Mysterium buffo" vgl. Meyerhold on Theatre (s. Anm. 21), S. 161.

74 Artaud lernte als Schauspielschüler bei Lugné eine Reihe von Maeterlinckschen Werken („Pelléas et Mélisande", „Monna Vana", „L'Oiseau bleu") kennen; später beschäftigte er sich auf Anregungen Dullins mit den avantgardistischen Theatertheorien der Zeit, u. a. mit Craig. Die zusammen mit Vitrac unternommene Gründung des Théâtre Alfred Jarry weist in den entscheidenden Jahren auf „Ubu" und die Anfänge des Théâtre de L'Œuvre zurück.

75 Dieser Rang kommt zunächst der Aufführung von „Ubu enchainé" durch die surrealistische Gruppe 1937 (Regie von Sylvain Itkine, Bühnenbild von Max Ernst) zu. Nach dem Kriege legt Jean Vilar mit einer Aufführung am Théâtre National Populaire die Grundlage für die neue „Ubu"-Rezeption, die in Deutschland erst mit der Erstaufführung an den Münchner Kammerspielen 1959 (Regie von H. D. Schwarze) und der folgenden Buchausgabe von P. Pörtner (Arche-Verlag Zürich) beginnt.

76 Damit ist nicht behauptet, daß alle Formen des modernen grotesken Theaters mehr oder weniger vermittelt auf symbolistische Wurzeln zurückweisen. Über die Anfänge auf dem italienischen Theater: R. Grimm, Masken, Marionetten, Märchen. Das italienische Teatro grottesco. In: Sinn oder Unsinn? (s. Anm. 37), S. 47–94.

76a Dazu ist zu bemerken, daß Kraus, beginnend mit Bemerkungen zum „Pelléas"-Gastspiel der Berliner Sezession 1900 in Wien, immer wieder Maeterlinck gegen Kritik und kabarettistische Verballhornung in Schutz nimmt und auf der Originalität des „Maeterlinck der ersten Periode", des „Ur-Maeterlinck der ‚Princesse Maleine'" besteht („Die Fackel" Nr. 48, Jg. 2, 1900, S. 10–11, u. Nr. 226, Jg. 9, 1907, S. 14). Die Radikalität des Entwurfs von „Die letzten Tage der Menschheit" erklärt ohne weiteres die Abneigung, die Kraus der Reinhardt-Hofmannsthalschen Version des „Welttheaters", ihren literarischen und weltanschaulichen Implikationen, entgegenbrachte.

77 Direkten Zusammenhang mit Kokoschkas „Mörder" verrät die szenische Symbolisierung, vor allem die Licht-Dunkel-Symbolik, die auf die Personen und ihre verweisende Bedeutung übergreift, sowie die konstruktive Raum- und Natursymbolik. – Stramms Entwicklung zum radikalen Sprach-Konstruktivisten verzeichnet noch die Vorphase des von Arno Holz angeregten konsequenten Sekundenstils („Rudimentär"); der Weg aus dieser Bindung zum Theater der Abstraktion verläuft nicht ohne Grund über den Symbolismus, da nur dieser mit seiner Bühnentechnik dramatisches Geschehen, Bühnengeschehen, bei gleichzeitiger Auflösung der Sprache und des Dialogs als tragender Basis überhaupt noch gestattet.

78 Iwan Goll, „Methusalem" oder „Der ewige Bürger". Ein satirisches Drama (mit Figurinen von George Grosz), Potsdam 1922.

79 Goll prägte analog und mit polemischer Spitze gegen die expressionistische Dramatik auch den Begriff „Überdrama".

80 Alfred Kerr bezeichnet 1919 – auf dem Höhepunkt des expressionistischen Theaters – Stramm und Kokoschka als *die* radikalsten und profiliertesten Neuerer von Drama und Theater (Dramen-Expressionismus, in: Die neue Rundschau, Jg. 1919, Bd. 2. S. 1006–1014).

81 P. Pörtner, Expressionismus und Theater. In: Expressionismus als Literatur, hrsg. v. W. Rothe, Bern, München: Francke 1969, S. 199.

82 In: Bauhausbücher, hrsg. v. W. Gropius/L. Moholy-Nagy, Bd. 4: Die Bühne im Bauhaus, München 1925.

83 Jarry unterscheidet beispielsweise zwischen dem „théâtre du grand nombre", das der Unterhaltung und Belehrung dient, und den „théâtres à côté" für die künstlerische Elite, die der Erprobung und Entwicklung künstlerischer Kreativität, auch durch den mitwirkenden Zuschauer, dienen (Réponses à un questionnaire sur l'art dramatique, in: Œuvres complètes – s. Anm. 50 –, S. 410–415).

84 E. Ionesco, Ai-je fait de l'Anti-théâtre?, in: E. I., Notes et Contre-notes, Paris: Gallimard 1962, S. 224.

85 S. Anm. 12.

86 E. Catholy, Komische Figur und dramatische Wirklichkeit. In: Festschrift Helmut de Boor, Tübingen: Niemeyer 1966, S. 193–208. Ebenfalls in: Wesen und Formen des Komischen im Drama, hrsg. v. R. Grimm/K. L. Berghahn, Darmstadt: Wissenschaftl. Buchgesellsch. 1975 (Wege der Forschung, Bd. LXII), S. 402–418.

RÜDIGER CAMPE

Ästhetische Utopie – Jugendstil in lyrischen Verfahrensweisen der Jahrhundertwende

I

Wer den kunstgeschichtlichen Begriff *Jugendstil* auf die Literatur verschiebt, hat ästhetische Prinzipien und ihre Funktion im anderen Medium aufzuspüren. Das bloße Aufweisen motivischer und stilistischer Ähnlichkeiten – parallel geführte Schlangenlinien, Schwäne, Hals und Wellen; femme fatale und femme fragile – erreicht nur den äußeren Widerschein.[1]

Es sollte deutlich unterschieden werden, wo Dinge und Szenen aus dem Leben des Jugendstils in Literatur dargeboten werden und wo Literatur sich selbst als Jugendstil darbietet. Solange die Kriterien für einen literarischen Jugendstil so undeutlich sind, lohnt es, sich auf den zweiten Fall zu konzentrieren. Beides gehörte allerdings geschichtlich zusammen: weil der Jugendstil sein Zentrum im Kunstgewerbe und in bildender Kunst hat, sind – in unterschiedlichem Niveau – beide literarische Erscheinungen sekundär. Paradigmatisch treffen sie zusammen in einer feuilletonistischen „dekorativen Kunstkritik",[2] die, indem sie künstlerische Objekte des Jugendstils beschreibt, durch ihr Verfahren der sprachlichen Nachahmung selbst zum Gegenstand des dargestellten Genusses wird. Hermann Bahr hat das auch auf Literaturkritik angewandt. Wie der flanierende Kunstbetrachter die Abfolge der in ihm ausgelösten Stimmungszustände genießt, so soll man nach Bahrs Vorstellung mittels der neuen „Kunstkritik" die literarischen Impressionen selbst posieren und so auch ihre Abfolge als die eigenen Nervenzustände genießen.[3] In der Figur des literarischen Poseurs erscheint das Kunstprogramm einer jugendstilhaften Moderne, um die es Bahr hier geht, noch provozierender als in der des flanierenden Betrachters von Objekten bildender Kunst: Der Genießende nimmt das Angeschaute formal als Kunstgegenstand auf, verwendet es material aber ohne Distanz; wohl zu Recht denkt man an Benjamins Begriff vom nicht mehr auratischen Kunstwerk.

So konnte auch Hofmannsthal in einem Essay von 1894 über Walter Paters ‚Imaginäre Porträts', die „erfundene, ästhetische Menschen als Ganzes zu zeigen" versuchen[4] (einen „erfundenen Watteau", einen „heidnisch-christlichen Orgelbauer" usw.), von der hier sogar offen fiktiven Kunstkritik schreiben, es sei ein „faszinierendes und entzückend schönes Buch"; „es ist dies sozusagen unsere Art, in ideales, wenigstens idealisiertes Leben verliebt zu sein". Das muß aber bei Hofmannsthals strenger Trennung von *Kunst und Leben* Kritik auf den Plan rufen: „Das ist Ästhetismus, in England ein übernährtes und überwachsenes Element unserer Kultur und gefährlich wie ein Opium."[5] Gerade die Ambivalenz seiner Äußerungen: die Verliebtheit und die Abwehr bestätigt, daß solche Kunstkritik eine Synthese von Kunstgegenstand und Genußgegenstand anstrebt, die im tradtionellen Begriff – zumal der literarischen – Kunst nicht zu vereinen sind.

Die Schwierigkeiten bei einer Begriffsverschiebung auf die Literatur liegen also nicht nur oberflächlich in den spezifischen Mitteln des anderen Mediums begründet. Die

Diskussion um eine Syhnthese von Kunst und Kunstgewerbe kann nur aus der Situation von Kunstgewerbe, Architektur und bildender Kunst verstanden werden. Die Literatur sperrt sich. Wenn die motiv- oder geistesgeschichtlichen Arbeiten das heute oft übersehen, so hat auch dieser Fehlschluß seine Tradition im Jugendstil selbst.[6] August Endell folgerte etwa so:

> Das Ziel aller Künste ist Schönheit. Und Schönheit ist nichts anderes als die starke, berauschende Freude, die Töne, Worte, Formen und Farben in uns unmittelbar erzeugen, so ganz und gar, daß nichts zugleich in unserer Seele ist, als diese Formen, diese Töne. Nun ist eine Schulung auf den verschiedenen Kunstgebieten durchaus nicht leicht zu erlangen. Seltsamerweise am schwersten auf dem Gebiet, das am zugänglichsten scheint, auf dem der Dichtkunst. Poesie scheint darzustellen, zu belehren, und wenn von ihr die Rede ist, spricht man von Moral, Weltordnung, Wirklichkeit, Wahrheit, Patriotismus usw., sehr selten von Schönheit.[7]

Mimesis (erst recht Didaktisches) in der kritisierten Literatur: ihr Abzielen auf Inhalte verstelle die sich selbst zum Genuß darbietende Schönheit der Kunst des Jugendstils. Wenn Endell die Schwerfälligkeit der Literatur verwunderlich findet, so liegt das an seiner Argumentation. Die *dekorative Kunst* des Jugendstils läßt sich von zwei Polen aus bestimmen: von *angewandter Kunst* und *schöner Form* (im Sinne des Ornaments) aus. Weil Endell nur von „Schönheit" spricht, bleibt der Pol des *Angewandten* nur verborgen benannt in der Rezeption solcher Schönheit: der distanzlosen des Genusses. Dadurch umgeht Endell die Schwierigkeit, explizit die Frage zu stellen, was es mit einer angewandten Literatur auf sich habe.

Hans-Ulrich Simon[8] hat daraus den Schluß gezogen, nur Formen einer in ihrer Rezeptionsbestimmung für die Anwendung organisierten Literatur seien zum literarischen Jugendstil zu rechnen: Jugendstil integriere Anwendungsformen neu ins Literaturverständnis: in der „angewandten Lyrik" des Überbrettl (z. B. Otto Julius Bierbaums ‚Deutsche Chansons'); oder habe sie sich geschaffen: mit der schon genannten *dekorativen Kritik*; oder sich transformiert zum Vorwurf anderer Zeichensysteme: für Typographie und Buchschmuck.

Die ausschließliche Beschränkung auf diese Randgebiete des traditionellen Literaturverständnisses beruht wohl auf einer zu formal vollzogenen Deduktion aus der Diskussion um das Kunstgewerbe. Literatur kannte die (kunstsoziologisch anders bestimmte) Antithese von *hoher* und *niederer* Kunst (als Trivialliteratur verstanden), eine institutionalisierte Gattung *angewandter Kunst* (entsprechend dem Kunstgewerbe) war ihr fremd. So trifft die Kunstgewerbe-Diskussion auf andere Voraussetzungen der literarischen Gattungen. Vom Pol *angewandter Kunst* her drängt sie zu Innovationen, wie Simon sie untersucht (Bierbaums Roman ‚Stilpe' gibt mit der Gründungsgeschichte eines „ästhetischen Tingeltangel" darüber Auskunft; aufschlußreich auch darin, daß Bierbaum die Differenz von Kunst und Kunstgewerbe als tragisch-grotesken Grundkonflikt in der psychologischen Anlage seines autobiographisch gefärbten Helden deutet) – vom Pol der *schönen Form* her erfaßt sie aber auch Gattungen der traditionell verstandenen Literatur; wie es auch die Äußerung August Endells nahelegt. Am deutlichsten läßt sich ein solches Programm für die Lyrik belegen.

So in Rilkes Rede ‚Moderne Lyrik', 1898 in Prag gehalten. Rilke beginnt mit der Kritik an einem Verständnis der Literatur als Mimesis und der, wie Rilke betont, daraus folgenden Kluft zwischen Kunst und Leben. In der Lyrik nun werde „das Neue geboren . . ., das Ihnen heimlich und unerkannt, durch das Kunstgewerbe [sc. von Art

Nouveau bzw. Jugendstil] hindurch, näher kommt: Die neue Form".[9] Rilke gelingt es nicht, Kunstgewerbe und jene *neue Lyrik* begrifflich zusammenzustellen: es bleibt bei einem unklaren „großen Fortschritt, nach welchem der dumpfe Drang der Massen sich ebenso sehnt, wie das lichte liebende Vertrauen des Einsamen",[10] weil Kunstgewerbe als Kunst für alle antritt, der Lyriker aber für Rilke der einsame bleibt. An die Stelle des mimetischen Darstellens von Inhalten setzt Rilke den religiösen Terminus „Bekenntnis".

Hermann Bahr schrieb (1900):

> In Momenten der Verzückung und Erleuchtung empfinden wir, was unser Dasein ist. Durch ein Gedicht oder Bild machen wir uns ein Zeichen davon, zur Erinnerung. Es soll nichts mehr um uns geben, keinen Leuchter und keinen Stuhl, der nicht ein solches Zeichen wäre, zur Erinnerung an unsere Seele ... Das ist der erste Gedanke unserer Hauskunst.[11]

Durch die Aneinanderreihung von Gedicht, Bild, Gebrauchsgegenstand unter dem selben Wirkungsziel der „Hauskunst" impliziert Bahr umgekehrt eine analoge Form der Rezeption: Das Gedicht solle als Zeichen unmittelbar aufgenommen werden wie der schöne Gebrauchsgegenstand.

Unter dem Gesichtspunkt der *schönen Form* soll in beiden Gedankengängen das Gedicht als Kunstgegenstand zugleich unmittelbare Funktion im Leben haben. Rilke drückt das mit Hilfe einer religiösen Terminologie aus, Bahr gibt eine Art von Rezeptionsanleitung. Der Gedanke von Kunst als Praxis findet sich konsequent in der Auffassung der *schönen Form* wieder: sie soll nicht mehr allein für die Autonomie des Gedichtes stehen, sondern umgekehrt zugleich für die distanzlose Integration ins schöne Leben. Ist das Kunstgewerbe des Jugendstils Utopie und schon der Versuch, die Utopie einzulösen, so gehört das Gedicht, wie zum Pol der *schönen Form*, so zum Pol der Utopie (als „Erinnerungszeichen an unsere Seele").

Diese Anmerkungen können als Thesen zur Rekonstruktion des Erwartungshorizonts gelten, in dem für den Jugendstil eine der *dekorativen Kunst* verwandte Lyrik stand. Sie können nicht einfach in die literaturgeschichtliche Untersuchung übernommen werden, Rezeption und Werk lassen sich nicht miteinander überführen; doch verhalten innerhalb der Geschichte des Literaturverständnisses beide Größen sich nicht statisch zueinander. Daß ein neues Bewußtsein über die Literaturrezeption in den Vordergrund tritt, muß nicht, wie bei Bahr, in Überlegungen des Leserverhaltens münden, sie kann auch, wie bei Rilke, als Überlegung über die Gestalt des Werks erscheinen, das sich nicht mehr aus seinem (mimetischen) Verhältnis zum Dargestellten versteht, sondern aus seiner formalen Selbstpräsentation. Diese Umdeutung wurde wohl erleichtert durch eine Ambivalenz schon in der Kunstgewerbe-Diskussion: Die angestrebte Synthese läßt wechselweise Kunst in Kategorien von Kunstgewerbe oder Kunstgewerbe in Kategorien von Kunst erscheinen.

So läßt sich schließen: Die Integration von Kunst in Praxis erscheint sowohl auf der Ebene der Rezeptionsbedingungen wie auf der Ebene der Werkgestalt. Für die Literatur – anders als bei den fließenden Grenzen der bildenden Kunst – scheint sich das entsprechend in zwei Bereiche zu polarisieren: in eine angewandte Literatur, die ihre Rezeptionsbedingungen so organisiert, daß sie Gebrauchsgegenstand wird (wobei sie das jeweils über ein anderes Medium erreicht: Das Überbrettlchanson wird gebrauchsfähig als Vorlage des Vortrags, die *dekorative Kritik* im Bezug auf die beschriebenen Objekte, in der kunstgewerblichen Typographie wird Sprache als

Schrift Gegenstand des Genusses) – zum zweiten in eine Literatur, die den Formbegriff so weit vortreibt, daß er einer ornamentalen Struktur sich nähert und so das Konzept einer veränderten Rezeption als virtuelles Moment in der Werkgestalt erkennen läßt.

Die zweite These soll in eine literaturgeschichtliche Betrachtung umgesetzt werden, die Formanalyse mit exemplarischen Interpretationen verbindet, um so auch die eigene literarische Tradition und deren Themen einzubringen. Literarischen Jugendstil untersuchen, heißt hier nachzuvollziehen, wie und unter welchen Voraussetzungen Literatur einer Formkonzeption sich annähert, deren Programm sich doch im Kunstgewerbe formuliert hat. Darum wird auf motivgeschichtliche Beobachtungen verzichtet. Dagegen wird als Ausgangspunkt ein Gedicht Hofmannsthals von 1897 gewählt, das zwar nicht zum Jugendstil zu rechnen ist, eine jugendstilistische Verfahrensweise aber vorbildet. Gerade weil Hofmannsthal (unter der Antithese von *Kunst und Leben*) die Unmittelbarkeit der *schönen Form* sich brechen läßt, werden die inhaltlichen und formalen Bedingungen dieses Programms für die Literatur hier um so sichtbarer. Die sich anschließende Interpretation eines Gedichts aus Stadlers ‚Präludien‘ will den Nachfolger Hofmannsthals nicht einfach – wie es meist geschieht – als trivialisierenden Epigonen, sondern als den Schüler zeigen, der – vielleicht problematische – Konsequenzen zieht. Ein Seitenblick auf Rilke kann zeigen, daß Ähnliches auch für sein Frühwerk erkennbar ist, das meist nur als eine Summe mißglückter Versuche erscheint. Ein Beispiel aus Richard Dehmels Versroman ‚Zwei Menschen‘ führt auf bezeichnende Themen der Zeit und einen Ausblick auf gattungsspezifische Bedingungen; denn eine Ausnahme über die Dominanz von Lyrik im literarischen Jugendstil ist impliziert: sie kann sich gerade dann einlösen, wenn sich andeuten läßt, wie das lyrische Formprinzip auch in andere Gattungen eindringt.

Daß Lyrik zum Exponenten von Jugendstil wird, schlägt sich in den ästhetischen Theorien der Jahrhundertwende nieder. Schon Wilhelm Dilthey gewinnt sein Verständnis von Erlebnis und Dichtung, von Individualität und ästhetischer Gestalt aus der Betrachtung von Goethes Lyrik („Der mütterliche Boden der Dichtung Goethes ist seine Lyrik").[12] Bei Simmel liest man nebeneinander Aufsätze über Böcklin und George. Die Exponierung der Lyrik hat in beiden Fällen geschichtsphilosophische Valenz. Deutlich ist die Akzentverlagerung, wenn man Diltheys programmatische Aussagen im Goethe-Essay mit denen in Simmels George-Aufsatz vergleicht. Beide gehen vom Verhältnis seelischen Erlebens zur dichterischen Gestaltung aus. Dadurch vermittelt, daß aus den Daten des Erlebens „bedeutsame“ (Dilthey) Lebenszüge herauskristallisiert werden. Betont Dilthey den Vorgang der Umsetzung in der dichterischen Persönlichkeit, so Simmel die ästhetische Wirkung des autonomen Formganzen des Gedichts ‚sub spezie animae‘: „hier [in Georges früher Lyrik] wird die grundsätzliche Wendung vollzogen: Daß . . . aller Inhalt das bloße Mittel ist, um rein ästhetische Werte zu bilden."[13] Der rein ästhetische Wert der absoluten Form aber ist die aus der Empirie des lebenden *Werdens* entnommene Idee autonomer Individualität, abgespiegelt in der Eigengesetzlichkeit der Form im Kunstwerk. Wenn bei Simmel nicht mehr am Begriff des Erlebens, sondern am Begriff der reinen Form die Spiegelung freier und eigengesetzlicher Individualität aufgeht, so weist die Tendenz der Verschiebung auf die literarische Situation, die der Jugendstil vorfindet.

Dieser Zusammenhang – Diltheys Rekurs auf die Lyrik Goethes und Simmels George-Auffassung – führen darauf, in einer Untersuchung über Lyrik des Jugendstils auf die Problemstellung der Erlebnisdichtung zurückzugehen. Keiner der hier behandelten Dichter figuriert in Hugo Friedrichs Entwurf einer „modernen Lyrik“, die er aus der französischen Dichtung seit Baudelaire ableitet.[14] In ihnen kommt vielmehr eine klassisch-romantische Tradition zu ihrem Ende, indem sie ihren spezifischen Zugang zur Moderne im Jugendstil suchen; trotz vielfältiger Anregungen aus dem Paris Mallarmés.[15]

II

Hugo von Hofmannsthal: ‚Botschaft' (1897?)[16]

1 Ich habe mich bedacht, daß schönste Tage
Nur jene heißen dürfen, da wir redend
Die Landschaft uns vor Augen in ein Reich
Der Seele wandelten: da hügelan
5 Dem Schatten zu wir stiegen in den Hain,
Der uns umfing wie schon einmal Erlebtes,
Da wir auf abgetrennten Wiesen still
Den Traum vom Leben niegeahnter Wesen,
Ja ihres Gehns und Trinkens Spuren fanden
10 Und überm Teich ein gleitendes Gespräch,
Noch tiefere Wölbung spiegelnd als der Himmel:
Ich habe mich bedacht auf solche Tage,
Und daß nebst diesen drei: gesund zu sein,
Am eignen Leib und Leben sich zu freuen,
15 Und an Gedanken, Flügeln junger Adler,
Nur eines frommt: gesellig sein mit Freunden.
So will ich, daß du kommst und mit mir trinkst
Aus jenen Krügen, die mein Erbe sind,
Geschmückt mit Laubwerk und beschwingten Kindern,
20 Und mit mir sitzest in dem Garten-Turm:
Zwei Jünglinge bewachen seine Tür,
In deren Köpfen mit gedämpftem Blick
Halbgewandt ein ungeheures
Geschick dich steinern anschaut, daß du schweigst
25 Und meine Landschaft hingebreitet siehst:
Daß dann vielleicht ein Vers von dir sie mir
Veredelt künftig in der Einsamkeit
Und da und dort Erinnerung an dich
Im Schatten nistet und zur Dämmerung
30 Die Straße zwischen dunklen Wipfeln rollt
Und schattenlose Wege in der Luft
Dahinrolln wie ein ferner goldner Donner.

Hofmannsthal vermag seine Botschaft vom Glück der schönsten Tage nur von der Konsequenz der Reflexion her zu sprechen. Anaphorisch wird darum der Beginn des ersten Verses wiederholt in Vers 12: „Ich habe mich bedacht." Die Anapher markiert – Mittel rhetorischen Sprechens – zwei Teile im Gedichtverlauf, deren Zielpunkt jeweils die endlich erreichte Bildlichkeit lyrischen Sprechens ist:

Und überm Teich ein gleitendes Gespräch,
Noch tiefere Wölbung spiegelnd als der Himmel.

und am Ende des Gedichts:

> . . . und zur Dämmerung
> Die Straße zwischen dunklen Wipfeln rollt
> Und schattenlose Wege in der Luft
> Dahinrolln wie ein ferner goldner Donner.

Beide Stellen heben durch Kombination mehrerer disparater Vergleiche den rhetorischen Sinn von Metaphorik auf: Die Gegenüberstellung von Vergleichendem und Verglichenem schwindet. Dem Gestus von Sprechenden gleicht die Wölbung des Himmels sich an, so daß die zum Vorstellungsinhalt des Himmels gehörende Eigenschaft der Wölbung den Sprechenden zugeordnet wird. Die Spiegelung gehört aber selbst nur uneigentlich dem Himmel: Das Wasser spiegelt vielmehr die Himmelswölbung. – Zu den zwischen Bäumen „rollenden" Straßen setzt das bildhafte Sprechen analog die „dahinrollenden" „Wege in der Luft". Vom Analoggesetzten (den „Wegen in der Luft") aber löst sich erst der metaphorische Gebrauch des Verbs „rollen" ein, indem diese „Wege in der Luft" ihrerseits mit einem Donner verglichen werden, dem das Verb eigentlich (eigentlich heißt hier: als usuelle Metapher) zugehört. So ist die analogisierende Beziehung von Erd- und Himmelswegen erst durch den hinzutretenden Vergleich gewonnen zwischen den „Wegen in der Luft" und dem „fernen goldnen Donner".

Solche Bildlichkeit, die mehrfach benützte metaphorische Technik, macht sich für den Leser zugleich undurchschaubar und in einen Blick aufnehmbar; das Gedicht zieht sich zusammen ins Bild. Nicht dem Gedicht transzendente Erfahrungsinhalte, sondern das nur erst ästhetisch erzielte Verschmelzen des Heterogenen bildet den Gegenstand der Erfahrung von der Einheit. Erfahrung von Glück ist vorab ästhetische Erfahrung.

Modelle eines solchen ästhetischen Erfahrens und der zugehörenden Technik der gleitenden Metaphern lassen sich durchaus im essayistischen Werk wiederfinden. Bei der Besprechung von Franz Stucks ‚Landschaftsmalerei voll phantastisch sinnlicher Lyrik' schließt Hofmannsthal an die Charakterisierung „einer gewissen Abendstunde" Stucks an: „Jener Abendstunde, wo die Dinge ihr Körperliches verlieren und bebenden voll dunkler Farbe gesogenen Schatten gleich in die feuchte Luft gewebt erscheinen."[17] Die Parallele – Evokation einer Stimmung statt Darstellung, gleitende Metaphern – sagt um so mehr aus, weil Hofmannsthal in diesem Aufsatz selbst eine Verbindung feuilletonistischer Technik zur Kunst herstellt. „Für die Technik im weitesten Begriff, für die des Dichters wie des bildenden Künstlers, ist diese feuilletonistische Vorschule, wenn sie nur nicht ins Wesentliche der Lebensanschauung dringt, von unvergleichlichem Vorteil."[18]

In ihrem technischen Verfahren weist die lyrische Bildlichkeit auf eine Vorschule in der dekorativen Kunstverdopplung: in der künstlerischen Nachbildung des Kunstgegenstandes. So lernt sie, wie Hofmannsthal von Stuck sagt, „das Lebendige ornamental und das Ornament lebendig verwenden"; „die Dinge unbeschadet ihrer konventionellen Bedeutung als Form an sich zu erblicken".[19]

Die im Aufsatz über Franz Stuck ausgezogenen Linien stellen gewiß nicht den Versuch einer Theorie dar (wie Hermann Bahr mit verwandten Gedanken es gelegentlich unternahm).[20] Doch hier ist unmittelbar für die literarische Technik nachzuvollziehen, worüber Hofmannsthal in der Auseinandersetzung mit dem Ästhetismus verstärkt seit 1894 in Aufsätzen schreibt:[21] die Ambivalenz von Stilisation und Kunst. Die technische Verfahrensweise des bildlichen Sprechens und ihre Problematik eben als technische Fertigkeit läßt sich so formulieren, bevor Hofmannsthal dies in der Begrifflichkeit von der Magie der Sprache abermals in den weiteren Bezug der Historie rückt, in dem er seine Dichtung an klassische und romantische Tradition angebunden sieht. So läßt sich mit den Worten des Aufsatzes die Sprachproblematik des Gedichts so formulieren: Soll die dekorative Technik aus der feuilletonistischen Vorschule nicht mit der Lebensanschauung des Lyrikers zusammenfallen, muß die Unmittelbarkeit des metaphorischen Verfahrens gebrochen werden; die Brechung wird zum künstlerischen Anliegen selbst. Dafür stehen im Gedicht ‚Botschaft' die in Eigendeutungen Hofmannsthals wiederkehrenden Begriffe vom „schon einmal Erlebten", von der Erinnerung: es geht um einen Prozeß der Reflexion, akzentuiert von der Anapher: „Ich habe mich bedacht."

Durch die reflektorische Haltung soll Brechung der technischen Unmittelbarkeit erlangt, dem ornamentalen Bild die Authentizität einer zweiten Erfahrung wiedergewonnen werden.

Vor die Ebene gleitender Metaphorik schiebt sich die der Reflexion des ästhetischen Prozesses: „Redend" wandelt sich die Landschaft ins „Reich der Seele". Später heißt es (von der schon zu Beginn benannten „Landschaft der Seele"):

> Daß dann vielleicht ein Vers von dir sie mir
> Veredelt künftig in der Einsamkeit.

Was Hofmannsthals Bildlichkeit will: die Einheit von Innen und Außen als Augenblick, in dem die Individualität sich ans Außen genießend hingibt, diese zugleich zu Gegenständen ihrer Innerlichkeit bestimmend, erscheint als Theorem im Gedicht selbst.

Damit gewinnt Hofmannsthals ‚Botschaft' den eigentümlich prozessualen Charakter, der fast die ganze publizierte Jugendlyrik bestimmt. Sie ist eine Lyrik von der Erreichung des lyrischen Bildes; Nachdenken übers nur ästhetisch zu erreichende Glück der schönsten Tage. Hofmannsthal spricht in einer Randglosse zu Gedichten C. F. Meyers vom Erreichen des „lyrischen Zustandes".[22]

So enthält das Gedicht in sich ein Geflecht von Widerständen (gegen die unmittelbare Einlösung seiner Form als Gehalt) und damit zugleich von Bedingungen (für die vermittelte Lebendigkeit des „lyrischen Zustands"). Sie werden sichtbar in den näheren Bestimmungen *redender* Individualität: ihrer Herausbildung zum lyrischen Ich; ihrer Einsamkeit und Sensitivität; in der erkenntniskritischen Auflösung fixierter Subjektivität und Objektivität; in Geschichtlichkeit. In dieser Reihenfolge einige Hinweise zur ‚Botschaft': Die Ableitung des ästhetischen Ereignisses aus der ästhetischen Reflexion tritt nicht einfach zum erreichten lyrischen Bild hinzu. Die Utopie des geschlossenen ästhetischen Raumes hat nicht im Unmittelbaren, sondern nur in dem durchs Individuum vermittelten Prozeß seinen Ort.

Der Verlauf des ersten Teils (Verse 1–11) löst aus dem reflektierenden Ich, mit dem die ‚Botschaft' einsetzt, das lyrische Ich ab. „Hügelan" führt der Weg in den „Hain". Zwei Motive sind berührt: der abgeschiedene heilige Hain der Poesie und die Erhebung, die Erhöhung des Ich, deren motivische Bindung ans lyrische Ich Karl Pestalozzi verfolgt hat.[23]

Hofmannsthals Stellung in der Tradition wird daran deutlich, daß das lyrische Ich sich erst im ästhetischen Prozeß ablöst aus der Erinnerung des reflektierenden. Im zweiten Teil (Verse 12–32) verläuft die Bewegung parallel: hinter dem erinnerten Ich drängt sich zunächst wieder das erinnernde Ich der Reflexion hervor, bis sich die Spannung zwischen beiden aufhebt im Ich der zukünftig erhofften Erinnerung.

Wie der zweite Teil die Spannung zwischen Reflexion und Erinnerung aufhebt, so auch die damit verknüpfte Spannung zwischen Ich und Wir im ersten Teil (denn im ersten Teil steht Ich für die Reflexion, im Bericht des Erinnerten heißt es: Wir).

Beginnend mit einem (im Sinne der Anakreontik) horazisch anmutenden Preis von Gesundsein und Geselligkeit[24] werden gegenüber Teil 1 im zweiten Teil weitere Vermittlungen eingeführt. Künftig im Vers des Freundes aufbewahrt, werden jene Tage des Lebens erst für die antizipierende Vorstellungskraft oder die poetische Erinnerung zu solchen des Glücks; nur erst in Imagination oder geronnener Kunstform. Im Gedicht ist die Gegenwart des Erlebens ausgespart.

Findet der Augenblick des glückhaften Verschmelzens von Ich und Naturding seinen zeitlichen Moment erst in „künftiger Einsamkeit", im „Vers" „veredelt", so will doch das Gedicht zugleich mit dem Leiden an Einsamkeit versöhnen. Der Antagonismus vom Glück der Geselligkeit und dem Glück ästhetischer Harmonie ist in einem fast unmerklichen Umschlagen der Gedankenführung zugleich benannt und beschwichtigt. Heißt es im zweiten Gedichtteil erst, daß Glück auch meine: „gesellig sein mit Freunden", so bleibt im Glück des Miteinander nur ein Reflex. Im Vers des Freundes jenen Augenblick utopischer Erinnerung zu erfahren – erst das ist das Glück des Ästheten; gerade nicht als Leben erscheint das Geselligsein mit Freunden, sondern als Fixierung des Augenblicks in Kunst. Geselligkeit des Ästheten hebt sich selbst auf; die Fremdheit der einzelnen, die unheilbare Exklusivität reiner Kunst ist im Gedicht abzulesen. Wenn Hofmannsthal freilich diese geheimen Verstörungen von Glück und ästhetischer Utopie als deren äußerste Sublimation erscheinen läßt, so bezeichnet eben das die Stellung Hofmannsthals im *Jungen Wien*: die des subversiven Einverständnisses.

Gerade weil in seiner Lyrik nach einem Wort Walter Benjamins „der Abstand vom Erleben in das Erleben (tief) eingebettet" ist,[25] bewahrt sie durch ihre Vermittlungen, sogar Selbstaufhebungen hindurch die Distanz und Eigengesetzlichkeit des Kunstwerks. Eben den Verlust künstlerischer Autonomie hatte Karl Kraus dem *Jungen Wien* um Hermann Bahr in seiner Satire von der ‚Demolirten Literatur' vorgehalten: Kennzeichen hofmannsthalscher Sensibilität kehren wieder, doch nicht als literarische Feier des Lebens, sondern in der Praxis eines Literatenlebens findet Kraus sie auf. Mit seinem satirischen Einfall, von ihrer Kaffeehaus-Geselligkeit statt von ihrer Literatur zu sprechen, will Kraus die unmittelbare Veräußerlichung ihrer Kunst selbst treffen. So sehr Hofmannsthal insistiert auf jenem „aus Sehnsucht und Befriedigung gemischte[n] Glücksgefühl, das vom ästhetisch Vollkommenen hervorgerufen wird",[26] steht die Bedingung der künstlerischen Vollkommenheit für Hofmannsthal gegen die unmittelbare Praxis solchen Glücksgefühl. Die Zurücknahme der Geselligkeit im Gedicht, das sie doch zu feiern unternimmt, ordnet sich so letztlich dem Verbot der Unmittelbarkeit unter, das vom Problem der lyrischen Verfahrensweise ausgeht.

In der erkenntniskritisch gebildeten Lyrik Hofmannsthals versöhnt die ästhetische Utopie Subjekt und Objekt, um die Subjekte nur desto unheilbarer einander zu entfremden. Das schlägt sich in der Qualität des symbolischen Wortgebrauchs nieder. Seine Möglichkeit, ins Allgemeine sich vorzutasten, ist gegenüber vorausliegenden Symbolbegriffen reduziert; ist gebunden an die Evokation von geheimen Beziehungen, eines Verwobenseins von Ich und Erfahrungswelt. Ein geheimer Lebenszusammenhang des Individuums, freilich paradoxer Weise: ein nur ästhetisch erlebbarer Lebenszusammenhang soll dem symbolischen Sprechen Allgemeinheit verleihen.[27]

Freilich traut Hofmannsthal dem Erleben des einzelnen nicht mehr die Kraft zur reinen Objektivität zu. Im lyrischen Bild geht nicht ein Allgemeines in sinnlicher Gegenwärtigkeit auf; die vorbegriffliche Evidenz der zum Bild verdichteten Technik gleitender Metaphern zielt vielmehr auf eine relative Allgemeingültigkeit subjektiven sinnlichen Wahrnehmens; vergleichbar der Definition des in Wien lehrenden Positivisten Ernst Mach,[28] Subjektivität sei nichts als ein relativ fester Komplex von Wahrnehmungs- und Empfindungselementen. Mach lehrte, daß allgemeingültige Anschauung auf dem

Reservoir beruhe, wo solche Ich-Komplexe zur Deckung kommen, so daß zwischen verschiedenen Ichheiten in diesen Wahrnehmungskomplexen unmittelbare Identität bestehe. Eine solche Auflösung subjektiver Grenzen, Strukturgesetz der gleitenden Metaphern, wird im ersten Gedichtteil auch direkt ausgesprochen im Erinnerungsbericht; vom Erleben im Hain heißt es:

> [der Hain], der uns umfing wie schon einmal Erlebtes,
> Da wir auf abgetrennten Wiesen still
> Den Traum vom Leben niegeahnter Wesen,
> Ja ihres Gehns und Trinkens Spuren fanden ...

Daß das Subjekt in seinem einsamen Erleben sich in anderem unmittelbar wiederfindet, ist bei einem Äußersten an Sensitivität doch zugleich – und das zeigt die Verwandtschaft zur psychologisch-erkenntnistheoretischen Position Ernst Machs, der dekretierte: „Das Ich ist unrettbar"[29] – Zeichen für den Verlust subjektiver Identität. Dem Dichter der ästhetischen Utopie ergeben sich Konsequenzen, die der Erkenntnistheoretiker gewiß nicht meinte. Löst sich im wahrnehmenden Ich die feste Kontur der Subjektivität auf, so daß es, im Genießen der fremden Dinge und Menschen, diesen sich anverwandelt, so bleibt dem psychologisch-ästhetischen Aufheben von Fremdheiten – sozialen – als Bedingung die Fremdheit doch. Die Wahrnehmung in ästhetischen Kategorien ist eine radikal vereinzelte. Steigerung von Sensivität, die erst das lyrische Bild ermöglicht, und Einsamkeit des einzelnen bilden so eine Einheit:

> Spürt auch jeder sich allein,
> spürt sich doch in allen andern.[30]

Eine weitere Vermittlung ist mit dem Geselligkeitsmotiv verbunden. Die Krüge, aus denen der Freund trinken soll, werden „Erbe" genannt. Ist die bildhafte Einheit der ästhetischen Glückserfahrung nur im – geronnenen – Augenblick zu denken, so bedenkt das Gedicht doch als Bedingung seine Geschichtlichkeit. Die Vorstellung der Erinnerung schillert eigentümlich zwischen dem, was später Präexistenz heißt, und einer geschichtlichen Erinnerung. Die Sprache als Produkt von Jahrhunderten bewahrt immer die Erinnerung an ihre geschichtliche Vergangenheit auf. Auch das Material der Poesie, die Sprache, ist kein schlechthin letztes: So ist die Horaz-Reminiszenz des Geselligkeitsmotivs wohl beabsichtigt, zumal das damit verbundene Motiv der „Krüge, die mein Erbe sind", auch an anderen Stellen für die römische Dichtung (des Horaz und Tibull) steht.

Der durch die Vermittlungen von Reflexion, Einsamkeit, Auflösung der Subjektschranken, Geschichte objektivierte Prozeß ist Gegenstand der „Botschaft" vom Glück; *lyrischer Zustand,* der sich durch sein Bedingungsgeflecht hindurch zur ästhetischen Utopie distanziert. Solche ästhetische Konsequenz in der aufrechterhaltenen Trennung von Stilisierung und künstlerischer Gestalt scheidet Hofmannsthal vom Jugendstil im strikten Sinne.

Seine Botschaft richtet sich allerdings an eine ästhetizistische Jugend; ihr Ziel ist die ästhetische Verwandlung der Dinge, die das Innen ins Außen kehren soll. Dennoch geht sie im Jugendstil nicht auf. Das Ornament, die dekorative Kunst ist wesentlich statisch; der prozessuale Charakter des Gedichts widerspricht dem. Wie im Jugendstil, findet ästhetische Auflösung der Fremdheiten im in sich geschlossenen schönen Raum statt. Doch ist dem ästhetischen Formen bei Hofmannsthal ein Element der Dynamik eigen: als Erinnerung und Geschichtlichkeit.

Wo der Jugendstil – gerade sein kunstgewerblicher Pol – mit der Unmittelbarkeit der ornamentalen Form ein Stück geformtes Leben will, wahrt Hofmannsthal die inhaltliche Vermitteltheit der Form als Distanz der Utopie. Die Melancholie der Widerstände erscheint aber beschwichtigt – Einsamkeit als erinnerte Geselligkeit, Identitätsverlust als Überwindung bloßer Individualität, epigonale Geschichtlichkeit als Teilhabe, Verlust der Gegenwärtigkeit als Hoffnung zukünftigen Erinnerns. So ist Hofmannsthal in der ‚Botschaft' dem jugendstilistischen Glück der schönen Form eher zugewandt als der ästhetischen Gegenwelt Stefan Georges.

Der Jugendstil tritt in fast allen seinen Zeugnissen, auch noch den Werken, als Programm auf; nicht die Darstellung von Dingen, sondern die Selbstpräsentation als Ding bestimmt ihn. Hofmannsthal bleibt noch in dem Gedicht, das ‚Botschaft' überschrieben ist, damit aber auf die Gattung des Einladungsgedichtes anspielt, Dichter nicht eines Programms, sondern des Vermittelns. Die ‚Botschaft' ist mehr oder weniger als ein Programm: Die Selbstpräsentation des lyrischen Verfahrens ist für sie Gegenstand der Darstellung. Rilke ordnet Hofmannsthal entsprechend in seine Geschichte der „modernen Lyrik" ein: er spricht bewundernd von Hofmannsthals sprachlichen Errungenschaften, fügt aber kritisch an, daß Hofmannsthal – wo es ihm selbst doch um das lyrische *Bekenntnis* geht – „aus lauter Ehrfurcht vor der würdigen Schönheit auch Formsucher" geworden sei.[31]

Bleibt Hofmannsthal auch dem Jugendstil fern, so bildet seine lyrische Verfahrensweise die sprachlich-formale Tendenz zum Jugendstil doch vor; die in der Form des lyrischen Bildes enthaltene Problematik erweist sich als die des Jugendstils, gerade wenn sie dort nicht mehr reflektiert wird. Liest man Hofmannsthal als Vorentwurf lyrischen Jugendstils, so wird er zugleich sein Kritiker.

III

Der erreichte Jugendstil: Stadler, Rilke.

Die ‚Präludien' Ernst Stadlers von 1904 knüpfen in Technik und Problematik beim jungen Hofmannsthal an (einige Gedichte verweisen auch auf Georges ‚Algabal', Nachdichtungen auf das Werk Henri de Régniers).

Stadlers Herausgeber K. L. Schneider hat den ‚Präludien', ganz übereinstimmend mit Stadlers Äußerungen aus der expressionnistischen Zeit des ‚Aufbruch', den Vorwurf gemacht, „in der Vergröberung der Effekte" den Vorbildern gegenüber enthülle sich „die gefährliche Nachbarschaft der ästhetischen Kunst zum Kunstgewerbe".[32]

Die Formulierung ist zugleich bezeichnend und ungenau; so wie auch der expressionistische Stadler selbst die Probleme der Jugenddichtung lieber als überwundene abwies, nicht überdachte. In einer Rezension aus der späteren Zeit schreibt Stadler: „Die Zeit der geschniegelten Wiener Kunstlyrik ist vorbei ... Man ist es satt, immer nur Ausklang, Spätling zu sein."[33]

Statt „Vergröberung der Effekte" verfeinert Stadler die lyrischen Techniken seiner Vorbilder im Zyklus der ‚Präludien'. Mit der auf Selbstreflexion bedachten Stimmung des Wiener fin-de-siècle hat Stadler freilich schon hier gebrochen. Die aufbegehrende Zeit, in der der Schüler Stadler zusammen mit Otto Flake und René Schickele in der Zeitschrift ‚Der Stürmer' schrieb, wirkt nach. Jugend-Stil: Die ästhetische Utopie des Loris wird nun unmittelbar beim Wort, ihrer bildlichen Technik, genommen. Ihre Problematik geht gerade so unvermindert in Stadlers frühe Gedichte ein, entfaltet hier Konsequenzen, denen Hofmannsthal ausgewichen war.

,Stille Stunde'[34]

1 Schwer glitt der Kahn. Die Silberweiden hingen
schaudernd zur Flut. Und bebend glitt der Kahn
Und deine Worte fremd und klanglos fielen
wie blasse Mandelblüten · leicht und leuchtend
5 zum Fluß · aus dessen schwankem Grunde spiegelnd
die hellen Wiesen lockten und der Himmel
und allen Lebens traumhaft Bild · indes
vom flirrenden Geäst durchsungner Kronen
der Abend in Rubinenfeuern sprühend
10 sich golden in die lauen Wolken schwang.
Und deine Worte sanken mit dem Rauschen
erglühter Wasser und dem süßen Takt
tropfender Ruder fremd und schwer zusammen
in eine dunkle Weise · hingeschleift
15 vom matten Licht der Dämmerung · die schon feucht
die Wiesen überrann · ein Kinderlied
aus Spiel und Traum gefügt · das weich wie Flaum
blaßroter Wölkchen durch den bebenden Glanz
der Wasser ging und still im Abend losch.

Die lose assoziierte Reihe von Bildern, die – synästhetisch – nur in der Evokation abendlicher Stimmung übereinzukommen scheinen, ist exakte Konsequenz Hofmannsthalscher Technik.

Die metaphorischen Bezüge sind womöglich noch enger verschränkt. In der ersten Strophe vergleicht Stadler die Worte des *du* mit Mandelblüten; daran schließt sich alliterierend die sinnlich farbliche Wahrnehmung der im Vergleich eingeführten Blüten: „leicht und leuchtend". Dann scheint der Vergleichsgegenstand real anwesend: Die Mandelblüten fallen auf den Fluß, auf dem der Kahn gleitet; die Vorstellung der Flußlandschaft beherrscht dann die übrigen Verse der ersten Strophe. Im Vergleich gefunden, liest sich die Imagination der Mandelblüten im Zusammenhang des Naturbildes eher wie ein Ineinssetzen real anwesender Bereiche: der Worte des *du* und von zum Fluß herabhängenden Blüten, kaum mehr Stilmittel der Synästhesie, vielmehr Verschmelzen von Heterogenem.

Virtuoser noch ist die Technik der gleitenden Metaphorik am Ende der zweiten Strophe gehandhabt. Worte und Ruderschlag vereinigen sich „in eine dunkle Weise"; diese wird synästhetisch verbunden mit dem „matten Licht der Dämmerung". Die anschließende Apposition (oder Metapher?): „Ein Kinderlied" scheint sich – grammatisch undeutlich – auf den ganzen synästhetischen Komplex zu beziehen. Auf die Apposition (Metapher?) wiederum bezieht sich der Vergleich: (ein Kinderlied) „das weich wie Flaum/blaßroter Wölkchen durch den bebenden Glanz/der Wasser ging"; weiter mit „und" angeschlossen: „und still im Abend losch". Es bleibt unklar, welchen Status diese Satzfortführung hat, ob noch den des Vergleichs zum Kinderlied oder einer sich verselbständigenden Fortführung des Abendbildes der „blaßroten Wölkchen". Vielmehr scheint die Struktur des Vergleichs in Wahrheit aufgegeben, sich wieder in die reale Darstellung des abendlichen Naturbildes umgekehrt zu haben. „und still im Abend losch" bezieht der Leser kaum noch als Teil des vergleichenden Bildes, sondern auch als Abschluß des Naturbildes abendlicher Flußlandschaft selbst.

Stadler hat das Verfahren der gleitenden Metaphern bis zur Unkenntlichkeit der

Realitätsebenen verfeinert. Die Kohärenz des Gedichts wird durch eine lose Reihe von Wiederholungen und Anklängen gesichert. „Schwer“ heißt in der ersten Strophe das Gleiten des Kahns; „fremd“ fallen die Worte der angeredeten Person – „fremd und schwer“ „sinken“ in der zweiten Strophe Ruderschlag und Wortgestus „zusammen“. Das „bebende“ Gleiten des Kahns in der ersten Strophe deutet zusammen mit dem „aus schwankem Grunde“ – Spiegeln des Flusses auf die Vorstellung vom „bebenden Glanz der Wasser“ in der zweiten Strophe. Die „lauen Wolken“ (V. 10) korrespondieren den (als Vergleich eingeführten) „blaßroten Wölkchen“ (V. 18); die „hellen Wiesen“ (V. 6) den Wiesen im „matten Licht der Dämmerung“ (V. 15f.). Endlich: Das „traumhaft Bild“ allen Lebens (V. 7), das in der Spiegelung von Himmel und Wasser offenbar wird, ist Vorschein des Kinderliedes, „aus Spiel und Traum gefügt“ (V. 16f.), in dem der Gestus der Sprechenden mit dem Tropfen des Wassers in eins gesetzt wird.

Die Wortwiederholungen, Bild-Wiederaufnahmen werden ergänzt durch die Fülle der Epitheta, die – gleichgültig, welcher Sinnesbereich gerade verhandelt wird – die stimmungshafte Kontinuität erzeugen: das letzte Glühen eines Abends, in dem zugleich Beunruhigendes (schwer, bebend, fremd, klanglos, blaß) wie Beschwichtigendes aufgerufen ist (leicht, süß, weich wie Flaum).[35] Die Verschränkung der Metaphern sorgt indes dafür, daß beide Reihen nicht gegeneinander stehen.

Irritation und Beschwichtigung sind stets zusammen gemeint; Irritation ist – wie bei Hofmannsthal – sublimierter Genuß einer poetischen Konvention: von abendlichem Frieden, der nicht Ruhe des Feierabends meint.

Die Kontinuität der Epitheta verselbständigt sich gegenüber der diskontinuierlichen Reihe dargestellter Gegenständlichkeit, die zwischen Realität, Metapher und Vergleich verschwimmt. Aus der Stilanalyse eines anderen Gedichts Stadlers schließt V. Klotz: „Das impressionistische ‚epithète rare‘, das besonders genau differenzierte Eigenschaftswort, das die Nuance im Gesamttimbre der flimmernden Einzelausdrükke ausmachte, wird man hier vergeblich suchen. Die Adjektive und Adverbien sollen nicht mehr charakterisieren – sie typisieren gewaltsam und lösen damit die Dinge aus dem gewohnten Zusammenhang . . . sie drängen auf Autonomie.“[36] Die Verschränkung der metaphorischen Struktur, wie die in sich kreisenden Wiederholungen, und die Kontinuität sich autonom setzender Epitheta lassen unmittelbare ästhetische Einheit des Gedichts zu, ohne inhaltlich die Stimmigkeit von Darstellung und Gemeintem erst einholen zu müssen.

Die Problematik des lyrischen Sprechens, wie Hofmannsthal sie entwickelte, ist latent. Der Anspruch auf Evidenz des Bildes verweist freilich hier nicht als Sprachmagie auf ein erst zu erreichendes Sprechen, sondern gibt sich als voraussetzungslose Sprachbeherrschung, als Formtechnik.

Einheit der heterogenen Bereiche durch die ästhetische Verfahrensweise unmittelbar ist wie bei Hofmannsthal Thema des Gedichts. In der ersten Strophe ist sie in der Spiegelung von Himmel und Wiesen im Wasser benannt, als „traumhaft Bild“; in der zweiten Strophe verdichtet im Ineinanderfallen der Worte und des Ruderschlags zur Einheit von Person und Landschaft, „aus Spiel und Traum gefügt“. Beide Male fällt das Hofmannsthalsche Wort vom Traum; doch bei Stadler ist es in den Kreis metaphorischen Sprechens aufgesogen, nicht Reflexionsbegriff. Der Vers aus Hofmannsthals ‚Terzinen‘ könnte selbst als vollgültige Interpretation dieses Gedichts stehen: „Und drei sind eins: ein Mensch, ein Ding, ein Traum.“ Wohin Hofmannsthals Reflexion die Kraft des Wortes treiben möchte, das ist für Stadler unmittelbare ästhetische Praxis. Stadlers Jugendstil kappt die Vermittlungen; sein Gedicht scheint so in sich selbst kreisend, statisch, zeitlos.

Im hypostasierten Zusammenschließen von Seele und Landschaft benennt Stadler als Person ein *du*, das allerdings nur im Gestus seiner Worte präsent ist, die damit ebenso bedeutungsgeladen und bedeutungsleer sind wie die Sprache des Gedichts selbst. Der Widerstand eines besonderen Innen ist übersprungen; die menschliche Person nur in der Sprachgebärde, als zeichenhafte Figur ihrer selbst, anwesend. Hier wird noch deutlicher, wie der Stilisierung im Jugendstil die abstrakte Montage im Rücken steht. Ähnliches findet sich in Rilkes jugendstilistischer Lyrik der Jahrhundertwende.

> Ich will ein Garten sein, an dessen Bronnen
> die blassen Träume viele Blumen brächen.
> . . .
> Und wo sie schreiten, über ihren Häuptern
> will ich mit Worten, wie mit Wipfeln rauschen . . ."[37]
> „Du, ich will den weißen Bildern gleichen,
> die viel höher in die Rosen reichen, –
> und in ihrer Stille will ich stehn.[38]

Wenn die Individuen im Gestus erstarren, konturlos sich ins Außen stülpen, zu Statuen im Park sich verwandeln – beginnt das Glück ästhetischer Utopie im Jugendstil sich einzulösen. Das bestimmt die erreichte Harmonie als prästabiliert. Beides, Innen und Außen, Person wie Naturding, wird gebärdenhaft dargestellt, Preis für die glückhafte Unmittelbarkeit der Harmonie ist, daß das Individuum, damit es der ornamentalen Landschaft sich fügt, selbst in den ornamentalen Gestus eingepaßt wird.

Was sein Inneres ausdrücken soll, ist unmittelbar die Gestalt der Landschaft. Darum fehlt der Szenerie der Mittelpunkt, den bei Hofmannsthal anfänglich noch die geselligen Freunde bilden. Auf Graphiken und Vignetten des Jugendstils sieht man die Körperform distanzlos der umrahmenden Ornamentik sich anschmiegen; die Linienführung paßt sich so an, daß kein Gegensatz von Vorder- und Hintergrund sichtbar ist. So verfährt auch die Technik der gleitenden Metaphern und autonomen Epitheta: es gibt keine Details und keine Akzidentien. Die ästhetische Egalität duldet keine Absonderung von ihrem Prinzip.

War bei Hofmannsthal von der Subjekt-Objekt-Relation die Rede, so ließ sie sich sichtbar machen an dem in der ‚Botschaft' benannten lyrischen Ich, das als ins Inhaltliche des Gedichts hinausverlegtes Subjekt des lyrischen Sprechens selbst fungierte. Sein Hinfinden zur Wahrnehmung sinnlichästhetischer Harmonie bildete die thematische Spiegelung des lyrischen Formprinzips.

Stadlers Gedicht – charakteristisch für die ‚Präludien' – verzichtet darauf, ein lyrisches Ich einzuführen. Es erscheint nur im angeredeten *du* impliziert. Hier kann also die lyrische Subjekt-Objekt-Relation an der Zeichnung der dargestellten Personen nicht so unmittelbar abgelesen werden; in der gebärdenhaften Stilisation werden sie ja ohne Rest zum angeschauten Objekt.

Ergab die Sprachbetrachtung, daß Stadler mit noch verfeinerter Technik die dem Gedicht thematische Harmonie des Zusammenfalls von Heterogenem allein durch die formale Organisation einlöst, so ist die gestaltete Verschmelzung von wahrnehmendem Innen und wahrgenommenem Außen in die Sprachlichkeit des Gedichts selbst zurückgenommen, nur noch der Analyse der Form kenntlich. Harmonie des Naturbildes liegt dem Vorgang sprachlicher Formung nicht schon voraus. Das lyrische Subjekt ist nirgends als erlebendes Individuum zu ermitteln, stets erst als Arrangeur der Worte. Auch hier ist aus Hofmannsthals Problem vom ästhetizistischen Individuum die letzte Konsequenz gezogen.

Zusammenfinden von Innen und Außen – hierin wird das Programm des Jugendstils noch im scheinbar stimmungshaften Gedicht deutlich – ist nicht metaphorischer Art; keine besondere Qualität von Symbolik vermittelt, wie noch Hofmannsthal es im traditionsverweisenden Wort von der Magie umschreibt; sondern die ästhetische Technik, die Stilisation. An ihrer schönen Oberfläche gelingt eine sinnlich-ästhetische Versöhnung ohne Rückzug in eine verkapselte Innerlichkeit. Dabei muß die Besonderheit der Individualität preisgegeben werden; die stilisierten Jugendstilfiguren spiegeln so indirekt doch das lyrische Subjekt, seine ornamentale Abstraktheit nämlich.

Dem Ornament des Jugendstils nähert sich die Struktur des Gedichts schließlich selbst an. Ist seine gehaltliche Intention auf Einheit des (nur noch scheinbar) Heterogenen aus, so läßt diese sich doch nicht anders als im sprachlichformalen Verfahren beschreiben. Die Glück freisetzende Harmonie, welche das Gedicht vorstellt, ist die seiner eigenen bildlichen Komposition; ist das eigene ästhetische Prinzip. Formale Geschlossenheit des lyrischen Werks wird verfeinert bis zur Tilgung all dessen, was nicht Form, sondern auch auch Inhalt wäre; „so ganz und gar, daß nichts zugleich in unserer Seele ist“, wie August Endell gesagt hatte. Die dialektische Beziehung von Form und Gehalt im Sinne von Erlebnisdichtung ist spannungsleer; das Gedicht verweist, als auf seinen Gehalt, auf seine Form. Der Lyrik des jungen Hofmannsthal war solche unmittelbare Identität als äußerste Möglichkeit aufgegangen; bei Stadler bleibt von der Melancholie der Vermittlungen die Stimmungsnuance: „fremd und schwer“ heißt es, wenn die Worte und das „Rauschen erglühter Wasser“ in eine „dunkle Weise“ sich vereinigen.

Die lyrische Topik in den ‚Präludien‘ erweist sich fast stets noch als die traditionelle Erlebnislyrik: wie von Erfahrenem oder doch Erfahrbarem redend. Verwirklicht Stadler in der ‚Stillen Stunde‘ ein Äußerstes: Formwerden ohne Rest, so bleibt dennoch der Schein dargestellter Gegenständlichkeit; denn nicht der Hermetismus einer *poésie pure* ist gemeint. Form setzt sich absolut, nicht Kunst. Stadlers Gedicht entzieht sich gerade nicht dem Mitteilungscharakter, noch soll außerkünstlerische Realität ausgeschlossen verharren, vielmehr in die Harmonie des Formprinzips aufgelöst werden.

Die scheinbare Erfahrung und Gegenständlichkeit ist aber zugleich nur Material der technischen Verfahrensweise; in dieser Konstellation wird die Form-Inhalt-Beziehung im Sinne von Erlebnislyrik leer: Ein vexierbildhaftes Verhältnis von konkreten Erlebnis- und Gegenstandspartikeln zu ihrer montierten Stilisierung gibt diesem Gedicht eine ornamentale Struktur.

Wenn Dilthey an Goethes Lyrik zu zeigen versucht, wie Inhalt in Form umschlägt, so spricht er von der „inneren Form seiner Dichtung“. Zwar soll auch nach Diltheys Begriff von Erlebnisdichtung „der harte, eckige Rohstoff des Geschehnisses“[39] in der ästhetischen Form aufgehen; doch im Begriff des *Bedeutsamen* bleibt auf der Inhaltsseite, im Begriff der *inneren Form* auf der Formseite Dialektik enthalten: inhaltliche Besonderheit ist in die – innere – Form eingewandert. Die jugendstilistische Tendenz bestimmt aber den Formbegriff radikal als äußeren; sein versöhnendes Gesetz liegt vor der Besonderheit des Stoffes. Für den Formbegriff ergibt sich: Wird Form nicht mehr dem Stoff der Darstellung abgewonnen, so tendiert sie zur Selbstpräsentation der technischen Verfahrensweise. Formwerden ohne Rest ist Ziel von Erlebnisdichtung überhaupt; in ihrer vorgetriebenen jugendstilistischen Gestalt aber schlägt das um zur *Formtechnik*, deren Harmonie nicht mehr auf ein Besonderes bezogen ist. Will die ‚Stille Stunde‘ die Dinge aus einer gesellschaftlichen Funktionalität in eine reine Form retten, so kehrt Funktionalität in der Formtendenz wieder: als Beherrschung von Sprache, als Technik, die sich um kein Besonderes bekümmert.

Diese Überlegung – von Hofmannsthal ausgehend – benützte die Kategorien *hoher Kunst.* Der ornamentale Charakter erschien ihr als Defizit. So konnte die Analyse nur Elemente einer technischen Konstruktion erreichen. Wohl verlangte das Gedicht Stadlers nicht nach der analysierenden Anschauung, sondern (nach der Rezeptionsanleitung Bahrs) nach genießender Identifikation. Der einzelne Leser könnte die abstrakte Allgemeinheit der Formtechnik im Genuß unwillkürlich zu seinem Persönlichen anverwandeln, insofern die Gesetze der schönen Form im Jugendstil selbst wieder natürliche sein sollen. Trotzdem bleibt es bei traditioneller Kunst und deren Kriterien, mit der Tendenz auf eine ihr nicht gestattete Unmittelbarkeit des Genusses zu; denn die programmatische Kraft der Form (Harmonie) schließt sich parasitär an die Leistung etwa von Hofmannsthals Dichtung an; eine andere Rezeptionshaltung bildet außerdem kein objektives Moment an dieser Dichtung (wie an der angewandten Lyrik Bierbaums).

So erreicht die *hohe Kunst* in Stadlers Gedicht formal einen Ort, dem das Kunstgewerbe des Jugendstils entspricht. Ist die Verwandlung der Straße durch die *Straßen*kunst von Architektur, Plakaten, Werbung, die Verwandlung des Interieurs durch die *Hauskunst* als materielle Einlösung der Utopie einer dem Leben dienenden Kunst aufzufassen, so entspricht dem bei Stadler – indem die Harmonie der Form unmittelbar als Aussage des Gedichts gestaltet wird – eine formale Einlösung der Utopie.

Rilke hat die Ambivalenz eines solchen Kunstprogramms in der Literatur gerne in eine religiöse Terminologie versteckt. So heißt es noch 1902 in der Bremer Festspielszene ‚Zur Einweihung der Kunsthalle':[40]

> Das ist des Lebens Unvollkommenheit,
> daß dort Gefäß und Inhalt sich entzweit.
> . . .
> und das macht diese Stätte tempelhaft,
> zu einem Ort, an dem du große Kraft
> empfangen kannst von tief versöhnten Dingen,
> in denen Form und Inhalt nicht mehr ringen.
> . . .
> Hier wachsen Menschen, hier in diesem Haus
> wird mancher sehend für sein ganzes Leben.

Rilkes lyrischer Jugendstil findet sich in den Sammlungen der Jahrhundertwende: ‚Dir zur Feier' (1897/98) und ‚Mir zur Feier' (1900). In dieser Zuordnung ist die Forschung sich einig wie sonst wohl nirgends; denn hier treffen alle Ebenen der Ausstrahlung zusammen, die der Jugendstil auf die Literatur ausgeübt hat: die motivische, die stilistische und das Programm der ästhetischen Technik. Gegenüber Rilkes frühen Prager Gedichten im sentimentalen Heine-Ton erweist sich das Formdenken des Jugendstils in diesen Zyklen zunächst als Fortschritt der lyrischen Sprache, zugleich aber auch als Beginn eines neuen Lyrikverständnisses (das Rilke freilich bald wieder vom Jugendstil abführt zu der Dingauffassung in ‚Buch der Bilder' und vor allem in ‚Neue Gedichte').

Neu in der Sprachbehandlung der Jugendstilgedichte ist eine Emanzipation der Metapher (bzw. des Vergleichs); darin liegt trotz aller Unterschiedlichkeit eine Verwandtschaft zur Linie Hofmannsthal–Stadler.

Beispielhaft für diese Entwicklung ist ein Liebesgedicht aus ‚Dir zur Feier' an Lou Andreas-Salomé: Der erste Teil bietet mehr oder minder konventionelle Motive des erotischen Gedichts, von Sehnsucht und Werbung handelnd. Zitiert werden sollen zwei Überleitungsverse und die durch Schrägdruck abgehobene Schlußstrophe des Gedichts:[41]

> Und ich muß denken, wie die Nächte nahen,
> nach denen meine Träume lange schmachten:
> Sie fahren an wie diamantne Yachten
> und tragen frohe Fahnen, hohe Frachten,
> alle Matrosen sind in Märchentrachten
> und fremde Vögel, welche Winde brachten,
> die günstig wehten, rasten in den Rahen.
> Und aufwärts von der Kühle ihres Kieles
> bis an der Masten matte Flammenspitzen:
> Das Silber in den Rissen, Rillen, Ritzen,
> Kleinode, die an Bord und Bug erblitzen,
> die Sehnsucht ihrer Segel – und noch vieles –
> wird Alles unsre Seligkeit besitzen.

Den zwei vorausgehenden sechszeiligen Strophen antwortet diese in sich geschlossene elfzeilige Vergleichsstrophe; verbunden durch Metrik und ähnliche Reimform. Die Vergleichsstrophe macht sich quantitativ (elf: zwölf Verse) und qualitativ (in der Intensität ihrer Bildlichkeit) dem Verglichenen gleichgewichtig. Indem der Vergleich der Nächte mit Yachten zum einen überrascht, zum andern die sinnliche Evidenz dieses Bildes den ganzen Gedichtablauf überstrahlt, zielt der Vergleich nicht aufs tertium comparationis, vielmehr auf die Lösung des Verglichenen in die ihm korrelierte Bildlichkeit. Weil die rhetorischen Figuren von Vergleich und Metapher auf Beachtung des tertiums comparationis dringen, überschreitet die Vergleichsstrophe den rhetorischen Sinn der Metaphorik.

Im vergleichenden Bild bietet Rilke den sinnlichen Zauber des Jugendstils auf. Das Bild der Yachten verliert sich an eine Fülle aneinandergereihter Details. Werden im ersten Teil nur spärlich Stabreim und Binnenassonanz verwendet, so fehlen diese sprachlichen Kunstmittel im zweiten (der zitierten Schlußstrophe) kaum in einem Vers. Die lautliche Preziosität verbindet sich mit der gesteigerten Erlesenheit der Gegenstände (die ganz deutlich motivische Verweise auf Jugendstil sind); deutlich erkennbar sind auch wieder die von V. Klotz beobachteten typisierenden Epitheta. Daß dies alles nicht einfach als Manierismen verzeichnet werden darf, sondern eine poetische Aufgabe hat, zeigt sich, wenn im Schlußvers das Bild der Yachten zurückgebunden wird an den verblichenen Gefühlskomplex der ersehnten Nächte.

> Die Sehnsucht ihrer Segel – und noch vieles –
> wird alles unsre Seligkeit besitzen.

Was als Bild der inneren Sehnsucht des lyrischen Ich begann, hat eine – ästhetische – Kraft gewonnen, nicht mehr nur Bild des ersehnten Glücks zu sein, sondern dessen Substrat zu bilden. Die verschlossene Innerlichkeit hat im Bild nicht nur Illustration, sondern ein Korrelat ihrer selbst gefunden, so daß sie in dessen stilisierte Gestalt sich zu veräußerlichen und im Herausgehen selbst die Möglichkeit von Glück zu entdecken vermag. Was das Herausgehen ins Außen sei, sagt die Gedichtstruktur selbst: die durch lautliche, semantische und andere formale Kunstmittel möglich gewordene Befreiung des Bildes aus der gleichsam logischen Definition des rhetorischen Vergleichs.

Die Harmonie von Innen und Außen wird schon auf dieser Stufe von Rilke nicht mehr als ein romantisches Verschmelzen gedacht, sondern als glückhaft bruchlose Korrelation zwischen Wahrnehmung und äußerer sinnlicher Existenz. Das weist in eine Richtung, die für das mittlere Werk Rilkes mit *schauen* und *Ding* sich umschreiben läßt.[42] Ein zweites Gedicht soll darauf hinweisen, daß die jugendstilistische Stilisierung der Gegenstände durchaus eine Vorstufe zur Erfassung ihrer *Dinglichkeit* bei Rilke darstellt.

> ‚Intérieur'
> So bleiben in den Wellen dieses Felles.
> Und wie zum Spiel durch müde Liderspalten
> den Formen folgen und den samtnen Falten,
> und sachte tasten die damastnen Decken
> entlang, mit Fingern fühlen: kühle Becken,
> und mit den Händen ihre Lichte lecken
> und raten: Sind sie Silber oder Gold?
>
> Und an den Vasen rütteln, daß ein Wellchen
> in ihnen aufwacht, und aus hellen Kelchen
> ein Blätterrieseln roter Rosen rollt.
>
> Und denken, denken: was das Klingen ist,
> und daß ein Duft ist wie von Mandarinen.
> Ob das die Seele von den Dingen ist
> und über ihnen? . . .[43]

Wo es allein darum geht, den Gefühlswert der Dinge zu sondieren, ist die Emanzipation des Metaphorischen zum Ziel gelangt: Es gibt nichts mehr, worin sich eine eigentliche von einer uneigentlichen Sprechweise unterschiede. Zum Dinggedicht, zur Wesensschau der Dinge, wie Käte Hamburger es in Parallele zu Husserl genannt hat,[44] tendieren vor allem die Schlußverse im Kommentar.

Doch noch sind Motivik und Formprinzip vom ästhetischen Anliegen des lyrischen Jugendstils geprägt, nicht von einem erkenntniskritischen.

Wieder, ähnlich wie bei Stadler, liegen in der Stilisation, je nach Perspektive des Lesers, entgegengesetzte Möglichkeiten: läßt er sich vom Klangreiz der Worte zur Identifikation mit den Einzelakten des Fühlens leiten, so scheint das Gedicht von einzigerartiger konkreter Erfassung der Gegenstände; sieht er im Klangreiz die Stilisation, so richtet sich sein Blick auf das ausgesparte; das Interieur als Panoptikum verfügbarer Gefühlsattrappen. Wohl lebt das Gedicht vom möglichen Abtausch beider Perspektiven: der konkreten Dingerfassung und einer geradezu technischen Faszination. Es wäre noch zu fragen, ob in solchem Perspektivenspiel die Zeitprobleme nicht genauer ihren Niederschlag finden als in der manchesmal bemühten Beschwörung reiner Dinglichkeit.

Im Setzen der absoluten Infinitive, in ihrer Zeit- und Subjektlosigkeit hat Rilke seine Konsequenz deutlich gemacht, die er aus dem Widerspruch des ornamentalen Formprinzips des Jugendstils und dem Charakter von Erlebnisdichtung zog, der Stadlers ‚Präludien' durchzog.

Hofmannsthal war dem ausgewichen, indem er in der immanenten Sprachkritik der ‚Botschaft' die Problematik des lyrischen Subjekts thematisch werden ließ; Rilke verlagert nun die Aufmerksamkeit auf den Objektpol. Im Gedicht ‚Intérieur' wird die Entindividualisierung des lyrischen Subjekts auch inhaltlich vollzogen, wie es das Vorherrschen des ästhetischen Formprozesses vor erlebten Gehalten bei Stadler auch zu fordern schien.

Eine große Zahl von Gedichten (etwa die ‚Lieder der Mädchen') zeigt das Formprinzip des Jugendstils bei Rilke unreflektiert und die reine Formimmanenz fast noch bruchloser entfaltend. Die beiden zitierten Gedichte neigen dazu, das vom Formprinzip Geleistete selbst thematisch werden zu lassen; doch führt das nicht in die ästhetische Prozeßhaftigkeit wie bei Hofmannsthal; die Gedichte Rilkes behaupten eine unmittelbare Korrelation von Wahrnehmen und wahrgenommener Objektivität der Dinge, die vorerst nur durch die ästhetische Einheit des Gedichts beschreibbar ist. Je mehr sich Rilkes Gedichte dem Kult um die preziösen Gegenstände des Jugendstils verschreiben und so den Schein einer Inhaltlichkeit in romantischem Verständnis, wie es Stadlers Gedicht noch zeigte, selbst aufgeben, desto widerspruchsloser fügen sie sich der Struktur des Ornamentalen. Wenn hier das Formprogramm die ihm gemäße Gegenständlichkeit findet (nicht umgekehrt der neue Inhalt die ihm gemäße Form, wie es gut hegelisch wäre), so dokumentiert sich darin der literarische Jugendstil als Tendenz, auratische Kunst durch die konstruktive Perfektionierung der (lyrischen) formalen Struktur, aus sich selbst heraus also zu überwinden. Rilke, später voll Ernst mit der *Fragwürdigkeit der Kunst* beschäftigt, rührt daran vielleicht selten so konsequent wie in der Zeit des lyrischen *Bekennens.*

IV

Entwurf eines glücklichen Lebens: Dehmel.

Ein Beispiel aus dem Werk Dehmels soll gegenüber Stadler und Rilke nicht eine neue Entwicklungsstufe der lyrischen Verfahrensweise zeigen.[45]

Denn absolutes Formwerden wie innere Zersetzung von Erlebnislyrik, die Zurücknahme der Individualität um ästhetischer Harmonie willen kehren in vergleichbarer Weise wieder. Doch das Aufheben der Differenzen ist hier mit wichtigen Themen der Zeit verbunden, die den historischen und gesellschaftlichen Standort des Jugendstils verdeutlichen; Dichter wie Otto Julius Bierbaum und Richard Dehmel dachten Glück und Genuß in konkreter Gestalt einzufordern: in freier Natur und Erotik.

Dehmels ‚Roman in Romanzen' von 1903: ‚Zwei Menschen' bietet einen Fall thematischer Konkretion; das lyrische Formprinzip des Jugendstils wird auf einen epischen Stoff angewandt. Gesellschaftlich gekennzeichnet, tritt Objektives dem ästhetisch stilisierten Subjekt in den Antinomien von sozial determiniertem Milieu und Natur, von bürgerlicher Moral und befreiter Erotik entgegen. Das so im epischen Verlauf Entwickelte soll im Augenblick jugendstilistisch konzipierter Harmonie sich lösen.

> Und lichter als der lichte Tag im Zimmer
> und immer lichter schauert ein Geflimmer
> von Kerzen über helle Blumen hin.
> Still schwebt um silberblau gestickte Kissen
> der Duft des weißen Flieders, der Narzissen.
> Und durch die Bläue, durch die Blumen hin
> zittert die Luft, als ob sich Herzen rühren:
> zwei Menschen stehn – noch tönen still die Türen –
> mit Augen, die den Himmel nahe spüren,
> enthüllt bis zu den Hüften da: ein Mann mahnt: du! – ein Weib haucht: ja!

usw., schließlich:

> und alles rauscht tief innerlich.
> Zwei nackte Menschen einen sich.[46]

Der Handlungszusammenhang: *er,* verheiratet, Kinder; *sie,* verheiratet, ein Kind, leben auf dem Gut, das dem reichen Ehemann der Frau gehört, einem schlaffen Junker.

Er fungiert dort als Archivar und Liebhaber der Gutsherrin. Eingeschlossen in gesellschaftliche Konventionen, Ehemoral und schließlich in die abgelegene Räumlichkeit des Gutshofes und seines Parks finden die „Zwei Menschen" erst allmählich in die Freiheit eines selbstgewollten Lebens. Bis hierher wahrt ihre Revolte äußerlich die Voraussetzungen ihrer bürgerlichen Existenz. Während sie später als schon etwas gealterte Wandervögel mit dem Fahrrad in die freie Natur aufbrechen, auf Bergeshöhen im Vorgriff expressionistische Mitmenschlichkeit feiern, verbleibt jener erste Ausbruchsversuch im Interieur des feudalen Gutshofs.

Die erlesene Dekoration des Raumes erfüllt die Funktion, das Interieur als Manifestation des Milieus, in dem erotische Freiheit nicht gewährt werden könnte, vergessen zu machen. Der jugendstilhafte Dekor, dessen Aufwand in Wahrheit doch nur der verächtliche Junker bezahlen kann, will nicht bourgeoises Vorzeigen von Reichtum noch aristokratischen Luxus: vielmehr will er die Hülle der Individuen sein. Das erinnert an Rilkes Gedicht ‚Intérieur'. Die Ausstrahlung des Jugendstils auf die Literatur zeigt hier eine weitere Ebene: die gesellschaftsreformerische Programmatik. Grundlegend ist wieder die jugendstilistische Technik: Dehmel läßt in der formalen Einheit der zitierten Verse den Dekor des Raums (motivische Ausstrahlung des Jugendstils) mit Natur verschmelzen, womit die Macht des Milieus über die Individuen beseitigt wird. „Lichter Tag" – „im Zimmer"; „silberblau gestickte Kissen" – „weißer Flieder" und „Narzissen".

So werden beide Bereiche zunächst in lose Beziehung gesetzt. Doch das Verspaar: „Und durch die Bläue, durch die Blumen hin/zittert die Luft" läßt kaum noch ans geschlossene Interieur denken, und dennoch meinen die „Blumen" pragmatisch eindeutig den im Raum aufgestellten Schmuck. Die Einheit über der pragmatischen Divergenz ist durchs ästhetische Verfahren definiert: so verweist sprachlich die Bläue der Luft auf die silberblau gestickten Kissen. Wieder machen die Epitheta – bei Dehmel vor allem die Farbadjektive – sich autonom, garantieren Kohärenz über die gegenständliche Zusammengehörigkeit hinaus. Die Blumen sind Dekoration im Raum und Naturdinge zugleich. Wenn dann von „Augen, die den Himmel nahe spüren" die Rede ist – „noch tönen still die Türen" –, könnte der Leser meinen, die „Zwei Menschen" setzten ihre Liebesszene im Freien fort. Das Weitere beweist das Gegenteil:

> Die Blumen atmen flimmernder,
> Die Sterne an den silberblauen Wänden
> erstrahlen wie in keiner Nacht so blank.

heißt es in der (im Zitat fortgelassenen) Weiterführung der Szene. Hier hat Dehmels Bildlichkeit die Verschmelzung von geschlossenem Interieur und Natur ganz vollzogen. Die Blumen – im Raum – flimmern im Licht der Sterne, diese erscheinen an den Wänden reflektiert, deren Farbe wiederum das Blau der Luft wie der Kissen aufnimmt. Die geschlossene Räumlichkeit öffnet sich im Medium ihrer sprachlichen Gestaltung und ihrer preziösen Motivik auf die Freiheit einer eigengesetzlichen, freilich selbst wieder stilisierten Natur. Die Befreiung sexueller Wünsche aus der milieubedingten Konvention heftet sie als erotischen Genuß an die Semiotik blauer Kissen, die mit der Himmelsbläue in einer paradigmatischen Reihe stehen.

Provokant ist diese Kunstutopie insofern, als sie durch die ästhetisch bewerkstelligte Synthese von Interieur und Natur der bürgerlichen Moral alle Legitimationen sowohl aus dem Fundus des Natürlichen wie der gesellschaftlichen Konventionen durcheinander wirft. Die Glücksbedingungen erscheinen als – ästhetisch – herstellbare, haben technischen oder doch kunstgewerblichen Charakter. Die Äußerlichkeit der Lösung durch die allem übergeworfene *schöne Form* läßt sich so als treffende Kritik ideologischer Positionen verstehen – Sie ist aber auch die Grenze der Utopie. Voluntaristisch bezeichnet Stilisierung das Mittel eines orientierungslosen Aufbruchs. Dehmel bewegt sich im Verlauf des *Romans* immer mehr in Richtung auf eine ungeschichtliche und realitätsvergessene bloße Mitmenschlichkeit und Natürlichkeit zu. Die Romanhelden sind biologistisch auf „ein Mann", „eine Frau" verkürzt. Der Augenblick jugendstilistischer Versöhnung ist doch dem historischen Augenblick genauer verhaftet. Was nach Dehmels Erziehungsschema im *Roman* Überbietung der ästhetizistischen Utopie von Natur und Glück sein soll, ist in Wahrheit wohl weniger: ist die bloße unkonkrete Negation von Gesellschaft.

Jener versöhnende Augenblick ist nur als lyrischer Kristallisationspunkt im epischen Zeitfluß darstellbar. „‚Roman in Romanzen' – wie der Untertitel der ‚Zwei Menschen' lautet –: das bedeutet eine Vermischung der subjektiven Form des Lyrischen mit dem Roman, jener Gattung also, die Dehmel ... ihrer Wirklichkeitsverfallenheit wegen ablehnt. Einer primär subjektiven Darstellungsform durch die Hineinnahme romanhafter Elemente den Charakter eines in der Dichtung dargestellten Lebensentwurfes zu geben: in diesem Bemühen spiegelt sich der Versuch, der Kategorie des Subjektiven eine objektive Verbindlichkeit zu geben."[47]

Die Interpretation ist darin zu ergänzen, daß nicht nur Lyrisches durch epische Zeit- und Raumerstreckung Objektivität gewinnt, sondern umgekehrt epische Objektivität im Formprinzip des lyrischen Jugendstils eine neue Qualität erhalten soll: in die Subjektivität aufgegangene Objektivität, von der Fremdheit gesellschaftlicher Verbindlichkeit entlastet.

Gegen die Extension epischer Darstellung setzt sich die Intensität von Augenblick und abgedichteter Räumlichkeit der lyrischen Formimmanenz. Die epische Stoffdarbietung kommt der Gestaltung gesellschaftlicher und psychologischer Bezüge entgegen: Kausalverknüpfungen werden ausgebreitet. Wenn das Geschehen sich im Augenblick lyrischen Sprechens zusammenzieht, tritt es nun aber unter die Freiheit ästhetischer Selbstbestimmtheit, die das episch dargebotene Beziehungsgeflecht auflösen kann.

Gerade indem bei Dehmel das jugendstilistische Formprinzip von Lyrik die epischen Zeitbezüge durchschlägt, zeigt sich seine literatur- und sozialhistorische Eigenart: Lyrisches trägt, als dominante Gattung von literarischem Jugendstil, sein Formprinzip auch in darstellendes Erzählen hinein. Repräsentiert das erzählende Darstellen in den realistischen Tendenzen des 19. Jahrhunderts, wie das Bürgertum der sozialen oder doch individualpsychologischen Zusammenhänge sich zu bemächtigen versuchte, so bezeichnet hier die lyrische Formdominanz, gerade wo sie in epische Strukturen einzieht, wie die Selbstverwirklichung der Helden im abgedichteten Augenblick aus der epischen Bezüglichkeit unvermittelt herausspringen muß. Hierin führt Dehmels ‚Roman in Romanzen' eine romantische Tradition zu Ende; man könnte zuerst an den Versroman denken, der aber doch eine durchlaufende Erzählhandlung hat. Vorbild sind eher – sich gleichsam verselbständigend – Tiecks und Eichendorffs Verseinlagen in Roman und Erzählung. Während die romantische Gedichteinlage aber die erzählte Welt mit der Wärme der Innerlichkeit zu erfüllen sucht, will das lyrisch gewordene Erzählen des Jugendstils die Differenz zwischen beidem ganz tilgen. Erzählende Darstellung und lyrischer Ausdruck verhalten sich nicht mehr komplementär; weil die jugendstilistische Lyrik ihre Bindung ans besondere Erleben abgestreift hat, kann sie sich auch in epischen Versuchen absolut setzen.

Dehmel verwendet von vornherein Verse, um lyrische Augenblicke zu gestalten; deren Abfolge erst schafft implizit den erzählerischen Zusammenhang. (Dabei zeigt sich wieder der typische Doppelcharakter des Jugendstils: Der Auflösung des erzählerischen Zusammenhangs in lyrische Einzelbilder steht eine halb symbolische, halb konstruktivistische Anordnung gegenüber; ‚Zwei Menschen' ist angelegt in 3 „Umkreise" mit je einem „Eingang" von 12 Versen und je 36 „Vorgängen" zu jeweils 36 Versen.) Rilke dagegen biegt im ‚Cornett Christoph Rilke' von 1899 seine Sprache für den Augenblick höchster Glückhaftigkeit, rhythmisierend und Assonanzen bildend, in lyrisches Sprechen um. An Beer–Hofmanns ‚Der Tod Georgs' ließe sich studieren, wie auch der innere Monolog zum Statthalter des Lyrischen im erzählerischen Zeitfluß werden kann. Das jugendstilistische Erzählen muß danach streben, die epischen Gattungsbestimmungen aufzuheben.

Die zitierten Verse von Dehmel sind dabei überzeugender als anderes; denn zum ornamentalen Charakter der Verse selbst fügt sich die jugendstilistische Motivik: der dekorative Innenraum, dessen Reichtum gleichzeitig in die epischen Bezüge des Sozialmilieus verweist. Das Interieur ist so ein episch-lyrisches Doppelmotiv.

V

Zur Deutung des Formbegriffs im literarischen Jugendstil.

Jugendstilistische Formkunst erweist an einer erlebnishaften Topik *hoher Kunst* sich als Technik der Stilisation, damit selbst als implizites Moment von Willkür und Verfügen übers Besondere. Rilkes weitere Entwicklung, Hofmannsthals Zurückhaltung in der Ästhetismus-Kritik können das ebenso klarmachen wie Stefan Georges Haltung zum Jugendstil. Claude David hat im Gedicht ‚Der Teppich' einen Endpunkt dieser Auseinandersetzung Georges mit Motiven des Jugendstils gesehen.[48]

Doch schon früher gibt ihnen George eine andere Interpretation und einen anders bestimmten Platz im Kanon der lyrischen Formen und Anspielungen. Claude David hat dies etwa für die ambivalenten Symbole von Moor und Weiher gezeigt: sie sind „bei George erotische Symbole: manchmal erwünschte Zuflucht, öfter verwünschter Ort".[49] Nicht eine Utopie ästhetischen Glücks und ästhetischer Freiheit bietet George, vielmehr in der herausgekehrten Herrschaft über Sprache und Gegenwelt ästhetischer Disziplin. George sucht dann in ‚Der Teppich' die vollends beherrschte Form selbst in Unmittelbarkeit umschlagen zu lassen, während der lyrische Jugendstil geschlossene ästhetische Räume entwirft, Harmonie der Form, unter deren Schutz Ursprünglichkeit und Eigenheit des Lebens befreit sein sollen. In der jugendstilistischen Stilisierung macht die *schöne Form* dem Leser sich unmittelbar gefügig; George insistiert: „Sie (die Lösung . . ., über die ihr sannet!) ist nach willen nicht: ist nicht für jede/Gewohne stunde: ist kein schatz der gilde./Sie wird den vielen nie und nie durch rede/Sie wird den seltnen selten im gebilde."[50]

In der ornamentalen Unmittelbarkeit aber wird erst die jugendstilistische Utopie und der Versuch ihrer Erlösung möglich, die keine den Menschen und Dingen heterogenen Funktionszusammenhänge anerkennt, ohne Funktionalität überhaupt mit Georgeschem Bann zu belegen. Die Freiheit von Genuß und Erotik, als Inbegriff der dem Bürger verwehrten Eudämonie, können so nur im ästhetisch organisierten Raum gewährt werden, dessen reale Erscheinung das Interieur ist. Wenn allerdings das lyrische Formprinzip des Jugendstils über den Inhalt, wie Rilke wollte, triumphiert, sich als Organisationsfundament einer neuen Wirklichkeit anbietet, ist Kunst innerhalb bürgerlichen Denkens zu einem Punkt vorgetrieben, wo sie einerseits als Praxis (in der Rezeption) sich einlösen möchte, andererseits zur kulturindustriellen Fertigung abzugleiten droht. Die Ambivalenz von Kunst und Kunstgewerbe, in der Lyrik als Unmittelbarkeit schöner Form sich realisierend, droht wenigstens diese, die *hohe Kunst* zu sprengen.

Nicht nur bleibt die ästhetische Befreiung im lyrischen Jugendstil exklusiv, weil seine formale Unmittelbarkeit einer bildungsträchtigen Vermittlung im Bewußtsein des Lesers bedarf. Gleichzeitig stößt Kunst an die ihr gesetzte Schranke, Wahrheit und Anspruch auf Glück nur im besonderen Innen festhalten zu können. „Nur in der Kunst hat die bürgerliche Gesellschaft die Verwirklichung ihrer eigenen Ideale geduldet und sie als allgemeine Forderungen ernstgenommen“ (Herbert Marcuse).[51]

Jugendstil ist nicht einfach „Schein des schönen Lebens“ (Jost Hermand), nicht nur Maskerade eines frustrierten gründerzeitlichen Bürgertums. Diese kurzschlüssige Auffassung ist in der Forschung zum literarischen Jugendstil ein Topos, weil man unter der meist nur metaphorischen Verwendung des Begriffs vom Ornament technische Selbstpräsentation als Ornament und ornamentale Motive nicht auseinander hielt und das anschließend unter einem ganz unangemessenen Maßstab mimetisch-darstellender Literatur leicht verurteilen konnte.

Der literarische Jugendstil möchte in der formalen Einlösung des Kunstversprechens vielmehr jenes *kulturelle Ideal*, von dem Marcuse spricht, einbringen. Der jugendstilistische Begriff von Schönheit enthält die Bestimmungen: Genuß und Glück als Wendung ins Außen; festgehalten gegen alle Forderungen nach innerweltlicher Askese, die das ästhetische Ideal von Ganzheit und Eigenheit in die Sphäre der Innerlichkeit abdrängte oder andererseits Kunst zum Zwecke gesellschaftlicher Repräsentation und Selbstdarstellung feierte. Freilich werden im Jugendstil diese Ideale gleichfalls nicht als substantiell gesellschaftliche gedeutet, sondern an das Prinzip der Form gebunden. Nicht nur die Dinge, auch die Individuen der ästhetischen Utopie zahlen für ihre Freisetzung den Preis der Stilisierung.

Das in den künstlerischen Formbegriff geschichtlich eingegangene Ideal der Harmonie und Ganzheit, der Überwindung stofflich-realer Heterogenität wird zum eingeforderten Inhalt. Erst unter dieser Formprogrammatik verbinden sich dem Jugendstil die verschiedenen Richtungen von Lebensphilosophie und Kosmologie.

Form wird erhoben zum Garanten einer freien Ordnung, darin dem ebenso autoritären wie anarchischen Charakter des gründerzeitlichen Kapitalismus präzis opponierend. So antizipiert der Jugendstil in genauer Reaktion auf sein gesellschaftliches Umfeld ein sinnvolleres Leben.

Bedroht von einer Krise, die in erlebnishafter Lyrik die Identität des einzelnen ebenso wie im darstellenden Erzählen die Aneignung objektiver Realität ergriff, ist das lyrische Formprinzip des Jugendstils – als Drittes jenseits der Differenz – utopischer Ausblick auf eine glückhafte Ordnung und Ganzheit.

Über Dichter wie Hofmannsthal vermittelt, ging der lyrische Jugendstil auf romantische Tradition zurück, griff den französischen Symbolismus nur beiläufig auf. Hatte die *hohe* Erlebnisdichtung stets danach gestrebt, eine eigene Wahrheit in der Gestaltung zu erreichen, so legitimierte sich deren Form als *innere Form*; dem Besonderen, nach Dilthey: dem individuellen Erleben, verhaftet.

Die jugendstilistische Formung aber geht, wie der zu reformierende gesellschaftliche

Alltag, wiederum übers besondere Individuum hinweg. Die Freisetzung der je individuellen Form zur jugendstilistischen Technik ist sowohl ästhetischer Fortschritt (als neues Bewußtsein des Künstlers von seinen Mitteln) als auch gesellschaftlicher Reformversuch (in der Herstellbarkeit der Utopie vom Glück). Die Analyse jugendstilistischer Form deckt aber deren Dilemma auf: Form, als Technik verfügbar gemacht, soll gleichzeitig doch noch das Harmonieversprechen der Form in einer auratischen Kunst aufrechterhalten.

So weist der utopische Anspruch in der Unmittelbarkeit der Form wohl virtuell aus dem einzelnen Gedicht heraus: auf die Leser, die in der selbstbestimmten Ordnung der ästhetischen Gestalt die ihrer Umwelt wiedererkennen könnten.

Anmerkungen

1 Wichtige Forschungsbeiträge finden sich in: Jugendstil, hrsg. von *Jost Hermand*, WdF Bd. CX, Darmstadt 1971; zu nennen sind noch: *Dominik Jost*, Literarischer Jugendstil, Stuttgart 1969; *Jost Hermand*, Der Schein des schönen Lebens. Studien zur Jahrhundertwende, Frankfurt 1972. Neben den im Ganzen motivgeschichtlichen Ansätzen vgl. einen geistesgeschichtlichen Ansatz von *Wolfdietrich Rasch*, Die Reichweite des Jugendstils, in: W. R., Kulturkritik und Jugendkult, Frankfurt 1974, einen kulturgeschichtlichen Ansatz in den zahlreichen Aufsätzen von *Dolf Sternberger*, Der Jugendstil und andere Essays, Hamburg 1956. Wichtig für Material, theoretische Ansätze und Rezeptionsgeschichte des Jugendstils ist: *Hans-Ulrich Simon*, Sezessionismus. Kunstgewerbe in literarischer und bildender Kunst, Stuttgart 1976, dort siehe Angaben zur Vorkriegsliteratur.

2 Vgl. zu diesem Terminus: *Simon*, Sezessionismus (zit. Anm..1), S. 107–112.

3 *Hermann Bahr*, Studien zur Kritik der Moderne, Frankfurt 1894, Kapitel 1–2 der Einleitung.

4 *Hugo von Hofmannsthal*, Gesammelte Werke, Prosa I (i. f. = Pr I), Frankfurt 1956, Walter Pater, S. 202–206, hier S. 203.

5 *Hofmannsthal*, Pr I, S. 204.

6 Daß Ambivalenzen heutiger Forschung zumeist auf solche im Programm des Jugendstils selbst zurückgehen, hat *Simon* (zit. Anm. 1) im Ganzen für seine Begriffsbestimmung gezeigt, S. 266 und passim.

7 *August Endell*, Vom Sehen, in: Die Neue Gesellschaft 1 (1905), zitiert nach: Jugendstil, Der Weg ins 20. Jahrhundert, hrsg. von *H. Seling*, Heidelberg 1959, S. 420.

8 *Simon*, Sezessionismus (zit. Anm. 1), S. 100–136.

9 *Rainer Maria Rilke*, Sämtliche Werke, Bd. 5, Wiesbaden 1959, Moderne Lyrik, S. 360–394, hier S. 364.

10 *Rilke*, ebenda, S. 361.

11 *Hermann Bahr*, Secession, Wien 1900, S. 35f.

12 *Wilhelm Dilthey*, Goethe und die dichterische Phantasie, in: Das Erlebnis und Dichtung, 15. Aufl. Göttingen 1970, S. 124–186, hier S. 183.

13 *Georg Simmel*, Stefan George, in: Zur Philosophie der Kunst, Potsdam 1922, hier S. 30f. und 41.

14 *Hugo Friedrich*, Die Struktur der modernen Lyrik, 6., erweiterte Aufl., Hamburg 1974.

15 Hierin liegt auch der Grund, daß die Dichtung Stefan Georges zunächst einmal ausgeklammert wird. Zu Hofmannsthals Beziehungen zum französischen Symbolismus: *Bernhard Böschenstein*, Hofmannsthal und der europäische Symbolismus, in: Hofmannsthal-Forschungen II, hrsg. von W. Mauser, Freiburg i. Br. 1974, S. 73–85.

16 *Hofmannsthal*, Gesammelte Werke, Gedichte und lyrische Dramen, Stockholm 1970 (i. f. = GulD), S. 82f.

17 *Hofmannsthal,* Pr I, S. 171.
18 *Hofmannsthal,* Pr I, S. 169.
19 *Hofmannsthal,* Pr I, S. 170.
20 Vgl. bei *Bahr* die fast gleichlautenden Beschreibungen einer „symbolistischen" Dichtung (in der Einleitung zu: Studien der Kritik der Moderne – zit. Anm. 3, S. 28ff.) und einer den Goncourts abgewonnenen „écriture artiste" (L'Ecriture Artiste, in: H. B., Essays, Leipzig 1912, S. 176–180).
21 Der Aufsatz über Franz Stuck (1894) steht gedanklich in einer Reihe von Kritiken und Essays Hofmannsthals zwischen 1894–1896, die sich mit dem (englischen) Ästhetismus beschäftigen (und damit, das in den Aufsätzen 1891–1893 dominierende Thema der französischen Dekadenz ablösend, auch den psychologischen Blickwinkel mit einem ästhetischen tauschen). In diesen Aufsätzen geht es Hofmannsthal unter vielen Aspekten immer wieder um ein Drittes zwischen Kunst und Leben: um Stilisation, die jeweils als Mittelding, Vermittelndes oder gefährlich Ambivalentes gedeutet werden kann.
22 Zitiert bei *Michael Hamburger,* Hofmannsthals Bibliothek, in: Euphorion 55 (1961), S. 56.
23 *Karl Pestalozzi,* Die Entstehung des lyrischen Ich. Studien zum Motiv der Erhebung in der Lyrik, Berlin 1970.
24 Das Motiv der „geschmückten Krüge" ist etwa auch im Aufsatz über Stefan George mit „dem Tone des Tibull und Horaz" verbunden (Pr I, S. 248f.).
25 *Walter Benjamin,* Zur Wiederkehr von Hofmannsthals Todestag, in: W. B., Gesammelte Schriften, Bd. III, hrsg. von Tiedemann/Schweppenhäuser, Frankfurt 1972, S. 251.
26 *Hofmannsthal,* Pr I, S. 203.
27 *Wolfram Mauser* kommt bei der Untersuchung von Hofmannsthals Begriffsverwendung zu dem Ergebnis, daß sein Symbolbegriff vom klassischen wie romantischen abweiche. Symbol meine, „im Bild möglichst viel von jenem unmittelbaren Weltbezug zu erhalten, der im Augenblick der Wortfindung entsteht und im Wortkörper weiterschwingt" (W. M., Bild und Gebärde in der Sprache Hofmannsthals, in: Österr. Akademie der Wiss., Sitzungsberichte, Bd. 238, Wien 1962, S. 5–78, hier S. 12).
28 *Ernst Mach,* Die Analyse der Empfindungen und das Verhältnis zum Physischen, 5., verm. Aufl, Jena 1906. Hofmannsthal hörte 1897 Kollegs bei Mach. Dessen Verbindung von Psychologie, Physiologie und Erkenntnistheorie berührte Verwandtes in Hofmannsthals Denken. „Die Farben, Töne, Räume, Zeiten [...] sind für uns vorläufig die letzten Elemente, deren gegebenen Zusammenhang wir zu erforschen haben" (Mach, S. 24). *Ich* und *Körperwelt* als Substanzbegriffe sind aufgegeben; positiv gegeben erscheinen nur noch die Wahrnehmungen, in denen die Pole von Subjekt und Objekt ungeschieden enthalten sind.
29 *Mach,* ebenda, S. 20.
30 *Hofmannsthal,* GulD, S. 35.
31 *Rilke,* Moderne Lyrik (zit. Anm. 9), S. 387f.
32 *Karl Ludwig Schneider,* Vorwort zu: *Ernst Stadler,* Dichtungen, Hamburg o. J. (1954), Bd. I, S. 58.
33 *Stadler,* ebenda, Bd. II, S. 13.
34 *Stadler,* ebenda, Bd. II, S. 187.
35 Hofmannsthal hatte schon in ‚Poesie und Leben' die Bedeutung des Adjektivs für den Lyriker hervorgehoben.
36 *Volker Klotz,* Jugendstil in der Lyrik (1957), wieder abgedr. in: Jugendstil (WdF) (zit. Anm. 1), S. 358–367, hier S. 364.
37 *Rilke,* SW (zit. Anm. 9), Bd. 3, S. 205.
38 *Rilke,* ebenda, S. 222.
39 *Dilthey,* Goethe (zit. Anm. 12), S. 178.
40 *Rilke,* (zit. Anm. 9), S. 406.
41 *Rilke,* ebenda, S. 189f.
42 Den Punkt der Überlegung zwischen Jugendstil und phänomenologischer Dingauffassung reflektiert schon *Rilkes* Aufsatz ‚Notizen zur Melodie der Dinge' (1898), SW 5, S. 412–425.

43 *Rilke,* SW (zit. Anm. 9), Bd. 3, S. 227.
44 Zur phänomenologischen Interpretation dieser Begriffe bei Rilke vgl. *Käte Hamburger*, Die phänomenologische Struktur der Dichtung Rilkes, in: K. H., Die Philosophie der Dichter, Stuttgart 1966, S. 179–275. Zu den beiden ersten Teilen des Stundenbuchs, die jugendstilistische Motive enthalten, ohne dem Jugendstil zugerechnet werden zu können, vgl. die Interpretation S. 214–226.
45 Man könnte an Dehmel allerdings im Verfahren Keime des Expressionismus aufweisen, wie es *V. Klotz* an einem Beispiel aus den ‚Wandlungen der Venus' zeigt (zit. Anm. 36, S. 365f.). Vgl. *Horst Fritz*, Literarischer Jugendstil und Expressionismus. Zu Dichtungstheorie, Dichtung und Wirkung Richard Dehmels, Stuttgart 1969 (theoretisch unzureichend).
46 *Richard Dehmel,* Zwei Menschen. Roman in Romanzen, Berlin 1916, S. 64f.
47 *Fritz,* Literarischer Jugendstil (zit. Anm. 45), S. 101.
48 *Claude David,* Stefan George und der Jugendstil (1963), wieder abgedr. in: Jugendstil (WdF) (zit. Anm. 1), S. 382–401. Claude David zeigt Georges Verwendung und Deutung von Motiven des Jugendstils in den frühen Zyklen; wenn er dabei scheinbar zu dem entgegengesetzten Ergebnis kommt, es handle sich hierbei um Gedichte des Jugendstils, so liegt das an dem hier vorgeschlagenen engeren Begriff von literarischem Jugendstil. In der Auffassung, daß George von vornherein eine distanzierende Auseinandersetzung mit dem Jugendstil führt, nicht im Jugendstil dichtet, glaube ich in Davids Ergebnissen Bestätigung zu finden.
49 *David,* ebenda. S. 392.
50 *Stefan George,* Werke, Ausgabe in zwei Bänden, München/Düsseldorf 1958, Bd. I, S. 190.
51 *Herbert Marcuse,* Über den affirmativen Charakter der Kultur, in: H. M., Kultur und Gesellschaft I, Frankfurt 1973, S. 56–102, hier S. 82.

LEA RITTER-SANTINI

Maniera Grande

Über italienische Renaissance und deutsche Jahrhundertwende

> „Wir sind fast alle in der einen oder anderen Weise in eine durch das Medium der Künste angeschaute, stilisierte Vergangenheit verliebt."
> (Hugo von Hofmannsthal, Walter Pater)

M. Jacques Arnoux, Besitzer des *l'Art industriel*, boulevard Montmartre, war kein treuer Ehemann. Frédéric, der junge Student der Rechte, der seine „Education sentimentale" der zarten und sensiblen Mme Arnoux verdankte, betrachtete ihn in der Restaurationsepoche unter Louis Philippe als Millionär, Dilettant und Mann der Tat, außerdem als sehr tüchtig und sehr schlau in seinen kommerziellen Unternehmungen. Er schenkte seiner Frau einen kleinen Schrein mit silbernen Verschlüssen aus der Renaissance-Zeit. Von ihrem „boudoir" – „paisible, honnête et familier" – wandert dieser Gegenstand ehelicher Zuneigung ohne die geringsten Bedenken von seiten des Schenkenden in den kleinen Salon der maîtresse des Geschäftsmannes Arnoux. Die Kunst auf Bestellung von Pariser Malern für *l'Art industriel* hatte er schon mit dem erfolgreichen Handel mit Fayencen getauscht. Dies erlaubte ihm die Großzügigkeit in der Austauschbarkeit von Gegenständen und Gefühlen – „Que voulez-vous faire dans une époque de décadence comme la nôtre? La grande peinture est passée de mode!"[1]

Er produziert Teller, Suppenterrinen, Fliesen mit mythologischen Motiven im Renaissancestil. Er hat schon seinen Teil von ‚ubiquité' erobert, von der, später, Paul Valéry die Veränderung der Kunst selbst abhängig machen will. Der mediocre Maler, der die „Maréchale", die Geliebte des M. Arnoux malen soll, findet die einzige Möglichkeit, diese gutmütige demi-mondaine in ein Salonbild zu verwandeln: im Tizianstil, gehoben noch durch reicheren Dekor à la Veronese. Die karierte Robe wird zu rotem Samt, eine Sardinenbüchse zur kostbaren Schatulle, ein Messer zum Dolch. Perlen ließen sich besonders gut mit rötlichem Haar flechten; doch das ist eine Verwandlung, die auf Widerstand stößt: die Dame der Halbwelt hat kein rotes Haar. „Laissez donc! Le Rouge des peintres n'est pas celui des bourgeois!"[2]

Auch die Bürger liebten damals das Rot, ihr Rot, wenn man Flaubert glauben will. Und das nicht nur in der Hauptstadt des Second Empire. Hermann Bahr beschreibt in seiner *Secession 1900* fast schon mit der Verfremdung, mit der man die eben erkannten Mängel durch Neuerungen auszugleichen versucht, ein Wiener Interieur Weihnachten 1885 ... „Ein hoher Saal, in einem vagen venetianischen Stil. Die vermummten Fenster lassen den Tag nicht herein. Ein Wiederschein von tiefem Roth auf gebräuntem Gelb ... alte Waffen, alte Geigen, alter Schmuck. Roth der Teppich, rothe Stoffe auf dem ungeheuren Divan ausgebreitet, rothe Gehänge an den Fenstern. In einer Vase Feuerlilien, Türkenbund und Tigerlilien ... Als Supraport eine nackte Frau auf einem Throne, ein rothes Tuch unter den Füßen ... Und rings Copien nach Tizian und Giorgione. In der Ecke unter der *Himmlischen und irdischen Liebe* ein Harmonium, auf dem ein paar Wiener Witzblätter liegen, mit ihren grellen lasciven Figuren . . ."[3]

Rot war das römische Atelier Franz Lenbachs, bevor er geadelt wurde; Makart-Rot war das dunkle Rot eines Samtstoffes, der Damen wie Pleureusen polstern sollte. Rot, karmesin, purpurrot die seidenen Kissen, um Bett oder Thron zu bilden, in Gabriele D'Annunzios römischer garçonnière.[4] Rot die warme Farbe, die gegen das Weiße – das Rohe, Unfertige – kämpfen sollte, um den richtigen Hintergrund für das Renaissance-Zimmer zu bilden; denn:

„Zum dritten Male seit hundert Jahren wird ein ernster Anlauf genommen, um aus alten Quellen eine neue Dekorationskunst zu schöpfen. Diesmal mit entschieden richtigerer Wahl der *Vorbilder*, mit inniger Vertiefung und größerem Geschick. Der Anschluß an die Renaissance, jene wundervolle Kunst, welche noch zu Ludwig von Bayerns Zeiten – also vor kaum 30 bis 40 Jahren – als ‚Zopf' verachtet war, hat unsere Bestrebungen auf einen gesunden und fruchtbaren Boden gebracht. Wie die Renaissance selbst die breite, von mächtigen Pfeilern und Bogen getragene Kulturbrücke zwischen alten und neuen Weltanschauungen bildet, so finden wir von ihr aus, rückwärtsschreitend auch die sicheren Pfade zu dem – und das ist nicht wenig – was wir aus der Gotik und selbst aus dem Romanischen in die Gegenwart herübernehmen können . . .

Aber noch etwas anderes ist es, das uns die neue Geschmacksrichtung als eine glückliche erscheinen lassen muß.

Wenn wir alle vorausgegangenen Kunstepochen auf die Frage hin prüfen, welche von ihnen im großen und ganzen unserer Naturauffassung und unserem sozialen Gemüt am meisten sympathisch sei, so stoßen wir immer wieder auf die Renaissance, eben gerade deshalb, weil wir in ihr auch eine hohe nationale Kunstentwicklung auf dem Boden wesentlich schon moderner Weltanschauung finden."[5]

So argumentiert 1898 einer der Autoren, dessen Werk den Erzähler der Novelle *Gladius Dei*, den jungen Thomas Mann, ärgerlich stimmte, als er diese bibliographisch geschmückte Renaissance-Mode aus den Schaufenstern der Münchner Basare für moderne Luxusartikel prangen sah. Die Fenster und Schaukästen des großen Kunstmagazins, „des weitläufigen Schönheitsgeschäftes von Herrn Blüthenzweig", im leuchtenden Isar-Florenz, enthielten um 1900 nur zeitliche und regionale Variationen jener Bilder und Gegenstände, die Jahrzehnte früher, in der Boutique von M. Arnoux, im Zentrum von Paris zu kaufen waren. Das „Künstlervölkchen da und dort"; in Paris freut man sich, wenn man ein Malermodell in einer reichen Equipage vorbeifahren sieht, in München wirkt die Übersetzung eines ebenfalls bekannten Maler-Modells in eine aphrodisische Madonna sündig und pikant. Ein Werk „ruchloser Unwissenheit oder verworfener Heuchelei?" M. Arnoux, wie auch später dieser Herr Blüthenzweig, hatten erkannt, daß die Zeit gekommen war, das Geschäft mit der Schönheit an den Bürger zu bringen: „D'ailleurs, on peut mettre de l'art partout! Vous savez, moi, j'aime le Beau! Il faudra un de jours que je vous mène à ma fabrique."[6]

In das Geschäft von M. Arnoux zieht es den jungen Frédéric immer wieder: um seine Leidenschaft für Marie Arnoux zu vergessen, beschließt er, eine „Histoire de la Renaissance" zu schreiben. Er versucht Machiavelli, den kühlen Politiker zu verstehen: Indem er sich in die Persönlichkeit anderer versetzt, vergißt er die eigene. In das Geschäft von Herrn Blüthenzweig tritt auch ein junger Mann, gar nicht bemüht um die Renaissance: Hieronymus. Er verlangt vom Besitzer, daß er das ausgestellte Madonnenbild unverzüglich aus dem Fenster „entferne", und zwar für immer. Das Madonnenbild, die Siebenzig-

Mark-Reproduktion in Altgold eingerahmt, macht schlichte und unbewußte Münchner Leute an dem Dogma der unbefleckten Empfängnis irre ... Auf die Antwort, es handele sich um ein Kunstwerk, vom Staat bereits angekauft, spricht der bayrische Hieronymus verdammende Worte:

„Kunst! ... Genuß! ... Schönheit! Hüllt die Welt in Schönheit ein und verleiht jedem Ding den Adel des Stiles! ... Geht mir, Verruchte! Denkt man, mit prunkenden Farben das Elend der Welt zu übertünchen? Glaubt man, mit dem Festlärm des üppigen Wohlgeschmacks das Ächzen der gequälten Erde übertönen zu können? ... Die Kunst ist kein gewissenloser Trug, der lockend zur Bekräftigung und Bestätigung des Lebens im Fleische reizt! ...“[7]

Verfremdet in den Sätzen eines sittlich empörten bajuwarischen Jünglings braucht Thomas Mann nicht nur die abgewandelten Klagen der Predigten Gerolamo Savonarolas in der Wiedergabe Pasquale Villaris, den er damals, gerade um 1900, las und studierte.[8] Er vermischt auch noch die von Jacob Burckhardt erlernte Renaissance-Bildung[9] mit dem Geist Schopenhauers und mit der Treue zu Friedrich Nietzsche; verschlüsselt parallelisiert er das Ende des heidnischen, toskanischen Quattrocento mit der Münchner Jahrhundertwende.[10] Die Renaissance der Pariser Maler um Jacques Arnoux, die Tizian-Inszenierung und die Begeisterung Frédérics bleiben bei Flaubert in einer Dimension, die gleich entfernt von den romantischen Grausamkeiten auf der Bühne Mussets und der farbigen, sinnlicheren Entdeckung Stendhals war. Sie zeigte jedoch die ironische Distanz zum Geschäft „Kunst“ und zu einer ihrer einträglichsten und dauerhaftesten Stilrichtungen, dem Renaissance-Revival.[11] Sie wurde als Nachfolge verstanden, für den Bürger erhältlich bei M. Arnoux, für den Künstler ein Vorbild, das nachahmenswert nur dann war, wenn der Bürger es verlangen sollte.

Die deutsche Literatur der Jahrhundertwende gewinnt eine andere Art von Distanz von den französischen Modellen der Romantik.

„Die Renaissance ist die Kunst des schönen ruhigen Seins. Sie bietet uns jene befreiende Schönheit, die wir als allgemeines Wohlgefühl und gleichmäßige Steigerung unserer Lebenskraft empfinden.“

So definiert Heinrich Wölfflin 1888 die Kunst der Renaissance, den Stil, dem er, mit einem Worte Vasaris, die *maniera grande* zuschreibt, die Absicht jener Wirkung, die „teilweise schon von selbst den großen Stil“ fordert.[12]

Die Literatur folgt der neuen Vorliebe der bildenden Kunst, die schon Hallen und Theater in Renaissancebauten verwandelt hatte, und wählt immer wieder Renaissance-Themen, auch wenn – sollte man einer Äußerung Hugo von Hofmannsthals Glauben schenken – gerade diese Epoche „jeden dichterisch Schaffenden zu Unlust und sicherem Widerwillen“ reizt. „Die Stoffe aus der Renaissance“ – schreibt er 1906 an Richard Strauss, der ihm ein Renaissance-Thema vorgeschlagen hatte – „scheinen dazu bestimmt, die Pinsel der unerfreulichsten Maler und die Federn der unglücklichsten Dichter in Bewegung zu setzen.“[13]

Doch sie setzten sie in Bewegung, selbst die Hugo von Hofmannsthals. Die Kritik gibt Auskunft über die anhaltende Wahl eines historischen Ambiente, über die Dauer eines Revivals, das schon ermüdend wirken konnte für diejenigen, die nur auf seine Formen, nicht aber auf die veränderte Intention eines ausgesuchten Anachronismus und seiner literarischen Verwendung aufmerksam wurden. Statt das Mittelalter der Romantik, glaubte man die fortschrittlichste Epoche im Leben der Menschheit als Spiegel benutzen zu dürfen.[14] Zweideutigkeit begleitet – vielleicht noch deutlicher als in der ersten Hälfte des Jahrhunderts – dieses Phänomen der bewußten Wiederkehr, der absichtlichen

Hinwendung zur Kunst und Geschichte der Vergangenheit, die man in der Gegenwart wieder lebendig machen will. Eine Haltung, die das kritische Urteil ablehnt, von Verzicht gegenüber den echten Realitäten wie Politik oder Ökonomie zeugt und eine Wirklichkeit schafft, die nicht mehr mit der zeitgenössischen Geschichte übereinstimmt. Die unwichtigste Wahl in der Rezeption der Gegenwart ist die Wahl der Vergangenheit, die zur ästhetischen Dimension wird, um Geschichte zu reflektieren.[15] Die ferne Erinnerung des historischen Vorgangs wird von der Imagination adaptiert und vergrößert. Sie ist Fiktion, aber die Glaubwürdigkeit wird ihre geheime Feder. Der historischen Person soll das historische Ambiente entsprechen. Der Rückgriff auf die Vergangenheit zwingt zur Nachahmung, die auch Bewahrung ist. Weder Reaktion noch Restauration bestimmen diese Wahl, die eine Flucht in eine vermeintliche ideale Heimat ist und nur Exil bedeuten kann; Ambiguität und Unentschlossenheit, Desorientierung vor der Zukunft begleiten die Formen dieser Wiederkehr. Der industrielle Pragmatismus findet sich zuerst im mittelalterlichen Handwerkertum, dann in der sicheren Meisterschaft der Renaissance-Herrscher sublimiert, während der Bürger an die Aufgabe der eigenen Klasse glaubt; beide sehen in der Nachahmung des Alten eine ganz neue, angemessenere Verhaltensweise.

„Die naive Moral, der Indianer-Egoismus des Renaissance-Italiens schwimmt in den Bechern, aus denen am Ausgang des Jahrhunderts die Romantiker der klassischen Walpurgisnacht trinken. Auch sie möchten wieder Kind sein und träumen von der Erde unserer Knabenzeit, da wir noch Räuber spielten und die Poesie des Prügels in tiefen Zügen genossen, als der Stärkste ‚principe' war, König, General, Indianerhäuptling. Ein toller ungebärdiger Knabe war auch jener Mensch des sechzehnten Jahrhunderts und mit naiver Knabenleidenschaft griff er nach der Erde, die plötzlich, so jung, so neu und ungekannt wieder hinter den Himmelswelten des Mittelalters auftauchte."[16]

Wer aber Räuber spielen kann und das Prügeln genießt, wer im Spiel die Rangordnung der Aristokratie und der Macht reproduziert, hat starke, tyrannische Väter, mit denen er nachahmend konkurrieren möchte. Wer später von der Poesie des Prügelns träumt, sehnt sich, in seiner Unsicherheit, wieder nach Autorität. Die Herrscher des italienischen sechzehnten Jahrhunderts, Malatesta, Cesare Borgia oder der Herzog Bentivoglio werden anziehende Identifikationsgestalten, Sicherheit bietende Beispiele, deren Kraft dem Lebensspiel die alten Regeln wiedergeben könnte. Es sind die Regeln, die, wie sie in restriktiver Weise die unmittelbare Vergangenheit reproduzieren, eine Charakteristik des Kitsches sein können; doch die typische Väterwelt des Kitsches,[17] in der alles gut und richtig war, die Flucht ins Historisch-Idyllische, in dem feste Konventionen gelten sollen, scheint ihre Modifikation ins Exotisch[18]-Heraldische erlebt zu haben. Es scheint fast ein Vorgang, nicht unähnlich dem der Gotterhebung des Helden wie in den antiken Kulturen, der eine neue Zivilisation begründet hat, und in der nächsten Phase, in der Phase der Ausübung seiner Macht, sich zum Gott deklarieren oder krönen läßt, um sie zu festigen. Die römischen Kaiser, die ein neues Reich gegründet hatten, rekonstruierten ihre Abstammung genauso, eine göttliche, eine auserwählte, entweder in der Konstellation der Gestirne oder in der Generation der Trojanischen Könige. Die Fürsten der italienischen Renaissance ahmten sie nach, wie Ludovico il Moro, der von Anglo, dem Gefährten des Aeneas abstammen wollte. Der Übermensch der Gründerzeit brauchte, nachdem er sich als Träger einer neuen Form der Kultur, der industrialisierten Welt gesehen hatte, wieder die Legitimation einer Sonderstellung, die ihm die Privilegien der erkauften Macht einrahmen und in feierlicher Dekoration zur Repräsentation seiner

Größe dienen sollte. Dieses Zeremoniell scheint aber typisch für die zweite Phase der Macht, die der Dekadenz vorangeht.

Le malheur de ce temps est grand. Ils n'ont point de père.[19]

Claudels Zitat wird von dem „unpolitischen" Thomas Mann übernommen und als bezeichnend verstanden. Sie haben keinen Vater. „Ist nicht dies die Stimme der Zeit?"[20] Diese Stimme war schon hörbar, als die aufbauende Kraft und der verzichtvolle Fleiß der ersten Väter – Piero de'Medici oder Johann Buddenbrook, Bartolomeo Colleoni oder die ehrgeizigen Parvenus unter der dritten Republik – nachlassen mußten, und die Söhne die Last der erreichten Macht zu bewahren hatten.

„Je suis âpre et volontaire. C'est dans le sang. Je tiens de mon père . . ."[21]

Eine der faszinierenden weiblichen Gestalten in der Romanliteratur der Jahrhundertwende, jene Mme Martin, die in Anatole Frances *Le lys rouge* ihre Liebe mit dem Künstler Dechartre in Florenz erlebt und mit ihm die Werke der Florentiner Meister entdeckt,[22] erklärt ihrem Freund, welcher Art ihre Gier nach Leben ist:

„Je suis une enfant de parvenu, ou de conquérant, c'est la même chose . . . Mon père a voulu gagner de l'argent, posséder ce qui se paye, c'est-à-dire tout. Moi, *je veux gagner et garder* . . . quoi? . . . Je suis cupide à ma manière, cupide de rêve, d'illusions."

Ihr Vater, ein Baumeister,[23] hatte das alte französische Schloß Joinville gekauft, um der Familie nachträglich den Glanz der Tradition zu verleihen.[24] Das Streben nach den Sitten der oberen, auch wenn verarmten Klassen, bleibt aber nicht nur bei der bloßen Nachahmung von Stil und Verhalten: das Bedürfnis nach Kompensation greift nach den unsichtbar-wichtigen Zeichen, den gefährlicheren der Abstammung, des Blutes, der Rasse.

„Den Erben laß verschwenden an Adler, Lamm und Pfau", Hugo von Hofmannsthals *Lebenslied* könnte man auch anders hören: wie eine verführerische Einladung, die bannende Kraft heraldischer, emblematischer Wappentiere der Zeit aus der Starrheit ihres Feldes zu befreien, um ihren Reichtum nicht mehr zu bewahren, sondern zu genießen; denn nur reiche Vorväter erlauben die Verschwendung, nur eine lange Reihe von Ahnen rechtfertigt, – ist geradezu die fatale Vorbedingung für den Verfall –.[25] Die bürgerliche Klasse, in Europa an die Macht gekommen, „träumte" in Deutschland das Reich und wußte die Grenzen der eigenen Tugenden der neuen „Tüchtigkeit" nicht besser zu definieren und zu veredeln, als sie im rückgewandten Spiegel mit den alten „virtutes" des italienischen Quattrocento und Cinquecento zu belegen.[26] Es war eine *doppelte Anleihe*; die deutschen Emporkömmlinge, die Industriellen und reich gewordenen Kaufleute in ihren Renaissance-Salons, die Schriftsteller und die Künstler mit ihrer, meistens aus der französischen Romantik und aus Nietzsche-Verehrung übernommenen Thematik, suchten sich Ahnen und Väter.[27] Sie waren ihre Kreditgeber. Diese historische Garantie der eigenen Macht bedarf jedoch einer Überprüfung: die Kreditgeber werden genannt, wie es sich gehört. Sie sind erkennbar und bekannt: die literarische Darstellung zeigt sie in ihrer Größe, als Fürsten, als Führer, als Künstler der Renaissance. Nicht alle waren Söhne von Herrschenden: eher Capitani di ventura, Condottieri wie Francesco Sforza, wie die Bentivoglios, oder Bürger wie die Medici. Sie hatten ihre Fortuna erzwungen. Sie alle aber hatten in dem „giardin dell'imperio" gelebt, nicht in den germanischen Wäldern. Das heroische Arcadien, das in vergangenen Jahrhunderten Edelleute und Kavaliere zu Erziehung und nachahmender Bildung verpflichtete, übt wieder den Reiz einer patriarchalisch herrschenden Kultur im Zeichen vergangener Größe und Macht aus.

Da dieser Glanz und Ruhm nicht heimisch und national sind, bieten sie jene Form abenteuerlicher Bewunderung, die die Exotik in Zeit umd Raum vereint, und in der Suche nach Identifikation Freiheit vortäuscht: sie begleiten immer wieder den Wunsch jugendlicher, mutiger, neuer Generationen.[28] Die historische Dimension, die der italienischen Renaissance vom gebildeten deutschen XIX. Jahrhundert zugesprochen wurde, stellt den erlaubten Raum einer Art mitwissender, gebildeter, gesellschaftlicher Toleranz dar, die jedoch nicht jede Überschreitung duldet. Italienische Condottieri und Abenteurer liefern die Garantie des kühnen Lebens, können aber auch eine Gefahr für die geordnete, disziplinierte Bürgerlichkeit bedeuten. Ihre Kultur, die Form ihrer Bauten, die prunkvolle Einrichtung ihrer Häuser, einen ganzen Kodex von Verhaltenshinweisen sich wieder zu eigen zu machen, ließ erneut die typischen ambivalenten Reaktionen erscheinen, die dieses Phänomen in Deutschland zu begleiten pflegen.

„Wem ich ins Ohr flüsterte, er solle sich eher nach einem Cesare Borgia als nach einem Parsifal umsehen, der traute seinen Ohnen nicht", merkte schon F. Nietzsche.[29]

„Gut deutsch sein, heißt sich entdeutschen" drückte die wiederkehrende *malaise* vieler deutscher Intellektueller der eigenen Nationalität gegenüber ihren Hang nach fremdländischen Korrektiven aus.

„Die Wendung zum Undeutschen ist immer das Kennzeichen der Tüchtigen unseres Volkes gewesen", notiert Nietzsche in *Menschliches, Allzumenschliches*; doch die Tüchtigen im Lande werden gewarnt. Zwischen Cesare Borgia und Parsifal als idealen Führer- und Identifikationsgestalten soll man nicht schwanken. Der deutsche asketische Geist sollte führen. Beißend und verhöhnend, auch wenn sicher nicht weniger gefährlich in seinem Zorn, warnte Julius Hart 1898 immer noch vor dieser fremden, von Nietzsche und Burckhardt provozierten, von Dilettanten übernommenen Travestie. „Aber Ihr guten deutschen Schwachköpfe, seht Ihr nicht, daß Ihr Euren erbittertsten Feind in Euer Haus eingelassen habt? Wollt Ihr Euch ewig von den Fremden führen lassen, die Euer Eigenstes und Ursprünglichstes nicht verstehen können und stets suchen müssen, es zu zerstören und zu vernichten? Seht Ihr nicht, daß der Individualismus, wie ihn Nietzsche verkündigt, ein durch und durch ausländisches Gewächs ist, daß Euer Übermensch durch seine ganze Bildung verwelscht wurde, und als ein romantischer Geist und Denker unter Euch auftrat."[30]

Das ist die andere Seite der Condottiere-Medaille, der Antagonist, wie Thomas Mann später G. Savonarola dem Lorenzo de'Medici gegenüberstellt. Beide kämpfen um eine Führerschaft, beide greifen nach der Macht; doch bleiben sie fremde Kreditgeber; sie wirken immer noch mit der Kraft ihres Namens. Sie sind mächtig und berühmt, sie haben ihre Zeit geprägt, eine Zeit, der sie alle gemeinsam, mit geringen Unterschieden, angehören: der Spätrenaissance.

Jakob Burckhardt war überzeugender gewesen als Henri Thode, der den Anfang der Renaissance in der monastischen Bewegung des Heiligen Franziskus als die „Neue Zeit" sah.[31] „Das Vergehen der Renaissance fesselt uns an ihr vielleicht am stärksten", bekennt Karl Brandi 1899 in seiner ganz an Burckhardt angelehnten Analyse der Renaissance: „Florenz und Rom verhalten sich sehr ungleich . . . Florenz geht unter mit Würde: zuletzt noch Bewunderung erregend durch die alte Schärfe des Verstandes und die Größe des Empfindens. Die große Naturforscherin endet wie ein Arzt, der seine Krankheit kennt und sorgfältig beschreibt."[32]

Das Vergehen einer Epoche, die schon verblüht,[33] wird einer Krankheit gleichgesetzt, aber keiner vorübergehenden. Diese ausgeliehenen Väter, Ahnen und Vorbilder werden literarisch in einer Phase dargestellt, in der ungebrochene Tatkraft, „ruchlose" Vermessenheit, fürstliches Herrschen, die sie ruhmreich machten, schon Erinnerung sind. Sie leihen ihre historische Autorität in der letztmöglichen Phase, der ihres Sterbens;[34] der Zeitspanne des Übergangs, der erzwungenen Machtübergabe, oder einfach der physischen Ohnmacht oder der ästhetischen Unzulänglichkeit.

Selbst bei C. F. Meyer, dem Autor, für dessen Werke die deutschen Historiker den „barbarischen" Namen *Renaissancismus* geprägt haben[35] und den sie zum Repräsentanten dieses Stils erhoben, erscheinen die großen männlichen Figuren der Renaissance in der letzten Phase ihrer „ruchlosen" oder verirrten Größe. Pescara, Feldherr Karls V., wird erst *nach* der Schlacht von Pavia zum Protagonisten der Novelle von C. F. Meyer.

„Aber seltsam", – schreibt Meyer am 12. November 1887 –, „daß dieser Pescara so stark wirkt, trotz der mangelnden Handlung und seiner einzigen Situation: dem Hervortreten der Wunde. Und seltsam, daß er mit der Krankheit des Kronzprinzen zusammentrifft."[36]

Friedrich III., Sohn Kaiser Wilhelms I., der im März 1888 todkrank auf den Thron kam und am 15. Juni starb, gab den Lesern mit seinem Schicksal, dem Herrschaft oder Macht nichts anhaben konnten, eine aktualisierte Identifikationsstütze; er schaffte die Erwartung und das Verständnis für die Rezeption der Novelle.

„Wäre Pescara ‚lebend', *vielleicht* widerstünde er *nicht*" – schreibt Meyer an seinen potentiellen Rezensenten (und meint die Versuchung des Verrats): „denn er ist gleichfalls ein Renaissancemensch, aber er ist gefeit und *veredelt* durch die von ihm von Anfang an *erkannte Todesnähe.* Er ist vielleicht von Hause aus, wie Guiccardin ihn characterisiert, falsch, grausam, und karg, aber die Umwandlung durch die sich nähernde Todesstunde hat begonnen."[37]

Pescara stirbt. Das Land, das sich vor dem Untergang zu retten glaubte, indem es sich an einen sterbenden Helden wandte, geht der Zerstörung entgegen: der *Sacco di Roma,* die Plünderung Roms, bedeutet das Ende einer Epoche. Vittoria Colonna wird als liebende Ehefrau, nicht als Freundin Michelangelos, von einem deutschen Autor für einen Renaissance-Stoff gewählt. – Sie ist die treue, sich aufopfernde Gattin eines sterbenden Helden. Sie darf um so reizvoller und um so faszinierender sein, weil sie schließlich nur Buße tut für ihren Gatten und für Italien: „Für dieses seiner stolzen Frevel und ungewöhnlichen Sünden wegen, an denen es zugrunde gehen wird . . ."

Im ersten Kapitel der Novelle werden zwei hellfarbige Fresken beschrieben, die die Wände eines Saales in dem mailändischen Kastell der Sforza bedecken: „Links von der Tür hielt Bacchus ein Gelag mit seinem mythologischen Gesinde, und rechts war als Gegenstück die Speisung in der Wüste."

Auch wenn dieses Gemälde von einer „flotten, aber gedankenlosen, den heiligen Gegenstand bis an die Grenzen der Ausgelassenheit verweltlichenden Hand" bemalt wurde, bleibt trotzdem ein Gegenstück, eine Speisung in der Wüste. „Bacchus und „der göttliche Wirt", eine Gegenüberstellung, die kaum reale Mahnung für die italienischen Herzöge gewesen sein kann. Der strenge Thomas Mann der *Betrachtungen eines Unpolitischen* erwähnt mit besonderem Lob ein Buch über C. F. Meyer, eben das Buch von Franz Ferdinand Baumgarten, in dem das *barbarische* Wort *Renaissancismus* zum ersten Male auftauchte.[38] Er nannte es ein „schönes Buch", weil der Autor darin als ein *verirrter Bürger und ein Künstler mit schlechtem Gewissen* definiert wurde. Das kritisch angewandte Tonio Kröger-Zitat gefiel ihm.

„Die im Blut sitzenden Vorurteile des Bürgers . . . verdarben ihm die Künstlerfreiheit, und die Verführungen des Künstlerblutes machten dem Bürger das Gewissen schwer . . . er habe *die Leidenschaft, die Brutalität, die Gewissenlosigkeit abgelehnt*, wie der Pescara, wie Angela Borgia", paraphrasiert Thomas Mann weiter. – „Nie ist der eigentümliche Reiz, der von dem Werke des Schweizers ausgeht, feiner empfunden und bestimmt worden: dieser Reiz beruht auf einer besonderen und persönlichen Mischung von Bürgerlichkeit und Künstlertum, auf der Durchdringung einer Welt schöner Ruchlosigkeit mit protestantischem Gebiet. Wenig glich Conrad Ferdinand den durch Nietzsche hindurchgegangenen Renaissance-Ästheten von 1900,[39] welche Nietzsches theoretische Antichristlichkeit mechanisch übernahmen ... Er war Christ, indem er sich nicht verwechselte mit dem, was darzustellen er sich sehnte: dem ruchlos-schönen Leben; er wahrte Treue dem Leiden und dem Gewissen."[40]

Das ruchlos schöne Leben hoffte, wie bei allen guten Christen, daß ihm verziehen wird, wenn man genügend, mindestens genausoviel, entgegenhält. Man schmuggelt es im Erwarteten, man versteckt es im antagonistischen Detail, man verkleidet es im Überlieferten, im historisch Belegten.[41] Der Titel der letzten Novelle C. F. Meyers erwähnt nur Angela, nicht Lucrezia Borgia, das schöne Leben. Getreu dem Modell konstruiert C. F. Meyer 1891 eine Novelle, die aufgeschlagen auf das Harmonium im roten Salon von H. Bahrs „Intérieur" gehört: „das Gegenüber zweier Frauen nach Art der Italiener (z. B. Tizians *Himmlische und Irdische Liebe*). Hier: Zu wenig und zu viel Gewissen." (Brief an Haessel 22.–25. Dez. 1891).[42]

Das „zuviel Gewissen" soll beispielhaft sein, belehrend und um so verwerflicher die Präsenz des „zu wenig". Ohne die ikonographische Gegenüberstellung Tizians auch nur im geringsten zu beachten, wird nur die „irdische" Liebe dämonisiert, dieses Mal aber erlaubterweise; denn die Heldin ist eine sittlich strenge Protagonstin, wie sie die reale Geschichte weder gekannt noch in verklärter Tugend tradiert hat. Die Antagonistin jedoch hat sich in eine emblematische Figur verwandelt, die – in der Kostümierung der Renaissance – auch diese Zeit mit ihrer ewigen Existenz belegt: „Eine zarte Pflanze, aufwachsend in einem Treibhaus der Sünde, eine feine Gestalt in den schamlosen Sälen des Vatikans, den ersten Gatten durch Meineid abschüttelnd, einen anderen von ihrer Brust weg in das Schwert des furchtbaren und geliebten Bruders treibend ... Mit der von ihrem unglaublichen Vater ererbten Verjüngungsgabe erhob sie sich jeden Morgen als eine Neue vom Lager, wie nach einem Bade völligen Vergessens."[43]

Nicht anders als den Menschen Unheil bringendes weibliches Geschöpf des mythologischen Trostes für das menschliche Geschick, besitzt diese historische Lucrezia von C. F. Meyer dieselbe Verjüngungsgabe, die an Goethes Pandora denken läßt, wenn sie ihren Vater Prometheus fragt, wie der Tod sei.

> Wenn alles – Begier und Freud und Schmerz –
> Im stürmenden Genuß sich aufgelöst,
> Dann sich erquickt in Wonneschlaf, –
> Dann lebst du auf, aufs jüngste wieder auf,
> Aufs neue zu fürchten, zu hoffen und zu begehren![44]

Der Tod als Höhepunkt des Lebens kann aber in diesem Kontext als eine erotische Erfüllung verstanden werden, als die „Petite mort", wie Georges Bataille sie nennt. Doch sie kann in dieser Zeit grausamer und schrecklicher sein als der typische Tod der Renaissance durch Dolch und Gift.

Oskar Panizza, der wie C. F. Meyer an das Ende Ulrich von Huttens dachte, läßt in seiner Himmelstragödie *Das Liebeskonzil* (1893) den Teufel, die einzige Kreatur, die „keine Ahnen und Vergangenheitsregister" braucht, ein neues süßes Gift erfinden, „zum hinunterschlucken wie Sirup", um die schamlosen Sünder in den vatikanischen Gemächern mit dem Keim eines schleichenden, fürchterlichen Todes anzustecken. *„Das Weib“*, ein junges blühendes Wesen mit schwarzen Haaren, mit tiefliegenden Augen, in denen „eine verzehrende, aber noch nicht aufgeschlossene Wollust verborgen liegt“, in ganz weißem Gewand, die Tochter des Teufels, ist die Beauftrage des Himmels, diese eine giftige Krankheit am päpstlichen Hofe Alexanders VI. Borgia zu verbreiten. Ihre Mutter hatte der Teufel in den ihm zugehörenden Gefilden zu wählen: „Welche von diesen wähl' ich mir jetzt aus als Mutter für mein glorioses Geschöpf?. . . Schön! – Verführerisch! – Sinnlich! – Giftig! - Hirn und Adern verbrennend! – Ahnungslos! – Tollpatschig! – Grausam! – Berechnungslos! – Seelenschmutzig! – Naiv! –“[45]

Wie in einer literarisch-historischen Überschau läßt er Helena von Sparta, Phryne aus Athen, Héloise, Latinistin des 12. Jahrhunderts, Agrippina, Mutter, Gemahlin und Mörderin von Kaisern bedenklich auferstehn: er entscheidet sich aber, der Zeit und dem „Zeitgeist“ seines Autors getreu und verbunden, für die letzte in seinem Reiche, für Salome, Tochter der Herodias, die sich den Kopf eines Lebenden wünschte. Die Zeitgenossen akzeptierten Motiv und Reihenfolge der Teufelswahl, wenn sie für den melancholischen Faust auf der Bühne Gounods bestimmt waren, das mitempfundene Vergnügen erhielt jedoch eine Schockwirkung durch die Aufhebung der assoziativen Fixierung und durch das Heraustreten der Anfechtung aus der Isolierung des Mythos und der Geschichte.

„Das Weib“ Panizzas wird dem päpstlichen Hof mit ihrem Gift, der Syphilis, das Verderben bringen, Alexander und Cesare Borgia, Vater und Sohn in demselben Fluch halten, das bacchantisch genüßliche Treiben der Mächtigen zugrunde richten.

Oskar Panizza wurde von der Staatsanwaltschaft München wegen Vergehens wider die Religion zu einem Jahr Haft verurteilt. Er verteidigte seine Sache am 30. April 1895 vor dem königlichen Landgericht: „Sie wissen, meine Herren, daß Ende des fünfzehnten Jahrhunderts in Italien, und später auch in Deutschland, eine Krankheit epidemisch auftrat, die die furchtbarsten Zerstörungen am menschlichen Körper verursachte . . . die alle Stände, Hoch und Nieder, ergriff, und die man die ‚Lustseuche‘ nannte. Man wußte nicht, woher sie kam . . . Es war in gewissem Sinne schlimmer als beim ‚schwarzen Tod‘.“[46]

Wäre Oskar Panizza dem ästhetischen und ethischen Gebot der Zeit gehorsam gefolgt, hätte er den Kostümzwang respektiert und sein „Weib“ historischer in der Kleidung einer dämonisierten Lucrezia, oder dem topos noch treuer, einer verderbten venezianischen Kurtisane auftreten lassen, vielleicht wäre das Urteil des königlichen Landgerichtes milder, sicher nicht härter als für Gemeinverbrecher ausgefallen. Aber Panizza brach die Gesetze, den Kode der Entschlüsselung, entkleidete sein Prinzip, nahm ihm die Brokatrobe und das Makart-Rot des Salonfähigen; er stellte es so dar: von der Geschichte ungeschützt, ohne Abschirmung durch eine historische Realität. „Das Weib“ war unerwartet weiß gekleidet und wiederholbar. Dic Tochter des Teufels und der Tänzerin Salome blieb ohne bestimmbare Identität, ohne Namen: „Das Weib“, emblematisch und zeitlos neben den einmaligen, verderbten, verdammten, aber historisch sicheren Alexander und Cesare Borgia. Die Demaskierung war geschehen, die Historie als ein Teil aufgebauter Mystifikation erkannt und gebraucht. Das Weib hätte auch Lulu heißen können.

> Sie ward geschaffen, Unheil anzustiften,
> Zu locken, zu verführen, zu vergiften –
> Zu morden, ohne daß es einer spürt.[47]

C. F. Meyer nannte es statt dessen „zu wenig Gewissen", stellte ihr die verfälschte historische Strenge eines als nachahmenswert suggerierten Modells gegenüber, gab ihr die bekannte Renaissancetracht Tizians *irdischer Liebe* und sie wurde zur Schullektüre.

Gabriele D'Annunzio, der den wiedererzählten Luxus und die nachgedichtete sakral-weltliche Pracht der Renaissance als literarisch vererbtes Eigentum empfand,[48] nutzte den historischen Dekorationsrahmen als sinnlichen Anreiz für eine Steigerung seiner dichterischen Lust, die Gegenwart durch die Vergangenheit zu genießen.[49] Er wagte, was deutsche Schriftsteller nur der Sphäre der „sündigen Vorstellung" überließen, den offenen Vergleich zwischen geschichtlichem Vorbild und eigener Realität.[50] In seinen Gedichten *Isaotta Guttadauro* dient Giulia Fernese, die Geliebte des Papstes, nur als idealer Beleg für den eigenen erotischen Wunsch:

> Mentre Lucrezia Borgia, in nuziale
> pompa venia con piano
> incedere (la veste liliale
> risplendea di lontano)
> tra i cardinali prinzipi in vermiglia
> cappa, che con ambigui
> sorrisi riguardavano la figlia
> de'l papa . . .[51]

Die Anfangssituation ist dieselbe wie in den ersten Zeilen von C. F. Meyers Novelle; doch während C. F. Meyer Lucrezia Borgia nur den „deutschen Professoren" wegnehmen will,[52] – „die würdigen Männer schritten feierlich je vier an einer Seite des Baldachins, neben welchen andere acht gingen" – aktualisiert D'Annunzio, in dem zweideutigen Gefolge der lüsternen Curie-Höflinge, mit derselben subtilen Ambiguität Dante Gabriele Rossettis die weibliche Figur seiner Geliebten und Muse, Isaotta, die er auf den historischen Namen der sanften Herrin des Condottiere Sigismondo Malatesta umgetauft hat.

> Allor Giulia Farnese, un suo lascivo
> balen da li occhi fuora
> mettendo . . .
> il sen nudo porse
> . . . Ma prima Isaotta la Musa,
> quelle ch'io piu' cantai, con un baleno
> tra i cigli e con protese
> le bellissime braccia, offre il suo seno,
> come Giulia Farnese.[53]

Gabriele D'Annunzio wurde für seine Isaotta weder verurteilt noch in den Rang eines Schulautors erhoben. Er mußte sich mit der ironischen Parodierung seiner erhabenen Sinnlichkeit begnügen.

Schlimmer als der „schwarze Tod" hatte Panizza die neue Zerstörung genannt, die weder Adel noch Macht respektierte und die in der Spätrenaissance auftrat. Die Zeit war fortgeschrittener: schwüle Luft, buntes Buschwerk werden die Zeichen des ästhetischen Hintergrundes, mit denen die meisten Autoren eine Jahreszeit, den Spätsommer, mit *ihrer* Renaissance verbinden.[54] Das Frühlingshafte, das Leichte, das Zarte und Spröde der Frührenaissance bleibt einer subtileren Prüderie vorbehalten, allegorischer Garten für den neuen lichten Stil. Der Tod ist dort wie die natürliche Vollendung einer Phase, die nicht aus der Schönheit austreten will, keine lauernde Gefahr. „Die Hilfe des ‚Ästheten'", wie H. Bahr sie definierte, „um die Gegenwart zu vergessen, und die Vergangenheit zu wecken", wirkt allgemein und undifferenzierter: „Alte, blasse, schlanke Webereien, gotische Möbel und danteske Trachten, Lilien, Wappen und die laute Pracht der Pfauen-Gewänder von Mantegna und botticellisch ernste Frauen" sind unbestimmte, vage Requisiten geworden. Sie färben und verändern sich wie im Untergehen eines langen Tages. „Die sinkende Renaissance" der lyrischen Dramen Hugo von Hofmannsthals, die fiebernde Lagune, die glühende, panische Hitze, die H. Manns Herzogin von Assy zerrüttet, die „Epiphanie" des Feuers, wie sie Gabriele D'Annunzio in der Rede über die venezianischen Maler verkündigt, wollen nicht mehr nur die edle Strenge, die anmutige neue verführerische Grazie des frühen Quattrocento wiederfinden und verherrlichen. Ihr Zeichen könnte eher das gründlich-dunkle Haupt der Medusa, Leonardo zugesprochen, als das sinnlich-pikante Lächeln von Botticellis *Primavera* sein. Das deutlichste Beispiel dieser Verschiebung in dem Verständnis einer Epoche, deren Datierungen nicht nur gelehrte Auseinandersetzungen, sondern ideologisch-kritische Haltungen bestimmte, zeigt Rainer Maria Rilkes *Weiße Fürstin.* Walter Rehm bezeichnet „das Italienische vom Ende des 16. Jahrhunderts" dieser lyrisch-dramatischen Szene nur als allgemeinen Stimmungshintergrund, ohne auf Inhalt und Thematik des Stückes einzugehen. Die erste Fassung, wahrscheinlich Sommer/Herbst 1898 geschrieben, erschien in der Zeitschrift *Pan* 4, 1899/1900. Die Bühnenanweisung der ersten Fassung lautet: „Die Hinterbühne: ein weißes Schloß im Stile der *reinen Frührenaissance.* Loggien. Vor den Loggien die Terrasse aus weißem Marmor, welche sich in breiten, weißen Stufen langsam zu dem Garten niederläßt."

Dieses vage „Im Stile der reinen Früh-Renaissance", das die ganze Atmosphäre unbestimmt neoromantisch, fast präraffaelitisch färbt, ist 1904 in der zweiten, in die Gesammelten Werke aufgenommenen Fassung klar fixiert: „Eine fürstliche Villa *(gegen Ende des XVI. Jahrhunderts).* Auf offener Loggia von fünf Bogen ein einfaches, geschlossenes Pilastergeschoß. Davor eine von Statuen eingefaßte Terrasse, von der sich eine Treppe mit breiten Stufen nach dem Garten niederläßt."[55]

Der „Stimmungshintergrund" scheint sich noch mehr an das malerische Vorbild der italienischen *Villa am Meer* von A. Böcklin anzulehnen; die Entgrenzung in der Zeit ist aber aufgehoben. Es ist nur das Ende des XVI. Jahrhunderts, die Figuren werden durch diese Fixierung in einer historischen Dimension eingeschlossen. Der in dunkelroten Samt gekleidete Bote war in der ersten Fassung vages evokatives Element, das dem Dekor zwar etwas historisierende Stimmung der „lebenden Bilder' gab, ohne aber im Zusammenhang mit Handlung und deren Intention zu stehen. Der Bote sollte das Kommen des von der weißen Fürstin „Erwarteten", den Höhepunkt ihres nicht erblühten Lebens verkünden; er berichtet aber von der Not, die über das Land herrscht.

> Das ganze Tal ist nur ein Schrei.
> Weit aus dem Osten kam ein fremder Tod,
> der Hunger hat.
> Er geht von Stadt zu Stadt
> und bricht wie Brot,
> wen er bedroht, –
> entzwei.
> Schon ist er nah.[56]

Eine Not, die allgemein und zeitlos erscheint, die aber, in der Erzählung des Boten, in der zweiten Fassung, in ihrer Intention deutlicher und näher wird. Das Tal ist geographisch bestimmt, die kleinen Dörfer aus der Provinz Lucca:

> ... grau ist die Stadt. Wie dieser Staub so grau.
> Sie steht, als stünde Frohes nicht bevor.
> Sie war ganz ohne Stimme, nur am Tor,
> Da rauften sich die Wachen ...[57]

Eine Stadt, die nicht nur „Die Ferne weise verhüllt", wie die trübe, ekelhafte Stadt Venedig im Frühwerk Hugo v. Hofmannsthals, die schon die Häßlichkeit und die Gemeinheit erleidet. Der Tod geht um, ohne die „hohen schlanken Gitter im Garten von Meistern", das „üppig blumende Geranke", oder die Loggien der Renaissance-Villa zu meiden. Der Tod, erzählt vom Boten der weißen Fürstin, schreitet durch die engen Straßen italienischer Dörfer: aus den engen Türen schreien Frauen, wie auf einem der letzten Bilder A. Böcklins, *Die Pest.*

> Ihr habt das nicht gesehen, wie der Tod
> da kommt und geht, ganz wie im eignen Haus;
> und ist nicht *unser* Tod, ein fremder, aus ...
> aus irgendeiner grundverhurten Stadt,
> kein Tod von Gott besoldet ...

Der „fremde Tod" aus dem Osten der ersten Fassung erhält in der zweiten eine ethische Abstammung: eine *grundverhurte* Stadt hat ihn hervorgebracht, einen Tod, der keine Vollendung, sondern Strafe ist. „Ein fremder Tod, sag ich, den keiner kennt, er aber ist bekannt mit einem jeden."

Der schreckliche und erschreckte Bericht des Boten fixiert die Lebensbedrohung jedes einzelnen: „A peste, fame et bello libera nos Domine", das christliche Gebet, das die existentiellen Gefahren der Menschen bannen helfen sollte, scheint in dieser lyrischen Szene des jungen Rilke um Erbarmen zu bitten:

> — aber morgen, erst morgen
> das Erbarmen,
> heute das Blindsein,
> heute ...

Die weiße Fürstin, für die die Worte des Boten ferne klangen, „wie ein Instrument", erscheint auf dieser Bühne der Jahrhundertwende erst nach dem Bericht des vom Tode bedrohten Menschen, „geblendet vom Leben". Dem Leben „Leben" gibt auch der an der Pest sterbende Tizian, wie ihn Hugo v. Hofmannsthal 1891 in seiner venezianischen Villa während der historischen Epidemie von 1576, sterbend zeigt.[57a] Die Pest wird die notwendige historische Metapher für die unentrinnbare Lebensbedrohung, unausweichliches Ende und Legitimation zugleich für den Wunsch und das Recht zu leben. Es ist aber die Pest der sinkenden Renaissance, die Krankheit einer zu Ende gehenden Epoche, nicht die literarisch noch mittelalterlich erlittene Pest, die im Florentiner Trecento und in Europa die Lust zum Erzählen weckte, um sie zu fliehen und somit den Tod zu überlisten. Die Spätrenaissance und die ihr gleichende Jahrhundertwende, die sie für sich selbst stellvertretend darstellte, hatte keinen Glauben und keine Mittel mehr, den Tod zu überlisten.

Man stirbt, „en buvant et au son de la musique", hatte schon der junge Flaubert in seiner *La Peste à Florence* erzählt, „c'est l'exécuté qui s'enivre avant son supplice".[58] Der Verurteilte, der sich betrinkt, ist kein Edelmann, der an die Macht seiner Skepsis glaubt.

Hans Makart hatte sie gemalt, diese Pest um 1870, in rötliches Licht getaucht, mit jenen „Herrlichkeiten des Hochsommers, die ordentlich überreif am nächsten Tag zu verwelken drohen", die Nietzsche traurig stimmten. Jahre nach seiner Entstehung schwankte man immer noch zwischen den Titeln *Pest in Florenz, Die sieben Todsünden* und *Après nous le déluge.* Angeblich war die letzte die von Makart gewählte Benennung. Die Sintflut, aus der nur eine Arche sich retten könnte, von der aber jeder weiß, daß sie ihm keinen Platz bieten wird. Jens Peter Jacobsen wählte auch die düstere Allegorie des Untergangs, glaubte auch an diese Sünde, die „aus einer heimlichen, schleichenden Seuche zu einer boshaften und offenbaren, rasenden Pest geworden" war,[59] und beschrieb sie in den Mauern einer mittelalterlichen italienischen Stadt. Der nordischen *Pesten i Bergamo* fehlt aber die Lust zur Sünde sowie die subtile, perverse Anziehung der Herausforderung, der Gefahr.[59a]

Fritz Erlers *Pest*, 1900 gemalt, transponiert wie kein anderes Bild dieser Zeit die Idee einer faszinierenden Bedrohung, der man sich nicht zu entziehen vermag: „Er malte nicht die Furie, nicht das Entsetzen, nicht die Gottesgeißel. Sondern er malte die triumphierende Pest, stellte sie dar im Mittelstück eines Dreiflügelbildes und malte in zwei Seitenflügeln ihre Wirkung auf die von der Furcht zum Wahnwitz getriebenen Menschen: eine Orgie und eine Flagellantenszene."[60]

Diese schöne faszinierende Pest, die durch die Straßen einer menschenleeren Stadt schreitet, könnte als Illustration des Traumes dienen, der einem Roman der Jahrhundertwende *Erinnerungen von Ludolf Ursleu dem Jüngeren* nicht nur symbolistische Ausschmückung ist, sondern Metapher der Angst: „... Ich hatte in der Nacht einen gräßlichen Traum, von dem ich noch dies weiß, daß ich alle Straßen unserer Stadt überblicken konnte und daß sie mondhell und ganz still und leer waren bis auf eine einzige hin- und herwedelnde Gestalt, von der ich wußte, daß es die Pest war. Sie sah aus, wie ich es einmal auf einem Bilde gesehen hatte, orientalisch angetan, mit einem feuerroten Turban über dem fahlen Gesicht, fürchterlich schön, tödlich aus bösen Augen blickend. In vielen Türen malte sie ein seltsames Zeichen, und ich wußte, daß alle sterben mußten, die in einem solchen Hause lebten."[61]

Das Zeichen auf den Türen entspricht noch der biblischen Tradition, wie in dem Bild, das Théophile Gautier mit „ce petit frisson dont parle Job" erschaudern ließ, *La Peste à Rome.* Hinter den Türen des deutschen fin-de-siècle aber harrt man nicht im Gebet, sondern man inszeniert – rote Rosen im Haar[62] – die Fiktion einer „bacchantischen Ungebundenheit", fordert die Angst vor dem Tode heraus, indem man das „heilige Leben" zelebriert. Die Anonymität einer menschenleeren Straße hat die topographische Realität der italienischen Szene in ein Land verschoben, wo die Häuser gezeichnet werden, und wo die seltsamen Zeichen das Ende der Menschen bedeuten. Die Stadt, das Land verlassen, werden nur diejenigen können, die passive Zuschauer geblieben sind, den Ekel der Todesorgien und die Öde nach der Heimsuchung nicht überwinden können. „Et ce qui nous a fait partir, c'est plutôt l' odeur insupportable des cadavres." André Gide gibt in seiner *Voyage d'Urien* der allgemeinen Bedrohung und Gefahr der Seuche ihre ganze Ambivalenz: „Notre délivrance vint d'une plus tragique manière. Déjà naissait, grandissait dans la ville, mais doucement d'abord, la peste horrible et lamentable qui laissa toute l'île, après, morne et comme un immense désert. Déjà les fêtes étaient troublées."[63]

Wenn die Pest das Reich des Genusses und der Freude zerstört, ohne Strafe zu sein, kann sie die ersehnte Kraft bedeuten, sich aufzulehnen, um die Schwäche zu überwinden.[64] Sie bleibt aber immer die Voraussetzung, die Vorbereitung für einen neuen

Zustand, wenn man nicht sinnlos in der Todesorgie oder in der Wollust der Selbstbuße endet.

Isidore Ducasse, Comte de Lautréamont, hatte schon 1869 in seinen *Chants de Maldoror* die zufällige Begegnung mit dem absolut Neuen von der *peste asiatique* vorbereiten lassen: „Un malheur se prépare", schreit die Eule über die Madeleine, nachdem die Uhr bei der Börse acht geschlagen hatte.[65] Die kühne Modernität des ersten der Surrealisten verfremdete das Motiv: das Unglück, das man nahe fühlt, ist kaum noch romantisch-dekadente Vorahnung. Die Zerstörung der Requisiten der bürgerlichen Welt brauchte keine Metapher der Tradition; Relikte, objets trouvés, – zwischen ihnen auch historische Fragmente – werden das Neue sein und auch die Erbschaft der Toten. Die deutschen Schriftsteller hatten noch nicht die Uhr der Börse schlagen hören, und die vage Bedrohung, die sie fühlten, bedurfte der historischen Begründung, jener „Rückneigung" – wie Thomas Mann sie später nennen wird – zu vergangenen Epochen, die ein aufkommendes Schicksal verstehen helfen. Die Idee des Todes wurde gebraucht, um das kompensatorisch gesteigerte Lebenspathos glaubwürdig zu machen und die Lust zu erlauben; den Grund des „égarement", der Ausschweifung, einer Gesellschaft zu vermitteln, die sich danach sehnte und ihn nur historisch-anachronistisch zuließ. Sie glaubte das Lied Lorenzo de'Medicis zu singen; doch seine weise, heidnische Einladung:

> chi vuol essere lieto sia,
> del doman non v'è certezza,

war maskiert mit der nationalen Tracht des verbotenen Wunschtraumes, mit der Zensur des Gewissens, die nur die Ausnahmesituation durchbrach. Es ist nicht mehr allein die Unsicherheit des Morgens, das allzeitige Vergänglichkeitsgefühl, das zum heiteren genießenden „Carpe diem" überredet, sondern das Wissen einer sicher bevorstehenden Bedrohung, der man im großen Stil entgegentritt. Als Lorenzo de'Medici 1903 auf der Bühne Thomas Manns auftritt, ist sein Lied verhallt: Es ist der 8. April 1492, der Tag seines Todes. Wie Hofmannsthals Tizian, der seine Schüler verloren und verwirrt allein läßt, hinterläßt Lorenzo eine Schar Künstler und Humanisten, ohne den sicheren, heiteren Schutz seines Hofes. Wie beim Tode des Senators Buddenbrook, leiten Desorientierung und Machtwechsel den Verfall ein; in allen diesen Renaissancestücken wird nicht etwa ein tapferer Condottiere-Tod oder ein exemplarisches Leben zelebriert: die Renaissance dient in ihrer letzten Phase schließlich dazu, eine menschliche Grenzsituation entstehen zu lassen, in der jede alltägliche Lebensregelung aufgehoben wird, die historische wie die zeitgenössische. Hugo von Hofmannsthal hatte die Bedeutung einer solchen historischen Wahl erkannt, als er die Pestepidemie in Alessando Manzonis *Promessi Sposi* ‚eine düstere und furchtbare Episode' nannte, die das Pathos der Stadt hervorrief.

„Ein Ereignis der Art, daß es die ganze Stadt betraf, alle Leben zugleich bedrohte, sonderbare und furchtbare Verkettungen und Auflösungen schuf . . ." Er wählte sie in einer Variation, der aber die lombardische Intensität fehlte. „Im Winter 1892 entstand . . . ‚Tod des Tizian'" – schreibt Hugo von Hofmannsthal an Walther Brecht – „. . . so wie das Fragment jetzt da ist . . . es hätte ein viel größeres Ganzes werden sollen. Es sollte diese ganze Gruppe von Menschen (die Tizianschüler) mit der Lebenserhöhung, welche durch den Tod (die Pest) die ganze Stadt ergreift, in Berührung gebracht werden. Es lief auf eine Art Todesorgie hinaus. Das Vorliegende ist nur ein Vorspiel – alle diese jungen Menschen stiegen dann, den Meister zurücklassend, in die Stadt hinab und erlebten das Leben in der höchsten Zusammendrängung . . . Diese Welt (Venedig und die Tizianschüler) war anstelle einer anderen Welt plötzlich eingesprungen: denn etwa einen Monat vorher wollte ich das Gastmahl der verurteilten Girondisten so darstellen."[66]

Ein Gastmahl der Verurteilten, nicht das Problem der ästhetischen Ohnmacht, der Gleichsetzung der Kunst mit Leben. Die existentielle Todesangt läßt nichts verstummen oder verdammen, sondern die große Puppe, Pan, als letzten Gott anbeten. Todesorgie oder Lebensfest: draußen wartet nicht der Alltag, sondern das Außergewöhnliche, das Große.

Spätestens mit Stendhal und J. Burckhardt gab es in der italienischen Renaissance keinen Alltag, sondern die Zusammendrängung ungewöhnlicher Zustände. Neben der sich zum Kreis schließenden Epidemie erscheint noch eine andere Form allgemeiner Bedrohung: die Belagerung der Stadt durch den Feind, den Hunger, das Feuer: „Nous sommes isolés du reste de la terre, et livrés sans défense à la haine de Florence, ... Mes hommes n'ont plus rien; plus une flèche, plus une balle."[67]

Die Fabel von Maeterlincks *Monna Vanna* brauchte die existentielle Not der Belagerung Pisas, um die Figuren gegeneinander auszuspielen und sie von jeder ethischen und gesellschaftlichen Hemmung zu befreien. Die historische Grenzsituation wirkte als literarisches Mittel und als Prüfstein für menschliches Verhalten. Wie in Maeterlincks *Monna Vanna* (1901) droht in Arthur Schnitzlers *Schleier der Beatrice* (1901) der Stadt Bologna der Einbruch des Feindes, die schrecklichste aller Belagerungen.

> Wie eine rote Schlange glänzt es fern
> Und regt und windet sich und schleicht
> herbei
> ...
> ... und unter ihnen
> Ist Cesar Borgia selbst ...[68]

Eine Frist ist jedem Leben gesetzt, draußen wartet der Tod „und Stunden gelten Tage, Tage – Jahre". Treu der Farbe der Zeit, erschreckt der Tod nicht:

> „Zu seltnem Fest lädt Euch der Herzog ein,
> Umglüht von roten Fackeln der Gefahr ..."[69]

Der Herzog Bentivoglio, der großzügige, liberale, künstlerliebende Herzog Lionardo – den es übrigens in der Geschichte Bolognas nicht gab –[70] war bis zur vorletzten Phase der Bearbeitung des Stückes ein griechischer Bankier: der Dichter, sein Antagonist in der Liebe um Beatrice, ein „verabschiedeter, etwas verlumpter österreichischer Offizier".

Die ursprüngliche Umwelt, das Wien vom Anfang des 19. Jahrhunderts, verwandelte sich durch die „intuitive Gewalt des Autors" (um Schnitzler selbst zu zitieren, der nicht die „künstlerische Wertung, sondern nur den psychologischen Vorgang" notiert) in die Zeit der Renaissance.[71] Die spätere geschichtliche Verankerung, die den Figuren die notwendige, noch fehlende individuelle Lebendigkeit geben sollte, klärt die interne Mechanik einer dramatischen Invention, die mit mäßigem Erfolg dem Wiener Publikum – nicht unwidersprochen – ein Kostümstück aus dem XVI. Jahrhundert vorspielte.[72] Der griechische Bankier – Nikolaus Dumba hatte in jenen Jahren in seinem Palais mit dem von Makart gemalten Bacchantenzug im Arbeitszimmer am Wiener Parkring gelebt –, wird zum Renaissance-Fürsten. Cesare Borgia bedroht seine Macht und die Existenz der Stadt, gönnt ihm aber, was ein Börsenkrach dem Bankier kaum erlaubt hätte: in einer Nacht jede Konvention zu brechen, im roten Licht der angezündeten Festfeuer vor der

Schlacht einen Reigen von Begegnungen und ungewöhnlichen Ereignissen zu veranstalten. Die Zeit der Renaissance und ihre Attribute, diese präzise sich wiederholende Situation der Gefahr ist kein ästhetisierter historischer Prätext oder modische Laune mehr: sie bietet vielmehr ein notwendiges Instrument, eine gesellschaftliche Realität so zu reproduzieren, daß sie aus der Fiktion die Bestätigung der eigenen Existenz erhielt. Aus der Geschichte wurde die Stütze zur Täuschung, aus der ästhetischen Deformation die Bestätigung einer immer noch ruhmreichen und großartigen Gegenwart entliehen. Seiner Herausforderung antwortete – beschwichtigend – die Geste im historischen Kostüm. Für Krankheit und Not sollte der freie Geist dankbar sein: Nietzsche hatte es schon in *Jenseits von Gut und Böse* gelehrt, weil „sie uns immer von irgendeiner Regel und ihrem ‚Vorurteil'" losmachten. Pest und Stadtbelagerung sind Wirklichkeiten, die von jeder Regel befreien; sind Stimulans zum Leben und Metapher des Schicksals. Wer sich retten wird, wird ein homo novus sein, immun, oder im Kampf geboren, ein Gezeichneter oder am Rande Vergessener, ein einzelner, der den neuen Anfang machen oder erleben wird: jemand, der nicht mehr Kind sein möchte und nicht mehr von der jungen Erde seiner Knabenzeit träumen wird, ein Wissender. In Theben bereits hatte die archaische, vernichtende Pest dem noch unwissenden König Ödipus das kommende Unheil angekündigt. Sie war, schon auf der Bühne des Sophokles, Vorzeichen von Ödipus' Schicksal[72a] und begleitete sein Unglück und das Ende der Herrschaft seines Hauses:

> Denn allzusehr – du weißt es, Herr – wankt schon
> Die Stadt, und sie vermag nicht mehr, aus Tiefe
> Und blutigem Wogenschwall ihr Haupt zu heben.
> Sie siecht dahin im Kern der Frucht des Bodens,
> Sie siecht in Herden, in den ungebornen
> Kindern der Fraun; denn niederfährt mit Feuer
> Der Gott und jagt, die grimme Pest, die Stadt,
> Davon das Haus des Kadmos leer wird, doch
> Der dunkle Hades voll von Klag und Jammer.[73]

Erst die Pest ließ Ödipus die Ahnung und später das Bewußtsein seiner tragischen menschlichen Ohnmacht erfahren.

Wie ein Signal lange anhaltender Verdrängung ist dieses Zeichen der Anfangssituation, die sich literarisch wiederholt, in allgemeinen ästhetischen oder historischen Überlegungen kritisch unbewertet geblieben. Erst als Thomas Mann, nach der Jahrhundertwende, den Tod nach Venedig brachte, auch einen Tod aus dem fremden Osten, auch einen epidemischen, bedrohlichen Tod, „aufgestiegen mit dem mephistischen Odem einer üppig-untauglichen Urwelt", schien bei diesem modern belegten Tod hinter der glitzernden Oberfläche venezianischer Paläste, die Verknüpfung frei: der Kritiker der italienischen Renaissance hatte nur auf die zeitliche Umsetzung verzichtet, die Kostümierung abgelehnt, die Situation jedoch übernommen.

Als noch eine Epoche zu Ende ging, schrecklich ernüchtert, so daß sie nicht mehr die dämpfende Vermittlung fremder Geschichte brauchte, um zu der eigenen Entwicklung Analogien zu finden, kehrten die Zeichen wieder: Albert Camus übersetzte die Grenzsituation französischer Städte unter der deutschen Besatzung mit der Allegorie von *La Peste.* Die Pest als absurde „conditio humana", als unentrinnbare Situation eines jeden einzelnen, wie ein „Etat de siège", ein Belagerungszustand, der Mythos, allen Zuschauern von 1948 verständlich, den sich Jean Louis Barrault schon 1941 wünschte, als er *Le*

Journal de l'année de la peste von Daniel Defoe für die Bühne bearbeiten wollte. Albert Camus wählte für seine *Pest* einen Gedanken Defoes: „Il est aussi raisonnable de représenter une espèce d'emprisonnement par une autre que de représenter n'importe quelle chose qui existe réellement par quelque chose qui n'existe pas."[73a]

Die Figur, die in dem deutschen Rückgriff auf die italienische Renaissance gewählt wurde und kaum deutlicher und aktueller die Konflikte, die Ambivalenzen und die spätere Entwicklung dieser Epoche auszudrücken vermag, war die des Ferrareser Mönchs Girolamo Savonarola.[74] Hätte man nur den rebellischen Häretiker gebraucht, um durch ihn, als Verteidiger einer Doktrin gegen die korrumpierte Macht der Kirche,[75] die Gefahr eines verfeinerten Lebensgefühls zu zeigen, hätte ein anderes italienisches Vorbild aus dem ausgehenden XVI. Jahrhundert – sogar mit Nietzsche-Färbung – als Gegenspieler dienen können: Giordano Bruno. Seine Darstellung hätte aber einen fortschrittlicheren politischen Geist gebraucht und nicht die konservative Einstellung, die von Halbe bis zu Gobineau, von Weigand und Isolde Kurz bis Thomas Mann sich als progressiv dachte. Obwohl Giordano Brunos Parallelisierung zu Luther einfacher als bei dem Fratre von S. Marco hätte sein können, obwohl echter Zeitgenosse der Spätrenaissance, der „Zeit der großen Maler", Veronese, Tintoretto, Tizian, wurde ihm kein literarisches Glück zuteil. Gerolamo Savonarola, der doch einen finstereren, engeren, einseitigeren Geist besaß, wurde statt dessen Protagonist, ein Pater, dessen apokalyptische Mahnungen und Warnungen eben zu der „unfröhlichen" Apokalypse gehörten. Das „fratzenhafte, phantastische Ungeheuer" Goethes, der Gewissensmahner am Sterbebett Lorenzos, wie in Lenaus Gedicht, der Künstler-Bekehrer, der Held Gobineaus, erlebt um die Jahrhundertwende, die literarischen und ideologischen Verzerrungen, die nur im Spiegel des Antagonisten ihre Bedeutung finden und die kaum mehr als einige Anhaltspunkte aus der Geschichte entnehmen.

„Könnte man Euch vereinen, dich Lorenzo und Savonarola. Das gäbe erst den ganzen Menschen", spricht Valori zu Lorenzo de'Medici in einem Drama von Helene von Wellemoes-Suhm (1902), das wie in Weigands Drama *Savonarola* (1899) nach einer Versöhnung der Extreme sucht. Thomas Mann übernimmt auch dieses Modell, wandelt es fast biographisch um: „Denn jene beiden Cäsaren und feindlichen Brüder – Lorenzo und der Prior – sie sind nur allzusehr der Dithyrambiker und der asketische Priester . . ., daß allerlei Versuche, Weiteres, Eigneres, weniger Theoretisches zu geben, ihre psychologische Typik zu intimeren und brennenderen Problemen in Beziehung zu setzen, begreiflicherweise übersehen würden."[76]

„Zivilisationsliterarisch" ist der Antagonismus sicher persönlich zu verstehen, wie Thomas Mann auch immer wieder angedeutet hat. „Der Rest ist Nietzsche", notiert er selber. Als Gegenstück zu Heinrich Manns Roman *Die Göttinnen* spielt *Fiorenza* die empörte, brüderliche, ethische Mahnung „mit wiedergebender Unbefangenheit", so daß der Satz aus dem *Savonarola* von Helene von Wellemoes-Suhm den anderen, späteren, berühmteren zu antizipieren scheint: „Die dummen Deutschen müssen uns immer gegeneinander ausspielen und streiten wer der Eigentliche sei. Der Eigentliche wäre wohl der Mann gewesen, den die Natur aus uns beiden hätte formen sollen" (Thomas Mann an Kantorowicz).

Dieser Kontrast, der Antagonismus, bleibt eine typisch deutsche Widerspiegelung der Konflikte: Ästhetentum und Moral. In der *Neuen Rundschau*, 16. Jahrgang 1905, beschließt Emil Schäffler einen langen Artikel mit dem Titel *Das moderne Renaissance-Empfinden*, nach einer thematischen Aufzählung von Renaissance-Dramen, mit diesem

Bedauern: „Auch jenes große Ringen der Geister im Quattrocento, das so mächtig anzieht, der Kampf zwischen Askese und Weltfreude, zwischen den Medici und Savonarola, harrt noch eines Dichters, der ihn zu schildern vermöchte."

Man blättert um, und die nächsten Seiten bringen den ersten Teil von Thomas Manns *Fiorenza.* Doch das Ringen der Geister – das Quattrocento war am Ende – war ein Ringen, dem die Macht nicht fremd war. Der bürgerliche Aufstieg und der Fall der Medici – in denen sich Thomas Mann wiedererkennen mußte – sowie der Anspruch auf die geistige Macht über die Seelen, die Savonarola anstrebte, waren politische Ereignisse. Seine gefährliche Erscheinung, die mit Massenverführung Faszination ausübte, wurde seit je von entgegengesetzten Parteien in Anspruch genommen. Einige Seiten von Savonarolas Predigten standen bis zum vorigen Jahrhundert auf dem kirchlichen Index, während die unmittelbaren Nachfolger von Papst Alexander VI. schon an seine Heiligsprechung dachten. Savonarola erschien den einen wie ein Vorbote der Reformation, den anderen wie der erste Vertreter der Gegenreformation. Seine empörte Ablehnung des Purpurs diente der antiklerikalen römischen Publizistik im Zeitklima des europäischen fin-de-siècle als nationale Identifikationsstütze,[77] als Vorbild, ästhetisch-verklärt, neu zu verstehender Zucht. Er besaß das Genie, Prozessionen zu inszenieren, gebrauchte Jugendliche und Kinder, um über deren Eltern Aufsicht ausüben zu können, mißtraute den Intellektuellen, verfolgte die Juden, ließ Bücher, die ihm heidnisch erschienen, verbrennen: genug um einen ersten „präfigurierten" Entwurf des intellektuellen Faschismus zu sehen.

„Ich wußte wohl, daß der christliche Politiker Girolamo gegen den sündig in die Grube fahrenden Ästheten Lorenzo das Neue, das Allerneueste vertrat, – Dinge, die zehn Jahre später in Deutschland große intellektuelle Mode sein, von denen jugendlich spröde Stimmen ein Geschrei machen sollten, daß uns die Ohren gellen."[78]

Der unpolitische Thomas Mann wußte es; doch seine geheime „intellektuelle Parteilichkeit und Neugier" galt damals dem Prior, mit seinem Wunsch nach „theokratischer" Demagogie. Doch die Demagogie wurde anders, die Stimmen immer schreiender, die Bücher wurden verbrannt, die Jugendlichen als Aufseher mißbraucht. Der „barbarische" Renaissancismus war nicht nur ein Name gewesen, eine literarische Attitüde, eine Künstlermode,[79] eine Form von Revival, wie die der Gotik oder des Barocks, sondern eine Vorbereitung, viel wichtiger, viel tiefgreifender, viel gefährlicher als jede andere Art von Nachahmung, von Genuß am raffinierten Anachronismus, der den großen Stil[80] wieder entdeckte. Der historische Wunsch nach Größe, nach der maniera grande, wurde schließlich als nationale Wiedergeburt vor der isarflorentinischen Feldherrnhalle inszeniert.

Anmerkungen

1 Gustave Flaubert, L'education sentimentale, in: G. Flaubert, Œuvres complètes, Paris, Editions du Seuil, 1964, tome II, S. 47.

2 „Elle aurait une robe de velours ponceau avec une ceinture d'orfèvrerie, et sa large manche doublée d'hermine laisserait voir son bras nu qui toucherait à la balustrade d'un escalier montant derrière elle. A sa gauche, une grande colonne irait jusqu' au haut de la toile rejoindre des architectures, décrivant un arc . . . Sur le balustre couvert d'un tapis, il y aurait, dans un plat d'argent, un bouquet de fleurs, un chapelet d'ambre, un poignard et un coffret de vieil ivoire un

peu jaune dégorgeant des sequins d'or . . . Il alla chercher une caisse à tableaux, qu'il mit sur l'estrade pour figurer la marche; puis il disposa comme accessoires sur un tabouret en guise de balustrade, sa vareuse, un bouclier, une boîte de sardines, un paquet de plumes, un couteau . . ." G. Flaubert, L'éducation sentimentale, a.a.O., S. 62/63.

3 Hermann Bahr, Secession, Wien 1900, S. 251. Trotz seiner ironischen Beschreibung eines trivialen Renaissancestils muß sich Hermann Bahr doch vorwerfen lassen, er sei auch in diesem ideologischen Ambiente gefangen. Wer ihn anklagt, ist Hugo von Hofmannsthal, der „Die Mutter" von Bahr so rezensiert: „Wie die andern mit der Lebensverneinung, kokettiert er mit der Lebensbejahung. Er kann aus der Renaissance nicht herauskommen, nicht über eine Phase seines Entwicklungsprozesses hinweg. Es ist ein Unüberwundenes in ihm, etwas, wovon er sich nicht gesundschreiben kann: daß dieses Leben . . . eigentlich etwas Großes, etwas Wirkliches ist, ein unbegreiflich hohes Wunder: diese Erkenntnis des lebendigen Lebens, die eine Wiedergeburt ist aus dem Feuer und dem heiligen Geist, die hat Bahr erfahren – und seither hat er nichts erfahren." Hugo von Hofmannsthal, Prosa I, Frankfurt 1956, S. 15, Gesammelte Werke, hrsg. v. H. Steiner.

4 Matilde Serao beschreibt, mit der teilnehmenden Befriedigung der armen parvenue in der römischen Gesellschaft des fin-de-siècle, die garçonnière, die, in allen Nuancen von Rot, Traum und Modell der provinziell-kosmopolitischen Avantgarde werden wird. „Dei cuscini di piume larghi, di seta rossa, rosea, scarlatta, porporina, rosa secca, in tutte le gradazioni del rosso, dal seno della rosa bianca al tetro color vino erano ammuchiati in un angolo: se ne poteva formare un sedile, un letto, un trono." Ein wichtiges Kapitel für die „storia del gusto". Vgl. M. Praz, D'Annunzio arredatore, in: M. Praz, Il patto col serpente, Milano 1973, S. 341.

5 Das deutsche Zimmer der Gotik und Renaissance, Anregungen zu häuslicher Kunstpflege von Georg Hirth, Georg Hirth's Verlag München und Leipzig 1886, S. 125, 49.

6 Gustave Flaubert, Œuvres complètes, Paris, Editions du Seuil 1964, tome II S. 47.

7 Thomas Mann, Erzählungen, Fischer Gesamtausgabe, Frankfurt 1958, S. 211. Die Handlung der Novelle weist erstaunliche Parallelen mit den ersten Kapiteln des Romans „Leonardo Da Vinci" von Dmitrij S. Merezkovskij (1901) auf, der allerdings (die deutsche Übersetzung erschien erst 1903) eher für Atmosphäre und ähnlich gelagerte Konfliktsituation eine Rolle für Thomas Manns „Fiorenza" gespielt haben könnte.

8 Vgl. Brief Thomas an Heinrich Mann vom 8. Januar 1901. In: Thomas Mann, Briefe, I, Fischer Ausgabe Frankfurt 1961, S. 23.

9 „Vergessen wir nicht" – schreibt Lavinia Mazzucchetti, die alte Freundin Thomas Manns, „daß es damals für einen Deutschen leicht war, in der italienischen Renaissance ein von höchster Aktualität erfülltes Problem zu sehen. Wenn Gobineaus „Renaissance" auch in Thomas Manns Geburtsjahr entstand, so brauchte es doch einige Jahrzehnte, bis das Buch in Deutschland entdeckt und gefeiert wurde (die Gobineau-Vereinigung wurde 1894 gegründet, Kretzers Arbeit über Gobineau ist von 1902, Seillière's von 1903). Jakob Burckhardt war gegen Ende des neunzehnten Jahrhunderts gestorben, und das zwanzigste Jahrhundert begann eben erst sein großes Erbe anzutreten." Lavinia Jollos Mazzucchetti, Thomas Mann und das Theater, in: Sinn und Form, Sonderheft Thomas Mann 1965, Berlin 1965, S. 268.

10 Karl Kerényi, in seiner Gedenkrede (gehalten in Zürich am 13. Juni 1965, veröffentlicht in der „Neuen Zürcher Zeitung" Nr. 2, 850, 4. Juli 1965 Bl. 4 mit dem Titel „Thomas Mann zwischen Norden und Süden") widmet gerade dieser Problematik der Novelle „Gladius Dei" sein Interesse und erklärt den kleinen Münchner Skandal der Entfernung einer zu sinnlichen Madonna aus dem Schaufenster für ein zeittypisches, fortschrittliches Phänomen: „Das alles spielte sich im Rahmen der Bildung des alten Europa ab, an der Nord und Süd zusammengewirkt hatten. Geschehen oder glaubhaft gefunden werden konnte es aber nur, weil Grenzen hingefallen waren und früher getrennte Elemente durcheinandergerieten. Nicht nur die Grenze zwischen Kunst und Religion, sondern auch die Grenze *zwischen dem Historischen und dem für die Gegenwart Wünschbaren.*"

11 Das Wort „Revival" lehnt sich weniger an die Formulierung von Kenneth Clark: „The Gothic Revival" an, der bereits 1928 diese englische Kunst- und Modetendenz beschrieb, als an die

allgemeinen theoretischen Betrachtungen über ein europäisches Phänomen des 19. Jahrhunderts, das Giulio Carlo Argan erstmals in seinen Vorlesungen „I Revival" (Venedig, September 1974) analysierte. Giulio Carlo Argan untersucht nicht die Formen des allgemein verbreiteten historischen Rückgriffs auf die Renaissance – für ihn war die Renaissance in dem Florenz der Medici bereits das erste Revival, ein Versuch, das Athen des Perikles wiederauferstehen zu lassen –, sondern die politischen, sozialen und geistigen Zusammenhänge, die zum Phänomen „Revival" überhaupt führten. Für die Problematik in der Kunstgeschichte, vgl. Giulio Carlo Argan, I Revival, Milano 1975, und Erwin Panofsky, Renaissance and Renascences in Western Art, Almquist e Wiksell, Stockholm 1960.

12 „Gegensatz: die *maniera gentile*", notiert Wölfflin, der gleichzeitig Rumohr kritisiert, wenn er die *maniera grande* einfach mit dem „malerischen Stil" identifiziert. Heinrich Wölfflin, Renaissance und Barock, München, Bruckmann 1970², S. 22/23. Die Zitate aus den Werken Wölfflins oder Brandis sollen der Dekodierung des Begriffs „Renaissance" in der deutschen Jahrhundertwende dienen. Wichtig erscheint, was das fin-de-siècle von der und wie es die italienische Renaissance zitiert, was antikes Zitat und was Zitierung im parallelisierten Kontext bedeutet.

13 „Sie sprachen von einem Stoff aus der Renaissance. Lassen Sie mich . . . darauf, verehrter Herr, offen antworten: Ich glaube, daß nicht nur ich, sondern jeder dichterisch schaffende Mensch unserer Zeit keine Epoche mit so präziser Unlust, ja mit sicherem Widerwillen aus seinem Schaffen ausschließen wird, wie diese Epoche . . . Trotz umlaufender Phrasen – die übrigens seit ein paar Jahren schon . . . im Verstummen sind – glaube ich, daß uns keine Epoche in ihrem Lebensinhalt so völlig fern ist als diese –, und daß sogar keinem Kostüm auf der Bühne eine geringere Suggestionskraft innewohnt (nicht einmal der Allongeperückenzeit) als jener bis zum Grausen abgebrauchten Lieblingsdrapierung der sechziger bis achtziger Jahre: Renaissance!" Hofmannsthal an Richard Strauss, in: R. Strauss – H. v. Hofmannsthal, Briefwechsel, hrsg. v. Willi Schuh, Zürich 1964, S. 20.
Diese Mode hielt, trotz Hofmannsthals Bedenken, an. Kaiser Wilhelm II. parallelisierte Anfang des Jahrhunderts noch die italienische Renaissance und die deutsche neue Kunst: „Aber mit Stolz und Freude erfüllt Mich am heutigen Tage der Gedanke, daß Berlin vor der ganzen Welt dasteht mit einer Künstlerschaft, die so Großartiges auszuführen vermag. Es zeigt das, daß die Berliner Bildhauerschule auf einer Höhe steht, wie sie wohl kaum je in der Renaissancezeit schöner hätte sein können. Und Ich denke, jeder von Ihnen wird neidlos zugestehen, daß das werktätige Beispiel von Reinhold Begas und seine Auffassung, beruhend auf der Kenntnis der Antike, vielen von Ihnen ein Führer in der Lösung der großen Aufgabe gewesen ist.
Auch hier könnte man eine Parallele ziehen zwischen den großen Kunstleistungen des Mittelalters und der Italiener, daß der Landesherr und kunstliebende Fürst, der den Künstlern die Aufgaben darbietet, zugleich die Meister gefunden hat, an die sich eine Menge junger Leute angeschlossen haben, so daß sich eine bestimmte Schule daraus entwickelte, die Vortreffliches zu leisten vermochte." – Kaiser Wilhelm II., Die wahre Kunst. 18. Dezember 1901, in: Reden Kaiser Wilhelms II., Rogner & Bernhard, München 1976, S. 109.

14 Dieselbe Meinung vertrat noch Friedrich Engels, der die Renaissance die größte progressive Umwälzung nannte, die die Menschheit bis dahin erlebt hatte. Zu diesem Problem und für die einseitige Rezeption der Renaissance von seiten der bürgerlichen Geschichtsschreibung vgl. Ernst Bloch, Vorlesungen zur Philosophie der Renaissance, Frankfurt 1972.

15 Die Wahl des Anachronismus – die früh-mittelalterliche Strenge des gotischen Revivals, die Wiederentdeckung des Barocks, die Faszination der Rokoko-Zeit sowie die Lust am großen Stil der Renaissance – determiniert die spezifische Form, jene „nostalgie d'un autre siècle", die schon Huysmans als die nötige Daseinserinnerung des Künstlers definierte, der seine Zeit „plate et bête" findet. Diese aristokratische Zurückgezogenheit, die sich der augenblicklichen Laune anpaßt, um danach die Kostümierung zu wählen, könnte auch nur als Zeichen des modischen Dilettantismus verstanden werden. „– Se prêter à toutes ces formes sans nous donner à aucune –", wenn die Interpretation nicht zu einseitig und oberflächlich bliebe. Die Wahl des Renaissance-Anachronismus gibt Auskunft nicht nur über den unmittelbar erklärten oder verdrängten

Aristokratismus der Wähler, sondern auch über die interne Dynamik einer nicht nur ästhetischen Rezeption, die stark und bedeutend genug war, um soziale und politische Verhaltensweisen zu beeinflussen.

16 Julius Hart, Individualismus und Renaissance-Romantik, in: Der neue Gott, Florenz und Leipzig 1899, S. 79.

17 Für diese Verflechtung von psychologischem Bedürfnis und Vorbilderwahl in diesem Zusammenhang vgl. Hermann Broch, Die Kitschromantik, in: Das Böse im Wertsystem der Kunst, und: Einige Bemerkungen zum Problem des Kitsches, in: H. Broch, Dichten und Erkennen, Essays, Band I, hrsg. H. Arendt, Zürich 1955, S. 295–359.

18 Exotik im doppelten Sinne, wenn man dieser Kategorie die ganze Ambivalenz jener „nostalgie de l'obélisque" verlieht, die Gautier und nach ihm die französischen Décadents und Symbolisten gesucht haben: „C'est ... que Sainte-Beuve ne saisit pas" – erzählt E. de Goncourt nur die Worte Gautiers zitierend. – „Il ne se rend pas compte que nous sommes tous les quatres des malades ... ce qui nous distingue, c'est l'exotisme. Il y a deux sens de l'exotique: le premier vous donne le goût de l'exotique dans l'espace, le goût de l'Amérique, ... Le goût plus raffiné, une corruption plus suprême; c'est ce goût de l'exotique à travers le temps." E. et J. De Goncourt, Journal, Paris, Fasquelle 1935, S. 135–136.

19 „Et certes le malheur de ce temps est grand. Ils n'ont point de père. Ils regardent et ne savent plus où est le Roi et le Pape." Paul Claudel, l'Annonce faite à Marie, in: Paul Claudel, Théâtre II, Paris, Gallimard 1965, S. 193.

20 Thomas Mann, Betrachtungen eines Unpolitischen, Fischer Gesamtausgabe, Frankfurt 1956, S. 507.

21 „Meines Vaters Name war Bartholomeus Colleoni" – schreit Madonna Dianora in Hugo von Hofmannsthals „Frau im Fenster", und auch sie rechtfertigt, im Namen des Vaters, die eigene Härte und Würde: „Du kannst mich ein Vaterunser und den Englischen Gruß sprechen lassen und mich dann töten, aber nicht so stehen lassen wie ein angebundenes Tier!" Hugo von Hofmannsthal, Gesammelte Werke, hrsg. v. H. Steiner, Dramen I, Frankfurt 1964, S. 242.

22 Der Reiz, den diese Werke und die Persönlichkeit der Künstler, die sie geschaffen haben, auf die französischen Betrachter ausüben, ist ganz anderer Art als die schwärmerische Begeisterung für triumphierende Größe, die Deutsche nachzuempfinden versuchen. Sie werden anders bewundert: „Pour louer convenablement ces hommes, ... qui, de Giotto à Masaccio, travaillèrent d'un si bon cœur, je voudrais que la louange fût modeste et précise. Il faudrait d'abord les montrer dans l'atelier, dans la boutique où ils vivaient en artisans. C'est là, en les voyant à l'ouvrage, qu'on goûterait leurs simplicité et leur génie. Ils étaient ignorants et rudes. Ils avaient lu peu de chose et vu peu de chose. Les collines qui entourent Florence fermaient l'horizon de leurs yeux et de leur âme. Ils ne connaissaient que leur ville, l'Ecriture sainte et quelques débris de sculptures antiques, étudiés, caressés avec amour. ...– Bienheureux temps, ... où l'on na'avait pas soupçon de cette originalité que nous cherchon si avidement aujourd'hui. L'apprenti tâchait de faire comme le maître. Il n'avait pas d'autre ambition que de lui ressembler, et c'était sans le savoir qu'il se montrait différent des autres. Ils travaillaient non pour la gloire, mais pour vivre." Anatole France, Le lys rouge, in: Œuvres complètes illustrées de Anatole France, Tome IX, Paris, Calmann-Lévy 1948, S. 135–136.

23 „Joinville; vous avez vu le château, les plafonds de Lebrun, les tapisseries faites au Maincy pour Fouquet, vous avez vu les jardins dessinés sur les plans de Le Nôtre, le parc, les chasses." Anatole France, Le lys rouge, Œuvres complètes illustrées, Tome IX, Paris, Calmann–Lévy, S. 65f.

24 Mit derselben Absicht dieser literarischen Figur ließ Alfred Krupp 1873 sein „Großes Haus" errichten. Seinen Baumeister hatte er nach Italien entsandt, um die Bauten zu studieren, die ihm vorschwebten. Das Steinmaterial wurde aus Frankreich bezogen. Vgl. T. Frh. v. Wilmowsky, Der Hügel, Essen 1967. Nicht Bilder von modernen Künstlern oder von großen deutschen Malern der Vergangenheit sollten den Gartensaal zieren, sondern Gobelins aus Kartons von Raffael ließen den Glanz der Tradition erstrahlen. Papst Leo X. hatte dem italienischen Maler den Auftrag gegeben, die Capella Sixtina zu schmücken, die Kaiserin Maria Theresia ließ in

Brüssel die Gobelins anfertigen, die Gustav Krupp später für sein Haus erwarb. In demselben Geschmack verhaftet, in demselben Willen, das eigene Reich mit der Tradition zu verbinden, wählte Hitler einen prunkvollen Gobelin der italienischen Renaissance, um die kalte, monumentale Marmorwand seines Zimmers in der Berliner Reichskanzlei noch grandioser erscheinen zu lassen. Neben Feuerbach und Makart galt seine Vorliebe der italienischen Renaissance, der Tizian-Schule. Vgl. Joachim Fest, Hitler, eine Biographie, Frankfurt 1973, S. 727.
Die Bedeutung des Führers als Mäzen, die fast der Größe eines Renaissance-Fürsten gleicht, betonte Joseph Goebbels in einer seiner Reden: „Unter seiner Hand ist eine Art Renaissance aufgebrochen. Der Führer liebt die Künste, weil er selber ein Künstler ist."

25 „Verschwenden können, vielmehr verschwenden müssen macht somit das Glück des Erben aus, seine ‚schenkende Tugend'. Und auch seine Gefahr insofern er in jedem Sinne leicht das Ende der Reihe bleibt, an einen Abgrund gerät, über den keine Brücke mehr ins Künftige führt, es sei denn die des Wunsches und Wahns." Ernst Bertram interpretiert die Legende seines Nietzsche – das Buch, das Thomas Mann als das ihm verwandte erkannte –, indem er schon die Bedeutung der Herkunft, der Tradition mit dem Sinn der Verschwendung verbindet. „Aber alle Menschen des Wortes, alle Propheten und alle Künstler insgleichen die Redner, Prediger, Schriftsteller" sind für Nietzsche Erben; Erben und aufgehäuftes Erbteil zugleich: „alles Menschen, welche immer am Ende einer langen Kette kommen, Spätgeborene jedesmal . . . und ihrem Wesen nach Verschwender . . . Sie verschwenden den in Rassen und Geschlechterketten langsam gesammelten Überschuß, ein Vermögen, das sich allmählich aufgehäuft hat und nun eines Erben wartet, der es verschwenderisch ausgibt." Die Erbschaft ist Voraussetzung: Die Ahnen sind maßgebend, und diesem Gedankengang folgend, zitiert Ernst Bertram weiter Nietzsches „Götterdämmerung": „Die guten Dinge sind über die Maßen kostspielig und immer gilt das Gesetz, daß, wer sie hat, ein anderer ist, als wer sie erwirbt. Alles Gute ist Erbschaft: Was nicht ererbt ist, ist unvollkommen, ist Anfang." Diese Gedanken waren im Geiste der George-Schülerschaft ausgesprochen; das Bewußtsein, ein Ende und nicht ein Anfang zu sein, ist wiederkehrendes Motiv, seit jenem *Je suis l'empire à la fin de la décadence*, das Lust und Legitimation zugleich für das artistische Gewissen wurde. Friedrich Nietzsche führte wieder, auch in seinem Respekt vor der Tradition: „Die einzige der Alten Tafel, die während gewisser radikaler Perioden sein mühsam und künstlich gehärteter Hammerwille unzertrümmert ließ, war die Ahnentafel." Vgl. Ernst Bertram, Nietzsche, Versuch einer Mythologie, Berlin 1918, S. 14 und 20/22.

26 Der Vorgang war typisch für die obere Gesellschaftsschicht, ein Phänomen, das schon Kenneth Clark im Zusammenhang mit dem Bau von historischen Burgen gesehen hatte: „For one thing admiration for Gothic was common only among the upper classes. They alone had leisure to cultivate a new taste and indulge the dramatic sense; and they built Gothic as a parvenu buys family portraits – to suggest that their pedigree stretched to remote antiquity." Kenneth Clark, The Gothic Revival: An Essay in the History of Taste, London 1962, S. 93f.

27 „L'imitazione del Padre" ist der Titel einer Sammlung von „Saggi sul Rinascimento", die Giovanni Papini 1942 veröffentlichte (Firenze, Lemonnier 1942). Der Leitsatz des Evangelisten „Estote ergo vos perfecti, sicut et Pater vester caelestis perfectus est" (Matthäus V, 48), wird in einem streng nationalen Kontext analogisch entwickelt. Die platonische „Orazione a Dio", die im Sinne Marsilio Ficinos die „Altercazione" von Lorenzo de'Medici beschließt, vereint den Sinn für die „grandezza" des Menschen mit dem für die „devozione" an den Herrn. Die im Buch aufgenommenen Vorträge wurden Ende der dreißiger Jahre gehalten, als Rinascimento und Risorgimento zusammen helfen sollten, die erneut nationale Bewußtseinslage der italienischen Bürger zu formen und sie von ihren historischen Aufgaben zu überzeugen: „Non gesta di antenati famosi, non investiture imperiali, al prinzipio, e neanche imprese guerresche. Per molto tempo non furono che semplici banchieri e, in apparenza, nulla piu' che privati cittadini" (S. 69).

28 Die Italienreise, die Sehnsucht deutscher und nordischer Besucher nach dem Süden, dem Land mit der großen Vergangenheit, ist bereits Anfang des Jahrhunderts mit psychologischer Schärfe, in der Treue zu Freud, analysiert worden: „Die Sehnsucht mancher Menschen, nach Italien oder Griechenland zu reisen, symbolisiert vielleicht auch, abgesehen von den vielen sonstigen Determinanten, das Heimweh nach den Pubertätsjahren, da man im Geiste im Lande der Römer

oder Griechen unter bedeutenden, starken Persönlichkeiten, ebensovielen Auflagen des väterlichen Ideals (der ‚Vaterimago'. Jung) lebte ... War nicht unter den Motiven von Goethes italienischer Reise das Verlangen mitbestimmend, sich mit seinem Vater zu identifizieren, dessen schönste Erinnerung eine Reise in dieses Land blieb?" So Alfred Frh. v. Winterstein in seinem Aufsatz: Zur Psychoanalyse des Reisens, in: Imago V, II, 1912, S. 495.

29 Friedrich Nietzsche, Warum ich so gute Bücher schreibe, in: Friedrich Nietzsche, Werke in drei Bänden, hrsg. K. Schlechta, München 1966, II, S. 1101.

30 Julius Hart, a.a.O. (siehe Anm. 16), S. 89.

31 Die Rezeption von Burckhards „Kultur der Renaissance in Italien" war von derjenigen Stendhals und Hugos vorbereitet worden und hinterließ viel deutlichere literarische Spuren als das Buch Heinrich Thodes „Franz von Assisi und die Anfänge der Kunst der Renaissance in Italien", das aber – seinerseits – eine andere Form von Revival vorbereitete und beeinflußte: die Wiederentdeckung der „Primitiven", die z. B. bei Gabriele D'Annunzio sich mit fast ähnlicher Intensität mit dem „gusto rinascimentale" vermischte. Für diesen Themenkomplex vgl. vor allem: Burckhardt and the Modern Concept, in: Wallace F. Ferguson, The Renaissance in Historical Thought, Cambridge, Mass. 1948, S. 180ff. Noch wichtiger für die Beziehungen zwischen Geschichte und ihrer literarischen Darstellung ist der Beitrag von Fritz Schalk zum Thema Dargestellte Geschichte: Über Historie und Roman im 19. Jahrhundert, in: Dargestellte Geschichte in der europäischen Literatur des 19. Jahrhunderts, hrsg. W. Iser und Fritz Schalk, Frankfurt 1970, S. 39–70. Für die Rezeption ästhetischer Kunstbetrachtung vgl. André Chastel, L'Interprétation ésotérique de la Renaissance à la fin du siècle dernier, in: Umanesimo e Esoterismo, Padua 1960, S. 439–448. A. Chastel, L'Antéchrist à la Renaissance, in: Cristianesimo e Ragion di Stato, Atti del II Congresso internazionale di studi umanistici, Roma 1953, S. 177–186. A. Chastel, L'Apocalypse en 1500, Bibliothèque d'Humanisme et Renaissance, t. XIV, Genève 1952, S. 124–140.

32 K. Brandi, Die Renaissance in Florenz und Rom, Leipzig, Teubner 1899, S. 219. Für die Bedeutung Brandis in der ideengeschichtlichen Entwicklung des Begriffs siehe vor allem: Wallace K. Ferguson, The Renaissance in Historical Thought, Cambridge Mass., Houghton Mifflin Company 1948, S. 355. Das Bild der Krankheit für das Italien der Renaissance wird auch von einem anderen, in anderer Hinsicht wichtigen Analytiker der Epoche gebraucht: Houston Stewart Chamberlain. Seine Variation erweist sich als noch treffender, wenn man sie – analog – auf das spätere Revival anwendet: „Offenbar hatte die hastig errungene Kultur, die heftige Aneignung einer wesensfremden Bildung, dazu im schroffen Gegensatz die plötzliche Offenbarung des seelenverwandten Hellenentums, vielleicht auch beginnende Kreuzung mit einem für Germanen giftigen Blute ... offenbar hatte dies alles nicht allein zu einem mirakulären Ausbruch des Genies geführt, sondern zugleich Raserei erzeugt. Wenn je eine Verwandtschaft zwischen Genie und Wahnsinn dargethan werden soll, weise man auf das Italien des Tre-, Quattro- und Cinquecento! Von bleibender Bedeutung für unsere neue Kultur, macht dennoch diese ‚Renaissance' an und für sich eher den Eindruck des Paroxismus eines Sterbenden, als den einer Leben verbürgenden Erscheinung. Wie durch einen Zauber schießen tausend herrliche Blumen empor, dort, wo unmittelbar vorher die Einförmigkeit einer geistigen Wüste geherrscht hatte; alles blüht auf einmal auf; die eben erst erwachte Begabung erstürmt mit schwindelnder Eile die höchste Höhe: Michelangelo hätte fast ein persönlicher Schüler Donatellos sein können, und nur durch einen Zufall genoß Raffael nicht den mündlichen Unterricht Leonardo's. Von dieser Gleichzeitigkeit erhält man eine lebhafte Vorstellung, wenn man bedenkt, daß das Leben des einen Tizian von Sandro Botticelli bis zu Guido Reni reicht! Doch noch schneller als sie emporgelodert war, erlosch die Flamme des Genies. Als das Herz am stolzesten schlug, war schon der Körper in voller Verwesung." – H. S. Chamberlain, Die Grundlagen des XIX. Jahrhunderts. Bd. II, Die Germanen als Schöpfer einer neuen Kultur, S. 829, München 1912[10].

33 Rainer Maria Rilke dichtet denselben Vorgang, in dem er als letzten Vertreter der maniera grande Michelangelo wählt:

„Das waren Tage Michelangelo's,
von denen ich in fremden Büchern las.

Das war der Mann, der über einem Maß,
gigantengroß,
die Unermeßlichkeit vergaß.
Das war der Mann, der immer wiederkehrt,
wenn eine Zeit noch einmal ihren Wert,
da sie sich enden will, zusammenfaßt.
Da hebt noch einer ihre ganze Last
und wirft sie in den Abgrund seiner Brust.
...
Der Ast vom Baume Gott, der über Italien reicht,
hat schon geblüht.
Er hätte vielleicht
sich schon gerne, mit Früchten gefüllt, verfrüht,
doch er wurde mitten im Blühen müd,
und er wird keine Früchte haben."

Rainer Maria Rilke, Das Stunden-Buch, in: Sämtliche Werke, Frankfurt/Main, Insel Verlag 1955, I. Band, S. 270–271.

34 Krankheit und Tod eines alten Königs haben für C. G. Jung einen archetypischen Charakter, sie gehören zum Werdegang des Helden. „Diesen Anfangszustand schildern viele Mythen und Märchen in der Form, daß der regierende König alt und krank ist, das Königspaar keine Kinder bekommt, daß ein Ungetüm alle Frauen, Kinder, Pferde oder Schätze des Reiches stiehlt, daß der Teufel des Königs Heer oder Schiff festbannt oder Finsternis über die Erde ausbreitet, die Quellen versiegen, Fluten, Dürre oder Kälte das Land heimsuchen." C. G. Jung, Man and his Symbols, London 1964, S. 167. In dem Bilde eines alten und sterbenden Königs wird das kranke Bewußtsein einer Gesellschaft ausgedrückt, die ihre Sicherheit verloren hat. Erst diese Atmosphäre eines sich nahenden Endes schafft die Erwartung der Ankunft eines Helden oder Retters.

„Die Könige der Welt sind alt
und werden keine Erben haben.
Die Söhne sterben schon als Knaben,
und ihre bleichen Töchter gaben
die kranken Kronen der Gewalt.

Der Pöbel bricht sie klein zu Geld,
der zeitgemäße Herr der Welt
dehnt sie im Feuer zu Maschinen,
die seinem Wollen grollend dienen;
aber das Glück ist nicht mit ihnen."

R. M. Rilke hatte schon in dem Stunden-Buch die Metapher der kranken Könige mit dem Bild der glücklosen Zukunft verbunden. – In: Sämtliche Werke a.a.O., S. 328/329.

35 „To the vogue of Hellenism and Romanticism there thus succeeded something like a new intellectual movement, to which the German historians have given the barbarous name of *Renaissancismus.*" In: Wallace F. Ferguson, The Renaissance in Historical Thought. Five Centuries of Interpretation, Cambridge Mass. 1948, S. 180.

36 Conrad Ferdinand Meyer, Sämtliche Werke, hrsg. Hans Zeller und Alfred Zäch, Bern 1962, 13. Bd., S. 377.

37 C. F. Meyer wiederholt in fast jeder Äußerung seine Grundidee der Gleichsetzung eines sterbenden Landes mit einem sterbenden Helden. An Haessel 5. Nov. 1887: „Es ist sicher: die Renaissance-Menschen sind dem deutschen Gefühle unsympathisch. Dazu kommt aber noch ein Zweites: ... Die Täuschung seiner Versucher und das allmälige Hervortreten seiner tödtlichen Verwundg ... Die (wichtigen) großen Momente sind ... Die Aufregung und leidenschaftliche Bewegung einer ganzen Welt um einen „schon nicht mehr Versuchbaren" ... Die Symbolik. Das sterbende Italien bewirbt sich – unwissentlich – um einen

sterbenden Helden", vgl. noch C. F. Meyer an Frick–Forrer, 2. Dez. 1887, Aussagen des Dichters über Pescara, in: C. F. Meyer, Sämtliche Werke, Bd. 13, Bern 1962, S. 377.

38 Es handelt sich für Ferguson wie für Thomas Mann um das Buch von F. F. Baumgarten, Das Werk C. F. Meyers: Renaissance-Empfinden und Stilkunst, München 1917. „Unmittelbarkeit und Unbekümmertheit und Bodenständigkeit des instinktsicheren Renaissancemenschen sind in Meyers Gestalten durch Wissen und Gewissen übertrübt. Seine Gestalten sind Enkel der historischen Modelle . . . Meyer kündet immer das débâcle der Renaissance: das débâcle des Individualismus in der Hochzeit des Mönchs, das der Leidenschaft in Angela Borgia, das des Machiavellismus im Pescara. In Meyers Bild ist die Renaissance von der Reformation angekränkelt und beseelt". A.a.O., S. 52/53. Wieder – wie bei Brandi – das Bild der Krankheit, die der Renaissance anhaftet.
Diese Betonung einer schon „angekränkelten Renaissance" erscheint als wichtige zeittypische Variation des Renaissancebildes in der Tradition der deutschen Literatur. Vom sogenannten Immoralismus in Heinse's Ardinghello bis zur Dämonisierung Italiens bei Eichendorff und E. T. A. Hofmann verändert sich das Italienbild der Romantik bis zur Thematik des Verfalls und des Todes in Platens Sonetten. Vgl. zu diesem Thema vor allem Walter Rehm, Das Werden des Renaissancebildes in der deutschen Dichtung vom Rationalismus bis zum Realismus, München 1924. Für die spezielle Thematik der Beziehung Thomas Manns zur italienischen Renaissance vgl.: Thomas Mann und die Renaissance, in: Thomas Mann und die Tradition, hrsg. von Peter Pütz, Frankfurt 1971.

39 Vier Jahrzehnte später wird Thomas Mann in seinem „Dr. Faustus" noch dieses Ästheten gedenken und ihn in der mediocren, langweiligen, kränklichen Figur des Dr. Institoris – des bloßen Dozenten des Schönen – verdammen: „Institoris war in der Tat kein starker Mann, was sich auch an der ästhetischen Bewunderung erkennen ließ, die er für alles Starke und rücksichtlos Blühende hegte . . . hinter der goldenen Brille blickten die blauen Augen mit zartem, edlem Ausdruck, der es schwer verständlich – oder vielleicht eben gerade verständlich – machte, daß er die Brutalität verehrte, natürlich nur, wenn sie schön war. Er gehörte dem von jenen Jahrzehnten gezüchteten Typ an, der . . . ‚während ihm die Schwindsucht auf den Wangenknochen glüht, beständig schreit: Wie ist das Leben stark und schön!'
Nun, Institoris schrie nicht, er sprach vielmehr leise und lispelnd, selbst wenn er die italienische Renaissance als eine Zeit verkündete, die, von Blut und Schönheit geraucht' habe."
Thomas Mann, Doktor Faustus, Fischer Gesamtausgabe, Frankfurt 1960, S. 381 f.

40 Thomas Mann, Betrachtungen eines Unpolitischen, Fischer Gesamtausgabe, Frankfurt 1956, S. 533.

41 „Je lis dans Taine . . . le récit des fêtes et des moeurs de la Renaissance. Peut-être était-ce là la vraie beauté: toute physique. Il y a quelqe temps, tout ce déploiement de richesses m'eût laissé froid. Je le lis au bon moment: ce lui où cela peut m'intoxiquer le plus." André Gide, Journal (1891), Bibliothèque de la Pléiade, Paris 1948, S. 21.

42 C. F. Meyer, Sämtliche Werke, hrsg. Hans Zeller und Alfred Zäch, Bern 1962, 13. Bd., S. 251.

43 Conrad Ferdinand Meyer, Sämtliche Werke, ebd., 14. Bd., S. 6.

44 „Wenn aus dem innerst tiefsten Grunde
Du ganz erschüttert alles fühlst,
Was Freud und Schmerzen jemals dir ergossen,
Im Sturm dein Herz schwillt,
In Tränen sich erleichtern will und seine Glut vermehrt,
Und alles klingt an dir und bebt und zittert"
Johann Wolfgang von Goethe, Prometheus, in: Goethes Werke, Hamburger Ausgabe, Bd. 4, Hamburg 1953, S. 187.

45 Oskar Panizza, Das Liebeskonzil und andere Schriften, hrsg. Hans Prescher, Neuwied 1964, S. 118 f.

46 In Sachen: Das Liebeskonzil vor dem Königlichen Landgericht München am 30. 5. 1895, in: O. Panizza, Meine Verteidigung in Sachen Liebeskonzil, a.a.O., S. 140/141.

47 Frank Wedekind, Erdgeist, in: Frank Wedekind, Dramen I, hrsg. M. Hahn, Berlin 1969, S. 237.

Die Szenerie der Räume um Lulu entspricht auch dem Zeitgeschmack: „Prachtvoller Saal in deutscher Renaissance mit schwerem Plafond in geschnitztem Eichenholz. Die Wände bis zur halben Höhe in dunklen Holzskulpturen. Darüber an beiden Seiten verblaßte Gobelins." Erdgeist, Vierter Aufzug, S. 298.

48 Hugo von Hofmannsthal evoziert in seiner Gegenüberstellung der zwei Arten der „Römischen Elegien" – die von Goethe und die von Gabriele D'Annunzio –, diese „süße Bezauberung, die der Seele Unerlebtes als erlebt, Traum als Wirklichkeit vorspiegelt. . . . Auch in den ‚Römischen Elegien' des Heutigen, des Italieners, wandeln die Grazien. Aber der Dichter hat sie erst in das Atelier des Tizian geschickt, sich umzukleiden. Sie wandeln beim Plätschern der Renaissancefontänen durch die Laubgänge der mediceischen und farnesischen Villen; farbige Pagen warten ihnen auf, und im smaragdgrünen Boskett spielen weiße Frauen im Stil des Botticelli auf langen Harfen. Zu diesen Elegien hat Rom all seine Erinnerungen hergegeben: die herrischen, die sehnsüchtigen, die prunkenden, die mystischen, die melancholischen." – Hugo von Hofmannsthal, Gabriele D'Annunzio I, in: Gesammelte Werke, Prosa I, hrsg. H. Steiner, Frankfurt 1956, S. 154.

49 Den Unterschied zwischen einer hölzernen und strengen deutschen Art und der lateinischen betont Gabriele D'Annunzio selbst: „Nulla aveva ed ha della eguale disciplina alemanna il mio passo di combattente e di assalitore, cosi come un disegno del mio Pisanello non somiglia a uno di Hans Holbein. Non imita l'automa ligneo e metallico; ma rivaleggia colla pantera e col leopardo."
Auch wenn Metallautome und Leoparden beide eben „Angreifer" sind. Gabriele D'Annunzio, Il libro ascetico della giovane Italia, in: Tutte le opere, a cura di E. Bianchetti, Mondadori Verona [4]1966, Prose di ricerca, di lotta ecc. I, S. 552. Für sehr bedeutende Zusammenhänge zwischen figurativen Vorbildern und literarischer Wiedergabe im Werke D'Annunzios vgl. Bianca Tamassia Mazzarotto, Le arti figurative in Gabriele D'Annunzio, Milano Bocca 1949.

50 In dem Spiel der historisch-ästhetischen Brechungen, die Gegenwart und Vergangenheit im Wiedererkennen und gleichzeitiges Ahnen vermischt, nimmt Lucrezia Borgia die Züge einer Rivalin der mondänen Isabella an, der Protagonistin des Romans „Forse che si forse che no." Die maniera grande der Bilder Tizians wird Liberty-Mode: „Lucrezia Borgia, la tua rivale, dovette rivolgersi a te per avere un ventaglio di bacchette d'oro con piume nere di struzzo, dopo aver cercato invano di imitare quella tue ‚capigliara' a turbante che porti nel ritratto tizianesco."
Gabriele D'Annunzio, Forse che si forse che no, in: G. D'Annunzio, Tutte le opere, a cura di E. Bianchetti, Mondadori Verona [8]1968, Prose di romanzi II, S. 897. Arthur Schnitzler hatte in „Die Frau mit dem Dolche" mit den theatralischen Mitteln der Rückblende zwei junge Leute der guten Wiener Gesellschaft um 1900 vor einem Renaissance-Bild in die Wirklichkeit einer gemeinsam erlebten Prä-existenz, in die Zeit der Pagen und der Dolche versinken lassen. Die Identifikationskraft zwingt sie zur schicksalhaften Nachahmung des in der Geschichte „Erlaubten". Schnitzlers Thematik wirkt aber viel zeitgemäßer als das virtuose Spiel D'Annunzios.

51 „Während Lucrezia Borgia in hochzeitlicher Pracht langsam schritt (das lilienhafte Kleid erglänzte von weitem), zwischen den fürstlichen Kardinälen in purpurnem Umhang, die mit zweideutigem Lächeln die Tochter des Papstes anschauten . . ."

52 Die Antwort auf die deutschen Professoren ist zeitgemäß. Das berühmte Buch „Lucrezia Borgia" von Ferdinand Gregorovius war 1874 erschienen. Seine blutleere Rehabilitierung der sündigen Lucrezia baute auf eine italienische Untersuchung (Giuseppe Campori, Una vittima della storia, La nuova Antologia 1866) und fügte ihr seine puritanische Schwere hinzu. Die Lucrezia Borgia von Gregorovius besitzt weder die Verantwortung der eigenen Schuld noch ein eigenes Leben. C. F. Meyer reagiert als deutscher Schriftsteller seiner Zeit und konstruiert den Antagonismus „Zuviel – zuwenig Gewissen", der historisch sicher weniger überzeugend sein dürfte. Vgl. zu dieser Problematik der erzählten Lucrezia das Buch von Maria Bellonci, Lucrezia Borgia, Milano 1974[12].

53 „Giulia Farnese, mit einem lasziven Blick ihrer Augen ... die nackte Brust bot ... aber vorher Isaotta, die Muse, jene, die ich mehr besungen habe, mit einem Blitz der Augen und mit den wunderschönen gestreckten Armen, ihre Brust bietet, wie Giulia Farnese." Gabriele D'Annunzio, Isaotta Guttadauro, Versi d'amore, Roma 1912, S. 23.

54 Über den Aspekt dieser protheusartigen, von der Imagination der Nachkommen modifizierten Renaissance vgl.: J. Huizinga, Das Problem der Renaissance. Renaissance und Realismus, 1930, Für die Rezeption eines wissenschaftlich-ästhetischen Renaissance-Begriffes vgl. vor allem H. W. Eppelsheimer, der in seinem Essay: Das Renaissance-Problem, in: Deutsche Vierteljahresschrift 11. Jg. 1933, Band XI, S. 477–500, sich auch mit den Gedanken Huizingas auseinandersetzt: „Der ‚Renaissancismus' beherrscht die europäische Bildung des ausgehenden Jahrhunderts; ... in Michelet den Voltairescher, in Burckhardt den Goethescher Färbung. Womit auch sein Urbild, die Renaissance selbst, ... unseren klassisch gerichteten Kulturabschnitten zugeordnet ist." Huizingas Interpretation ist auch Anlaß für weitere Diskussion auf kunst-kulturhistorischem Gebiet, das Feld der Unruhe in den dreißiger Jahren. Vgl. G. Weise, Der doppelte Begriff der Renaissance, in: Deutsche Vierteljahresschrift, 11. Jg. 1933, Band XI, S. 500–529.

55 Rainer Maria Rilke, Sämtliche Werke. hrsg. Rilke-Archiv, Frankfurt: Insel 1955, Band I, S. 203.

56 Ebenda, Band III, S. 274.

57 Ebenda, Band I, S. 214.

57a Peter Szondi macht in seiner Interpretation des lyrischen Dramas Hugo von Hofmannsthals auf das Stück von Maurice Maeterlinck „Intérieur" aufmerksam, das zwei Jahre nach dem „Tod des Tizian" erschienen ist: denselben Schauplatz, die Terrasse vor dem Hause, in dem Tizian die Todesstunde erwartet, stellt die Bühne dar. Szondi erwähnt auch die „fast divinatorische Sensibilität" Stefan Georges, der im Manuskript Hugo von Hofmannsthals in dem Satz „da Tizian neunundneunzigjährig an der Pest starb" das Wort *an der Pest* strich mit der Bemerkung: „damit brächten Sie eine schädliche Luft in Ihr Werk und augenscheinlich ungewollt".
Vgl. Peter Szondi, Das lyrische Drama des Fin de siècle, Frankfurt 1975, S. 221.

58 G. Flaubert, La Peste à Florence, in: Flaubert, Œuvres complètes, Paris 1964, S. 78.

59 Jens Peter Jacobsen, Die Pest in Bergamo, in: J. P. Jacobsen, Sämtliche Werke, Inselverlag Leipzig o. J., S. 678.

59a Der Roman ist unter dem Eindruck einer wirklichen Bedrohung und einer realen Gefahr entstanden: „Im Sommer 1892 ging ein Gerücht durch Hamburg, in der Stadt sei die Cholera ausgebrochen und habe sich schon einige Opfer geholt. Der Senat, der die Bevölkerung nicht beunruhigen wollte, verheimlichte zunächst die Gefahr. Bald konnte sie jedoch nicht mehr verschwiegen werden, da täglich Sterbende und Tote aus den Wohnungen geholt und vor jedermanns Augen abgefahren wurden. Die Krankheit wurde auf eine Einschleppung aus dem Ausland zurückgeführt, was sicher auch zutraf ... In den heißen Monaten Juli und August starben an der Cholera 8200 Einwohner. Der Senat ließ die Schulen für Wochen schließen. Wer es sich leisten konnte, floh in andere deutsche Gegenden ... Die Choleraepidemie hatte auch politische Folgen. Ganz Deutschland fühlte sich durch den Hamburger Krankheitsherd bedroht ..." Johannes Schult, Geschichte der Hamburger Arbeiter 1880–1919, Hannover 1967, S. 41–42). Wie Ricarda Huch von der großen Cholera-Epidemie erschrocken, die 1892 in Hamburg wütete, schrieb Detlev v. Liliencron das Gedicht „Die Pest". Er verwandelte die Atmosphäre der Hansestadt in den exotisch-fixierten Raum einer asiatischen Topographie und verband wie viele Schriftsteller vor ihm und manche nach ihm, von Binding bis zu Hermann Hesse (vgl. die Abenteuer von Goldmund in *„Narziss und Goldmund"*), das grauenhafte Erlebnis einer todesbringenden Epidemie mit dem Erscheinen eines Engels und mit der Liebe und dem Schicksal einer Frau:

„In einer asiatischen Riesenstadt
Bin ich auf meinen Reisen einst gewesen.
Und während meines Aufenthaltes dort
Schritt finster durch die Plätze, Höfe, Straßen
Ein schwarzer Engel viele Wochen lang.

Dem Urgrund eines breiten braunen Stromes
Aus Schlamm und Schlick war hämisch er enttaucht,
Und seine schweren Schwingen tropften Moder.
Die Rechte hielt, wie ein gezogen Schwert,
Wie Genien goldne Palmenzweige tragen . . ."

Die Pest erhöht aber das Liebesverlangen:

„Ein Feuer brach (ists auf dem Hundsstern so?)
Aus unsern Herzen in einander über;
Wir liebten uns mit nie gefühlter Glut."

D. v. Liliencron, Gesammelte Werke, Bd. 3, Berlin 1921, S. 50–54.

60 „Die Pest schreitet in asiatischer Erscheinung, schwefelgelb angestrahlt, im Hauptbilde durch die Straßen einer menschenleeren Stadt. Schreitet mit Riesenschritten, deren Maß weit über Menschliches hinausgeht. Bis zum Gürtel ist sie nackt, ihr Kopfputz sind Flammen, weit der Rock, wehend die bauschigen Ärmel – sie ist eigentlich eine Schwester jenes Dämons des Tanzes im Reißerschen Musiksaal. An ihrem Arm hängt eine Geißel, die Vögel der Verwerfung umflattern dunkel die Gestalt. Sie ist nicht häßlich, abstoßend, eher von dämonischer Schönheit, prall ist ihr Leib, ein drohendes Lachen zeigt ihr Mund, weitaufgerissen sind die Augen. Links ein Bacchanal, zeitlos und unwirklich. Es schildert jenen Taumel der Sinneslust in bösen Tagen, von denen alte Chroniken oft zu erzählen wissen; da nun doch einmal das Leben nicht mehr zu retten war, wurden seine letzten Stunden in orgiastischen Festen genossen, und man starb im Rausch, im Arm der Wollust . . .

Auf dem rechten Flügel der Gegensatz: Flagellanten, in rhythmischer Bewegung, mit Geißeln sich die Rücken zerfleischend, ziehen an einem goldleuchtenden Madonnenaltare vorbei.

So sind die beiden Pole der Empfindung, die das unabwendbare Unheil in den Menschen erzeugt, in Erlers Triptychon ausgedrückt – der sinnlose Trieb, den letzten Rest des Lebens auszugenießen, und die ebenso sinnlose Aszese, die durch Selbstpeinigung den Himmel milder stimmen will."

Fritz von Ostini, Fritz Erler, Bielefeld und Leipzig 1921, S. 47–48.

61 Ricarda Huch, Erinnerungen von Ludolf Ursleu dem Jüngeren, Stuttgart/Berlin 1920, S. 221. Walter Rehm in seinem immer noch wichtigen Aufsatz: Der Renaissancekult um 1900 und seine Überwindung, in: Zs. f. Deutsche Philologie, Bd. 54, 1929, S. 323, erwähnt jene Szene von „Ursleu" von der kleinen Flore Lelallen, die gleich den Florentinern in Boccaccios Decamerone erst recht in die Lebensfreude hinabsteigt, als die Pest wütet, und ihre Freunde jeden Abend zu heiterem Spiel und Gesang um sich versammelt. Er nennt die Szene „gesteigert renaissancemäßig". Jene *Bande vom heiligen Leben*, die mit der zarten Flore in dem zu großen und leeren Hause feiert, ist ein typisches Beispiel für die psychologisch-ästhetische Dimension, die um 1900 der Renaissance verliehen wurde.

62 Im Zeichen Nietzsches steht der dionysische Lebensrausch, der immer wieder Figuren und Situationen im Wirbel des gesteigerten Lebensgefühls ergreift. „Gott Dionysos führen sie im bacchantischen Zug einher. Weinlaub haben sie ins Haar geflochten und als bockfüßige Faunen sich verkleidet. Gott Dionysos: der neue Gott." Julius Hart, a.a.O. (s. Anm. 16), S. 77. In keinem anderen Werk dieser Zeit sind Renaissance-Verkleidung und dionysische Nietzsche-Atmosphäre so deutlich erkennbar wie in Ricarda Huchs Jugendwerk: „Evoe!" Ort der Handlung ist Rom zur Zeit Leos X. In: Ricarda Huch, Gesammelte Werke, Band V, Köln/Berlin 1971, S. 465ff.

63 André Gide, Le voyage d'Urien, Paris 1929, S. 77.

64 „Les vrais chevaliers du Voyage d'Urien refusent de les manger et la peste ravage le royaume des jouissances. Gide se souvient que celles-ci-sont périssables, ‚concrétions qui, sitôt que les doigts les pressent, n'y laissent plus que cendre'. La suspicion et la crainte ramèment le jeune homme par un mouvement de reflux, au refuge de la pensée et du rêve:

Ce voyage n'est que mon rêve,
nous ne sommes jamais sortis
de la chambre de nos pensées. (Le Voyage d'Urien)."

Claude Lebrun, La naissance des thèmes dans les premières œuvres d'André Gide, in: Cahiers André Gide 1: Les débuts littéraires, Paris 1969, S. 216.

65 „Une femme s'évanouit et tombe sur l'asphalte. Personne ne la relève: ... Les volets se referment avec impétuosité, et les habitants s'enfoncent dans leurs couvertures. On dirait que la peste asiatique a révélé sa présence. Ainsi, pendant que la plus grande partie de la ville se prépare à nager dans les réjouissances des fêtes nocturnes, la rue Vivienne se trouve subitement glacée par une sorte de pétrification. Comme un cœur qui cesse d'aimer, elle a vu sa vie éteinte. Mais, bientôt, la nouvelle du phénomène se répand dans les autres couches de la population, et un silence morne plane sur l'auguste capitale. Où sont-il passés, les becs de gaz? Que sont-elles devenues, les vendeuses d'amour? Rien ... la solitude et l'obscurité! Une chouette, volant dans une direction rectiligne, et dont la patte est cassée, passe au-dessus de la Madeleine, et prend son essor vers la barrière du Trône, en s'écriant: ‚Un malheur se prépare'." Isidore Ducasse, Comte De Lautréamont, Œuvres complètes, Les chants de Maldoror, Poésies – Lettres, Bibliographie, Paris 1963, S. 326–327.

66 Brief an Walther Brecht, in: Briefwechsel zwischen George und Hofmannsthal, 2. erg. Aufl. München und Düsseldorf 1953, S. 234f.

67 Maurice Maeterlinck, Monna Vanna, Paris 1928, S. 10.

68 Arthur Schnitzler, Gesammelte Werke, Berlin 1922, 2. Abt., 2. Bd., S. 187f.

69 Ebd., S. 147f.

70 Lionardo, der Name des idealisierten Universalkünstlers der Renaissance, sollte der historischen Wirklichkeit von *Giovanni II* Bentivoglio, der den Valentino 1503 vor den Toren seiner Stadt lagern sah, die ganze „magnificenza" des Fürsten seiner Zeit geben. Giovanni Bentivoglio war sicher ein echter Herrscher seiner Zeit, der Name war aber für A. Schnitzler wichtiger als der Lobgesang der Untertanen, in Bologna 1501, für den „Signor Giovanni":

„Chi vuol veder ventura e uom felice
Miri il signor Zoanne Bentivoglio,
Che navigando il mar ha rotto scoglio
E trovato del triumpho la radice

Per donne, a li Signor da' le figliuole
Li conti e cavalier vi fanno corte
Senza dinari ha quanti amici el vole

Dal suo palazzo a ogn'omo apre le porte,
Signuri e Cardinali quivi alberga
De'barbari e scudier tien d'ogni sorte,

E fa fabbricar forte;
E'liberal benigno e grazioso,
Bello, sano, ricco, forte e virtuoso."

Mehr ein Erbauer aber als ein Freund der Kunst. Vgl. Albano Sorbelli, I Bentivoglio, Bologna 1969, S. 84.

71 „Das Stück wird nach dem neuen Plan bis zur Mitte des zweiten Aktes geführt, und hier ereignet sich folgendes: Die eine der Figuren scheint in geheimnisvoller Weise ihre Maske abzuwerfen oder besser: Die intuitive Gewalt des Autors (was hier keine künstlerische Wertung, sondern nur den psychologischen Vorgang bedeuten soll) bewirkt, daß sich die betreffende Figur zur Gestalt emporspricht, emporhandelt und – von diesem Augenblick an auch den Gesetzen menschlicher Wahrheit untertan – sich als das zu erkennen gibt, was sie eigentlich ist, als ‚einen Fürsten aus der Renaissance'." Arthur Schnitzler, Als Beispiel einer komplizierten Schaffensart, in: Zur Physiologie des Schaffens, in: Arthur Schnitzler, Gesammelte Werke, Bd. 3, Aphorismen und Betrachtungen, Frankfurt 1967, S. 383.

72 Vgl. Paul Goldmann, Der Schleier der Beatrice von A. Schnitzler, in: Aus dem dramatischen Irrgarten. Polemische Aufsätze über Berliner (Theater)aufführungen, Frankfurt 1905, S. 109–124.

72a „Aber noch mehr: In einer Studie über die Anfänge der menschlichen Religion und Sittlichkeit, die ich 1913 unter dem Titel ‚Totem und Tabu' veröffentlicht habe, ist mir die Vermutung nahe gekommen, daß vielleicht die Menschheit als Ganzes ihr Schuldbewußtsein, die letzte Quelle von Religion und Sittlichkeit, zu Beginn ihrer Geschichte am Ödipuskomplex erworben hat." S. Freud, Vorlesungen zur Einführung in die Psychoanalyse, in: Gesammelte Werke, Frankfurt 1944, Bd. XI, S. 343.

73 Sophokles, König Ödipus, I, 22–30, dt. von Emil Staiger, in: Sophokles, Tragödien, Zürich 1944, S. 145–146.

73a Albert Camus, La Peste, in: Théatre, récits, nouvelles, Paris: Bibliothèque de la Pléiade 1962, S. 1215.

74 Eine materialreiche Arbeit über die Figur des italienischen Mönchs ist die Untersuchung von Alfred Teichmann, Savonarola in der deutschen Dichtung, Berlin – Leipzig 1937. Für die spezielle Thematik des Konflikts Savonarola–Lorenzo de'Medici in Thomas Manns „Fiorenza", vgl.: Egon Eilers, Perspektiven und Montage. Studien zu Thomas Manns Schauspiel „Fiorenza", Marburg 1967.

75 Eine interessante italienische Interpretation des Abenteuers Savonarolas, die sich Thomas Mann nähert, findet sich in den schon erwähnten Essays von Giovanni Papini: „Als Savonarola, der mittelalterliche Apokalyptiker, zusammen mit den *vanità* auch Kunstwerke verbrennen ließ, war er – vielleicht – nicht nur vom Wunsche beseelt, mögliche Instrumente der Korruption zu vernichten, sondern auch von einem dunklen Ressentiment bewegt, gegen die neuen Rivalen, die Künstler, die das Primat und Monopol der Propheten und Theologen bedrohten." Giovanni Papini, L'Imitazione del Padre, Firenze 1942, S. 18.
André Gide sieht dagegen in Savonarola den Bilderstürmer, in dessen Nähe kein Kunstwerk überhaupt Platz finden kann: „L'an précédent, j'avais mal compris l'Angelico; je pensais ne trouver en lui qu'une beauté toute pieuse, morale – et que sa peinture n'était que comme un moyen de prière et le plus efficace possible. L'histoire de Savonarole, qui m'occupait en ce moment, me paraissait l'histoire de l'iconoclastie dans tout ce qu'elle a de plus redoutable, et je n'admettais pas que, du couvent de Saint Marc, eût pu sortir une œuvre d'art."
André Gide, Feuilles de route, 16. décembre 1895, in: Journal, Paris, Bibliothèque de la Pléiade 1948, S. 60.

76 Thomas Mann, Betrachtungen eines Unpolitischen, Fischer Gesamtausgabe, Frankfurt 1958, S. 86/87.
Richard von Schaukal hatte im „Zeitgeist" unter dem Titel „Thomas Mann und die Renaissance" einen vernichtenden Artikel über „Florenza" veröffentlicht. Heinrich Mann nahm seinen Bruder in Schutz („Mache", Die Zukunft, Berlin 31. 3. 1906). Richard Schaukal antwortete mit einem öffentlichen Brief in der „Zukunft" vom 14. 4. 1906. Vgl. Thomas Mann, Notizen, hrsg. von Hans Wysling, Beihefte zum Euphorion, Heidelberg 1973, S. 22.

77 Das Bild wurde 1897 gemalt. Ein ‚cartiglio', im untersten Teil lesbar trägt die eine Inschrift aus dem Evangelium: „La mia casa è casa di orazione per tutte le genti/ e voi l'avete cangiata in una spelonca di ladroni."
Gerolamo Savonarola wird in der schroffen Haltung der Ablehnung dargestellt. Die päpstlichen Legaten boten ihm 1495 den Kardinalshut an, als Alexander VI. in der kritischen Zeit der Ankunft Königs Karls VIII. in Italien auch dieses Mittel versuchte, um den rebellischen strengen Prediger auf seine Seite zu gewinnen. Vgl. „La pittura storica e letteraria dell' 800 italiano", dai depositi della Galleria Nazionale d'Arte Moderna, Quaderni della Galleria Nazionale d'Arte moderna I, Roma, De Luca, 1976, S. 32.

78 Betrachtungen eines Unpolitischen, Fischer Gesamtausgabe, Frankfurt 1956, S. 87.

79 Die Interpretation kannte durchaus politische Implikationen. Hier, stellvertretend für andere zahlreiche Beispiele: „Or, l'Italie de la Ranaissance aspirait à l'immortalité et ne l'attendait que de l'esthétique. Ces grands et *beaux tigres humains*, les condottieri, dont le dernier fut empereur des Français, rachetaient leurs crimes par une passion sublime des chefs-d'ceuvre: c'est ici parler le langage ordinaire. Une critique profonde montrerait que la moralité des cruels porte-couronnes ne diffère, que par les formes, de la scélératesse quattrocentiste". S. Péladan, La dernière leçon de Léonard de Vinci, Paris 1892, S. 19.

80 „Nota bene: Dante, Michelangelo, Napoleon" merkt Friedrich Nietzsche in dem Nachlaß aus den achtziger Jahren an, in dem er das Urteil von Taine über Napoleon aus der „Revue des deux mondes", 15. Februar 1887, abgeschrieben hatte. „Man erkennt ihn wieder als das, was er ist: der posthume Bruder des Dante und des Michelangelo . . . il est un des trois esprits souverains de la renaissance italienne."
F. Nietzsche, Werke in drei Bänden, hrsg. K. Schlechta, III, S. 857– Die italienische Renaissance blieb nicht bei Napoleon stehen.

Quellenverzeichnis

Hans Schwerte: Deutsche Literatur im Wilhelminischen Zeitalter. Wirkendes Wort, Pädagogischer Verlag Schwann, Düsseldorf, Jg. 14 (1964), Heft 4, S. 254–270.

Wolfdietrich Rasch: Aspekte der deutschen Literatur um 1900.
W. Rasch: Zur deutschen Literatur seit der Jahrhundertwende. Gesammelte Aufsätze, J. B. Metzlersche Verlagsbuchhandlung, Stuttgart 1967, S. 1–48.

Wolfgang Kayser: Der europäische Symbolismus.
W. Kayser: Die Vortragsreise. Studien zur Literatur, Francke Verlag, Bern 1958, S. 287–304. (Zuerst in: Duitse Kroniek, 1953.)

Hans Wilhelm Rosenhaupt: Die Kritik des Dichters an der bürgerlichen Gesellschaft.
H. W. Rosenhaupt: Der deutsche Dichter um die Jahrhundertwende und seine Abgelöstheit von der Gesellschaft (Sprache und Dichtung, Band 66), Verlag Paul Haupt (Bern/Stuttgart), Bern/Leipzig 1939, S. 11–33. (Kraus Reprint, Nendeln/Liechtenstein 1970.)

Manfred Diersch: Vereinsamung und Selbstentfremdung als Lebenserfahrung Wiener Dichter um 1900.
M. Diersch: Empiriokritizismus und Impressionismus. Über Beziehungen zwischen Philosophie, Ästhetik und Literatur um 1900 in Wien (Neue Beiträge zur Literaturwissenschaft, Bd. 36), Verlag Rütten und Loening, Berlin 1973, S. 127–145.

Wolfgang Martens: Zur gesellschaftlichen Stellung des Schriftstellers um 1900 (Schriftstellerfeste).
Akten des V. Internationalen Germanisten-Kongresses, Jahrbuch für Internationale Germanistik, Verlag Peter Lang, Bern/Frankfurt am Main 1976, Reihe A, Bd. 2, Heft 4, S. 231–239.

Walter Müller-Seidel: Literatur und Ideologie. Zur Situation des deutschen Romans um 1900.
Dichtung, Sprache, Gesellschaft, Akten des IV. Internationalen Germanisten-Kongresses 1970 in Princeton, hrsg. von V. Lange und H.-G. Roloff, Athenäum Verlag, Frankfurt am Main 1971, S. 593–602.

Karlheinz Rossbacher: Programm und Roman der Heimatkunstbewegung. Möglichkeiten sozialgeschichtlicher und soziologischer Analyse.
Sprachkunst. Beiträge zur Literaturwissenschaft, Verlag der Österreichischen Akademie der Wissenschaften, Jg. V (1974), Heft 3/4, S. 301–326.

Jost Hermand: Gralsmotive um die Jahrhundertwende.
J. Hermand: Von Mainz nach Weimar (1793–1919). Studien zur deutschen Literatur, J. B. Metzlersche Verlagsbuchhandlung, Stuttgart 1969, S. 269–297. (Eine frühere, leicht abweichende Fassung in: Deutsche Vierteljahrsschrift für Literaturwissenschaft und Geistesgeschichte, Jg. 36 (1962), S. 521–543.)

Friedbert Aspetsberger: Wiener Dichtung der Jahrhundertwende. Beobachtungen zu Schnitzlers und Hofmannsthals Kunstformen.
Studi Germanici, Edizioni dell'Ateneo, Rom, N. F. VIII (1970), S. 410–451.

Hans-Peter Bayerdörfer: Eindringlinge, Marionetten, Automate. Symbolistische Dramatik und die Anfänge des modernen Theaters.
Jahrbuch der Deutschen Schillergesellschaft, Alfred Kröner Verlag, Stuttgart, Bd. XX (1976), S. 504–538.

Rüdiger Campe: Ästhetische Utopie – Jugendstil in lyrischen Verfahrensweisen der Jahrhundertwende.

Sprachkunst. Beiträge zur Literaturwissenschaft, Verlag der Österreichischen Akademie der Wissenschaften, Jg. IX (1978), 1. Halbband, S. 59–87.

Lea Ritter-Santini: Maniera Grande. Über italienische Renaissance und die deutsche Jahrhundertwende.
L. Ritter-Santini: Lesebilder. Essays zur europäischen Literatur, Verlag Klett-Cotta, Stuttgart 1978, S. 176–211. (Zuerst in: Fin de siècle. Zu Literatur und Kunst der Jahrhundertwende, hrsg. von R. Bauer u. a., Verlag Vittorio Klostermann, Frankfurt am Main 1977.)
Auf die dem Text beigegebenen Abbildungen mußte hier leider verzichtet werden. Die Vorlage enthält folgendes Bildmaterial: Abb. 1. Gobelins (Italienische Renaissance) – Hitlers Zimmer in der Berliner Reichskanzlei (verbrannt). – Abb. 2. Dante Gabriel Rossetti: Borgia. Szene aus der italienischen Renaissance, 1859. – Abb. 3. Arnold Böcklin: Villa am Meer, 1878. – Abb. 4. Arnold Böcklin: Die Pest, 1898. – Abb. 5. Hans Makart: Die Pest in Florenz, 1868. – Abb. 6. Fritz Erler: Die Pest. Mittelstück des Triptychongemäldes, 1899–1901. – Abb. 7. Fritz Erler: Die Pest. Linker Seitenflügel. – Abb. 8. Fritz Erler: Die Pest. Rechter Seitenflügel. – Abb. 9. Jules-Elie Delaunay: Peste à Rome, 1869, Louvre Paris. – Abb. 10. Giulio Bergellini: Savonarola, 1897, Galleria d'Arte Moderna Rom.

Bibliographie

Über die Grundsätze unterrichtet das Vorwort.

Ernst Johann: Die deutschen Buchverlage des Naturalismus und der Neuromantik (Literatur und Leben, Bd. 7), Weimar 1935.

Ernesta Calmberg: Die Auffassung vom Beruf des Dichters im Weltbild deutscher Dichtung zwischen Nietzsche und George (Diss. Tübingen 1936), Würzburg 1936.

Irene Betz: Der Tod in der Dichtung des deutschen Impressionismus, Würzburg 1937.

Hans Wilhelm Rosenhaupt: Der deutsche Dichter um die Jahrhundertwende und seine Abgelöstheit von der Gesellschaft (Sprache und Dichtung, Heft 66), Bern/Leipzig 1939.

Georg Ramseger: Literarische Zeitschriften um die Jahrhundertwende unter besonderer Berücksichtigung der „Insel" (Germanistische Studien, Band 231), Berlin 1941.

Otto Friedrich Bollnow: Unruhe und Geborgenheit im Weltbild neuerer Dichter, Stuttgart 1953.

Arnold Hauser: Sozialgeschichte der Kunst und Literatur, 2 Bde., München 1953 u. ö.

Renate Scharffenberg: Der Beitrag des Dichters zum Formenwandel in der äußeren Gestalt des Buches um die Wende vom 19. zum 20. Jahrhundert (Diss. Marburg/Lahn 1953).

Fritz Martini: Das Wagnis der Sprache. Interpretationen deutscher Prosa von Nietzsche bis Benn, Stuttgart 1954 u. ö.

Theodor W. Adorno: Prismen. Kulturkritik und Gesellschaft, Frankfurt am Main 1955.

Guido Glur: Kunstlehre und Kunstanschauung des Georgekreises und die Ästhetik Oscar Wildes (Sprache und Dichtung, N. F. Bd. 3), Bern 1957.

Elisabeth Klein: Jugendstil in deutscher Lyrik (Diss. Köln 1957).

Otto Friedrich Bollnow: Die Lebensphilosophie, Berlin u. a. 1958.

Wolfgang Kayser: Die Vortragsreise. Studien zur Literatur, Bern 1958.

Richard Hamann/Jost Hermand: Naturalismus (Deutsche Kunst und Kultur von der Gründerzeit bis zum Expressionismus, Bd. II), Berlin 1959, München 1972.

Richard Hamann/Jost Hermand: Impressionismus (Deutsche Kunst und Kultur von der Gründerzeit bis zum Expressionismus, Bd. III), Berlin 1960, München 1973.

Walter Falk: Leid und Verwandlung. Rilke, Kafka, Trakl und der Epochenstil des Impressionismus und Expressionismus, Salzburg 1961.

Walter Schmähling: Die Darstellung der menschlichen Problematik in der deutschen Lyrik von 1890 bis 1914 (Diss. München 1961), Weinheim/Bergstr. 1961.

Hugo Sommerhalder: Zum Begriff des literarischen Impressionismus (Eidgenössische Techn. Hochschule. Kultur- und Staatswissenschaftliche Schriften, Heft 113), Zürich 1961.

Otto Basil, Herbert Eisenreich, Ivar Ivask: Das Große Erbe (Stiasny-Bücherei, Bd. 100), Graz/Wien 1962.

Robert Henry Paslick: Ethics versus Aesthetics at the Turn of the Century. A Battle in German Literary Periodicals, 1895–1905 (Diss. Indiana University 1962).

Hans Schwerte: Faust und das Faustische. Ein Kapitel deutscher Ideologie, Stuttgart 1962.

Bernhard Zeller (Hrsg.): Wende der Buchkunst. Literarisch-künstlerische Zeitschriften aus den Jahren 1895 bis 1900, Stuttgart 1962.

Claude David: Stefan George und der Jugendstil. In: Formkräfte der deutschen Dichtung vom Barock bis zur Gegenwart, Göttingen 1963, S. 211–228.

Harry Pross: Literatur und Politik. Geschichte und Programme der politisch-literarischen Zeitschriften im deutschen Sprachgebiet seit 1870, Olten/Freiburg im Br. 1963.

Fritz Stern: Kulturpessimismus als politische Gefahr. Eine Analyse nationaler Ideologie in Deutschland, Bern/Stuttgart/Wien 1963.

Bernhard Böschenstein: Wirkungen des französischen Symbolismus auf die deutsche Lyrik der Jahrhundertwende, Euphorion, Jg. 58 (1964), S. 375–395.

Otto Breicha, Gerhard Fritsch (Hrsg.): Finale und Auftakt. Wien 1898–1914. Literatur, Bildende Kunst, Musik: Salzburg 1964.
Hans Schwerte: Deutsche Literatur im Wilhelminischen Zeitalter, Wirkendes Wort, Jg. 14 (1964), Heft 4, S. 254–270.
Harry Zohn: Wiener Juden in der deutschen Literatur, Tel-Aviv 1964.
Wolfgang Gross: Gedicht- und Bildstrukturen in Dichtung und Malerei des beginnenden 20. Jahrhunderts (Diss. Köln 1964), München 1965.
Jost Hermand: Jugendstil. Ein Forschungsbericht 1918–1964 (Referate aus der DVJS), Stuttgart 1965.
Die Insel. Katalog einer Ausstellung zur Geschichte des Verlages unter Anton und Katharina Kippenberg, Deutsches Literaturarchiv im Schiller-Nationalmuseum Marbach am Neckar 1965.
Marianne Kesting: Vermessung des Labyrinths. Studien zur modernen Ästhetik, Frankfurt am Main 1965.
Georg Peter Landmann (Hrsg.): Der George-Kreis. Eine Auswahl aus seinen Schriften (Neue Wissenschaftliche Bibliothek, Bd. 8), Köln/Berlin 1965.
Karl Riha: Moritat, Song, Bänkelsang. Die moderne Ballade (Schriften zur Literatur, Bd. 7), Göttingen 1965.
Benno von Wiese (Hrsg.): Deutsche Dichter der Moderne. Ihr Leben und Werk, Berlin 1965 u. ö.
Max Brod: Der Prager Kreis, Stuttgart u. a. 1966.
Klaus Günther Just: Übergänge. Probleme und Gestalten der Literatur, Bern/München 1966.
Hans Kaufmann: Krisen und Wandlungen der deutschen Literatur von Wedekind bis Feuchtwanger. Fünfzehn Vorlesungen, Berlin/Weimar 1966.
Claudio Magris: Der habsburgische Mythos in der österreichischen Literatur, Salzburg 1966.
Wolfgang Victor Ruttkowski: Das literarische Chanson in Deutschland, Bern/München 1966.
Anna Stroka: Der Impressionismus in der deutschen Literatur. Ein Forschungsbericht, Germanica Wratislaviensia, Jg. 10 (1966), S. 141–161.
Bernhard Zeller, Werner Volke (Hrsg.): Buchkunst und Dichtung. Zur Geschichte der Bremer Presse und der Corona, Passau 1966.
Friedrich Albrecht: Beziehungen zwischen Schriftsteller und Politik am Beginn des 20. Jahrhunderts, Weimarer Beiträge, Jg. 13 (1967), S. 376–402.
Richard Hamann/Jost Hermand: Stilkunst um 1900 (Deutsche Kunst und Kultur von der Gründerzeit bis zum Expressionismus, Bd. IV), Berlin 1967, München 1973.
Wolfgang Iskra: Die Darstellung des Sichtbaren in der dichterischen Prosa um 1900 (Münstersche Beiträge zur deutschen Literaturwissenschaft, Bd. 2), Münster 1967.
Frank Jolles: Die Entwicklung der wissenschaftlichen Grundsätze des George-Kreises, Etudes Germaniques, Jg. 22 (1967), S. 346–358.
Dieter Prinzing: Der Pfarrer im Drama um 1900. Beitrag zum Problem der Klischee-Wirklichkeit (Diss. Göttingen 1967), Bamberg 1967.
Wolfdietrich Rasch: Zur deutschen Literatur seit der Jahrhundertwende. Gesammelte Aufsätze, Stuttgart 1967.
Hans Joachim Schoeps (Hrsg.): Zeitgeist im Wandel, Bd. I: Das Wilhelminische Zeitalter, Stuttgart 1967.
Heinz Jürgen Schüler: The German Verse Epic in the Nineteenth and Twentieth Century, The Hague 1967.
Helmut Böhme: Prolegomena zu einer Sozial- und Wirtschaftsgeschichte Deutschlands im 19. und 20. Jahrhundert (edition suhrkamp, Bd. 253), Frankfurt am Main 1968.
Friedrich Rothe: Frank Wedekinds Dramen. Jugendstil und Lebensphilosophie, Stuttgart 1968.
Symposium on Literary Impressionism, Yearbook of Comparative and General Literature, Jg. 17 (1968), S. 40–72.
Reinhold Grimm (Hrsg.): Episches Theater (Neue Wissenschaftliche Bibliothek, Bd. 15) Köln/Berlin 1968.

Helmut Kreuzer: Die Boheme. Beiträge zu ihrer Beschreibung, Stuttgart 1968.
Thomas Bertschinger: Das Bild der Schule in der deutschen Literatur zwischen 1890 und 1914 (Diss. Zürich 1969), Zürich 1969.
Walter Falk: Impressionismus und Expressionismus. In: Expressionismus als Literatur. Gesammelte Studien, hrsg. von W. Rothe, Bern/München 1969, S. 69–86.
Horst Fritz: Literarischer Jugendstil und Expressionismus. Zur Kunsttheorie, Dichtung und Wirkung Richard Dehmels, Stuttgart 1969.
Helmut Kreuzer, in Zusammenarbeit mit Käte Hamburger (Hrsg.): Gestaltungsgeschichte und Gesellschaftsgeschichte. Literatur-, kunst- und musikwissenschaftliche Studien, Stuttgart 1969.
Jost Hermand: Von Mainz nach Weimar (1793–1918). Studien zur deutschen Literatur, Stuttgart 1969.
Renate von Heydebrand, Klaus Günther Just (Hrsg.): Wissenschaft als Dialog. Studien zur Literatur und Kunst seit der Jahrhundertwende, Stuttgart 1969.
R. V. Johnson: Aestheticism (The Critical Idiom, Vol. 3), London 1969.
Dominik Jost: Literarischer Jugendstil (Sammlung Metzler, Bd. 81), Stuttgart 1969.
Dominik Jost: Jugendstil und Expressionismus. In: Expressionismus als Literatur, hrsg. von W. Rothe, Bern/München 1969, S. 87–106.
Hans Christoph Kayser: Bild und Funktion der Schule in der deutschen Literatur um die Wende zum zwanzigsten Jahrhundert (Diss. Washington University 1969).
Ursula Kirchhoff: Die Darstellung des Festes im Roman um 1900. Ihre thematische und funktionelle Bedeutung (Münstersche Beiträge zur deutschen Literatur, Bd. 3), Münster 1969.
Linda Koreska-Hartmann: Jugendstil – Stil der „Jugend“. Auf den Spuren eines alten, neuen Stil- und Lebensgefühls, München 1969.
Gerhard Kratzsch: Kunstwart und Dürerbund. Ein Beitrag zur Geschichte der Gebildeten im Zeitalter des Imperialismus, Göttingen 1969.
Hartmut Riemenschneider: Der Einfluß Maurice Maeterlincks auf die deutsche Literatur bis zum Expressionismus (Diss. Aachen 1969).
Gotthart Wunberg: Utopie und Fin de siècle. Zur deutschen Literaturkritik vor der Jahrhundertwende. Ein Vortrag, Deutsche Vierteljahrsschrift für Literaturwissenschaft und Geistesgeschichte, Jg. 43 (1969), S. 685–706.
Friedbert Aspetsberger: Wiener Dichtung der Jahrhundertwende. Beobachtungen zu Schnitzlers und Hofmannsthals Kunstformen, Studi Germanici, N. F. Jg. 8 (1970).
Edgar Herrenbrueck: Literaturverständnis im wilhelminischen Bürgertum. Eine Untersuchung konservativer Literaturzeitschriften zwischen 1900 und 1914 (Diss. Göttingen 1970), Bamberg 1970.
Gert Mattenklott: Bilderdienst. Ästhetische Opposition bei Beardsley und George, München 1970.
Peter de Mendelssohn: S. Fischer und sein Verlag, Frankfurt am Main 1970.
Heidi Ries: Vor der Sezession. Untersuchungen zur Schul- und Kadettengeschichte um die Jahrhundertwende (Diss. München 1970), Bad Rappenau 1970.
Erich Ruprecht, Dieter Bänsch (Hrsg.): Literarische Manifeste der Jahrhundertwende 1890–1910, Stuttgart 1970.
Helmut Koopmann, J. A. Schmoll gen. Eisenwerth (Hrsg.): Beiträge zur Theorie der Künste im 19. Jahrhundert, Bd. I, II, Frankfurt am Main 1971f.
Manfred Gsteiger: Französische Symbolisten in der deutschen Literatur der Jahrhundertwende (1869–1914), Bern/München 1971.
Karl S. Guthke: Die Mythologie der entgötterten Welt. Ein literarisches Thema von der Aufklärung bis zur Gegenwart, Göttingen 1971.
Edelgard Hajek: Literarischer Jugendstil. Vergleichende Studien zur Dichtung und Malerei um 1900 (Literatur in der Gesellschaft, Bd. 6), Düsseldorf 1971.
Jost Hermand (Hrsg.): Jugendstil (Wege der Forschung, Bd. 110), Darmstadt 1971.
Helmut Kreuzer: Zur Periodisierung der „modernen“ deutschen Literatur, Basis. Jahrbuch für deutsche Gegenwartsliteratur, II (1971).
Herbert Lehnert: Jugendstil-Erotik und ihre soziale Ambivalenz. In: Dichtung, Sprache, Gesell-

schaft. Akten des IV. Internationalen Germanistik-Kongresses 1970 in Princeton, hrsg. von V. Lange und H.-G. Roloff, Frankfurt am Main 1971.

Gunter Martens: Vitalismus und Expressionismus. Ein Beitrag zur Genese und Deutung expressionistischer Stilstrukturen und Motive (Studien zur Poetik und Geschichte der Literatur, Bd. 22), Stuttgart u. a. 1971.

Hans Mayer: Der Repräsentant und der Märtyrer. Konstellationen der Literatur (edition suhrkamp, Bd. 463), Frankfurt am Main 1971.

Walter Müller-Seidel: Literatur und Ideologie. Zur Situation des deutschen Romans um 1900. In: Dichtung, Sprache, Gesellschaft. Akten des IV. Internationalen Germanisten-Kongresses 1970 in Princeton, hrsg. von V. Lange und H.-G. Roloff, Frankfurt am Main 1971.

Gotthart Wunberg (Hrsg.): Die literarische Moderne. Dokumente zum Selbstverständnis der Literatur um die Jahrhundertwende, Frankfurt am Main 1971.

Ina-Maria Greverus: Der territoriale Mensch. Ein literatur-anthropologischer Versuch zum Heimatphänomen, Frankfurt am Main 1972.

Jost Hermand: Der Schein des schönen Lebens. Studien zur Jahrhundertwende, Frankfurt am Main 1972.

Karl August Kutzbach (Hrsg.): Paul Ernst am Schauspielhaus Düsseldorf und die neuklassische Bewegung um 1905, Emsdetten 1972.

Walter H. Perl: Österreichischer Symbolismus und Jugendstil, Modern Austrian Literature, Jg. 5 (1972), Heft 3/4.

Heinrich Wiegand Petzet: Von Worpswede nach Moskau. Heinrich Vogeler. Ein Künstler zwischen den Zeiten, Köln 1972.

Michael Winkler: George-Kreis (Sammlung Metzler, Bd. 110), Stuttgart 1972.

Manfred Diersch: Empiriokritizismus und Impressionismus. Über Beziehungen zwischen Philosophie, Ästhetik und Literatur um 1900 in Wien (Neue Beiträge zur Literaturwissenschaft, Bd. 36), Berlin 1973.

Peter Haida: Komödie um 1900. Wandlungen des Gattungsschemas von Hauptmann bis Sternheim, München 1973.

Axel Hauff/Eckart Koester/Jürgen Schutte: Zur Genese apologetischer und reaktionärer Literaturströmungen in Deutschland um 1900. In: Positionen der literarischen Intelligenz zwischen bürgerlicher Reaktion und Imperialismus (Literatur im historischen Prozeß, Bd. 2, hrsg. von G. Mattenklott und K. R. Scherpe), Kronberg/Ts. 1973, S. 210–305.

Bernhard Maria Holeczek: Otto Julius Bierbaum im künstlerischen Leben der Jahrhundertwende (Diss. Freiburg in der Schweiz 1969), Freiburg/Br. 1973.

Allan Janik/Stephen Toulmin: Wittgenstein's Vienna, New York 1973.

Erwin Koppen: Dekadenter Wagnerismus. Eine komparatistische Studie, Berlin/New York 1973.

Roy Pascal: From Naturalism to Expressionism. German Literature and Society 1880–1918, London 1973.

Hans-Ulrich Wehler: Das Deutsche Kaiserreich 1871–1918; Deutsche Geschichte, Bd. 9 (Kleine Vandenhoeck-Reihe, Bd. 1380), Göttingen 1973.

Werner Deich: Der Angestellte im Roman. Zur Sozialgeschichte des Handlungsgehilfen um 1900 (Sozialforschung und Sozialordnung, Bd. 6), Köln/Berlin 1974.

Siegfried Hoefert (Hrsg.): Russische Literatur in Deutschland. Texte zur Rezeption von den Achtziger Jahren bis zur Jahrhundertwende (Deutsche Texte, Bd. 32), Tübingen 1974.

William M. Johnston: Österreichische Kultur- und Geistesgeschichte. Gesellschaft und Ideen im Donauraum 1848 bis 1938, Wien/Köln/Graz 1974.

Jugend in Wien. Literatur um 1900. Katalog einer Ausstellung des Deutschen Literaturachivs im Schiller-Nationalmuseum Marbach am Neckar 1974.

Walter Rüegg (Hrsg.): Kulturkritik und Jugendkult, Frankfurt am Main 1974.

Hans-Joachim Lieber: Kulturkritik und Lebensphilosophie. Studien zur Deutschen Philosophie der Jahrhundertwende, Darmstadt 1974.

Stefan Muthesius: Das englische Vorbild. Eine Studie zu den deutschen Reformbewegungen in

Architektur, Wohnbau und Kunstgewerbe im späten 19. Jahrhundert (Studien zur Kunst des 19. Jahrhunderts, Bd. 26), München 1974.
Günter Metken: Die Präraffaeliten. Ethischer Realismus und Elfenbeinturm im 19. Jahrhundert, Köln 1974.
Karlheinz Rossbacher: Programm und Roman der Heimatkunstbewegung. Möglichkeiten sozialgeschichtlicher und soziologischer Analyse, Sprachkunst. Beiträge zur Literaturwissenschaft, Jg. 5 (1974), Heft 3/4.
Herbert Scherer: Bürgerlich-oppositionelle Literaten und sozialdemokratische Arbeiterbewegung nach 1890. Die „Friedrichshagener" und ihr Einfluß auf die sozialdemokratische Kulturpolitik, Stuttgart 1974.
Helmut Scheuer (Hrsg.): Naturalismus. Bürgerliche Dichtung und soziales Engagement (Sprache und Literatur, Bd. 91), Stuttgart 1974.
Adalbert Schlinkmann: „Einheit" und „Entwicklung". Die Bildwelt des literarischen Jugendstils und die Kunsttheorien der Jahrhundertwende (Diss. Freiburg/Br. 1974), Freiburg/Br. 1974.
Adalbert Schmidt: Die geistigen Grundlagen des „Wiener Impressionismus", Jahrbuch des Wiener Goethe-Vereins, 78 (1974), S. 90–108.
Rolf M. Schwaegermann: Die Wendung zur lyrischen Kurzform in der deutschen Prosa 1890–1915 (Diss. The City University of New York 1974).
Sprachthematik in der österreichischen Literatur, hrsg. vom Institut für Österreichkunde, Wien 1974.
Hans Steffen (Hrsg.): Nietzsche. Werk und Wirkung (Kleine Vandenhoeck-Reihe, Bd. 1394), Göttingen 1974.
Frank Trommler: Intellektuelle – Sozialisten – Expressionisten. Zum Thema Literatur und Politik um 1900. In: Views and Reviews of Modern German Literature. Festschrift for A. D. Klarmann, ed. by K. S. Weimar, München 1974.
Heiner Willenberg: Die Darstellung des Bewußtseins in der Literatur. Vergleichende Studien zu Philosophie, Psychologie und deutscher Literatur von Schnitzler bis Broch, Frankfurt am Main 1974.
Alfred Doppler: Wirklichkeit im Spiegel der Sprache. Aufsätze zur Literatur des 20. Jahrhunderts in Österreich, Wien 1975.
Vidhagiri Ganeshan: Das Indienbild deutscher Dichter um 1900. Dauthendey, Bonsels, Mauthner, Gjellerupp, H. v. Keyserling und St. Zweig. Ein Kapitel deutsch-indischer Geistesbeziehungen im frühen 20. Jahrhundert, Bonn 1975.
Wolfgang Martens: Lyrik kommerziell. Das Kartel lyrischer Autoren 1902–1933, München 1975.
Robert Mühlher: Österreichische Dichter seit Grillparzer. Gesammelte Aufsätze, 2. Aufl., Wien 1975.
Karlheinz Rossbacher: Heimatkunstbewegung und Heimatroman. Zu einer Literatursoziologie der Jahrhundertwende (Literaturwissenschaft – Gesellschaftswissenschaft, Bd. 13), Stuttgart 1975.
Mary G. Slavenas: The Figure of the Aesthete in German Literature from 1890 to 1910 (Diss. State University of New York 1975).
Peter Szondi: Das lyrische Drama des Fin de siècle, hrsg. von H. Beese, Frankfurt am Main 1975.
Peter Zimmermann: Der Bauernroman. Antifeudalismus – Konservatismus – Faschismus, Stuttgart 1975.
Hanspeter Zürcher: Stilles Wasser. Narziß und Ophelia in der Dichtung und Malerei um 1900, Bonn 1975.
Horst Althaus: Zwischen Monarchie und Republik. Schnitzler, Kafka, Hofmannsthal, Musil; München 1976.
Hans-Peter Bayerdörfer: Eindringlinge, Marionetten, Automaten. Symbolistische Dramatik und die Anfänge des modernen Theaters, Jahrbuch der Deutschen Schillergesellschaft, Bd. XX (1976).
Malcolm Bradbury, James Mc Farlane (Ed.): Modernism 1890–1930, Penguin Books, Harmondsworth 1976.

Annette Delius: Intimes Theater. Untersuchungen zur Programmatik und Dramaturgie einer bevorzugten Theaterform der Jahrhundertwende, Kronberg/Ts. 1976.
C. de Deugd: Towards a Comparatist's Definition of „Decadence", Comparative Poetics, Amsterdam, 1976, S. 33–50.
Rainer Gruenter: Jugendstil in der Literatur, Jahrbuch der Deutschen Akademie für Sprache und Dichtung, Darmstadt 1976.
Uwe-K. Ketelsen: Völkisch-nationale und nationalsozialistische Literatur in Deutschland 1890–1945 (Sammlung Metzler, Bd. 142), Stuttgart 1976.
Friedhelm Kron: Schriftsteller und Schriftstellerverbände. Schriftstellerberuf und Interessenpolitik 1842–1973, Stuttgart 1976.
Wolfgang Martens: Zur gesellschaftlichen Stellung des Schriftstellers um 1900 (Schriftstellerfeste). In: Akten des V. Germanistenkongresses, Jahrbuch für Internationale Germanistik, 1976, Reihe A, Bd. 2, Heft 4.
Helmut Kreuzer (Hrsg.): Jahrhundertende – Jahrhundertwende I (Neues Handbuch der Literaturwissenschaft, Bd. 19), Wiesbaden 1976.
Hans Hinterhäuser (Hrsg.): Jahrhundertende – Jahrhundertwende II (Neues Handbuch der Literaturwissenschaft, Bd. 19), Wiesbaden 1976.
Maximilian Nutz: Werte und Wertungen im George-Kreis. Zur Soziologie literarischer Kritik, Bonn 1976.
Gerhard Rademacher: Technik und industrielle Arbeitswelt in der deutschen Lyrik des 19. und 20. Jahrhunderts. Versuch eines Bestandesaufnahme (Europäische Hochschulschriften, Reihe I, Bd. 124), Frankfurt am Main 1976.
Hans-Ulrich Simon: Sezessionismus. Kunstgewerbe in literarischer und bildender Kunst, Stuttgart 1976.
Klaus Vondung (Hrsg.): Das wilhelminische Bildungsbürgertum. Zur Sozialgeschichte seiner Ideen (Kleine Vandenhoeck-Reihe, Bd. 1420), Göttingen 1976.
Rudolf Walter: Nietzsche – Jugendstil – H. Mann (Münchner Germanistische Beiträge, Bd. 17), München 1976.
Gotthart Wunberg (Hrsg.): Das Junge Wien. Österreichische Literatur- und Kunstkritik 1887–1902, 2 Bde., Tübingen 1976.
Roger Bauer u. a. (Hrsg.): Fin de siècle. Zu Literatur und Kunst der Jahrhundertwende (Studien zur Philosophie und Literatur des neunzehnten Jahrhunderts, Bd. 35), Frankfurt am Main 1977.
Guiseppe Bevilacqua: Letteratura e società nel secondo Reich, Padova 1965, Milano 1977.
Walter Eschenbacher: Fritz Mauthner und die deutsche Literatur um 1900. Eine Untersuchung zur Sprachkrise der Jahrhundertwende (Europäische Hochschulschriften, Reihe I, Bd. 163), Frankfurt am Main u. a. 1977.
Robert Fallenstein/Christian Hennig: Rezeption skandinavischer Literatur in Deutschland 1870–1914. Quellenbibliographie, Neumünster 1977.
Hans Hinterhäuser: Fin de siècle. Gestalten und Mythen, München 1977.
Karl-Heinz Köhler: Poetische Sprache und Sprachbewußtsein um 1900. Untersuchungen zum frühen Werk H. Hesses, P. Ernsts und R. Huchs (Stuttgarter Arbeiten zur Germanistik, Nr. 36), Stuttgart 1977.
Werner Kohlschmidt: Konturen und Übergänge. Zwölf Essays zur Literatur unseres Jahrhunderts, Bern/München 1977.
Wolfram Mauser: Hugo von Hofmannsthal. Konfliktbewältigung und Werkstruktur. Eine psychosoziologische Interpretation, München 1977.
Karl Johann Müller: Das Dekadenzproblem in der österreichischen Literatur um die Jahrhundertwende, dargelegt an Texten von Hermann Bahr, Richard von Schaukal, Hugo von Hofmannsthal und Leopold von Andrian (Stuttgarter Arbeiten zur Germanistik, Nr. 28), Stuttgart 1977.
Ingrid Schuster: China und Japan in der deutschen Literatur 1890–1925, Bern/München 1977.
Dolf Sternberger: Über Jugendstil (insel taschenbuch, Bd. 274), Frankfurt am Main 1977.
Ulrike Weinhold: Künstlichkeit und Kunst in der deutschsprachigen Dekadenz-Literatur (Europäische Hochschulschriften, Reihe I, Bd. 215), Frankfurt am Main u. a. 1977.

Hans-Peter Bayerdörfer, Karl Otto Conrady, Helmut Schanze (Hrsg.): Literatur und Theater im Wilhelminischen Zeitalter, Tübingen 1978.

Rudolf Borchardt, Alfred Walter Heymel, Rudolf Alexander Schröder. Eine Ausstellung des Deutschen Literaturarchivs im Schiller-Nationalmuseum Marbach am Neckar 1978 (Katalog).

Heinz-Georg Brands: Theorie und Stil des sogenannten „Konsequenten Naturalismus" von Arno Holz und Johannes Schlaf, Bonn 1978.

Rüdiger Campe: Ästhetische Utopie – Jugendstil in lyrischen Verfahrensweisen der Jahrhundertwende, Sprachkunst. Beiträge zur Literaturwissenschaft, Jg. 9 (1978), 1. Halbband.

Jens Malte Fischer: Fin de siècle. Kommentar zu einer Epoche, München 1978.

Jost Hermand: Stile, Ismen, Etiketten. Zur Periodisierung der modernen Kunst, Wiesbaden 1978.

Bruno Hillebrand (Hrsg.): Nietzsche und die deutsche Literatur, 2 Bde. (DTV Wiss. Reihe, Bd. 4333/34), München/Tübingen 1978.

Heinz Linduschka: Die Auffassung vom Dichterberuf im deutschen Naturalismus (Europäische Hochschulschriften, Reihe I, Bd..248), Bern u. a. 1978.

Lea Ritter-Santini: Lesebilder. Essays zur europäischen Literatur, Stuttgart 1978.

Christoph Siegrist: Die deutsche Literatur der Jahrhundertwende. Ein Forschungsbericht, Wirkendes Wort, Jg. 28 (1978), Heft 4, S. 254–268.

Eva Wolf: Der Schriftsteller im Querschnitt: Außenseiter der Gesellschaft um 1900? Ein systematischer Vergleich von Prosatexten (Diss. München 1978), München 1978.

Ralph-Rainer Wuthenow: Muse, Maske, Meduse. Europäischer Ästhetizismus (edition suhrkamp, Bd. 897), Frankfurt am Main 1978.

Christa Bürger, Peter Bürger, Jochen Schulte-Sasse (Hrsg.): Naturalismus/Ästhetizismus (edition suhrkamp, Bd. 992), Frankfurt am Main 1979.

Peter Uwe Hohendahl, Paul Michael Lützeler (Hrsg.): Legitimationskrisen des deutschen Adels 1200–1900 (Literaturwissenschaft und Sozialwissenschaften, Bd. 11), Stuttgart 1979.

Andreas Wöhrmann: Das Programm der Neuklassik. Die Konzeption der modernen Tragödie bei Paul Ernst, Wilhelm von Scholz und Samuel Lublinski (Europäische Hochschulschriften, Reihe I, Bd. 301), Bern u. a. 1979.

Viktor Žmegač: Kunst und Ideologie in der Gattungspoetik der Jahrhundertwende, Germanisch-Romanische Monatsschrift, N. F. Bd. 30 (1980), Heft 3, S. 312–335.

Personenregister

(erstellt von Christiane Knipp)

Das Register umfaßt den Haupttext, nicht die Anmerkungen